Openbare

Steenenstraat 24
3262 JM Oud-Beijerland

Bibliotheek

VERBLINDEND LICHT

Van Paul Theroux verschenen eerder bij uitgeverij Atlas:

Ondergronds
De gelukkige eilanden
Soerabaja
Millroy de tovenaar
De Zuilen van Hercules
De grote spoorwegcarrousel
Mijn andere ik
De laatste dagen van Hongkong
China per trein
De oude Patagonië-express
Het drijvende koninkrijk
Fong en de Indiërs
De geschiedenis van een vriendschap
Spelende meisjes
Frisse lucht
Hotel Honolulu
Dark Star Safari
De vreemdeling in het Palazzo d'Oro

Paul Theroux

Verblindend licht

Vertaald door Ankie Klootwijk en Ernst de Boer

Uitgeverij Atlas – Amsterdam/Antwerpen

© 2005 Paul Theroux
© 2005 Nederlandse vertaling: Ankie Klootwijk en Ernst de Boer
Oorspronkelijke titel: *Blinding Light*
Oorspronkelijke uitgave: Hamish Hamilton, Londen

Omslagontwerp: Wouter van der Struys

ISBN 90 450 1203 0
D/2005/0108/615
NUR 302

www.boekenwereld.com

Een plaats waar het onbekende verleden en de verrijzende toekomst elkaar ontmoeten in een vibrerend geluidloos gezoem. Larveachtige entiteiten wachtend op een levende.

William Burroughs, *The Yage Letters*

Inhoud

Een

Een drugsreisje

1

'Daarheen te gaan waar je niet thuishoort, dat verlangen beheerst de meeste mensen op aarde,' was de openingszin van *Trespassing*. De man in wiens hoofd die zin rondspookte, had zich omgedraaid en zijn slaapmasker opgelicht om achterom te kijken naar de passagiers die gemaskerd in hun stoelen lagen te slapen tijdens de helverlichte nachtvlucht die maar één klasse kende. De geblinddoekte mensen zaten vastgesnoerd en hingen scheef in hun veiligheidsriemen met hun hoofd schuin en hun mond wijd open, omgeven door het allesoverheersend gieren van de straalmotoren. De man prikkelde zijn fantasie door ze te zien als hulpeloze gevangenen of gijzelaars, hoewel hij beter wist. Net als hij waren ze vermoeide reizigers die naar het zuiden gingen – sommige misschien op dezelfde drugsreis, maar hij hoopte van niet. Deze man, die weer recht in zijn stoel ging zitten en zijn slaapmasker weer opzette, was Slade Steadman, de auteur van *Trespassing*.

'Reisboek' was het gebruikelijke gebrekkige etiket dat op zijn werk werd geplakt, zijn enige gepubliceerde boek, dat hem echter beroemd had gemaakt en later, onverwacht, steenrijk. Hij was zo beroemd dat hij zich wilde verbergen, zo rijk dat hij nooit meer een woord hoefde te schrijven om geld te verdienen. Dit verslag van een van de meest riskante en verbeeldingsvolle reizen van de moderne tijd was onmiskenbaar een bravourestukje dat als een epos in de herinnering voortleefde.

Het idee op zich had niet eenvoudiger kunnen zijn geweest, maar dat hij het ook nog tot een goed einde had weten te brengen was een andere zaak; het feit dat hij het verhaal kon navertellen was pas echt een prestatie geweest. Steadman had door Europa, Azië en Afrika gereisd, door achtentwintig landen, en was meer dan vijftig grenzen overgestoken, de autoriteiten tartend omdat hij dit alles – arrestaties, ontsnappingen, inbraken, gevaarlijke vluchten, bijna-rampen, rivierdoorwadingen, illegale grensoverschrijdingen – zonder paspoort had klaargespeeld. Geen papieren, geen visa, geen creditcards, geen enkele identiteit. De werktitel luidde *Geheime penetratie* – de militaire term voor zijn missie – maar zijn uitgever, die terugdeinsde voor de dubbelzinnigheid ervan, had Steadman overreed die titel niet te gebruiken.

Niet alleen had hij tijdens zijn hele reis die wel een jaar had geduurd geen papieren bij zich gehad en was hij al die tijd alleen geweest, een illegale buitenlander die tegen de bureaucratie vocht om in leven en in beweging te blijven, hij had zelfs geen tas bij zich gehad. 'Als het niet in mijn zakken past, heb ik het niet nodig,' had hij geschreven en nu was die zin net zo beroemd als die over het verlangen daar te zijn waar je niet thuishoort. *De wereld rond zonder paspoort,* was de ondertitel van het boek: de hachelijke situatie van een vluchteling. Zo voelde hij zich nu eigenlijk ook, twintig jaar later, rusteloos in zijn stoel aan het gangpad tijdens de vlucht naar Quito met de geblinddoekte passagiers die probeerden te slapen. Want al twintig jaar lang had hij geprobeerd een tweede boek te schrijven.

Hij was niet verrast geweest toen hij had gezien dat de snurkende vrouw in de stoel achter hem een recente druk van zijn boek op schoot had. De lezers van *Trespassing* – en in de loop van de jaren waren dat er miljoenen geweest – ondernamen vaak reisjes als deze, waarbij afstand en een vleugje risico een rol speelden. Het boek had aangezet tot navolging – reizen als uitdaging – hoewel geen enkele schrijver hem in zijn reizen had geëvenaard. Zelfs Steadman zelf, die het succes van *Trespassing* achteraf als puur geluk beschouwde, was er de afgelopen decennia niet in geslaagd het door een even goed boek te laten volgen, of door wat voor boek dan ook. En dat was een van de redenen waarom hij in dit vliegtuig zat.

Ze waren nu al weer twee uur onderweg, na de lange onvoorziene stop in Miami, maar het oponthoud was voor Steadman verzacht doordat hij bij zijn *gate* de vrouw had ontdekt die in een exemplaar van *Trespassing* zat te lezen. Het was de uitgave met het omslag dat naar de tv-serie verwees, de knappe acteur die de negenentwintigjarige illegale grensoverschrijder speelde. Natuurlijk droeg de man een leren jack. Ten tijde van de publicatie werd hoog opgegeven van het feit dat Steadman zonder bagage had gereisd en alleen een leren jack bij zich had. Hij had zich niet gerealiseerd dat dit eenvoudige besluit om geen tas mee te nemen van hem een nog grotere held had gemaakt. Het gehavende en versleten jack met zijn vele zakken maakte deel uit van zijn identiteit, maar toen het een standaardrekwisiet in de tv-serie werd, wilde Steadman er niet langer een dragen.

Steadman kwam de tijd door met het observeren van de vrouw die in zijn boek was verzonken – ze zag hem niet en keek zelfs niet op – en keek met welgevallen toe hoe zij de pagina's als in trance omsloeg. Hij voelde zich niet op zijn gemak bij de aanblik van zijn oude succes, maar het deed hem toch ook genoegen dat zoveel mensen het boek nog steeds lazen – zelfs degenen die de herhaling van de tv-serie volgden. Hij had zich afgevraagd of de vrouw die het boek las ook op de vlucht naar Ecuador zou zitten, hulpeloos en passief; en natuurlijk was dat het geval.

In de stoel naast hem bewoog Steadmans vriendin, Ava Katsina, in haar slaap. Hij zag dat ook zij als een gijzelaar was geblinddoekt, en voelde een golf van begeerte. Het bloed dat door zijn onderbuik, zijn vingers en ogen suisde, maakte hem ongedurig van wellust.

Dat was welkom; de lust die hij eens in hongerige alinea's van eenzaamheid in *Trespassing* had beschreven als verwant aan de honger van een kannibaal was iets wat hij al lange tijd niet meer had gesmaakt. Ava, die arts was, had eens gevraagd: 'Is het voorbij? Wil je dat ik een recept voor je uitschrijf?'

Steadman, net vijftig, wist zeker dat het helemaal niet voorbij was, maar de jaren van geworstel om een nieuw boek te schrijven hadden hem gekweld en hij was al te vaak door impotentie bezocht om te geloven dat het puur toeval was. Hij geloofde dat viriliteit niet alleen een belangrijk kenmerk was van een persoon met verbeeldingskracht, maar ook een allesbepalende factor voor creativiteit. Bij vrouwelijke schrijvers was het niet veel anders: de beste onder hen konden ongeremde minnaressen zijn, net zo ongebreideld en onbezonnen als mannen – degenen die hij had gekend tenminste, in de jaren dat hij ook zo was. Maar dat was nu verleden tijd.

Deze malaise was ook een reden waarom Ava en hij hadden besloten uit elkaar te gaan, maar dat besluit was al maanden geleden genomen. Het uitstapje dat ze als stel hadden gepland kon niet geannuleerd worden en dus waren ze, liever dan hun aanbetaling kwijt te zijn en het tripje te laten schieten, samen op reis gegaan. Wat eruitzag als betrokkenheid, het rustige stel dat op deze lange vlucht naast elkaar zat en de armsteun deelde, was in werkelijkheid een afspraak waar ze zich allebei aan hadden gehouden, en dan meer een gunst die ze elkaar bewezen dan een verplichting, maar zonder vooruitzicht op genot. Als de reis voorbij was, was ook hun verhouding voorbij. De reis zelf was een afsluitend gebaar – deze vlucht was onderdeel van hun afscheid, iets beschaafds wat ze zouden delen voordat ze uit elkaar gingen. En daar zat hij nu, terwijl hij haar wel kon opeten.

Jarenlang had Steadman zich een voldoende gevestigd schrijver gevoeld om de publiciteit te schuwen in plaats van die op te zoeken. Nu leek hij totaal niet meer op de auteur van *Trespassing*. Die roekeloze ziel had zich ten onrechte in de geest van de mensen vastgezet zoals dat alleen kan bij een schrijver die slechts één boek op zijn naam heeft staan, een broeierige, eendimensionale pin-up in een leren jack. Deze man wás zijn boek, de verteller van die wonderbaarlijke reis. Het boek was het enige dat bekend was. De keren dat hij in de pers nog werd genoemd – die waren afgenomen naarmate de tijd verstreek, en in de afgelopen jaren geslonken tot een schamele handvol – werd iemand beschreven die hij niet meer herkende.

Trespassing, de titel was een synoniem voor avontuur, verkocht nog steeds. Hij had zijn schulden afbetaald met de eerste opbrengsten en begon toen goed te leven van de paperbackrechten. Het grote huis op het zuidwestelijke deel van Martha's Vineyard had hij gekocht met het geld van de film. De tv-serie die later kwam had hem rijker gemaakt dan hij ooit had kunnen dromen. Maar de schrijver die onder zijn naam door het leven ging was een verzinsel van het publiek door de film en de tv-shows aangedikt en verfraaid. De tv-presentator en reiziger prijkte tegenwoordig op het omslag van het boek, en die bekende acteur had zich in het collectieve geheugen vastgezet en was herkenbaarder geworden dan Steadman zelf, maar hij bezat wel de eigenschappen die Steadman in het boek had vastgelegd. Hij was ongrijpbaar, nam graag risico's, was moeilijk te benaderen, inventief, onverzettelijk, een vrije geest, hoogopgeleid, fysiek sterk, had iets van een padvinder, was veeleisend, raadselachtig, sensueel en zat vol verrassingen.

De knappe acteur die werd vereenzelvigd met de tv-dramatisering van Steadmans boek deed vaak uitspraken over reizen, risico's nemen en heldendom; en wist soms zelfs met enorm veel aplomb iets over schrijven te melden, terwijl Steadman zelf haast niets op papier kon krijgen. Als stand-in voor de teruggetrokken Steadman werd de acteur zo nu en dan ingehuurd als peptalkspreker waarbij hij de uitdagingen van zijn televisie-ervaringen bij de opnamen voor de serie – het merendeel was in Mexico opgenomen – als uitgangspunt gebruikte. Hij deed dat gewichtig, op de toon van een door de wol geverfde reiziger, alsof hij het boek zelf had geschreven. En *Trespassing* had ook nog eens zoveel na-apers voortgebracht dat het een genre had gecreëerd dat aanzette tot het soort reizen waarvan deze trip naar Ecuador een typisch voorbeeld was: een sprong in het duister. Vóór *Trespassing* werd er ook wel op die manier gereisd maar bestonden er maar weinig overtuigende boeken over. Steadman had er een toegankelijk verhaal van gemaakt, het gepopulariseerd en een dramatische toets gegeven. Hij was erin geslaagd de wereld weer gevaarlijk en lastig te doen lijken, vol onvoorspelbare mensen, een oord waarin je voortdurend door het oog van de naald kroop, een orgie van indrukken, zoals het reizen in een vorig tijdperk.

De merchandising die er later bijkwam had hem verbijsterd, alleen al het idee was idioot, vooral omdat hij geen enkel ander boek had gepubliceerd. Een man van het bureau dat de verkoop in handen had en die hij verachtte, had tegen hem gezegd: 'Schrijf verder niets meer, of als je dat doet, zorg dan dat het een tweede *Trespassing* wordt. Snap je niet wat je hebt gedaan? Doordat je niet nóg een boek hebt geschreven, heb je jezelf tot merknaam gemaakt.'

Nadat Steadman toestemming had gegeven om de naam te gebruiken, was het zelfs meer dan een naam geworden; het was een logo, een levensstijl, een uitgekiende kledinglijn voor de avontuurlijke reiziger, een heel scala aan reisbenodigdheden, zonnebrillen en accessoires, zoals messen, pennen, aanstekers. Het leren jack was het eerste artikel geweest – en omdat het een soort handelsmerk was, werd het nog steeds verkocht. De tassen kwamen later. De kleding veranderde van jaar tot jaar. De nieuwste serie artikelen bestond uit horloges ('Uurwerk – horloge doet het artikel geen recht'), sommige ervan waren ongelooflijk duur – chronometers voor duikers die tot tweehonderd meter diepte gegarandeerd waren, een ander model met een ingebouwde hoogtemeter voor piloten, een heleboel horloges voor wandelaars; eentje van goud en titanium. Het gedeponeerde merk heette 'Trespassing Overland Gear', TOG was het logo. Het motto was een zin uit het boek: 'Verleg je grenzen – vraag geen toestemming.'

Hoe populair waren die spullen eigenlijk? Hij had al een behoorlijke indicatie op basis van de inkomsten die hem onmetelijk voorkwamen en die hij nooit zou kunnen uitgeven, maar hij vroeg zich vaak af welk soort mensen die spullen kochten omdat hij zelf zo weinig in de buitenwereld kwam en geen van die artikelen zou willen gebruiken. Nu zag hij dat de kleren van de vrouw achter hem, met zijn boek op haar schoot, uit de catalogus kwamen; en de man naast haar, de anderen om haar heen, allemaal droegen ze reiskleren met het TOG-logo van het kleine wandelende figuurtje in het bekende leren jack.

De merchandising en het verlenen van nieuwe licenties verschafte hem zo'n groot en regelmatig inkomen dat Steadman al lang geleden was gestopt met het schrijven om het geld. Hij wilde alleen een tweede boek schrijven dat een waardige opvolger van zijn eerste zou zijn, maar dan fictie – een even moedige reis door zijn innerlijk als *Trespassing* een reis door de wereld was geweest. Hij was begonnen met schrijven aan het boek en sprak erover als werk in uitvoering, maar al jarenlang beschouwde hij het heimelijk als werk dat stillag. Wat hij nu publiceerde, hier en daar een tijdschriftartikel en opiniërende stukken, diende er alleen maar toe de wereld eraan te herinneren dat hij nog bestond en deze herinnering hield in zekere zin de belofte in aan een nieuw boek.

Steadman zag zichzelf graag als iemand die midden in zijn carrière zat. Maar hij wist dat er voor een Amerikaanse auteur geen midden bestond. Je was de nieuwe schrijver over wie iedereen het had, en daarna was je een gearriveerd auteur of je werd vergeten. Hij zat ergens diep in de tweede helft en wou dat hij jonger was. Alles wat hij in het begin van zijn carrière zonder morren had gedaan, meed hij nu: de voordrachten, de signeersessies, de optredens, de bezoeken aan universiteiten en boekwinkels, het poseren voor foto's, de interviews, de gunsten aan uitgevers, op boekenbeurzen als extra attractie worden opgevoerd – hij weigerde ze allemaal en wilde het tegendeel: stilte, onbekendheid en afzondering. Zijn weigeringen wekten de indruk van hooghartige minachting, zijn norse, ontwijkende ironische opmerkingen werden voor humeurigheid aangezien. Als hij eenvoudigweg nee zei, hield men hem voor knorrig, weinig behulpzaam, een snob. Hij wilde deze vreemden niet laten merken hoe wanhopig hij was. Het feit dat hij al dat geld van de merchandising had, maakte het op een of andere manier alleen maar erger.

In plaats van interviews toe te staan en in het openbaar op te treden om het onjuiste beeld dat lezers van hem hadden te corrigeren, trok hij zich nog verder terug; en in zijn afzondering, zonder de jaloerse spot van journalisten en schrijvers van profielschetsen, begon hij te geloven dat hij misschien beter werk had kunnen afleveren – dat hij zichzelf zou kunnen overtreffen. Hij was amper dertig toen hij *Trespassing* schreef. Het boek stond vol onbezonnen oordelen, maar waarom zou hij het nu opschonen? Hij stond bekend als reisboekenschrijver, maar hij was er zeker van dat zijn echte talent in het schrijven van fictie lag. Want heel veel van *Trespassing* was fictie geweest – aangedikte incidenten, verfraaide dialogen, pure verzinsels – hij wist dat hij een goede roman kon schrijven. Er was nog genoeg tijd om het boek te schrijven dat daarvan het bewijs zou zijn.

Hij was met het schrijven ervan begonnen. Ava had er lovend over gesproken; ze waren destijds geliefden die hun leven deelden. Maar toen het tussen hen een aflopende zaak begon te worden, had ze hem eerlijk gezegd dat ze het eigenlijk niet geweldig vond wat hij haar had voorgelezen – de roman in wording was een weerspiegeling van hemzelf – zelfzuchtig, benauwend, manipulatief, pretentieus, onvolledig en seksloos.

'Schrijven is jouw speeltje. Je zit daar maar en speelt ermee.'

Diezelfde vrouw, die naakt in hun bed naar hem had liggen luisteren toen hij een deel van een hoofdstuk voorlas, en ooit: 'Het is geniaal, Slade,' had gezegd.

'Je bent waarschijnlijk een van de weinige schrijvers in Amerika die het zich kan permitteren schrijven als een speeltje te zien.'

Hij had geprotesteerd en was tekeergegaan als een gekooide man. In plaats van hem te troosten had Ava gezegd: 'Wat ben je toch een godvergeten diva.' Hij was daardoor even ontmoedigd geraakt. Hij hield zichzelf voor dat het beter met hem zou gaan wanneer ze helemaal uit zijn leven was verdwenen. Hij nam werk aan van tijdschriften; zijn journalistieke werk waarin hij feiten en verhalen natrok, was altijd vindingrijk en levendig, en soms zelfs choquerend geweest. Hij zei altijd: 'Ik schrijf die verhalen met één hand op mijn rug.' De roman was het enige dat er werkelijk toe deed. Maar welke uitgever had ooit gezegd: 'Schrijf eens wat fictie voor ons'? Zijn geploeter aan de roman had zijn relatie met Ava geruïneerd.

'Je bent gewoon een egoïst,' hadden ze tegen elkaar gezegd.

Toen de liefde was bekoeld en was vervangen door verveling en onverschilligheid, was er een nieuwe Ava te voorschijn gekomen – of misschien geen nieuwe Ava, maar de vrouw die ze in werkelijkheid was: ambitieus, sarcastisch, veerkrachtig, veeleisend, verslindend, sensueel, veel grappiger en verrassender dan ze als zijn minnares was geweest. Haar intelligentie had deze karaktertrekken tot wapens gesmeed.

Het oponthoud in Miami liet weer eens zien hoe taai ze was. In de wachtruimte had Steadman, temidden van een kruisvuur van opdringerige vragen en oppervlakkig gepraat, dat voor het merendeel afkomstig was van passagiers in de buurt die hun ongeduld uitten door maar een eind weg te kletsen, zoals gewoonlijk met een uitdrukkingsloos gezicht stil voor zich uit zitten kijken, met het masker van onbewogenheid dat hij zich in zijn jaren van afzondering had aangemeten.

'Op rondreis?' vroeg een van de mannen.

Het was een grote vent van achter in de dertig die net zo omvangrijk was als zijn Trespassing-plunjezak. Met zijn akelig ingezakte houding maakte hij een onverzorgde en arrogante indruk en zijn geïrriteerdheid verleende hem een aanmatigend, lomp soort zelfvertrouwen. Steadman had gezien dat hij meer ruimte opeiste dan wie dan ook, met zijn diplomatenkoffertje op een extra stoel in de wachtruimte, zijn armen op beide leuningen en zijn uitpuilende plunjezak die het bagagerek boven zijn hoofd in beslag nam. Toen hij zelfverzekerd met mannelijke tred naar het vliegtuig liep, nam hij het hele gangpad in beslag en trok zijn koffer op wieltjes achter zich aan zodat de mensen achter hem er niet langs konden, met inbegrip van zijn vrouw, die in een mobiele telefoon bleef praten tot het vliegtuig opsteeg en nu weer verder ging en geagiteerd zei: 'Ik stuur je de hele papierwinkel met een pak stalen erbij.'

Steadman nam de tijd en uiteindelijk zei hij: 'En u?'

'Bij gebrek aan een beter woord,' zei de man en hij keek op toen hij zijn vrouw 'Hack?' hoorde zeggen.

Een donkere, sjofele man met uitpuilende ogen en stekelhaar had woorden met een medewerker van de incheckbalie en zei met een hardnekkig Duits accent: 'Maar dat is falsch. Ik sta op de lijst – Manfred Steiger. Ik ben Amerikaan.'

Steadman dacht: Je gaat weg om alleen te zijn, of in het geval van Ava en hemzelf, op een missie die je jezelf doelbewust hebt opgelegd, en je komt erachter dat je reisgenoten uitgerekend de mensen zijn die je hoopte te ontvluchten, degenen van wie je de grootste afkeer hebt. In dit geval jonge stellen met een overdadige uitrusting – rijk, knap, achteloos, geprivilegieerd zonder dat ze het verdienden en op een bijzondere, zelfzuchtige manier onbeschrijfelijk lui – van de huidige generatie van kleingeestige ondernemende keizertjes. En de meesten droegen zijn kleren.

'God, wat veracht ik die mensen toch,' fluisterde Ava tegen Steadman.

Ze gingen er bijvoorbeeld prat op dat ze een hekel hadden aan boeken en nauwelijks kranten lazen. *Trespassing* telde niet, want het was niet nieuw en bekend van films en tv – Steadman was zich ervan bewust dat de mensen die hij meest verfoeide het juist mooi schenen te vinden vanwege de wetteloosheid, het overtreden van regels als dat je uitkwam en die sfeer van luidruchtig inbreuk plegen. *Ik heb mijn hele leven maar één echt boek gelezen – dat van u*, schreven die mensen hem. Dat alleen al was genoeg, maar het was ook een vingerwijzing dat je ze niets kon vertellen. Ze luisterden niet, dat hoefde ook niet – zij waren tegenwoordig de baas. *U hebt een wereldreiziger van me gemaakt.*

Je moest ze zo snel mogelijk de mond zien te snoeren.

Steadman had geleerd dat wanneer je in een interview bleef zwijgen en keek en wachtte in plaats van te antwoorden, de mensen uit zichzelf met informatie op de proppen kwamen. In dit geval kwam een andere man, een omstander, met de feiten.

'Dit is het avontuurlijke reizen, tussen aanhalingstekens,' zei de man.

'Ecoporno,' zei Ava. 'Ecochique. Je zult wel natte dromen krijgen van dat voyeurisme.'

De man kromp ineen, maar de man die Hack heette, zei: 'We reizen samen. Heb je onze T-shirts niet gezien?'

Hij maakte de knopen van zijn kakikleurige safarishirt los om de opdruk van zijn T-shirt te laten zien: *De Bende van Vier.*

'Tot de verbouwing van ons huis klaar is,' zei de tweede man. 'We laten het interieur van een prachtig Victoriaans huis aanpassen. We hebben bijna elfhonderd vierkante meter. Het staat op een lap grond van bijna een halve hectare in een mooie buurt in San Fransisco. Sea Cliff? Robin Williams woont vlakbij en Hack en Janey ook.'

'Marshall Hackler – zeg maar Hack,' zei de grote vent met de afhangende schouders, en nonchalant stak hij zijn hand uit om die te laten drukken.

En Janey was blijkbaar de vrouw die in haar mobieltje sprak. Ze bewoog bij wijze van groet alleen haar vingers even heen en weer en draaide zich om, maar een andere vrouw die ook had zitten luisteren – ze was knap en had heldere ogen, degene die de paperback van *Trespassing* in haar handen had en met haar junglevest en groene broek op het punt leek om op safari te gaan – glimlachte en zei: 'Ecuador. Een jaar geleden Rwanda. Wij waren de laatsten die daar zijn geweest voordat de Afrikanen de toeristen op die reis afslachtten. We hadden dezelfde gids. Hij is toen bijna vermoord. Nu kan niemand er meer heen. We hebben enorm geluk gehad.'

De vrouw met de telefoon aan haar oor brak het gesprek af en zei: 'We zijn doorzetters. We willen niets missen.'

'Janey doet het interieur. Maar we laten ook de buitenkant aanpakken.

Greppels, wallen. Ik heb de mal en de tekeningen bij me – we moeten de plaats van ons stroombad nog bepalen. Stroomafwaarts zetten we een gastenverblijf neer dat we in de landschapsarchitectuur laten opgaan.'

Hack sloeg zijn arm om de man en zei: 'Deze kerel heeft zowaar een boek geschreven.'

Met een opschepperige glimlach wuifde de man de lof weg en zei: 'Als boetedoening,' haalde adem en voegde eraan toe: 'Hoe dan ook, ik heb mijn bedrijf verkocht en ben in *hedge funds* gegaan. Dat was – o, jeetje – voordat de Nasdaq instortte – wanneer was dat? Afgelopen april?'

Steadman boog zich naar hem toe, zei niets en zette zijn vage glimlach op bij het ongemakkelijke 'o, jeetje'.

'En dan heb ik het over een groot bedrag met zeven nullen, hè.'

Hack zei: 'Dus hij zei tegen me: "We gaan een paar centen stukslaan." Want hij is een kanjer. En hij is nog een bekend schrijver ook.'

Bij het horen van 'een groot bedrag met zeven nullen – hoeveel was dat eigenlijk, tientallen miljoenen, toch? – stootte Ava een kreet uit, alsof het een schande was, en de vrouw in het Trespassing-vest keek even op van haar mobiel en zei: 'Doe wat zachter, wil je? Ik ben aan het bellen.'

'Wood heeft er wel twee jaar onafgebroken voor gewerkt,' zei de andere vrouw terwijl ze opkeek van Steadmans boek.

Heette hij Wood?

Janey – Hacks vrouw – zei met een nuffig Engels accent in haar mobiele telefoon: 'Dat lijkt me vrééselijk. Maar wist je dat alleenstaanden écht een onevenredig deel van hun tijd op het kleinste kamertje doorbrengen? Het laboratorium, zou je kunnen zeggen.'

Beide stellen waren hetzelfde gekleed, voornamelijk in Trespassing-kleren uit de catalogus: broeken met afritsbare pijpen, shirts met afritsbare mouwen, jacks die je ook binnenstebuiten kon dragen, dikke sokken, wandelschoenen, slappe hoeden, vesten met een voering van polyestergaas en heuptasjes.

Toen Steadman ze daar zo zag zitten, wilde hij zeggen: Ik geef tien procent van de brutowinst van de catalogusproducten aan milieuorganisaties. Hoeveel dragen jullie daaraan bij?

'Deze heeft iets van zeventien zakken,' zei de vrouw met het boek en ze klopte op haar vest toen ze zag dat Ava ernaar staarde – maar Ava staarde naar het TOG-logo. Ze klopte er nog eens op. 'Deze inzetstukken zijn erg praktisch. En moet je deze split zien.'

En toen Ava's blik afdwaalde naar het dure horloge van de vrouw – het was de Trespassing-Mermaid – zei ze: 'Het is een chronometer. Titanium. Gegarandeerd tot wel een miljard meter. Dat is het knopje voor het heliumventiel,' en ze draaide eraan. 'Wij duiken – Janey niet, zij snorkelt.' De vrouw aan de telefoon ging met haar rug naar hen toe staan toen haar naam werd genoemd en kakelde door aan de telefoon. 'We willen op de Galapagos gaan duiken.'

Steadman was zo opgetogen te horen dat ze de andere kant op gingen dat hij haar niet zei dat snorkelen daar aan strikte regels was gebonden, maar haar juist aanmoedigde. De man die hij voor haar echtgenoot hield, doorzocht de in compartimenten verdeelde zakken van zijn eigen gewatteerde vest. Hij haalde er een opgevouwen landkaart, zijn instapkaart en een portefeuille met vakjes voor vliegtickets, dollarbiljetten en peso's uit. De portefeuille was eveneens van Trespassing.

'Wat me zo bevalt aan Amerikaans geld is de slijtvastheid. Dat komt door het hoge gehalte aan vodden. Je kunt gerust een paar dollar in een zwembroek laten zitten. Je hoeft ze alleen maar te drogen. Het is zelfs bestand tegen een wasdroger.'

'Je bedoelt dat je het kunt witwassen?' zei Ava.

Janey, de jonge vrouw met het Engelse accent, zei: 'Vreselijk bedankt,' en 'Dáág' en klapte haar telefoon dicht, waardoor hij in een klein donker koekje veranderde. De andere vrouw stak haar hand in een ander duur product uit de catalogus, de Trespassing Gourmet Lunchtas, een gevoerde picknicktas met een koelgedeelte. Ze gaf haar echtgenoot een ingepakte sandwich.

'We nemen altijd onze eigen sandwiches mee,' zei Hack tussen de happen door. 'Gerookte kalkoen met provolone en tomaat, met een vinaigrette van kruiderijen.'

Ava fronste haar wenkbrauwen toen ze hoorde dat de man 'kruiderijen' zei, en wendde haar blik af, waarop de vrouw uit haar boek opkeek en haar een halve sandwich aanbood en zei dat ze meer dan genoeg had. Ava's strakke glimlach betekende: Nee dank je.

Hack tikte op het omslag van *Trespassing* en sloeg zijn arm om de vrouw en zei: 'Dat moet wel een fantastisch boek zijn.'

De vrouw antwoordde: 'Het is indrukwekkend.'

'Hoe dan?'

'Nou, eh, in zijn modaliteiten. In zijn eh, stijlfiguren.'

'Je leest het nu al weken en ik besta niet meer.'

'Als ik van een boek geniet, lees ik heel langzaam.'

'Wie heeft het dan geschreven?'

Steadman, die met aandacht had geluisterd, zette zich schrap en trok een stalen gezicht.

De vrouw zei: 'Die legendarische schrijver van wie je nooit meer iets hoort, weet je wel? Die freak van die survivalspullen.' En daarna: 'Zijn jullie getrouwd, jongens?'

Toen ze 'schrijver van wie je nooit meer iets hoort' opving, sloot Ava haar ogen en glimlachte van kwaadheid. En wat de vraag betrof, niets deugde eraan. Het 'jullie', het 'jongens' en alleen al het woord 'getrouwd'.

'Ik ben Sabra Wilmutt,' zei de vrouw.

'Ik ben Jonquil J. Christ.'

Sabra's gezicht zag er opeens uit alsof ze een klap had gekregen en het nu scheef stond. Ze zei: 'Dat snap ik niet.'

'De J van Jezus.'

Net toen Ava dat zei, werd er omgeroepen dat ze weer konden instappen.

Wat maakt het ook uit? las Steadman, die het allemaal had gehoord, op Ava's gezicht. Maar Steadman had zitten letten op de vrouw die Sabra heette en die verdiept was in *Trespassing*. Ze moesten alleen deze ellendige vlucht nog zien door te komen en daarna zouden ze hen geen van allen meer zien.

2

Eenmaal weer in de lucht, waren de geïsoleerde en geblinddoekte passagiers eindelijk tot zwijgen gebracht, terwijl de schroefwind tegen de raampjes knisperde en langs de vliegtuigromp suisde. Steadman dacht na over wat ze hadden gezegd. Ze hadden natuurlijk zitten opscheppen, maar omdat de meeste opschepperij uit bluf en leugens bestond, hadden ze eigenlijk weinig prijsgegeven. Omdat ze zo gekunsteld deden, vermoedde hij dat het advocaten waren, ook degene die zijn bedrijf had verkocht. Advocaten kwamen nooit ongevraagd met de waarheid voor de draad, want de waarheid was betwistbaar en daarom konden ze twee tegengestelde opvattingen in hun hoofd onderbrengen en leken ze in staat te zijn in beide te geloven terwijl ze twijfels en veronderstellingen in het rond strooiden en over onbelangrijke dingen spraken om je zo op een dwaalspoor te brengen. De merchandising van *Trespassing* was een wildgroei van advocaten die met contracten zwaaiden. Als je ze met een lastige vraag confronteerde, kreeg je een sandwich aangeboden.

Maar hij vroeg Ava: 'Wat was er nou aan de hand?' vanwege de manier waarop ze temidden van deze vreemden de aandacht op zichzelf had gevestigd. Steadman had in *Trespassing* beschreven dat het altijd een fatale vergissing was om op te vallen als je op reis was. De beroemdste reizigers wisten zich onzichtbaar te maken. Een onzichtbaar mens had macht.

Ava haalde alleen haar schouders op en deed alsof hij zich druk maakte om niets. Maar ze wist best dat ze zich hiertoe had laten verleiden door hun scheiding. Haar sarcastische opmerkingen werden ingegeven door het vermoeden dat als de mensen erachter kwamen dat ze met Steadman, de beroemde schrijvers, was, hij werd aangekeken op haar gedrag: haar brutaliteit was de zijne. De scheiding had Ava bevrijd en had haar roekeloos en onverschillig tegenover zijn bezorgdheid gemaakt; had haar geholpen in te zien wat een baby hij eigenlijk was – 'en schrijven is je speeltje'. Zij mocht er niet mee spelen, ze mocht er zelfs niet aan komen. Hij zat ermee te tutten op zijn kamer. En met het verstrijken van de tijd was het speeltje specialer geworden, van speeltje tot fetisj en daarna tot totem en uiteindelijk tot afgod, die stond voor iets wat dicht bij een godheid in de buurt kwam. 'Verrekte schrijvers,' zei Ava de laatste tijd in zichzelf.

Steadman had zorgvuldig vermeden de andere mensen vragen te stellen uit angst dat ze hem dezelfde vragen zouden stellen. Hij was op deze reis met een doel, zijn eigen opdracht, en hij wilde die geheimhouden. Hij had stiekem aantekeningen gemaakt en was daar nog steeds mee bezig. De dienbladen met eten waren weggehaald en hij had net het woord *máscara* opgeschreven.

De aantrekkelijke vrouw met de donkere ogen en de volle lippen, die er in haar donkere uniform uitzag als een gevangenbewaarster, was de stewardess. Kwiek en druk mompelde ze: 'Máscara, máscara,' terwijl ze door het gangpad liep en slaapmaskers uitdeelde. Alle passagiers namen die gegeneerd aan (*alsof ze een condoom kregen aangereikt*, schreef hij op, *wat in zekere zin ook zo was*) – en vertoonden uiteenlopende reacties: verwarring, achterdocht, verbazing, geamuseerdheid, verlegenheid. Niemand had dankbaar gekeken, maar toch zette iedereen het masker op.

Toen hij zich omkeerde om de gemaskerde passagiers te observeren had Steadman nog eens aandachtig naar de Trespassing Treads gekeken – de wandelschoenen – de Trespassing-trekkingbroek, het vest met de vele zakken en het Trespassing-rugzakje aan Hacks voeten. De vrouw die Sabra heette, zat in *Trespassing* te lezen, of zat er liever gezegd níet in te lezen, want het dikke boek lag opengeslagen omgekeerd op haar schoot.

Vlak achter hen zat Manfred, de man die met een zwaar Duits accent had verklaard dat hij Amerikaan was. Hij trok het masker over zijn ogen, duwde zijn rugleuning naar achter en sliep. Hij droeg zwarte Mephisto-wandelschoenen, een zwarte hoed en een zwart leren vest. Omdat ze allemaal geblinddoekt waren, kwamen ze Steadman voor als deelnemers aan een plechtige ceremonie, sommige nieuwelingen, andere oudgedienden. Dat maakte de maskers niet minder bizar, maar toch pasten ze op een of andere manier bij deze nachtvlucht naar Ecuador, met alleen maar gringo's, min of meer onvoorbereid, die gewillig en onnozel en op een irrationele manier vol vertrouwen blind rondvlogen.

Toen hij de blinddoek aan Ava gaf had Steadman gemerkt dat ze een glimlach probeerde te onderdrukken. Ze had in geen weken geglimlacht – zeker niet op die manier, een koket opkrullen van de lippen, waaraan zoveel was af te lezen. Ze deed de blinddoek voor en glimlachte nog steeds, ze zag er hulpeloos en bereidwillig uit en kuste de lucht alsof ze met haar lippen een amoureuze knipoog gaf die suggereerde dat ze wist dat ze werd gadegeslagen. Steadman raakte haar hand aan, ze greep zijn vingers en kneep erin. Op dat moment trok Steadman zijn eigen masker over zijn ogen.

Hij dacht na over de reisonderbreking, het oponthoud, hoe mensen die veel praatten en clichés gebruikten en deden alsof ze slecht uit hun woorden konden komen, vaak het tegenovergestelde waren en iets probeerden te verbergen.

Wat hadden ze hem veel verteld: de suv, het huis, de verkoop van het bedrijf, de schoenen, het fietsen, het mes, het reizen, de uitrusting die hij maar al te goed kende – alles kon in één woord worden samengevat: geld. Ze meenden het wanneer ze zichzelf kanjers noemden en waren alleen serieus als ze grappen maakten.

Zijn verlangen als schrijver, als mens, was hen te kennen, in hen te kunnen kijken, achter hun maskers. Te vertalen wat ze zeiden. Hen op het meest fundamentele niveau te kennen. Maar hij wist nu genoeg van ze om ze los te laten en zelf de andere kant op te gaan; om te gebruiken wat hij had ontdekt.

'Je bent een pornograaf,' had Ava pas geleden tegen hem gezegd om hem te ergeren, alweer een onverbloemde beschimping die het gevolg was van hun scheiding.

Ja, dacht hij, de diepste uitdrukking van ons wezen is het hartstochtelijk bedrijven van de geslachtsdaad. Als je dat wist, wist je bijna alles, dat we tijdens de seks het meest onszelf zijn, op ons aapachtigst, op ons menselijkst, dus waarom zou hij er niet door gefascineerd mogen zijn? Hij besefte dit nu omdat het uit was tussen hen. Tot gisternacht was er maandenlang geen seks geweest, alleen haar afzichtelijke efficiency, zwartgallige humor en haar lange dagen in het ziekenhuis.

Ava verschoof zuchtend in haar stoel en leek wakker te worden. Steadman haatte het als ze met vreemden praatte. Vroeger had híj dat gedaan en hij had zich er goed bij gevoeld. Maar dat was voorbij en nu luisterde hij naar haar. Hij vond haar gespreksstof saai, hij werd er ongeduldig van, ze wist nooit wanneer ze moest ophouden. Geen van tweeën staken ze hun ergernis onder stoelen of banken. Maar wat gaf het? Dit was hun laatste reisje. Ze hadden het maanden geleden geregeld, en alleen al het plannen ervan, als de meest ambitieuze vakantie die ze ooit samen hadden ondernomen, had zo'n druk op hen gelegd met alle onderhandelingen die waren verzand in gevit en geruzie, dat ze hadden beseft hoe slecht ze bij elkaar pasten.

Ze wisten nu zeker dat ze uit elkaar zouden gaan, maar deze gevolgtrekking kalmeerde hen en verloste hen van hun strijd. Door te erkennen dat ze een conclusie hadden getrokken die definitiever was dan een staakt-het-vuren, hadden ze nu de berustende sereniteit en het zwijgende geduld van een paar dat weet dat het geen toekomst heeft. Het was beter elkaar als vreemde te zien dan als vijand, en bij dit van elkaar wegglijden raakten ze veel van hun geschiedenis kwijt: het onechte, geveinsde deel van hun betekenisloze romance. Ze waren harder nu, niet sentimenteel, moeilijk te overtuigen. Geen gunsten: zonder enige frivole ruimhartigheid zoals geliefden die voor elkaar kunnen opbrengen, waren ze vreemd genoeg nu elkaars gelijken. Maar omzichtiger, minder kenbaar dan toen ze elkaar pas hadden ontmoet.

Deze reis diende dus een praktisch doel. Hoewel de voorbereiding vol conflicten was geweest en lang had geduurd, hadden ze doorgezet. Ze moesten op reis, anders zouden ze hun aanbetaling mislopen en de vliegtickets kwijtraken. Ava had gezegd: 'Maak je je echt druk om het geld?' Het geld was een excuus voor deze missie: hij hoopte dat de reis hem de weg naar zijn boek zou wijzen.

Hij hield de blinddoek omhoog en zei: 'Dit ding heeft tweeduizend dollar gekost.'

Ze antwoordde: 'Waarschijnlijk is het dat nog waard ook.'

Om ieder op een andere rij te gaan zitten en te doen of ze elkaar niet kenden, zou absurd zijn geweest: die strategieën hadden ze besproken. Ze hadden elkaar nog steeds nodig; ze wilden vooral zachtjes in de steek gelaten worden, zonder drama uit elkaar gaan. Ze vonden het nog steeds prettig om samen te zijn, ook al waren ze niet meer verliefd. Die onontkoombaarheid – dat eigenaardige niets, geen hoop, geen toekomst – had hun seksleven beïnvloed, had het een venijnige impuls gegeven. De avond voor hun vertrek hadden ze gevreeën alsof ze vreemden waren die elkaar toevallig waren tegengekomen en door hun anonimiteit werden aangemoedigd om egoïstisch en zelfs wreed te zijn en elkaar leken te gebruiken. Maar de ruwe worsteling in de donkere kamer verraste hen en bracht hen zelfs in verrukking, waardoor ze na afloop hijgend, naakt en uitgestrekt op het kleed lagen en er doodmoe en gebroken uitzagen, alsof ze van grote hoogte op de vloer waren gevallen.

'Dat was lekker,' had Ava gezegd. Ze wist dat dat voor Steadman ook gold. Het had haar herinnerd aan de eerste keer, de blinde roekeloosheid ervan, toen ze elkaar pas hadden ontmoet en alleen elkaars voornamen kenden. 'Dat was heerlijk.'

Ava was niet uit het veld geslagen door de kilheid ervan, door Steadmans duidelijke onverschilligheid tegenover haar, het feit dat hij op zijn eigen genot was gericht. Hij had waarschijnlijk niet eens gemerkt dat zij hém ook gebruikte, dat alleen haar eigen genot voor haar telde. En het bewees dat het over was tussen hen, ze kon nu alles tegen hem zeggen, zelfs dat ze het niets vond wat hij schreef. In de donkere kamer waren ze weer vreemden. Ze liet haar hand tussen zijn dijen glijden en zei dat ze weer zin in hem had. Ze choqueerde hem, ze wond hem op met haar eis, door te zeggen: 'En als je hem niet omhoog krijgt, waar deug je dan eigenlijk wél voor?'

Naderhand had ze op een plagerige, gulzige manier gezegd: 'Misschien komen we op reis wel andere mensen tegen.'

Nu hij geblinddoekt was, herinnerde hij zich alles weer.

Ze zaten nu alweer twee uur in de lucht nadat ze waren overgestapt, en zelfs als je het oponthoud in Miami meerekende, hadden ze tot dusver alleen kennisgemaakt met de spraakzame reizigers die zichzelf de Bende van Vier noemden – de Hacklers en de Wilmutts: de grote luidruchtige Marshall Hackler, Hack, zijn Engelse vrouw Janey, de al te keurige lezeres, Sabra, en haar echtgenoot, de rivaal, die Wood heette. De donkere Duitser met zijn uitpuilende ogen, Manfred Steiger, had om hen heen gedrenteld en aan de conversatie willen meedoen, had hun steelse blikken toegeworpen en zijn tanden bloot gegrijnsd met een gezicht waarop te lezen stond: Mag ik meedoen?

Maar er was iets merkwaardigs: Steadman had het gevoel dat hij nóg iemand had ontmoet, en wat hem fascineerde was dat die iemand Ava was, iemand die hij goed meende te kennen, de vrouw van wie hij ooit had gedacht dat hij misschien met haar zou trouwen. Ze was iemand anders, iemand die hij niet kende, een vrouw voor wie hij bang was en die hij tegelijkertijd begeerde. Het kwam niet alleen door haar manier van vrijen – haar zelfzuchtige sensualiteit, die hem tot voyeur maakte, als een man die toekijkt hoe een vrouw masturbeert: zo had het geleken en hij had ervan genoten. Het kwam ook door haar eerlijkheid toen ze hem had verteld dat zijn werk pretentieus was; door haar onafhankelijke houding en hardheid waardoor zij sterk overkwam. Maar het kwam vooral door de manier waarop ze zich tegenover de andere reizigers had gedragen en 'Eco-porno' en 'Jonquil J. Christ' had gesnauwd en alle andere beledigingen die bij haar waren opgekomen. Hij vroeg zich af of het feit dat ze arts was en mensen gewoonlijk geruststelde en hielp, het nog spannender voor haar maakte om deze mensen zo te beledigen.

Achter zijn blinddoek viel Steadman in slaap en het trillen van het vliegtuig, de gierende motoren, zijn vochtige handpalmen op de armsteunen, zelfs de geur van de dienbladen en het stoffige tapijt en het opgewarmde eten – het kwam allemaal zijn droom binnen. Hij tuimelde voorover en terwijl hij viel, besefte hij dat hij zijn evenwicht was kwijtgeraakt in een anatomisch landschap. De valleien waren de plooien in het lichaam van een vrouw en die ontdekking maakte hem wakker. Het vliegtuig was helverlicht en stonk naar warm plastic en de dageraad was aangebroken – de pas opgekomen zon schitterde aan de linkerkant van het vliegtuig. Er werd koffie geserveerd.

'Ooit in Ecuador geweest?' hoorde hij. Het was de man die Wood heette, die vanaf de andere kant van het gangpad sprak terwijl hij in zijn koffie blies.

Ava zei: 'Hé, dat klinkt als een uitnodiging.'

Dat was een andere kant van de nieuwe Ava: haar plagerigheid, haar spot, de manier waarop ze vragen ontweek, als een kind, als een behaagzieke vrouw, onuitstaanbaar en bazig, alsof deze mensen haar het hof maakten.

'Dat is de bestemming van deze vlucht,' zei de man, die zijn kalmte bewaarde.

'Klopt, we stappen straks uit.'

'Hoe lang blijven jullie daar, jongens?'

Weer dat 'jongens', en Steadman kreeg de indruk dat de man van plan was te vragen wat ze er gingen doen, en hij hoopte dat Ava de verleiding zou weerstaan om antwoord te geven.

Ze stelde hem niet teleur door te zeggen: 'Dat hangt nog een beetje in de lucht. En jullie?'

'Drie weken. We hebben een druk programma.' Hij begon weer op te scheppen. Hij zei: 'Ik durf te wedden dat iedereen op deze vlucht volgende week maandag weer op het werk moet zijn.'

Dat was een aantekening waard, dat al deze jonge rijke Amerikanen op weg waren naar Ecuador alsof het een vakantie in Maine was. Waarschijnlijk gingen ze een of andere rondreis maken, zo'n dure, waar alles geregeld was. Op de Ecuadorianen, missionarissen en een paar overduidelijke zakenmensen in afgedragen pakken na, zagen de meeste passagiers er moe en onrustig uit als toeristen. Steadman was blij dat hij op weg was naar Lago Agrio en de Río Aguarico, en het diep verborgen, meest verafgelegen dorpje in de Oriente. Ava had het al gezegd; ze zouden deze mensen nooit meer tegenkomen.

'Wood Wilmutt,' stelde de man zich voor. 'Zijn jullie hier voor zaken?'

Ava zei: 'Nee.'

'Vakantie dan.'

'Dat is niet waarschijnlijk.'

'Wat valt er dan verder nog te doen?'

'Natte dromen,' zei Ava.

De ogen van de man werden priemend en ernstig en zijn mond verstrakte.

'Een sprong in het duister,' ging ze verder en Steadman kon haar wel omhelzen omdat zij hem had geciteerd. Het was wat hij in gedachten had, maar hij had ervoor gewaakt iets te zeggen. Hij wilde niet prijsgeven dat hij een schrijver was die aan een opdracht bezig was. Dat soort onthullingen maakte altijd vragen los en wierp een schaduw over elk gesprek, maakte sommige mensen nieuwsgierig en opdringerig en anderen juist voorzichtig. Op zijn minst werden de meeste mensen, met inbegrip van de schrijver in opdracht, er vervelende zeurkousen door.

'Dus jij bent op vakantie,' zei Ava.

'Zou je kunnen zeggen,' zei Wood, en Steadman maakte een aantekening.

'En je bent gepensioneerd.'

'Bij gebrek aan een beter woord,' zei Wood, en Steadman maakte nóg een aantekening.

'En dat betekent?'

'Ik heb gezegd dat ik mijn bedrijf heb verkocht, ik heb niet gezegd dat ik met pensioen was,' zei Wood. 'Ik heb behoorlijk veel geluk gehad. Hoe dan ook, Sabra heeft haar tandartspraktijk nog.'

Steadman vroeg zich af of Ava zou onthullen dat ze arts was, en hij vermoedde dat ze dat zou doen, niet zozeer ter informatie als wel om de tandarts in de schaduw te stellen; maar ze zei niets.

'*Was tun Sie, Fritz?*' zei Sabra.

'*Ich bin Schriftsteller,*' zei Manfred. Zijn ogen dansten van woede. '*Aber mein Name ist Manfred, nicht Fritz, danke. Sprechen Sie Deutsch?*'

'Zoiets. Ik bedoel, ik spreek Jiddisch.'

'Als je denkt dat Jiddisch een soort Duits is, zit je ernaast. Jiddisch betekent joods,' zei Manfred. Toen richtte hij zich tot de anderen. '*Schriftsteller* – schrijver.'

'Mijn man heeft een boek geschreven,' zei Sabra.

Maar Manfred was nog steeds aan het woord: 'Mijn familie handelt in medische benodigdheden, maar daar had ik geen zin in. Kennen jullie Steiger Medical Fabrik?'

'Medicijnen?' vroeg Wood.

'Een paar. Maar alleen zeldzame. Ook uniformen, glaswerk, sterilisatieapparatuur, ontsmettingsmiddelen, rubber artikelen, buizen en slangen, injectiespuiten.' Hij leunde naar voren. 'Overheidscontracten. We doen goede zaken.'

'Amerikaanse regering?'

'Duitse regering.'

En daarmee was de conversatie beëindigd – en het zware Duitse accent deed de anderen blikken wisselen – tot Manfred zich iets herinnerde. Hij knielde en trok een dik boek uit zijn handbagage. Hij liet het aan de passagiers in de dichtstbijzijnde stoelen zien. Het was *A Guide to the Medicinal Plants of Upper Amazonia*.

'Ik schrijf over verschillende dingen,' zei hij en weer moesten de anderen om zijn accent glimlachen. Zijn gezicht verstrakte, alsof hij wist dat hij heimelijk werd bespot. Hij zei: 'Jah, ik doe journalistiek, maar ik ben ook geïnteresseerd in psychotrope substanties.' Hij bracht zijn gezicht dicht bij Sabra en zei: '*Ich bin Forscher und Wissenschaftler. Verstehen Sie?*'

Ava had met haar blinddoek gespeeld. Ze deed hem weer voor en glimlachte alsof ze een vertrouwde en geriefelijke kamer binnenging.

Steadman keek een tijdje naar haar en genoot van haar levendige mimiek, de vorm van haar lippen en haar lichte ademhaling. Maar ondertussen bedacht hij dat hij niemand had gezegd hoe hij heette, waar hij vandaan kwam of dat hij een schrijver was. En hij was gelukkig met zijn eigen anonimiteit. Wat mensen van je wisten, maakte je kleiner en beroofde je zelfs van je kracht. Als ze niets van je wisten, stond je altijd sterker. Omdat hij zo zwijgzaam was gebleven, had Ava de leiding genomen. Als schrijver was er niets dat Steadman meer genoegen verschafte dan een conversatie waarin de ander hem alles vertelde terwijl hij niets verklapte.

Het lichtje voor de veiligheidsriemen floepte aan. Het vliegtuig scheerde door de gelaagde wolken die als kussens op elkaar lagen. De piloot kondigde aan dat ze weldra in Quito zouden landen en zei iets over het weer en de temperatuur.

Ava, die haar blinddoek nog steeds om had, boog zich naar hem toe en fluisterde: 'Ik ben blij dat ik je vriendin niet meer ben.'

3

Op weg naar de tegen een helling gelegen stad die vochtig was door de laaghangende wolken, met zijn koude, moeilijk in te ademen lucht, naast Ava in de taxi, onder een bewolkte hemel en de stenige helling van de Pichincha-vulkaan die was bezaaid met gevaarlijk gelegen hutjes, bedacht Steadman dat dit de laatste reis was die hij met haar zou maken. Die gedachte was geen zin of zinsnede in zijn hoofd en bestond trouwens helemaal niet uit woorden, maar eerder uit een specifiek beeld, de aanblik van haar knie naast hem, bleek omdat hij altijd door haar doktersjas werd bedekt, die er bekneld en klaaglijk uitzag, met kuiltjes als in een nieuwe aardappel, symbool van een zwijgend afscheid.

Die dubbelzinnige knie deed Ava weer een vreemde lijken, raadselachtig en toch weinig belovend. Ze had zich van hem teruggetrokken, ze was minder behulpzaam, een tikje te kordaat en af en toe leek ze verveeld – niet vijandig maar onverschillig – en richtte ze haar blik in de verte als ze zijn kant op keek. Ze was als de mensen uit het vliegtuig die bij de bagageafhaalruimte straal langs hem heen waren gelopen en zich nu verspreidden – Hack en Janey, Wood en Sabra, de gehaaste Manfred die voorovergebogen wegstoof, spinachtig, alsof hij een extra stel benen had die onder het lopen ver naar voren reikten. En al die anderen van wie hij zich voorstelde dat het vogelaars, wandelaars en ecotoeristen waren, in hun Trespassing-outfit, met kleurige donzige jacks, hoeden en dikke sokken, en de duurste zonnebrillen en polshorloges uit de catalogus. Manfred had zijn dikke *Medicinal Plants* bij zich en maakte aantekeningen in de kantlijn. Hij droeg een zwart jack en een smerig, uit de vorm geraakt heuptasje. Sabra droeg een keurig dichtgeritst gordeltasje van TOG. Hij had een glimp van hun bagage opgevangen – licht gehavende Trespassing-plunjezakken en opbollende leren tassen, aan de randen wat versleten en de mooiste tassen uit de Trespassing-collectie. Ava was nu ook een van die mensen en Steadman was gewoon een man die toevallig op haar kamer zou slapen.

Dit afgelegen, onvolmaakte land, de vreemdelingen, en de ijle, gruizige lucht gaf hun scheiding iets definitiefs. Ze zagen er hier verloren uit, ze waren vreemden voor elkaar en deze onbekende omgeving stond symbool voor hun vervreemding. Hij had weleens gehoord dat mensen soms voor de vorm een lange vreugdeloze reis maakten om een liefdesaffaire te beëindigen of om het einde van een relatie te bevestigen en te bezegelen. Steadman begreep dat nu. Sommige woeste landschappen, sommige betoverende jungles deden relaties scherper uitkomen. Je kon met iemand weggaan om iets aan te kondigen, maar het kon net zo goed een afscheid zijn. De afgelegen plek was neutraal terrein. Steadman en Ava bleven beleefd tegen elkaar, maar ze waren uitgepraat, het was voorbij en misschien voelden de andere mensen het ook wel. Toen waren de anderen opeens weg, alsof ze in de Ecuadoriaanse lucht waren opgelost. 'Daar zijn we vanaf,' zei ze, en hij wist dat ze het over de anderen had.

Vanuit het raam van de taxi, bedekt met een laag stof en vegen van smerige vingers, was Quito tegelijkertijd ordelijker en bouwvalliger dan Steadman had verwacht. Het hing ervan af waar je keek. Op de betrekkelijk nieuwe hoofdweg kwamen zijstraten uit die vol krotten stonden. Toch zagen de krotten er van een afstandje degelijk gebouwd uit, terwijl de nieuwere gebouwen op de voorgrond vervallen waren en de goten er vol afval lagen.

Steadman boog zijn hoofd en dacht: In de derde wereld glimlach je om het onbekende, dan kijk je aandachtiger en zie je verval en ellende, of dat iets helemaal kapot is, of je ziet een zieke vrouw, of een kind dat eruitziet als een oude man. Vanaf de fraaie veranda zag je schurftige honden, en een man tegen een muur pissen – een muur waarop iemand in het Spaans tussen uitroeptekens een boze strijdkreet had gekalkt: ¡FUERA GRINGOS INVASORES! Vanuit het mooiste raam zag je kinderen met vuile gezichten in een deuropening bijeengehurkt zitten. Onder en boven lagen in deze vuilnishoop niet ver van elkaar, en toch was het een thuis, ook al lag het ondersteboven te stinken.

'*Mi casa, por acá*. Mijn huis, daar,' zei de taxichauffeur en hij glimlachte toen er een straat voorbijflitste, maar zelfs in die korte glimp kon Steadman zien dat die onaanzienlijk en vervallen was.

'Waar is Nestor?' vroeg Steadman, omdat de chauffeur uit eigen beweging Engels had gesproken.

'Bezig. Komt later.' Zijn adem was vochtig van chocola en tabak. De sterke adem van de man had een grotere werkelijkheid dan zijn woorden.

'Heeft hij geen boodschap achtergelaten?'

'Ja, dat is de boodschap.'

Hoewel hij eenvoudig en zelfs onbehouwen was, maakte de chauffeur een intelligente indruk door zijn bondige directheid in het rudimentaire Engels.

Steadman draaide zich om naar Ava. Hij voelde zich een tikje misselijk sinds het oponthoud bij de douane op het vliegveld. Een hoofdpijn van blootliggende zenuwen balde zich samen onder zijn schedel. Hij zei: 'De lucht is zo ijl.'

'Wat had je dan verwacht op drieduizend meter hoogte?'

Hij had iets anders verwacht. De lucht was kil op deze hoogte, stoffig van het zand en had een vochtigheid die in zijn keel bleef steken en die zijn ogen schuurde als de van haren vergeven lucht in een huis vol katten.

Hij zocht de zijstraten af op zoek naar de grimmiger beelden, want de waarheid leek juist in de marge van deze rit te liggen, en hij zag een processie, meisjes en vrouwen in witte kielen en zwarte sluiers, jongens en mannen die ter hoogte van hun schouders een heen en weer zwaaiend heiligenbeeld op een draagbaar droegen.

'Is een fiësta,' zei de chauffeur, die met een kleverige tong op een snoepje zoog. Hij was klein en droeg een strakke trui van stoffige, pillende wol. Ondanks de bewolkte lucht had hij een zonnebril op. 'Binnenkort, Todos los Santos. En Día de los Difuntos. Hoe zeg je fiësta in het Engels?'

'Fiesta.' Steadman staarde naar een paar gemaskerde kinderen vóór hen.

'Halloween,' zei Ava, 'dat vieren ze hier.'

Bij het stoplicht kwamen de kinderen naderbij met hun Halloween-maskers – kattenmaskers, heksenhoeden. Hun kleren waren schoon, ze hadden een goed gebit – Steadman had boefjes verwacht. Hij draaide het raampje van de taxi naar beneden en gaf een dollar aan een van de gemaskerde kinderen.

'Por su máscara,' zei Steadman, en met één hand lichtte hij het masker op en met de andere gaf hij de dollar. Het zwart satijnen kattenmasker was met zwart kant afgezet en leek een obscuur intiem kledingstuk, een soort cache-sexe.

Toen hij de holle schaterlach van de chauffeur hoorde, bedacht Steadman dat als in afgestompte en vernederde landen als deze iemand lachte, dat zelden betekende dat iets grappig was. De chauffeur was geschokt of misschien beledigd door Steadmans vrijpostigheid; de dollar, de ruil, de diefstal. Zijn gezicht vertrok en hij schaterde het opnieuw uit toen Steadman het kattenmasker opzette.

'Eigenlijk word ik daar een beetje bang van,' zei Ava streng. Hij kende die onverbiddelijke toon: ze meende wat ze zei. Hij zette het masker af.

Het hotel heette Colón. Ava zei dat ze het zich kleiner en eenvoudiger had voorgesteld, maar bij het inchecken herinnerde Steadman haar eraan dat het de bedoeling was dat het maar voor één nacht zou zijn.

'Nog steeds geen bericht van Nestor.'

'Waarom hebben ze allemaal dat soort namen?' vroeg Ava.

'Hij is me aangeraden. Hij schijnt etnobotanist te zijn.'

'Een mooie naam voor een drugsrunner.'

'Jij hebt hem gevonden.'

Hun hoekkamer keek via het ene raam uit op een groot park en via het andere op de lange steile helling van de vulkaan. Een platte wolk lag gerafeld om de top van de vulkaan en de flanken ervan waren bezaaid met huizen. Steadman had het gevoel dat het van dichtbij krotten zouden blijken te zijn, maar van deze afstand in de schemering van de vroege ochtend nu de lichtjes nog twinkelden, stonden ze in zijn onwetende ogen voor de magie van een onbekend oord.

Ava had haar T-shirt uitgedaan en zocht iets in haar tas. Haar huid had een blauwige glans in het grijze daglicht. Vanaf de andere kant van de kamer zag Steadman haar als een onbekende vrouw die hier was gematerialiseerd, zwijgend, zorgeloos, halfnaakt, zonder acht op hem te slaan. Hij was gefascineerd door haar onverschilligheid, haar blote borsten, de onpersoonlijke kamer, het uitzicht op de hutten. Het was alsof hij haar niet kende en toevallig in deze kamer was met deze aantrekkelijke vrouw die in gedachten leek verzonken. Hij keek toe hoe ze de rest van haar kleren uitdeed, eerst haar broek, die ze opvouwde; haar slipje dat ze met twee duimen naar beneden trok en er toen uitstapte en het met één teen wegslingerde. Ze was op weg naar de badkamer om een douche te nemen.

Steadman liep snel op haar toe en raakte haar middel aan, door zijn vingertoppen even over haar huid te laten glijden, alsof hij een kat aaide en wilde kalmeren, en zette toen het kattenmasker op haar gezicht terwijl hij achter haar bleef staan. Ze reageerde nauwelijks, behalve om het touwtje recht te trekken. Dat vond hij prettig, hij voelde dat ze meewerkte. En het masker, haar gewilligheid en deze vreemde kamer in Ecuador wonden hem meer op dan de liefde ooit had gedaan. De liefde had hem tam gemaakt en de klagerige zorgzaamheid van de liefde had zijn begeerte gedoofd.

Op deze manier leek ze zijn gelijke, paste ze bij hem, een zwart masker op haar bleke lichaam. Hij hield haar vast. Vanwege het masker kon hij haar lippen niet kussen, wat hem nog meer deed smachten – ze leek genoegen te scheppen in zijn frustratie. Haar masker daagde hem uit. Ze liep naar het bed en knielde, hield haar hand tussen haar benen terwijl hij toekeek en deed toen haar dijen van elkaar, spreidde haar vingers en duwde de bedauwde plooien van het rozige vlees uiteen, en al die tijd bleef haar masker uitdrukkingsloos.

Terwijl hij bleef toekijken rukte Steadman zijn kleren van zijn lijf en greep haar vast en gleed woest bij haar naar binnen. Ze mompelde zachtjes van onder haar masker, maar toen hij vooroverleunde om de satijnen lippen van het masker te kussen wendde ze haar hoofd af en maakte een holle rug, waarbij ze haar kin optilde zodat haar keel en de gespannen pezen van haar hals zichtbaar werden. Ze scheen op te gaan in een soort blinde vervoering over haar eigen roekeloze anonimiteit.

Zelfs nadat hij was klaargekomen en op zijn rug lag, zelf blind en naar adem happend, nam ze het masker niet af. In plaats daarvan lag ze daar naast hem, maar zo ver weg dat ze ook in een ander land had kunnen zijn, en wreef de druppels door haar schaamhaar, waardoor die glibberigheid ook iets van een masker had en haar schaamspleet tussen haar gespreide benen het beeld van een tarantella opriep. En toen ze zich nog steeds gemaskerd en mysterieus naar hem toe draaide, bedacht hij dat niet zíj, maar híj de hoer was.

Naderhand onder het ontbijt – en het was Ava geweest die had opgemerkt dat het ongelooflijk genoeg pas halftien diezelfde ochtend was – hadden ze niets gezegd over wat er net was voorgevallen. De plotselinge woordeloze episode, de gestolen seks in de kamer, leek net zo ver weg als de ontwrichtende vlucht, de vervelende passagiers, de weinig behulpzame taxichauffeur, de fiësta met de maskers en de kostuums.

Alles wat Ava zei, was: 'Het is een echte stad. Ik had iets wanhopigs verwacht. Zo'n plaats waar iedereen altijd weggaat, om werkster of huismeester in de States te worden, ik had me voorgesteld dat het vreselijk zou zijn. Maar nee, de stad ziet er prima uit. Het is het leven van de mensen dat verschrikkelijk is.'

Alles wat Steadman zei, was: 'Die klootzak van een Nestor zei dat hij een bericht zou achterlaten.' Maar hij zei het terloops, zonder rancune, want de seks had hem gekalmeerd, had hem tot rust gebracht, en hem prettig loom en verdraagzaam gemaakt.

Ze maakten een wandeling door de oude stad, langs de hoofdstraat vanaf het hotel. Toen ze onderweg een hoedenwinkel zagen, stapte Steadman impulsief naar binnen en paste er een paar.

'Allemaal uit Montecristi. De beste. Is de Optimo-stijl,' zei de verkoopster en liet nog andere hoeden zien. 'Wij noemen dit de Natural. Kijk hier, het vlechtwerk. Kost maanden om er een te maken. *You like?*'

Steadman kocht een panamahoed met een brede rand en hield hem op toen hij de winkel uitging, maar hij voelde zich met die hoed toch niet op zijn gemak. Ze zagen nog meer Todos los Santos-processies, net groepjes kinderen die Halloween vierden, een meisje droeg hetzelfde masker – papier-maché bekleed met zwart satijn – dat Ava bij het vrijen had opgehad, toen ze naakt was. Onwillekeurig associeerde Steadman de gemaskerde mensen met seksualiteit, zelfs de meisjes met hun dunne benen, die hij plagerig en zelfs uitdagend vond.

Toen ze bij de smallere straten van de oude stad aankwamen, werd de lucht donker en trokken zich zwarte wolken samen. Het gerommel van de donder ging over in een hevige stortbui. Ze zochten snel beschutting onder het platte afdak van een bushalte en keken toe hoe hagelstenen, helderwit en rond als mottenballen, op de kletsnatte straatstenen kletterden.

De regen nam weer af. Ze liepen verder en werden op het trottoir tegengehouden door een mooi indiaans meisje, met rode wangen van de kou. Ze was niet ouder dan een jaar of drie, vier, zat midden op het natte trottoir met een plastic bekertje in haar hand, en kon onmogelijk hebben geweten wat ze aan het doen was, hoewel ze de rest van haar dagen waarschijnlijk op deze manier zou slijten. Een oude vrouw aan de overkant van de weg – oma waarschijnlijk – hield het meisje in de gaten terwijl ze zelf ook met twee andere kinderen aan het bedelen was. Er waren overal in de stad haveloze kinderen die snoep verkochten, bosjes bloemen, kammen en lucifers, of bij de stalletjes meehielpen met fruit verkopen of wat stonden te vegen met onhandige takkenbossen die als bezem dienden. Dit tafereel, middeleeuws in zijn ruwe eenvoud en wanhoop, herhaalde zich in andere nauwe straatjes, en sommige kinderen die zware lasten in hun kleine handen torsten, leken net dwangarbeid verrichtende dwergen in een wreed sprookje.

Aan de rand van een groot plein zag Steadman een oude priester vlak voor een indiaanse man uit lopen. De indiaan droeg een blauwe kiel en had een bloempotkapsel, een rond gezicht en o-benen en zag eruit als een groot zwakbegaafd kind, maar hij droeg wel vastberaden een fraaie leren tas over zijn schouder die alleen maar aan de priester kon toebehoren. De indiaan behoorde ook aan de priester toe. Hij was gedomesticeerd en had zich leren onderwerpen. Steadman keek naar de schone zoom van de soutane van de priester en zijn glimmende schoenen, naar de bevlekte kiel van de indiaan en zijn gebarsten sandalen. De rechtop lopende priester en de gebogen indiaan: in hun gang over het plein leken ze de geschiedenis van Zuid-Amerika te belichamen, zo niet de geschiedenis van de hele wereld.

In Steadmans ogen zagen alle religieuze mensen eruit als wilden. Sommigen timide en onschuldig, de meesten arrogant en dreigend in hun goedgelovigheid en zekerheid – de apen van een imaginaire god, tirannieke dwazen die die god hadden uitgevonden en de aantijgingen van die god inzetten als wapens in hun tirannie.

Temidden van al die kerken bedacht Steadman dat hij geen religieus geloof beleed. De aanblik van gelovigen riep zijn medelijden op maar kon hem afhankelijk van de omstandigheden ook boos of droevig maken. Vaak ergerde het hem dat hij met zijn scepticisme nog steeds mensen wist te choqueren. Zijn ondogmatische opvatting van het spirituele beperkte zich tot het behoud van bossen, nestelplaatsen voor vogels, schaduw voor dieren en wortels die het water puur houden. Het symbool van zijn geloof was een boom, en hij had in *Trespassing* verteld hoe vaak hij bij het oversteken van grenzen door de bomen was verborgen en gered.

Hij kon niet tegen de gladheid van religieuze mensen. God sprak tot hen; zij spraken terug. 'God stelt me op de proef.' God regelde alles. Het was zo makkelijk voor hen om van het leven te houden of hoop te koesteren – ze volgden de aanwijzingen van God. Maar hoe moest iemand als hij, zonder geloof, leren van het leven te houden? Misschien door de angst het te verliezen. Weggaan, zoals hij nu deed – en dat was nog een boodschap van *Trespassing* – was een manier om je lot in eigen hand te nemen.

In een betekenisloze wereld had hij manieren gevonden om zijn leven betekenis te geven. Sensualiteit was betekenisvol; de begeerte en de scheppingsdaad gaven hem een doel. De reis die hij nu naar Ecuador had ondernomen was een uiting van hoop en, hoewel hij het woord haatte, zijn zoektocht.

Bij de kerkingangen zaten indiaanse vrouwen, sommige met tassen, andere droegen baby's, het viel onmogelijk uit te maken of ze iets verkochten of bedelden, maar ze hadden zich daar genesteld en zagen er onbeweeglijk uit in hun dwingende roep om aandacht. Een blinde vrouw jammerde naar hem: '*No sea malito!*' en bijgelovig drukte hij haar wat geld in de hand, waarop ze begon te glimlachen. Zwarte mannen riepen in het Spaans en verkochten loten en kranten. Modieuze warm geklede vrouwen glipten uit hun auto's met chauffeur en gingen haastig winkels binnen. Geen van deze mensen zag eruit alsof ze last hadden van de ijle lucht. Steadman en Ava, die een uitgeputte blik wisselden, waren buiten adem en hadden het benauwd.

Toen ze stilstonden om even uit te rusten, want ondanks hun trage tred waren ze doodop, zagen ze twee mensen uit het vliegtuig, Wood en zijn vrouw Sabra. Wood knikte kortaf en scheen iets tegen zijn vrouw te mompelen alsof hij deze toevallige ontmoeting net zo ongemakkelijk vond als Steadman en Ava, want had Ava niet beloofd: 'Die zien we nooit meer terug'? Beide echtelieden droegen een nieuwe panamahoed.

'Janey is bestolen – haar tas is zomaar van haar arm getrokken,' zei Wood. Dat was zijn begroeting, alsof hij bij voorbaat alle kwinkslagen wilde uitsluiten door meteen een dramatisch element te introduceren: de diefstal. 'Al haar creditcards. Haar paspoort. Behoorlijk wat geld. En hoe lang is ze nu in dit land? Drie uur?'

'Misschien is dat wel een of ander record,' zei Ava.

'Het was een bedelaarster, een blinde vrouw!'

'Bestolen door een *ciega*. Dat is een goeie truc!'

'Waar was haar man?' Steadman kon zich de naam van de man niet herinneren en hij wilde het niet verkeerd zeggen want hij had onthouden dat het een belachelijke naam was.

'Hack liep haar net te zoeken,' zei Sabra.

Alsof hij Ava haar harteloosheid kwalijk nam, zei Wood: 'Hoe dan ook, al haar medicijnen zaten in de tas en haar waardevolle spullen ook.'

'Ik schrijf wel *una nueva prescriptión* voor haar,' zei Ava.

Sabra zei: 'Je spreekt Spaans.'

'Verloskundig Spaans. *Abra sus piernas, por favor*,' en ze glimlachte om de verwarring van de vrouw.

Ze wist dat ze aanstoot gaf, dat was haar bedoeling. Ze vond het niet prettig deze mensen tegen het lijf te lopen. Ze was niet helemaal hierheen gekomen om met toeristen te keuvelen. Ze leek plezier te scheppen in het feit dat de grote bazige interieurontwerpster met het Engelse accent en haar mobiele telefoon was beroofd. Ze was tenslotte niet gewond – ze had alleen een goede les geleerd. Dat ze de andere reizigers van de vlucht waren tegengekomen was echter een schok. Ze hadden gedacht hen nooit meer terug te zien en hier stonden ze nu met die twee, al bij de eerste de beste keer dat ze zich buiten hun hotelkamer hadden gewaagd.

'Ik zie dat jij ook een hoed hebt,' zei Wood en hij trok aan de rand van de zijne. 'Deze kost minstens duizend dollar in de States. Misschien wel twéé.'

Ze gingen net zo onhandig uit elkaar als ze elkaar hadden begroet, en onderweg naar een kerk die op een kaartje in hun reisgids stond aangegeven, sloegen Steadman en Ava een verkeerde straat in en liepen een plein op waar een markt werd gehouden. Nog drie passagiers uit het vliegtuig, naamloze gringo's in pas gekochte Ecuadoriaanse kledij, indiaanse truien, en een met een Panamahoed met een gekrulde rand zoals Steadman zelf ook had gekocht, stonden af te dingen bij een stalletje met snuisterijen. De aanblik van deze mensen dreef hen van de markt, maar in het museum en op de indiaanse markt en in de nauwe straatjes van de oude stad kwamen ze weer andere passagiers uit het vliegtuig tegen.

Wat had het voor zin om dat hele eind te reizen als alles wat je ermee bereikte die ellendige vlucht was en het gezelschap van deze timide avonturiers? Steadman had het gevoel dat hij tot dusver niets had bereikt. Ze stapten over de bedelaars heen en gingen de kerk van La Merced binnen, hun oorspronkelijke bestemming. Hier vonden allerlei activiteiten in het kader van Todos los Santos plaats, in de vorm van eerbiedige vrouwen die rondliepen met brandende kaarsen of waspitten.

Op de grote schilderijen in La Merced, die donker waren van het roet, stonden geharnaste soldaten en kolonisten met bloempothoeden afgebeeld, de geschiedenis van het land vanuit Spaans perspectief, maar ze lieten onbedoeld ook plunderingen en onbetrouwbare priesters en dankbare en verbijsterde indianen zien. Op één schilderij werd een blinde priester geleid door een misdienaar die nog een kind was, terwijl Jezus glimlachend vanuit de hemelen toekeek. De tekst eronder luidde:

'A los ciegos tú siempre illuminastre,
Testigo el sacerdote que curaste.'

'Altijd zult u de blinden het licht schenken – getuige de priester die u hebt genezen,' zei Ava. 'Maar in de oorspronkelijke tekst rijmt het.'

Het enorme goudkleurige altaar reikte tot het plafond van de kerk, met rijen gedraaide pilaren, alles was met een dikke laag deegachtig verguldsel en oogverblindende edelstenen bedekt. Reusachtige onzin, deze juwelendoos die boven de haveloze mensen uittorende, van wie sommige zich ter aarde hadden geworpen en andere geknield zaten.

'Vanmorgen in het hotel had ik een vreemde ontmoeting,' zei Ava. Ze liep door zonder om te kijken en ging aan de zijkant van de kerk in een kerkbank zitten.

Steadman volgde haar, hij luisterde hoe ze beschreef dat ze zich had uitgekleed en een man haar van achteren een masker op had gezet; hoe hij met haar gevreeën had; hoe het allemaal in stilte was gebeurd – ze vertelde het Steadman met vlakke stem, alsof ze een vreemde in vertrouwen nam.

'Je hebt ervan genoten,' zei hij.

'Zoiets had ik nog nooit eerder gedaan,' zei ze.

Hij wilde haar opnieuw en toen hij een gemaskerde vrouw door het gangpad aan zag komen lopen en op haar knieën zag vallen, een smekelinge bij een kapel aan de zijkant van de kerk, raakte hij nog opgewondener.

De gemaskerde vrouw was aan het bidden, haar woorden hoorbaar en berouwvol: '*Perdona nuestras ofensas como también perdonamos a los que nos ofenden – no nos dejes caer en la tentación...*'

'Zeg het maar,' zei hij met een dikke tong van begeerte.

'Dat hele eind.' Ze sprak op een fluisterende verbijsterde toon die wegstierf. Ze waren dicht genoeg bij de kapel om de hitte van het rek met kleine kaarsen te voelen, zo'n honderd vlammen die de met juwelen bezette crucifix op het vergulde altaarstuk verlichtten. 'En wat het allemaal niet kost,' zei ze. 'We zijn hier in deze bergen, tussen al dit goud en deze loensende indianen – en op ons best zijn we geblinddoekt.'

'En wat dan nog?'

'Zijn we naar Ecuador gekomen om dáár achter te komen?'

'Kennelijk,' zei hij.

'Daar zijn we niet voor gekomen.'

'Ik ben vergeten waarvoor we zijn gekomen.'

Ze gingen de kerk uit en liepen nog wat rond in de luidruchtige klamme stad. Ze vonden een markt en hoopten er handwerk te vinden, maar zagen alleen maar ouderwets damesondergoed en bergen herenschoenen en stapels bruine broeken en opgevouwen dekens en pannen van Chinese makelij. Alledaagse dingen voor een eeuwenoude muur met de leus: ¡FUERA GRINGOS! Vlak naast de leus lag een café, waar ze door een opgewekte vrouw werden begroet, en Ava zei: 'Huevos.' Steadman voelde zich al misselijk worden nog voordat hij wat van de omelet had gegeten. Ava zei dat het bier dat ze had gedronken om haar dorst te lessen haar duizelig maakte. Zou het van de ijle lucht komen? Steadman vroeg de ober het bier weer mee te nemen.

De hele ochtendwandeling door Quito had hij het gevoel gehad dat ze het goed met elkaar konden vinden, als een stel dat al heel lang getrouwd was, maar nu ze hier aan de cafétafel zaten uit te rusten, daas van de hoogte en de indigestie die daarmee leek samen te hangen, besefte Steadman dat deze ogenschijnlijke gelijkgestemdheid en soepele omgang met elkaar wellicht het resultaat was van hun besluit om uit elkaar te gaan. Toen ze eenmaal hadden gezegd dat het voorbij was, hadden ze niets meer gehad om ruzie over te maken: ze hadden geen toekomst. Ze konden weer vrienden worden.

Toch bleven ze daar in het café zitten, zonder te spreken, zonder elkaar aan te raken. Het gesprek dat ze in de kerk hadden gehad, hing nog steeds over hen heen, met het gewicht van de onbeantwoorde vragen die steeds zeurderig bleven terugkomen.

Het begon weer te regenen, eerst als zandkorrels die werden voortgeblazen, toen als het getik van kiezelstenen dat vervolgens zachter werd in de vlagerige wind, tot het geluid meer als een zwiepen klonk. Somber geworden door het weer voelden ze zich geïsoleerd en hadden iedere lust verloren om nog meer van de stad te zien. Steadman betaalde de rekening en ze namen een taxi die vlak bij het busstation stond geparkeerd.

Toen ze instapten stak de taxichauffeur, met zijn kleurige sjaal en oorhanger, uitbundig van wal. Hij zei iets wat Steadman niet begreep.

'Hij zegt dat de regen geluk brengt,' zei Ava. 'Hij is blij dat we er zijn. Hij heeft een vriend in New York. Een vriendje, natuurlijk.'

Steadman bedacht hoe vertrouwd vreemde steden werden door zulke stortbuien, hoe hun contouren erdoor werden geaccentueerd en vereenvoudigd. Hier spoelde de regen echter niet weg maar bleef in plassen staan en hinderde het verkeer. De plotselinge regen had hen ingesloten, had de stad wazig gemaakt en een onaantrekkelijke exotische aanblik gegeven, waardoor ze elkaar weer nodig hadden. Nu waren ze opnieuw op elkaar aangewezen. De zon had hen misschien uit elkaar gedreven, maar het slechte weer had hen tot elkaar gebracht.

Steadman zei: 'Ik begin me zorgen te maken over deze reis. Als ik deze Nestor niet kan bereiken, ben ik genaaid. Zonder hem kom ik de jungle niet in. Volgens zeggen is hij etnobotanist. Als hij niet komt opdagen, kan ik mijn verhaal wel vergeten.'

Ava leunde in de taxi achterover van hem vandaan en zei: 'O, dus je bent schrijver.'

Eerst had Steadman bijna moeten lachen en gezegd: Waar heb je het nou over? Natuurlijk ben ik dat! Maar hij aarzelde omdat ze hem volkomen uitdrukkingsloos aankeek terwijl ze op antwoord wachtte en de taxi door de blank staande goten reed en fonteinen van water deed opspatten. Er was nóg iets met de regen in deze landen: hij kwam modderkleurig naar beneden.

'Ja, dat klopt. En jij?'

'Ik ben arts.' Ze glimlachte zoals alleen de ene vreemde tegen de andere glimlacht, door haar gelaatsuitdrukking in bedwang te houden maar toch hoopvol te kijken.

De taxichauffeur raakte geïnteresseerd. Hij zei: '*Quisiera mostrarles cosas fantásticas.*'

'Hij wil ons wat fantastische dingen laten zien.'

Steadman fluisterde: 'Hij is pervers.'

Ava glimlachte opnieuw. Ze zei: 'Net als ik.'

'Hoe heet je?'

Ze zei: 'Dat vertel ik je boven wel.'

De zittingen van de taxi waren bekleed met gescheurd leer waar plukken stro doorheen staken. De sterke lucht van het stro en het leer wonden hem evenzeer op als haar plagerige woorden.

In de lobby zei Ava: 'Ik zit in drie een nul twee. Geef me een paar minuten.' Ze raakte hem niet aan. Ze draaide zich om en was verdwenen.

Steadman was aangenaam verrast door deze stemmingswisseling en de manier waarop ze hem deze informatie had gegeven, hem had gezegd wat hij allang wist – zo kordaat en zakelijk, alsof ze niet anders deed dan stiekeme afspraakjes maken, alsof ze het al vele malen had gerepeteerd. En hij dacht: Dat is wat een fantasie is: een fantasie is een repetitie.

Omdat hij van de smaak van het uitstel hield gaf hij haar meer tijd dan waar ze om had gevraagd en ging toen naar boven. Ze deed de deur open in een kamerjas van het hotel, maar liet die van zich afglijden toen hij binnenkwam. Ze was naakt. Steadman deed de deur op slot en schoof de grendel ervoor en toen hij zich weer naar Ava omdraaide was ze geblinddoekt – het slaapmasker uit het vliegtuig – en hield een andere blinddoek in haar hand.

'Wacht.' Steadman schopte zijn schoenen uit en trok zijn overhemd uit.

Ze wist wat hij aan het doen was. Ze zei: 'Het kan me niet schelen wat je aanhebt, als je deze maar draagt,' en ze gaf hem de andere blinddoek.

In de struikelpartij die toen volgde, glipte Ava van hem weg en riep naar hem van de andere kant van de kamer. Bang om zich te bezeren, ging Steadman op handen en voeten zitten en kroop in de richting van haar stemgeluid, maar ze bleef hem plagen. 'Hierheen,' zei ze. 'Nee, hier.' Tot hij haar in een hoek had gedreven en haar te pakken kreeg en haar kuste en zijn gezicht tegen haar zachtheid drukte en haar in de duisternis van zijn blinddoek intens ervoer als geur en warmte. Terwijl ze elkaar kusten trok de duisternis op en veranderde in een gloeiend licht. Maar de daad zelf kwam veel later, want ze lagen met elkaar te worstelen, naar adem happend in een hallucinatie van begeerte, elkaar plagend, treuzelend, even pauze nemend om daarna weer te beginnen, twee vreemden die elkaar leerden kennen en die de wanhopige lichte lach van de lust lieten weerklinken.

De daad had niets te maken met bezitten maar met loslaten, waarbij elk van hen dat op zijn meest eigen manier deed, alsof het een oefening in vrijlaten was. En ze deden het om beurten, gaven elkaar aanwijzingen en daagden elkaar uit, alsof ze elkaar alleen met hun lippen en tong zwijgend doch welbespraakt duidelijk maakten: Dit is wat ik wil.

Later was Steadman de eerste die wakker werd, maar toen hij zijn blinddoek afdeed, maakte dat weinig uit, want de nacht was ingevallen. Hij zag een streep schraal licht, het gedempte licht van de stad, door het gordijn. Ava lag te slapen, nog steeds geblinddoekt, languit tussen twee stoelen en had haar armen tegen de kou om zich heen geslagen. Het leek of ze daar was neergesmeten met de lippen van elkaar en de tong uit haar mond, als een kat die door een auto was aangereden.

Ook hij lag naakt op de vloer. Bij de drempel was een streep ganglicht zichtbaar. Genoeg licht voor Steadman om te zien dat er een opgevouwen stuk papier, waarschijnlijk een briefje, onder de deur door was geschoven.

4

Te worden gewekt vóór zonsopgang was als een vermoeden van ziekte, een serie symptomen: de aarzelende breekbaarheid van de vroege ochtend in de hoge afgelegen stad, het opsnuiven van de ijle, scherpe lucht in de omfloerste fluorescentie van het onzekere licht, het muffe stof, de gedempte stemmen en de gonzende stilte; zijn gespannen hoofd en dichtgekoekte ogen. Hij werd eraan herinnerd dat hij in *Trespassing* iets dergelijks over deze zelfde stad had geschreven.

Steadman had een hekel aan vroeg vertrekken en beneden werd hij wakker geschud door Nestors jovialiteit.

'Zijn jullie er klaar voor?'

Als mensen als Nestor dat soort cliché-uitdrukkingen kenden, verdacht Steadman hen ervan dat ze hem iets probeerden aan te smeren. Waarom zou een vreemde anders al die moeite doen om bij iemand in de gunst te komen? Bovendien bewees het feit dat ze zulke betekenisloze zinnetjes kenden erop dat ze zich gewoontegetrouw inlieten met oppervlakkige, luidruchtige Amerikanen en niet beter wisten.

Ava, die als arts aan noodgevallen was gewend, was al op, aangekleed en helder.

Nestor was een grote, zakelijke man van een jaar of veertig, met een snavelachtig gezicht, een snor en donkere diepliggende ogen. Hij droeg een zwaar leren jack, waar Steadman een opmerking over maakte. Nestor scheen onmiddellijk te begrijpen wat Steadman bedoelde en zei: 'Waar wij naartoe gaan, heb je die niet nodig.'

In plaats van gerustgesteld te worden door Nestors uitstekende Engels, stond Steadman argwanend tegenover diens vrijmoedigheid. De man was duidelijk ervaren, maar hij was impulsief in zijn bewegingen, zelfs in de manier waarop hij liep – alsof hij een uitval deed – en zo zelfverzekerd dat hij op een achteloze manier onbeholpen was.

Verborgen in de schaduw zaten vijf andere mensen in het busje, gezichtsloos in de duisternis, ineengedoken in de kou van de vroege ochtend. Uit de cassettespeler van het busje klonk een bandje met fluit- en panfluitmuziek uit de Andes. Ze zeiden niets toen Steadman en Ava voor in het busje kropen. Ook daarna bleven ze zwijgen. Steadman vermoedde dat ze gepikeerd waren omdat hij en Ava als laatsten waren opgehaald en dus langer hadden kunnen slapen; ook het feit dat ze onder de luifel van het luxueuze hotel op hen hadden moeten wachten had hen misschien geërgerd.

'Zes uur naar Papallacta,' zei Nestor. 'En dan naar Lago Agrio. We overnachten in Lago. Morgenochtend zitten we op de rivier. Morgenmiddag zijn we in de jungle. Heeft er iemand bezwaar tegen als ik een sigaret opsteek?'

'Ja, dat hebben we,' klonk een stem van achter, de stem van een vrouw die klonk als een betonschaar die een stuk ijzer doorknipt.

Nestor haalde zijn schouders op en haalde een wikkel van een stukje kauwgum af. Hij zat naast de chauffeur, die hij had voorgesteld als Hernán. Hernán was een goede chauffeur, maar Steadman vond het nooit prettig om niet zelf achter het stuur te zitten, behalve als Ava reed, die efficiënt was en haar bazige doktersgedrag in het verkeer toepaste maar toch voorzichtig bleef en nooit harder reed dan was toegestaan. De andere passagiers in het busje zaten zwijgend met gebogen hoofd. Steadman had vanwege de hoge prijs die ze vooruit hadden moeten betalen aangenomen dat hij en Ava alleen zouden zijn. Maar dit leek meer op een groepsreis voor jongeren die alles op een koopje willen doen.

Steadman bracht zichzelf in herinnering dat hij dit drugsreisje nooit in zijn eentje had kunnen regelen. Ze hadden Nestor nodig en Hernán waarschijnlijk ook, want hoewel hij eerder in Ecuador was geweest, was dit anders. Zelfs als Steadman het zou hebben klaargespeeld om het dorp in de jungle te vinden, zou hij niet met de Secoya-indianen hebben kunnen onderhandelen over de drugsceremonie. Hij had Nestor nodig als gids en bemiddelaar, maar tegelijkertijd stoorde hij zich aan het feit dat hij van hem afhankelijk was.

Buiten de stad verbreedde de weg zich tot wat een snelweg leek en na een klein eindje – hoewel het in de duisternis onmogelijk precies viel te zeggen – ging die over in een smalle, slingerende weg. Het busje schommelde in de bochten, Hernán leunde met zijn onderarmen op het stuur. In de diepere valleien leek het net of de dageraad zich terugtrok en de nacht opnieuw inviel. Het enige zichtbare was een kort stuk weg vóór hen, dat in de koplampen van het busje omhoog en omlaag glooide, met langs de kant het diepe groen van een beboste vallei.

'Net als die weg in Uganda,' zei de betonschaarstem achterin, met een licht Engels accent, 'op weg naar die plek met de gorilla's.'

'Bhutan,' zei een man met meer overtuiging. 'Bhutan heeft ook zulke wegen. Die naar het klooster. Dat is afgebrand nadat wij het hadden gezien.'

'Dit zou Yucatan kunnen zijn,' zei een vrouw.

'Zijn jullie in Uganda geweest?' riep Nestor. 'Schijnt helemaal te gek te zijn.'

Achterin werd gemompeld – maar Steadman bedacht dat 'te gek' nou precies het soort woord was dat een Ecuadoriaanse oplichter zou kennen. Een vrouw, niet degene met de harde stem, zei: 'Afrika is passé, daar gaan we nooit meer heen. Sommige mensen hebben medelijden met de Afrikanen en hun aidsepidemie, maar ik kan er alleen maar minachting voor voelen; ik haat ze omdat ze zo onverantwoordelijk zijn.'

Naast hem haalde Ava diep adem en liet een zucht ontsnappen, een langzame, nauwelijks hoorbare hinnik van ergernis.

'Miljarden sterren,' zei een man.

En spookachtige vlekken maanlicht op de donkere aarde waar brede plompe hutten stonden met stenen op de gegolfde vierkanten van hun verroeste daken om ze op hun plaats te houden. In het zuiden doemde de spookachtige schittering op van een besneeuwde top, als een verkreukeld laken op een zwarte rots, slechts een glimp die verdween en weer terugkwam. Wolkenflarden als gescheurde spinnenwebben fladderden omhoog uit de sneeuw en werden daarna verpletterd door de duisternis die uit de diepte van de vallei stroomde.

'Donkere materie,' zei de vrouw met de zachte stem.

'Dat snap ik niet,' zei de andere vrouw.

'Deeltjes,' zei een man. 'Het is donkere energie. Hoe denk je dat het universum bij elkaar wordt gehouden? Niet door de sterren, dat staat vast. Die zijn zeg maar een miniem deel van wat er daar buiten is.'

'Wat is er daar buiten dan nog meer?'

'Donkere energie. De kern. Zwaartekrachtmassa – het is een soort onzichtbare kosmische soep die de sterrenstelsels op zijn plaats houdt,' zei de vrouw. Ze was muesli aan het eten en roerde met haar vingers in het zakje en kauwde luidruchtig onder het spreken. 'Of misschien geen deeltjes maar een plooi van ruimte en tijd, als een nieuwe dimensie. Een totaal ander niveau van zijn.'

'Jullie zijn zeker leraar,' zei Nestor.

'Hier zijn geen leraren,' zei een vermoeide stem.

'Hoeveel kilometer is het naar Papallacta?' klonk een nieuwe stem in de duisternis. Omdat de man geagiteerd was viel zijn Duitse accent meer op dan wanneer hij kalm was geweest, en hij knauwde erop, zodat het als een gorgelend spraakgebrek klonk.

Nestor lachte en zei iets tegen Hernán en op dat moment klonken twee tonen van een mobiele telefoon achter in het busje. Een vrouw rommelde ermee en probeerde te antwoorden, maar de verbinding kwam niet tot stand en de vrouw mompelde: 'Hè verdikkeme.'

Maar Steadman wist allang wie de andere passagiers waren.

Manfred hijgde van ongeduld en zuchtte zo nu en dan overdreven terwijl hij in de weer was met het snoer van een oortelefoon dat in de war was geraakt. De anderen praatten onophoudelijk, omdat het donker was, omdat ze gespannen waren en omdat ze van nature een soort geldingsdrang hadden. Steadman nam het ze niet kwalijk dat ze rijk waren, noch dat ze bestemmingen verzamelden als trofeeën, maar hij vond het ergerlijk dat ze zo vroeg in de ochtend zoveel en zo opdringerig praatten – de dageraad was nog ver weg; in het busje wedijverden hun stemmen met elkaar – en dat ze niet zozeer met elkaar converseerden, als wel tegen elkaar opboden om te worden gehoord door toevallige luisteraars die ze hoopten te imponeren. Op zelfingenomen toon zeiden ze dingen die iedereen al wist.

Rijkdom had het gemakkelijk gemaakt om verboden terrein te betreden. Met geld kon je nu overal in de wereld komen. Je had er geen moed voor nodig, hoefde je niet voor te bereiden. Steadman was gefascineerd door hun keuzen: gorilla's in Afrika, tempels in Bhutan, ongebaande paden in Yucatan. Op Antartica – zoals Wood op dit ogenblik in het busje memoreerde – hadden ze de kolonies van de keizerspinguïn bezocht. Hoewel Steadman ervan uit was gegaan dat alleen hijzelf en Ava dit tripje zouden maken, verbaasde het hem niet echt dat ze met deze mensen in het busje zaten op weg naar de jungle. Steadman haatte de gedachte dat hij net was als zij, want ook in zijn geval had rijkdom deze reis mogelijk gemaakt. Maar dit was slechts het begin; de echte test zou later komen, op de rivier, in de jungle, in het dorp.

Nog steeds in de duisternis gehuld, zei de man die was voorgesteld als Hack: 'Ik zie nog steeds geen pest,' terwijl hij zijn gezicht tegen het raam van het busje drukte.

'Sabra en ik hadden gehoord van die zogenaamde housefeesten buiten Londen,' zei Wood. 'Ik heb een taxichauffeur gewoon honderd dollar gegeven en zei: "Breng ons er maar naartoe." Het was een of ander industrieterrein in de buitenwijken, een paar duizend jongeren die uit hun dak gingen. Ze hadden allemaal xtc genomen.'

Sabra zei: 'Een van die kids vertelde me dat hij een heleboel pillen had genomen. Hing daar maar een beetje rond. De anderen liepen gewoon over hem heen.'

'De Secoya zijn beschaafder,' zei Nestor.

'Eén dosis xtc en hij is zes uur lang blind.'

'Een drug waardoor je blind wordt zou alles weleens in een paradijs kunnen omtoveren.'

'In je dromen.'

'Jah, maar er zijn een paar planten waar je gespleten van raakt.'

Langzaam brak de dageraad door, het krachtige licht filterde omhoog door de lucht om hen heen en leek de hemel op te tillen; de duisternis loste op en liet langs de kant van de weg een residu achter in de vorm van schaduwen op dichte bosjes en overhangende bomen. In een paar minuten tijd werd het kortstondige zachte licht hard en schel en legde de smerige weg bloot. Een eindje verder, in een bocht van de weg, stond een laag houten huis met een rokende schoorsteen, en een paar nerveus scharrelende kippen en een vastgebonden geit ernaast.

'Pitsstop,' zei Hack toen Hernán het busje vaart liet minderen.

'Heeft er iemand honger?' vroeg Nestor. 'Er is ook een toilet.'

Achter het huisje, in een vallei die tot de rand was gevuld met ochtendmist, hingen nog meer spinnenwebben, deels aan elkaar geklit en deels dicht geweven en uitnodigend. Steadman liep naar de kant van de weg, gaapte en rekte zich uit. Hij draaide zich om omdat hij dacht dat Ava hem was gevolgd en zag Wood naast hem staan in een blauw jack met lange mouwen en een trainingsbroek.

'Deze stof is eigenlijk een soort keramiek,' zei Wood en hij streek over zijn mouw, 'maar dit sweatshirt van Trespassing is weer gemaakt van gerecyclede plastic flessen. Daarom zijn ze zo duur.'

'Tien procent van de winst vóór belastingen gaat naar het milieu,' zei Steadman en hij keek een andere kant op.

'Mooi dat dat allemaal aftrekbaar is.'

Steadman glimlachte en luisterde naar de roep van een vogel, een tuimelende fluittoon, een geluid om indruk te maken in een prachtig vertoon van hofmakerij.

Hack was stilletjes aan de andere kant van Steadman komen staan en keek ook de vallei in.

'Hou je neus maar dicht als je hier naar de plee gaat – het is er net zo een als in Cambodja,' zei Hack. Hij stond nog steeds over de vallei uit te kijken en zei: 'Goeie vriend van me uit Wharton is hier aan het lokale brouwsel verslingerd geraakt.'

'Hack, moet je kijken. Heleboel water hier.'

Nestor riep dat het ontbijt klaar was. Hack liep achter Steadman aan over het pad en zei: 'Cambodja was fantastisch. Op diezelfde reis zijn we gaan surfen op de Andaman-eilanden.'

'Thailand is verpest,' zei Wood. 'Bali is een riool.'

De vrouwen zaten aan tafel met Manfred, die een oortelefoon droeg en al met eten was begonnen zonder op de anderen te wachten. Hij had een enorm bord vol: hompen brood, gefrituurde pasteitjes, doorgebakken eieren en natte gekookte groenten. In plaats van elleboog aan elleboog met de anderen te gaan zitten, bleef Steadman staan en hield zijn bord met één hand vast en at met de andere. Hij verbaasde zich weer over het feit dat Manfred meer dan twee armen leek te hebben, want hij reikte en at tegelijkertijd.

'Keebler. Net als de koekjes,' zei Janey in haar telefoon. Er kroop iets ongemakkelijks in haar stem, een eentonig gejengel, vooral als ze een grapje maakte. Daar had je het weer. 'Nee. Pfister. De p spreek je niet uit. Die hoor je net zomin als wanneer je in bad pist.'

Janey begon op haar telefoon te kloppen. De verbinding was weggevallen, zei ze. 'Eet je die gore troep?' Toen Steadman niet antwoordde, zei ze: 'Het ziet eruit als iets wat de kat heeft uitgekotst.'

Hij luisterde naar Hack die tegen Ava zei: 'Of we nou werken of plezier maken, we halen alles uit de kast,' en hij vroeg zich af of hij moest ingrijpen om haar te redden.

Er werd nog meer koffie gebracht en ingeschonken en nu pas kreeg Steadman oog voor de mensen die hen bedienden: kleine gehaaste indianen die bang keken als ze zich onder de bezoekers begaven. Wanneer ze oogcontact maakten, lachten ze angstvallig glimlachend hun tanden bloot. Nestor gaf een van de indianen wat geld voor de maaltijd en zei: 'Kom op, we gaan.'

Ze klommen weer in het busje, onder het uitwisselen van de broze beleefdheden van mensen die elkaar niet mogen, het soort bruuske vormelijkheid die aan onbeleefdheid grenst. 'Neem me niet kwalijk.' 'Ga je

gang.' En: 'Mag ik je misschien lastig vallen en om een zakdoekje vragen?'
'Daar mag je me zeker om lastig vallen.' En: 'Hartelijk dank.' 'Heel graag
gedaan.'

'Ik ga heel brutaal zijn en mijn kaasvoetjes tegen de rug van je stoel
zetten,' zei Janey tegen Manfred.

Hij begreep haar verkeerd, tikte op zijn oortelefoon en schreeuwde
met wijdopen ogen: 'Weber! *Die Freischutz!*'

Janey tuurde uit het raam toen ze wegreden van het houten huisje
waar ze net hadden gegeten. Ze zei: 'Alles is hier zo retro.'

Tijdens de voorbereidingen van de reis naar Ecuador, had Steadman
zich voorgesteld dat zij tweeën alleen met Nestor zouden zijn, dat ze samen de afdaling van het plateau naar de jungle zouden maken en dat
Nestor hen in de geheimen van de Oriente zou inwijden. Destijds was
deze bus en zijn inzittenden volstrekt ondenkbaar geweest. Hij had geen
moment rekening gehouden met welke inmenging dan ook, vooral niet
van toeristen. En hij had ernaar uitgekeken om met Ava alleen te zijn.
Hij wilde dat de reis iets uitzonderlijks zou worden, riskant zelfs. Maar
met Ava was het voorbij, ze waren niet alleen, en hij werd misselijk van
walging omdat hij een hekel had aan de andere passagiers, het rijgedrag
van Hernán haatte en het ziekmakende voorgevoel kreeg dat dit allemaal tijdverspilling was. Hij had gehoopt dat zijn Ecuadoriaanse avontuur het eerste stadium zou worden in het terugwinnen van zijn reputatie als schrijver, en had geloofd dat het hem als mens zou vormen. Het
drugsreisje waarvan hij had gehoopt dat het uniek zou zijn, helemaal
van hem, was blijkbaar een wijd en zijd bekendstaande reis over een uit-
gesleten pad, in het soort kleurige brochure waarin ook de ontmoetingen met gorilla's, wildwaterrafting op de Ganges, trektochten naar het
basiskamp op de Mount Everest en vogels kijken in Mongolië beschreven stonden.

Een tijdlang, veel te lang, had hij zich op een onoprechte manier beklaagd over zijn roem en zijn verkoopcijfers – heimelijk was hij opgetogen geweest. Maar later waren zijn klachten welgemeend gaan klinken.
Hij wilde verder; hij nam al het werk aan dat zich aandiende. Hij werd
ingehuurd door tijdschriften omdat hij naam had gemaakt met *Trespassing*, en hij koos altijd opdrachten waarvoor hij moest reizen. Ava was
dol op reizen. Een paar jaar lang was er haast geen verschil tussen zijn
werk en hun vakanties.

Als auteur van *Trespassing* raakte Steadman, een reiziger, een schrijver, onzinnig genoeg bekend als schrijver van reisverhalen. Hij werd gevraagd om voor tijdschriften over steden, hotels en restaurants te schrijven. In het begin kon hij zijn geluk niet op. 'Op de reisverhalen,' was de toast die hij placht uit te brengen tijdens een overvloedige maaltijd met Ava – en die maaltijd kon bestaan uit ravioli gevuld met kreeft, gevolgd door osso bucco op een bedje van polenta met mini-artisjokken in het restaurant van hotel Cipriani, met het gekanteelde, ecclesiastische silhouet van Venetië aan de overkant van het Giudecca-kanaal, en de San Giorgio Maggiore als je uit het raam keek.

Zijn opdrachten waren zo prettig geweest dat de redacteuren hem er niet aan hoefden te herinneren dat die tijdschriftartikelen vriendelijk en positief dienden te zijn. Meestal hoefden er geen onkostendeclaraties te worden ingevuld. Tijdschriften stuurden hen op persreisjes. Het hotel of het toeristenbureau betaalde de vlucht en fêteerde hem op maaltijden en drankjes. Hij kreeg helikoptervluchten en dure cadeaus en op de terugweg gaf men hem een informatiemap mee die hij geacht werd voor zijn verhaal te gebruiken.

In het begin deed hij het goed. Hij had zichzelf geamuseerd; hij uitte zijn dankbaarheid in rijke bewoordingen en beantwoordde de gastvrijheid met lof. Maar toen de glans van nieuwigheid eraf was, werd het reizen moeizamer – het begon meer op werk te lijken en zelfs de luxe leek eentonig en overbodig te worden – en in plaats van dat de plekken onderling inwisselbaar leken, begonnen ze zich duidelijk van elkaar te onderscheiden en kwamen ze hem vreugdeloos, nauwelijks menselijk en vaak weerzinwekkend voor. De glamour begon iets stars en geforceerds te krijgen. Dat beschreef hij allemaal in zijn reisartikelen waarvan hij dacht dat ze vlot en waarheidsgetrouw en soms grappig waren.

De artikelen werden niet goed ontvangen. Eén redacteur zei: 'Het lijkt alsof je je niet hebt geamuseerd. Je schrijft alleen maar over het slechte rijgedrag en de gevaarlijke wegen.'

Steadman liet zich niet ontmoedigen. Hij haalde zijn zin uit *Trespassing* aan: 'Als reizen één inzicht oplevert, dan is het dat het niets met plezier te maken heeft,' en hij bleef promotiereisjes maken. Maar wanneer ze zijn artikelen ontvingen, zeiden de redacteuren: 'Hier moet je nog even aan sleutelen,' of: 'Dit is niet helemaal wat we wilden,' en dan legden ze in vage beledigende termen uit hoe hij het artikel moest herschrijven – 'er met de fijne kam doorheen gaan,' zeiden ze – om het voor publicatie geschikt te maken.

Op een promotiereis naar Trinidad had hij een vreselijke tijd gehad. Het eiland was vergeven van de criminaliteit en was smerig. Het was lawaaierig. Steadman haatte de muziek. De inwoners die hij ontmoette waren graaierig. Steadman gebruikte de woorden 'lachwekkend', 'jungle-achtig', 'zweterig' en 'kakofonisch', en allemaal waren ze door een adjunct-hoofdredacteur doorgestreept. Net als het woord 'stank'. Hij had zich verdiept in de rassenpolitiek op het eiland. Het artikel werd afgewezen. 'Het was bedoeld voor onze special "Eilanden in de zon". Je hebt het schelpdierenbuffet van het Intercontinental niet eens genoemd.'

Steadman had de redacteur een gesigneerd exemplaar van *Trespassing* gestuurd.

Zure of muggenzifterige stukken werden meteen afgewezen, ironie werd ontmoedigd vanwege de dubbelzinnigheid, humor werd niet gewaardeerd omdat het kleinerend was, satire omdat het ondermijnend was en het vermelden van lelijkheid of verval was verboden. In al die schrijfsels werd een toon van kruiperige dankbaarheid vermengd met onderdanige welwillendheid. Het thema van elk uitstapje was plezier: Wat ben ik toch een geluksvogel dat ik op deze prachtige plek ben en van deze heerlijke maaltijd geniet – en zo zal het u ook vergaan!

'Het is geen reizen. Het is zelfs geen schrijven,' zei Steadman. 'Dit zijn advertentieteksten. Ze verwachten van me dat ik een vazal van de public-relationsindustrie ben.' De tijdschriften eisten mooie plaatjes en enthousiasme en louter loftuitingen om adverteerders te lokken en inkomsten te verwerven. Dat was de manier waarop ze gedijden.

Echt reizen hoorde riskant, ongewis, moeilijk en niet erg comfortabel te zijn. Wat deze tijdschriften reizen noemden, waren in feite strandvakanties. De duurdere tijdschriften schreven over de pseudoverfijning van lekker eten of de loomheid van een luxe cruise – genotzuchtig, niet veeleisend, genoeglijk, veel zon, zwemmen, maanlicht. Steadman was ingehuurd omdat hij een echte schrijver met een reputatie was, de auteur van een klassiek reisboek; maar hij besefte dat hij als onbevooroordeelde en bemiddelde reiziger werd gevreesd door de gastheren, wier pretenties hij belachelijk zou maken, en hij lag ook niet goed bij de tijdschriften, die het idee hadden dat hij adverteerders zou afschrikken. Het duurde twee jaar voordat Steadman begreep dat zijn toekomst niet in dit werk lag. Hij ging door met ploeteren aan zijn roman: werk dat stillag.

En later, toen hij Burroughs' *Yage letters* las, verlangde hij ernaar een reis naar Ecuador te maken – om een sjamaan te bezoeken; met *yajé* te experimenteren, dat ook bekendstond als *ayahuasca*, de 'wingerd van de ziel'; terug te keren naar de drug die Burroughs in zijn duistere boek had beschreven; een echt verhaal te herontdekken en misschien inspiratie te vinden om door te gaan met zijn roman. Hij had brandstof nodig. Hij las de andere boeken die werden aanbevolen: het etnobotanische werk van Richard Schultes en het meer mystieke boek van Reichel-Dolmatoff. De literatuur over de drugs was respectvol en ging meer over de geest en het ritueel en de culturele oorsprong ervan dan over de sensatie die ze teweegbrachten. Maar alle botanici wezen op de risico's.

Hij had niet doorgehad dat de toeristenindustrie zich dit ook had toegeëigend, maar nu wist hij dat de mensen in het busje – Sabra, Wood, Hack, Janey en Manfred – het soort mensen was dat op zoek ging naar de perfecte mai-tai op Maui, of de beste snorkelplek op het Great Barrier Reef of het grootste naaktstrand op St. Barts. Nu wist hij dat ze trektochten hadden gemaakt om gorilla's te zien, vogels hadden geobserveerd in Botswana, naar Cambodja, Bhutan en Thailand waren geweest, over de Patagonische pampa's waren gereisd, de Zambesi waren afgezakt en de Sepik waren opgevaren. 'Ik heb een hoofdbijl van de Bontoc. Er zitten nog bloeddruppels aan.' Bij het duiken bij Palau waren ze omringd geweest door haaien. Paaseiland. De Andaman-eilanden. Gaucho's. Moddermannen. Ifugao. Pygmeeën. Zee-Dajaks. 'Koppensnellers'.

'India was niks, op die ayurvedische massage in Kerala na.'

Allemaal trofeeën, en deze trip naar Oriente, het bezoek aan een sjamaan in een dorp in de jungle, de zoektocht naar een echte *ayahuasquero* en de geestverruimende drank zelf was de zoveelste trofee voor deze romantische voyeuristen.

'Wat gaan jullie hier doen?' had Ava de anderen aan het ontbijt gevraagd.

'Hetzelfde als jullie.'

De reis waarvan Steadman had gedacht dat het een unieke reis was die hij zorgvuldig had voorbereid met behulp van obscure antropologische teksten en werken van etnobotanici – een reis waarvan hij hoopte dat die zijn naam zou vestigen als reiziger op zoek naar verlichting – was verworden tot niets meer dan een peperdure verzorgde reis, een drugstripje. Zonder dat ze een woord had gezegd, wist hij dat Ava ook verbijsterd was door de aanwezigheid van de anderen op de excursie. Datgene waarvan hij gehoopt had dat het een avontuur zou worden, leek gedevalueerd tot een schoolreisje.

Toch was hij vastbesloten om door te gaan. De tocht was net begonnen – misschien dat de anderen in paniek raakten en alsnog afhaakten. Dat kwam voor: zelfs passagiers op een luxe cruise konden zeeziek worden, een vrouw op een promotiereisje in Mexico was op haar hotelkamer verkracht en op het snoepreisje naar Trinidad had een schrijver van reisverhalen uit New York een reisboekenschrijfster uit Seattle een envelop met onbeholpen polaroidfoto's gegeven die hij, naakt, van zichzelf had genomen voor een levensgrote spiegel. En toen ze zei dat ze de foto's aan de politie zou geven, had de man haar bedreigd. Op deze trip kon nog steeds iets dramatisch gebeuren, maar Steadman twijfelde eraan of hij er iets aan zou hebben. Soms was het samenzijn met Ava in deze toestand van losmaking net als alleen zijn, want ze had erop gestaan een vreemde te zijn, wat een onverwachte meevaller voor hem was en wat hem zelfs had opgewonden omdat ze in haar rol bleef en hem op een bijzondere manier wist te verleiden.

Hij hoopte dat de tocht iets zou opleveren en misschien kon hij er een boek van maken, een deel van de roman die hij op stapel had staan, een op-zoek-naar-boek, waarin de gevaren werden aangedikt, de personages werden gecreëerd en waarin hij de seksuele ervaringen die hij onverwacht had genoten, gemaskerd en geblinddoekt in het hotel in Quito, aan iemand anders zou toeschrijven van wie hij misschien kon zeggen dat die persoon zijn hart bij hem had uitgestort, of misschien zou hij zelf alles opbiechten waarbij hij zijn relatie met Ava zou gebruiken. Dit reisboek-als-fictie zou onder meer gaan over eten, drugs, seks, exotische landschappen en verlatenheid – besneeuwde toppen die boven de groene hitte uitstegen, de jungle in de schaduw van Cotopaxi, romantische mislukking, desillusie, teleurstelling; een boek over uit elkaar gaan, dat meer met overtredingen van doen had dan *Trespassing* zelf.

Over dit alles dacht hij na tijdens de lange, zwijgende rit naar Papallacta. De enige woorden die sinds het ontbijt waren gesproken, waren die van Manfred geweest: 'Weber! *Die Freischutz!*' Iedereen was in slaap gevallen behalve Steadman en Manfred.

Vlak voor Papallacta begon het busje te hobbelen en te slingeren: een lekke band. Ze hadden geen krik en moesten een andere auto aanhouden om hen te helpen. Ze raakten achter op het schema door het uur dat het kostte om het wiel te verwisselen en het andere te laten repareren. Ze lunchten laat – alleen geschild fruit en warm bier op het parkeerterrein bij de hete bronnen van Papallacta.

'*Aguas calientes*,' zei Nestor.

Steadman zag hoe Hernán op een hoge struik toe liep die in bloei stond, net aan de andere kant van een lage muur aan de rand van het parkeerterrein. Hij glimlachte en aaide over de afzichtelijke bloemen die op een mond leken.

'Ken je deze plant?' vroeg Nestor.

'Hij is mooi,' zei Ava.

'Noemen jullie hem niet doornappel?' zei Nestor.

'Ik noem 'm helemaal niets.'

'Wij noemen 'm *toé*. Er zijn veel soorten. Brugmansia. Verderop langs de rivier groeit hij ook,' zei hij en hij tikte tegen zijn hoofd. 'Hij is lekker.'

'En dat weet jij omdat je een etnobotanicus bent?'

'Ik ben een *vegetalista*, een genezer,' zei Nestor. 'Ik ben geen *toéro*, maar ik weet dat dit toé is.'

Steadman zei: 'Het opent je ogen, is het dat?'

'*Luz*,' zei Nestor met een zwijmelige sisklank, hij staarde hem aan met een komische blik en huiverde toen overdreven. 'Is een licht. Opent je ogen, sluit ze, geeft je ogen als de *yana puma* – een *tigre*,' zei Nestor en hij sprak toen snel tegen Hernán, die moest lachen.

Ava haatte het wanneer mensen een geheimpje uitwisselden in een andere taal terwijl ze haar openlijk uitlachten. Ze was ervan overtuigd dat ze haar onzeker wilden maken, iets voor haar achterhielden en voelde zich beledigd.

Vastberaden vroeg ze: 'Wat zei je net tegen hem?'

'Ik spreek Quechua. Spreek je geen Quechua? Ik zeg: "*Toé-nino amaru*." Dat is de vuur-boa.'

Manfred nam de blaadjes van de struik tussen zijn vingers en zei: 'Dit is Datura Brugsmania. Is nu een op zichzelf staand geslacht. Een sterk hallucinogeen. Bevat wellicht het entheogen *maikua*. Noem je dit *borrachero*?

'Sommige mensen noemen het zo.'

'Hij behoort tot het geslacht van de nachtschade,' zei Manfred die stuntelig in de weer was met zijn plantenboek en met zijn smerige vingers naar de dunne bladzijden klauwde.

Steadman luisterde aandachtig, gefascineerd door Manfreds vieze vingernagels en zijn eruditie; maar Ava had zich alweer afgewend. 'Waarom stoppen we hier?' vroeg ze.

'Lunch. Daarna *baños*. We nemen een bad in de hete bronnen en dan gaan we weer,' zei Nestor.

De hete bronnen lagen tegen de helling van een heuvel met uitgehakte terrassen en stenen traptreden, een schuur die als kleedkamer dienstdeed en een wachthokje waar een oude vrouw met een leerachtig gezicht en tressen in het haar schone handdoeken uitreikte. De bassins die tegen de zijkant van de heuvel lagen waren onderling verbonden door kanalen en sluizen waar het dampende water doorheen liep. De bassins bij de top, dicht bij de bron, waren erg heet – het water borrelde, kookte misschien zelfs – en waren allemaal leeg. Steadman stopte zijn hand in een van de bassins en verbrandde zijn vingers. De grotere lauwwarme bassins lagen daar net onder, omringd door rietstengels, en het water stroomde erin via een bemoste overloop.

Tegen de tijd dat Ava en Steadman zich hadden omgekleed, zaten de Hacklers en de Wilmutts al tot hun kin in het water van het grootste bassin, hun hoofd omgeven door flarden damp.

'Genoeg ruimte voor jullie, jongens,' zei Wood.

'Het is helemaal niet zo heet,' riep Janey.

Steadman en Ava stapten in het hete water en lieten zich zakken zodat ze op de stenen bank konden zitten tot alleen hun hoofd nog zichtbaar was. Vier andere hoofden keken naar hen van de andere kant van het bassin. Er hing een zwavelachtige lucht in de damp boven het borrelende grijzige water.

'Waar is onze Duitse vriend met zijn grote boek?' vroeg Hack.

Janey vervloekte haar telefoon en hamerde geërgerd op de toetsen. 'Ze hebben me bezworen dat ik hier bereik zou hebben.'

Steadman zag dat een exemplaar van *Trespassing* – het moest dat van Sabra zijn geweest, ze nam het overal mee naartoe – op de muur naast het bassin lag.

'Wat is dit heerlijk,' zei Wood, en hij spetterde als een kind.

'De man van het goede leven,' zei Hack.

'Was dat maar waar,' zei Wood. 'Ik wil nóg een boek schrijven.'

'Ben je echt schrijver?' vroeg Ava. Eigenlijk was ze niet van plan iets te zeggen, maar ze was zo verrast door het 'Ik wil nóg een boek schrijven' dat ze het eruit flapte. Ze voelde zich niet op haar gemak. 'Je had het toch over je bedrijf?'

'Een van mijn bedrijven.'

'Hij koopt bedrijven,' zei Hack.

'Schrijver, boekenproducent, het is allemaal hetzelfde.'

Steadman stond alleen maar te staren naar de man die met zijn stoppelige kin in het dampende water roerde.

'*The Heights of Fame*, dat is van mij,' zei Wood. 'Een van mijn boeken.'

'Voor de volledigheid: het énige,' zei Hack.

'Eén zo'n boek is alles wat je nodig hebt,' zei Wood.

Ava glimlachte verrast, want ze had zowaar van het boek gehoord – was het wel een boek? Ava herinnerde het zich als een tabel. Ze vroeg zich af of iemand hun een exemplaar cadeau had gedaan – het was een tijdlang een gewild cadeau geweest. Het werd in de uitgeverswereld beschouwd als een fenomeen, er was veel ruchtbaarheid aan gegeven, het was vele malen herdrukt en onverwacht enorm winstgevend geweest.

Wood zei: 'Het was een fantastisch idee, maar het ergste eraan was de eenvoud ervan. Dus iedereen heeft het overgenomen.'

Het idee was bij hem opgekomen toen hij een biografie van Joseph Conrad aan het lezen was. Conrads bleek slechts een meter tweeënvijftig te zijn. 'Ik had me Conrad voorgesteld als een reus – met een baard, breedgeschouderd, een grote Poolse zeekapitein. Hij was piepklein!'

Wood was toen meer biografieën gaan lezen, zei hij, en was op zoek gegaan naar dat ene feit. Kleine schrijvers bleken de regel te zijn. Alexander Pope was een meter zevenendertig; Lawrence Durrell gaf een lengte van een meter tweeënzestig op, maar was in werkelijkheid maar net iets langer dan een meter vijftig. Wood zocht verder. Keats was een meter tweeënvijftig, Balzac een meter vijfenvijftig, T. E. Lawrence een meter vijfenzestig, even lang als Marilyn Monroe. Dylan Thomas was een meter achtenzestig, Thoreau een meter zeventig en Robert Louis Stevenson een meter achtenzeventig.

Wood zei: 'Melville was een kabouter! Henry James was een dwerg! Faulkner was een ukkepuk! Melville was net iets langer dan een meter vijftig. Je stelt je hem voor als een sterke walvisvaarder die een harpoen gooit, maar nee, hij was nog net geen dwerg, net als de meeste schrijvers.'

Ava zei: 'Thomas Wolfe was geen dwerg.'

'Hij staat in de tabel, hij was een meter drieënnegentig.'

Nu herinnerde ze het zich weer. In het boek had een uitvouwbare tabel gezeten, in de vorm van een meetlint waarop de namen en lengten van alle genoemde schrijvers stonden aangegeven. Die moest je aan de muur hangen en op de tabel was ruimte om zelf nog namen toe te voegen. Je moeder kon dus even lang zijn als Conrad, je kind even groot als Alexander Pope, je neef die basketbal speelde kon in fysiek opzicht de gelijke zijn van Thomas Wolfe.

'Graham Greene en George Orwell waren allebei ver over de een meter tachtig,' zei Wood.

'Luister, willen jullie iets ongelooflijks horen?' zei Hack tegen de anderen. Toen vroeg hij aan Wood op de toon van een quizmaster: 'Edgar Allen Poe?'

'Een tweeënzeventig,' zei Wood.

'Marquis de Sade?'

'Een meter zestig.'

Ava zei: 'William Burroughs.'

'Een meter eenentachtig.'

'Net zo lang als jij,' zei Ava tegen Steadman, die moest glimlachen, want ze wist dat het Burroughs' boek was geweest dat hem op het idee van deze reis had gebracht.

'Heb je *The Yage Letters* ooit gelezen?' vroeg Ava aan Wood.

'Nooit van gehoord. Wie heeft dat geschreven?'

'Een man die hier ooit is geweest,' zei Ava.

Terwijl ze dat zei, dook Nestor op en zei: 'Hij is niet hier geweest. Hij was in Colombia, op de Putumayo. Maar het was wel in het Amazonegebied en hij was naar hetzelfde op zoek. Maar dat was geen excursie. We gaan verder.'

Toen ze uit het dampende bassin stapten, voelden ze hoe kil de late middaglucht was en hoe moe en gaar ze waren van het zitten in het warme water. Onder het afdrogen zagen ze Manfred bij de heuveltop verschijnen. Hij leek altijd uit het niets op te duiken, alsof hij als een insect aan een onzichtbare draad naar beneden kwam zetten. Hij was volkomen naakt en toonde totaal geen gêne. Hij sloeg zich met een handdoek droog en zijn huid was roze van het gloeiend hete water, zijn hoofdhaar was piekerig en nat en bij het afdalen van de ene steen op de andere zwaaide zijn slappe penis heen en weer. Hij droeg oordopjes en had een walkman in zijn ene hand en een takje met bloemen in de andere hand en glimlachte.

'Het is een bromelia!' schreeuwde hij vanwege de oordopjes.

Nestor zei: 'De volgende halte is Lago Agrio.'

'Hoe ver is het naar Lago Agrio?'

'Dat vertel ik jullie straks,' zei Nestor.

'Hoe ver is het tot "straks"?' vroeg Hack op dwingende toon.

5

Het eerste teken dat erop wees dat ze in de buurt van Lago Agrio kwamen was een serie borden. Op de meeste stond: *Prohibido el Paso,* op sommige andere de sjabloonafdruk van een grijnzend doodshoofd als een Halloweenmasker en alleen het afschrikwekkende woord *Peligro.*

'Wat heeft dat te betekenen?' vroeg Wood in de duisternis van het busje.

'*Calavera,*' zei Hernán. 'Doodskop.'

Het was na middernacht toen ze de verlaten straten binnenreden die er in het licht van kleine oranje peertjes luguber uitzagen. Eerst waren ze over een hobbelige weg gereden en daarna over het oneffen plaveisel van de hoofdstraat, die door dezelfde okerkleurige schaduwen werd geflankeerd. Alle winkels waren donker en de luiken waren dicht, slechts een handvol mensen met schimmige gezichten hing rond bij de pilaren van de galerijen waar open vuren gloeiden en doorgezaagde olievaten dienstdeden als komfoor. Ava en Steadman stapten als eersten uit het busje, en zelfs in het halfduister waarin het rook naar vochtigheid, door mieren aangevreten hout, natgeworden vuil, hondenpoep, roestige buizen en de smerige rook van de vuurtjes, voelden ze dat de stad afstotend was – niet oud, maar haastig gebouwd, een soort gezwel in de jungle, een onverwachte woestenij van dode bomen, een krottenwijk riekend naar zwartgeblakerde potten en oudbakken brood en baklucht en verval. Er hing nog een andere stank in de lucht die op een subtiele manier iets giftigs had, de zure, romige indringende geur van stookolie.

'Het is hier spectaculair morsig,' zei Janey op een wellustig tevreden toon. Toen gaapte ze. 'Beloof je dat je me zult instoppen, schat? Ik ben doodop.'

In een zijsteeg van de hoofdstraat, op een kleine binnenplaats die door de hoge muren wel op een versterking leek, lag Hotel Colombiana in de duisternis. Hernán reed het busje met veel manoeuvreren achteruit de binnenplaats op.

'Is het niet makkelijker om het busje in de steeg te parkeren?' vroeg Sabra.

'Dan zou het busje er morgen niet meer staan,' zei Nestor. 'We zitten minder dan dertig kilometer van de Colombiaanse grens. Hebben jullie weleens van de FARC gehoord? De *Fuerzas Armadas Revolutionarias de Colombia*? Die nemen het busje mee. Die nemen jou ook mee.' Onder het spreken was hij aan het werk en ving de tassen op die Hernán hem aangaf en stapelde ze naast het busje op.

'Je bedoelt ontvoeren?' zei Sabra.

'Daar hebben ze het te druk voor. Ze besteden de ontvoeringen uit,' zei Nestor, die zelfingenomen keek bij het woord 'uitbesteden' en intussen met de tassen bezig was.

'Wie doet dat dan?'

'Kinderen ontvoeren je en verkopen je door aan de FARC of aan wie dan ook die de betaling van het losgeld verder afhandelt.'

'Verrukkelijk,' zei Janey.

'Wat zijn dat voor kinderen?' vroeg Hack.

'Kinderen met vuurwapens, die honger hebben,' zei Nestor en hij liep naar de hotelreceptie. 'Ik geef jullie de sleutel van je kamer.'

De anderen klaagden over het hotel en waren zo ontzet door Nestors waarschuwingen dat Steadman en Ava het onderkomen juist nadrukkelijk lof toezwaaiden. Ze dronken gin met limoen op hun kamer en hoorden stemmen in de verte, krijsende vrouwen, brullende mannen.

Ava zat met haar gezicht naar het raam gekeerd en keek naar de muur van de hoteltuin die geurde naar de jasmijn, een nachtbloeier. Steadman kwam van achter op haar toe lopen en deed een blinddoek voor haar ogen.

Ze dronken door en Steadman vulde Ava's glas voorzichtig bij, maar ze zei: 'Dit werkt niet.'

Steadman zei niets. Misschien was ze moe. Was het hele gedoe met die blinddoek een truc waarmee ze zichzelf zand in de ogen strooiden – of was het een stap te ver? Hij weigerde het een naam te geven. Zo'n intense ervaring kon toch niet na één dag haar scherpte hebben verloren? Steadman schreef de mislukking van die avond toe aan het feit dat ze al die tijd samen in het busje hadden gezeten. Dat ze zo lang zo dicht op elkaar hadden gezeten, schouder aan schouder, had hem vermoeid en zijn begeerte bekoeld. Die van haar ook, zo leek het.

Ze voelden zich ongemakkelijk toen ze in hetzelfde bed klommen en hielden elkaar even vast maar zoenden niet. Even later sliepen ze.

Ze werden om zeven uur gewekt – door het gerinkel van de telefoon, Nestor vroeg hun naar het café voor in het hotel te komen waar Hernán koffie, fruit en brood op tafel zette. De anderen gaapten, mopperden en klonken geïrriteerd en moe. De ochtend was al zo heet dat de boter in het kleverige schaaltje begon te smelten en de gezichten van de reizigers glommen van de vochtigheid. Het armoedige, afzichtelijke stadje was vol lawaai van verkeer, haastige mensen, straatverkopers en eentonige muziek, en vol nieuwe, scherpere geuren.

'Is er afgelopen nacht nog iemand ontvoerd?' vroeg Hack, onder het pellen van een banaan.

'Hack, je bent verschrikkelijk,' zei Janey en ze glimlachte hem bemoedigend toe.

Nestor zei: 'Er is nog iets merkwaardigers gebeurd, vrienden. Hier vlakbij is de San Miguel-brug naar Colombia, bij La Punta, de grens. Ze noemen het Farafan. Vanochtend vroeg zijn een paar mensen die de brug met hun auto wilden oversteken door de FARC tot stoppen gedwongen en onder schot gehouden. De soldaten stelden hen voor de keus: "Steek je auto in brand of wé schieten." Tweeëntwintig auto's zijn op de brug in brand gestoken. Hier vlakbij.'

'Was dat vanochtend?' vroeg Sabra verschrikt.

'Het is goed, Kevertje,' zei Wood en hij sloeg een arm om zijn vrouw. Op een boze nadrukkelijke toon zei hij: 'Wat willen ze daar nou mee bereiken?'

Nestor zei: 'Misschien willen ze niet dat mensen de brug gebruiken of misschien is het een protest tegen de aanwezigheid van commando-eenheden hier. Of misschien kun je het aan Tiro Fijo vragen.'

'Wie is dat?'

Hernán zei: '"De Scherpschutter", de grote man van de FARC.'

'Laten we hier weggaan,' zei Sabra. Ze hield haar exemplaar van *Trespassing* stevig vast in haar nerveus friemelende vingers.

'Ik denk dat hij alleen maar probeert ons op de kast te krijgen,' zei Janey. 'Alles wat ik in dit lamlendige stadje zie zijn nikkers achter marktkraampjes die ons vlechtwerk proberen te verkopen.'

Wood zei: 'Vertrekken we hier bijtijds?'

'Nadat we boodschappen hebben gedaan. We hebben eten nodig voor in het oerwoud,' zei Nestor. 'Er is weinig gringo-voedsel langs de rivier. Ah, daar is de *estranjero*.'

Manfred kwam vanuit de doorgang naar het hotel het café binnenlopen.

De anderen, die dachten dat hij op een nieuwe medereiziger doelde, keken teleurgesteld op. Manfred had zijn jungle-outfit aan, waarin hij er donkerder en meer als een roofdier uitzag, met zijn overhemd vol zweetplekken en zijn broek die strak om zijn dikke dijen spande. Hij zag er verhit en ongemakkelijk uit met zijn uitpuilende, knipperende ogen. Hij ademde zwaar door zijn openhangende mond en mompelde glimlachend iets tegen de anderen, waarna hij bezit nam van de tafel, naar het fruit graaide en stukken brood met zijn vingers uit elkaar trok.

'Heb je over de ontvoeringen gehoord?' vroeg Wood.

Manfred zei: 'Natuurlijk. Dat weet iedereen. Ze vinden het leuk om de oliemensen te ontvoeren. Voordat de oliemaatschappijen hier kwamen was dit allemaal regenwoud. Texaco en Occidental hebben het gekapt. Nu zie je alleen nog maar drugs, *putas*, wapenhandelaars en oliepijpleidingen. Giftige stoffen. Criminelen. Kun je het de mensen hier kwalijk nemen dat ze de gringo's haten?'

'Wat doe jij hier dan?'

Manfred werd ernstig en zei: 'Ik ben op een zoektocht, net als jullie.'

'Rot op, wij zijn niet op een zoektocht,' zei Hack.

Om te laten merken dat ze niet was geïnteresseerd in dit agressieve welles-nietesspelletje, en zo luid dat iedereen het kon horen, zei Ava bij wijze van aankondiging tegen Steadman: 'Laten we even in het stadje rondkijken, goed?' Ze wierp Janey een blik toe en voegde eraan toe: 'Ik wil die nikkers en het vlechtwerk weleens zien.'

'We treffen elkaar hier om twaalf uur,' zei Nestor. 'Hernán gaat met jullie mee. Als je verdwaalt, vraag dan naar Hotel Colombiana.'

'Ik blijf hier,' zei Sabra. Ze sloeg *Trespassing* open en hield het voor haar gezicht, alsof ze de wereld wilde buitensluiten.

Hernán leidde Ava en Steadman een zijstraat door en vertelde over de kraampjes, waarvan er sommige bandjes en cd's verkochten – schallende muziek – en andere sportschoenen, sporttruien en goedkope kleren aanboden. Achter de kraampjes waren winkeltjes, bars en garages. De curiosawinkels hadden een ruime voorraad blaaspijpen van verschillende lengten met allerlei pijltjes, bogen en pijlen met ijzeren punten, primitieve messen, ceintuurs met kralen, en gevlochten manden. Tegen de muur stonden stoffige uitpuilende juten zakken met medicinale kruiden.

'Zoekt u iets speciaals?' vroeg Hernán aan Steadman en hij knipoogde naar een man in een curiosawinkel.

De man pakte een lange blaaspijp die zwart was van het roet, stopte er een pijltje in en blies het met bolle wangen ostentatief in het plafond van de winkel. Daarna leidde hij ze langs de zakken en nog veel meer blaaspijpen tot achter een tussenschot en zei: 'Tigre, tigre' en liet hun een jaguarpels en een jaguarschedel met scherpe glinsterende tanden zien. De man begon geestdriftig tegen Hernán te praten.

'Hij maakt een goede prijs met u.'

'Tigre!'

Steadman keek naar de lege oogkassen van de jaguarschedel. Tussen de scherpe tanden stonden lange slagtanden, maar door de holten waar eerst de ogen hadden gezeten, leek het het armzalige uitgedroogde omhulsel van een klein blind monster. Op de tafel stonden schalen met dierentanden, veren, slagpennen en stukjes bont. De man pakte een kleinere schedel ter grootte van een honkbal.

'Kijk, een baby'tje,' zei Steadman.

'Babyaapje,' zei Ava.

Zodra hij Steadmans belangstelling zag, drukte de man de kleine schedel in Steadmans hand en zei: 'Mono. Ies apie. En peligro de extinctión!' Hij stak zijn vingers naar hem op en zei: 'Cinco.'

'Wie doodt deze dieren?' vroeg Steadman.

'Mensen die honger hebben,' zei Hernán. 'Zij ook. En peligro de extinctión también.'

In een glimmende doos, met hoedenspelden vastgeprikt, lag een grote spin met harige poten en uitpuilende ogen.

'Tarantula!' zei de man. Hij gaf Steadman de doos.

Die hield de doos omhoog en keek er aandachtig naar. Het beest dat er in de doos angstaanjagend uit had gezien, bleek van dichtbij een toonbeeld van smart. Hij verbaasde zich over de symmetrie ervan, de lange gelede poten en het glimmende borstelhaar. Maar ondanks alle complexiteit ervan was het het zoveelste lege karkas, net als de dierenschedels. Maar dit zwarte ding was met de spelden gekruisigd.

'Kopen. Cómprala!'

'Ik wil een levende,' zei Steadman.

'Een levende kan u de kop kosten,' zei Hernán.

Nu hield de winkelier een dode vleermuis in zijn hand en schudde hem onder het roepen van prijzen heen en weer voor het gezicht van

Steadman terwijl die achteruit naar de deur liep.

Buiten aan een cafétafeltje op het trottoir nipte een tienermeisje in een strak rokje en een overdadig met ruches opgesmukte blouse van een drankje. Toen Steadman naar haar keek, staarde ze glimlachend terug en volgde hem met haar ogen. Steadman glimlachte terug en groette haar.

'Ik denk dat je net een nieuwe vriendin hebt gemaakt,' zei Ava. '*Chingada.*'

'Grappig om dat woord van een vrouw te horen,' zei Hernán.

'Welk woord gebruik jij dan?'

'Wij zeggen chingada. Wij zeggen puta. Wij zeggen' – hij moest lachen – '*tiradora. Culeadora.* Wij zeggen *araña.* We zeggen veel dingen.'

'Wat een hoop woorden hebben jullie ervoor.'

'Omdat er in Lago Agrio veel van zijn,' zei Hernán. '*Personas aprovechadas.*'

'Gisteravond hoorde ik op straat het getik van hakken heen en weer gaan,' zei Ava.

'Dag en nacht,' zei Hernán. 'Degenen die op straat lopen zijn oud en – hoe zeg je *muy fea*? Lelijk. De meesten zitten in de *burdeles.*'

'Wanneer gaan de burdeles open?' vroeg Steadman.

'*Los prostíbulos están siempre abierto.*'

Steadman tikte op zijn horloge. 'Het is negen uur in de ochtend. Zijn de hoerenkasten op dit uur open?'

Hernán haalde zijn schouders op, stak zijn hand uit naar de drukke weg, maakte een nonchalant gebaar met zijn vingers en deed een stap naar achter toen een taxi stilhield bij de stoeprand. Hij zei niets meer tegen hen. Hij nam de leiding en deed het achterste portier open en nadat Ava en Steadman waren ingestapt, ging hij voorin zitten. Hij mompelde een woord tegen de chauffeur, 'Pantera', en ze reden weg.

Enkele minuten later reden ze langzaam over een hobbelige achterafstraat en bonkten de banden over grote loszittende stenen. Het leek eerder een droge rivierbedding dan een weg, en naarmate hij smaller werd werd hij ook steiler. Ze reden een lage heuvel op en boven aangekomen werden ze overvallen door het felle licht van de ochtendzon, daarna kwamen ze langs een buurt met hutten, honden en kinderen met snotneuzen. Tijdens de afdaling moest hun taxi stoppen om een grote stinkende vrachtauto te laten passeren.

'Een lading vlees,' zei Hernán en toen ze omkeken zagen ze de karkassen en zijden rundvlees aan haken in het plafond van de met bloed bespatte binnenkant zwaaien, achtervolgd door wolken vliegen.

Nog meer hutten, nog meer kinderen, en een eindje voorbij het krottenwijkje stopte de auto voor een geel ommuurd gebouw. Het was stevig, opgetrokken uit beton, en had alleen een begane grond, met op de muur een primitieve tekening van een grote zwarte kat en een geschilderd bord: *La Pantera.*

Hernán leidde hen naar binnen in de richting van de muziek, die hard en Zuid-Amerikaans was met pulserende trommelslagen. Het geluid van de syncopen vulde de grote ruimte maar moest wedijveren met andere geluiden, lage dierlijke jammerklachten, een hartverscheurend loeien. De vreemde en schijnbaar lege zaal had de afmetingen en vorm van een dancing, met een hoog plafond dat tegelijk het golfplaten dak van het gebouw vormde. De brede vloer leek ook op die van een dancing, maar er danste niemand. De ruimte werd alleen gevuld met de muziek en het afschuwelijke geloei. Het midden van de ruimte die misschien dienstdeed als dansvloer, was van beton en bezaaid met omgevallen stoelen en een paar lege tafeltjes – een jongen liep met een gore stokdweil te zwabberen en sleepte een emmer achter zich aan.

Op het eerste gezicht sloeg de tent nergens op – de grote holle galmende ruimte, de muziek, het dierlijke gehuil, de rommel, de jongen met de dweil. Toen Steadman beter keek, zag hij activiteit langs de kant, groepjes mannen op stoelen die bier dronken uit de fles, hier en daar felle brokjes kleur, afkomstig van de kleding van vrouwen die in de deuropeningen stonden of zaten. Om de twee meter was er een deur en ze kwamen allemaal op de dansvloer uit. Voor de meeste van de ongeveer vijftig deuren zaten vrouwen. Ze waren in badpak, de meesten rookten sigaretten en maakten een ingetogen, berustende, passieve indruk, maar op een vage manier waren ze ook alert, alsof ze op een bus zaten te wachten die te laat was.

De meeste vrouwen zaten alleen, maar om twee of drie van hen stonden groepjes mannen. De mannen zaten met hun ellebogen op tafel met elkaar te praten. Steadman zag dat de mannen oud waren en een hard gezicht hadden, en in alle gevallen was de vrouw die erbij zat nauwelijks een vrouw maar eerder een meisje van hooguit zestien, dat waakzaam keek.

'*Hola,*' zei Ava tegen een van de jonge meisjes en ze negeerde de mannen. Die veinsden desinteresse of deden of ze niet geschokt waren dat de lange blonde vrouw en de gespierde man met de Panamahoed achter haar op de slanke prostituee toe liepen die als een schoolmeisje beleefd opstond.

'*Cuál es su nombre?*'

'*Soy Carmen. Mi apodo es Mosca.*'

Ze leek verlegen en sprak zo zacht dat Ava haar niet verstond.

'*Vive usted aquí?*'

'*No. Vivo en Lago Agrio.*'

'*De dónde es usted?*' vroeg Ava.

'*Guayaquil,*' fluisterde het meisje en ze ging het kamertje binnen.

Ava volgde haar naar binnen en Steadman ging ook mee, maar er was zo weinig ruimte in het kamertje dat het meisje op de rand van het bed moest zitten, simpelweg een matras met een smerig laken eroverheen, en de twee bezoekers tegen de muur stonden gedrukt en boven haar uittorenden.

'*Cuánto vale esto?*' zei Steadman.

Het meisje sloeg haar handen ineen. Ze zag er ongemakkelijk uit in haar badpak en schoenen met plateauzolen. Ze vroeg zachtjes: '*Dos personas juntas?*'

'Je maakt haar bang,' zei Ava, en ondertussen hoorde ze de mannen buiten met hese stemmen gissen naar hun bedoelingen.

'Ik vroeg het me alleen maar af,' zei Steadman.

Het meisje zei: '*Por mí, normal – solamente normal aquí. Cinco dólares. Pero, número trece, número catorce,*' en ze gebaarde naar de muur en bedoelde de kamertjes die kant op – '*por allí*' – en ze werd vaag en aarzelde. Ze haalde haar schouders op. '*Otras cosas.*'

Maar Ava had gelijk gehad, Steadman zag een angstige blik op het gezicht van het meisje, iets in de manier waarop haar mond naar één kant vertrok, een schittering in haar ogen die op doodsangst duidde. Hij wilde weggaan, maar wilde haar ook kalmeren. Hij gaf haar een bankbiljet van twintig dollar en gebaarde Ava mee te komen.

De mannen gaapten hen aan toen ze naar buiten kwamen en een van hen – de oudste, die het meest dronken was en grijs haar had en een honkbalpet droeg – liep onvast naar de deur en voordat het jonge meisje naar buiten kon komen, greep hij haar gezicht vast met zijn smerige hand en duwde haar naar binnen. Ze ging opnieuw op het bed zitten en wrong haar handen toen de man de deur dichtschopte.

Hernán had zich afzijdig gehouden, Ava en Steadman liepen verder, langs de andere groepjes mannen en langs de vrouwen die alleen zaten, naar de rij kamertjes aan de andere kant, die allemaal genummerd waren – door de deuren was in elk ervan een veldbed, een spiegel en een rommelig tafeltje zichtbaar. De vrouwen in deze kamertjes waren ouder, hadden een dikke buik en slappe borsten en zagen er aandoenlijk en zelfs belachelijk uit in hun badpak. Niet verloederd, maar nors en alsof ze slecht te eten kregen. De muziek weerklonk tegen het golfplaten dak en er hing een akelige lucht in dit deel van het bordeel.

De oude zwarte vrouw in het laatste kamertje droeg een tutu, naaldhakken, een roze tulband en een zonnebril. Toen ze op haar toe liepen werd haar flegmatieke uitdrukking alert en luisterde ze aandachtig. Ze fronste haar voorhoofd op het moment dat Steadman haar aankeek, maar zodra hij besefte dat haar hoofd niet met hem meedraaide, gebaarde hij zwijgend dat hij verder wilde lopen. Op dat moment werd het luide loeiende kabaal buiten het raam veel schriller, alsof een dier zich tegen opsluiting verzette.

'Nummer 14,' zei Ava. 'Andere dingen.'

De starende vrouw met de roze tulband hoorde haar en zei: '*Soy Araña.*'

Ze liepen verder, langs haar heen, voorbij het schot naar het raam, waar het doodsbenauwde geloei nog harder klonk. Steadman keek door het raam naar beneden en zag een goot waar een karmozijnrode stroom doorheen liep, die borrelde waar hij langzamer stroomde en schuim vormde dat over de rand van de goot in het stof drong – een stroom bloed die buiten in de aarde stolde, zijn roodheid verloor en de modder zwarter maakte.

Achter een van de vuile met bloed besmeurde ramen van het grote gebouw vlak achter het bordeel zag Steadman hoe een geblinddoekte koe werd geëlektrocuteerd en brullend door haar stuiptrekkende poten zakte, en in doodsangst grote donkere koeken van mest uitpoepte toen de zwarte elektrodenklemmen op haar hoofd werden gezet. Achter een ander raam was een slagerstafereel te zien, twee mannen die op een bloederig dierenkarkas inhakten dat op een stenen aanrecht lag, en achter weer andere ramen zagen ze zijden vlees aan haken hangen, mannen met flitsende messen die koeien vilden en de harige huid als tapijt van het vettige vlees trokken.

'Is het abbatoir,' zei Hernán die moest lachen om de absurditeit van een slachthuis naast de hoerenkast, waarvan de geuren zich vermengden. 'Willen jullie *Las Flores* zien? Is een ander *burdel*, maar niet zo mooi.'

Sommige mensen begonnen te dansen op de vloer die nog vochtig was van het dweilen. Maar Ava en Steadman hoorden de muziek niet meer, alleen de geluiden van de koeien die werden geslacht en het houwen van de hakmessen op de stenen aanrechten, het klikkende geluid van stalen lemmeten op stevige botten en rauw vlees. Ava en Steadman liepen bij het raam weg.

Een eindje verder zagen ze Manfred in een smerig T-shirt en met haar dat plakkerig was van het zweet naar hen staan kijken. Hij droeg zijn versleten tas waarin je de vorm van het dikke boek kon zien zitten. Hij draaide zich om en liep snel langs een van de meisjes haar kamertje binnen. Ze legde haar sigaret in een asbak naast haar stoel en volgde hem.

De zwarte vrouw die zich Araña noemde zat nog steeds voor haar hok. Ze hield haar hoofd scheef, haar norse blik was verdwenen. Ze stond op en aapte hen spottend na, deed een dansje waarbij ze ronddraaide en met haar billen schudde en ondertussen aan haar achterwerk plukte.

'*Buenos días. Que desean?*' vroeg ze. Met speeksel op haar lippen zei ze: '*Sodomita*,' en liet het woord klinken als de naam van een lekkernij. Ze boog zich in hun richting, maar ze hadden ondertussen een paar stappen gedaan, zodat haar hoofd de verkeerde kant op wees: haar zonnebril staarde in de richting van het abattoir waar ze hadden staan praten.

Ava zei zachtjes: 'Ze is blind.'

Araña wenkte. Ze deed haar tandeloze mond open, stak haar tong naar hen uit en liet het lange roze ding heen en weer gaan. Daarna lachte ze hard, luider dan het geloei van de stervende dieren. Ze sloeg haar armen om zichzelf heen en herhaalde het woord: 'Sodomita.'

'*Lo siento*,' zei Steadman tegen haar en Ava mompelde tegen Hernán: '*No comprendo lo que dice.*'

Araña lachte en Hernán vertaalde haar uitroep: '"Maar waarom dan? Omdat jullie niet in deze oude culeadora zijn geïnteresseerd?"'

Ze ging door met schreeuwen, en op Steadmans knikken ging Hernán door met vertalen, maar langzaam, zachtjes, met tegenzin, en ondertussen stond Steadman naar de vrouw te staren. Ze zette haar zonnebril af. Haar ogen waren twee holten en zaten onder de bultige littekens, als twee brandwonden.

'Wat is *reflejo*?' vroeg Ava.

Maar Hernán probeerde het geschreeuw van de vrouw te volgen. '"Jullie kijken niet naar mij, jullie kijken naar jezelf," zei hij. '"Doe niet zo hooghartig. Ik ben jullie! Jullie spiegelbeeld!"' Ze plukte aan haar vlezige lijf, haar borsten, maakte een dansje en lachte nog eens en stak haar roze tong uit. '"Kijk maar eens goed. Ik ben jullie spiegel. Jullie zijn mij, hetzelfde. Jullie zijn Araña."'

Toen ze voelde dat Steadman en Ava zich hadden omgedraaid en dat Hernán, die nog steeds aan het praten was, achter hen aan liep, perste de vrouw haar lippen op elkaar en spuugde naar hen.

'Fak yo!'

'Dat heb ik verstaan,' zei Ava.

Op weg naar buiten hoorden ze metalen stoelen op de betonnen vloer kletteren en zagen ze een paar mannen vechten, twee grote mannen die aan de armen van de grijzende man rukten die eerder het kamertje van het jonge meisje binnen was gestrompeld. De oude man schreeuwde en schopte naar de uitsmijters terwijl ze hem naar buiten sleepten. Nadat het kabaal was weggestorven, hoorden ze opnieuw geschreeuw: Manfred die met een man en een van de prostituees stond te ruziën alsof ze onenigheid over de prijs hadden.

Hernán liep naar Manfred toe en zei iets tegen hem. De Duitser haalde zijn schouders op en toen hij Ava en Steadman zag, sprak hij ze aan: 'Ze proberen me te belazeren. Ik wil weg. Ik wil naar de jungle.'

Hernán tikte op zijn horloge. '*Vámonos.*'

Tijdens de lunch in het hotel zei Nestor: 'We eten wat, en dan gaan we.'

'Zit hier ook varkensvlees in?' vroeg Sabra, die met haar vork op een worstje in haar soepkom wees zonder het vlees met de tanden aan te raken.

Wood zei: '*Porco?*'

'*Puerco. Cerdo. Sí,* allemaal varkensvlees,' zei Nestor. Met een knipoog voegde hij eraan toe: 'En een beetje *perro.*'

Sabra pulkte met haar lange nagels stukjes schaal van een hardgekookt ei.

De rest at ongeduldig en sprak nauwelijks, maar Janey, die zich ongemakkelijk voelde onder de stilte zei: 'O, super. Een elfuurtje.'

Manfred reikte naar de schaal met hardgekookte eieren en liet er drie in de zak van zijn jack glijden.

'Ik ben benieuwd of we een toetje krijgen,' zei Janey. 'Pudding misschien? Of koekjes?'

Manfred stak zijn arm weer uit, dit keer om een afgedekte schaal naar

zich toe te trekken. Daarna tilde hij het deksel op waaronder een licht-
bruine korst zichtbaar werd.

'Verdikkeme. Er is pudding!'

'*Llapingachos*', zei Nestor. 'Pannenkoeken.'

'En een bakje troost zou er ook wel ingaan.'

'Speciale Ecuadoriaanse koffie', zei Nestor.

'Kijk, Hack', zei Janey toen de koffie werd geserveerd. 'Gewoon een
slonzig zakje oploskoffie.'

Even later zaten ze allemaal weer in het busje, de achterruit was helemaal dichtgebouwd met bagage en dozen vol eten. Ze reden met hoge
snelheid over een smalle weg omzoomd door gras en gelige bomen. Bij
een nederzetting van hutten en winkeltjes – 'Chiritza', zei Nestor – werden ze naar de oever van een rivier geloodst en over een houten steiger
naar een wachtende kano gebracht. Steadman maakte snel een tekening
in zijn notitieboekje, want het was meer een enorme uitgeholde boomstam dan een kano, met een stompe voor- en achterkant en een buitenboordmotor die aan de achtersteven was bevestigd. De reizigers namen
plaats op de bankjes die in de boot waren vastgesjord en keken toe hoe
onder de modder zittende jongens over de steiger met de bagage en dozen met voedsel kwamen aansjouwen.

Tijdens het losmaken en oprollen van de touwen knielde Nestor en
stak zijn hand in een tas. Hij haalde er wat stukken stof uit en zei: 'Het
moet geheim blijven waar we naartoe gaan. Doe deze alstublieft voor uw
ogen.'

6

Zo geblinddoekt over de rivier te varen maakte hen angstig en babbel-
ziek, op zoek naar geruststelling, hun gekakel een uitzinnig signaal als het
gekrijs van vleermuizen. Op sommige plaatsen maakte de rivier vreemde
slikkende geluiden. Vogels jouwden hen uit vanaf hoge takken, insecten
zoemden en ritselden, de hitte en de vochtige lucht legden een klamme
laag vuil op hun huid en maakte hun haar stug. Ze voelden zich niet op
hun gemak en probeerden zich een voorstelling te maken van de tafe-
relen langs de junglerivier, en praatten ondertussen verder, waarbij ze
de vogels en insecten onderbraken en elkaar onderbraken. Na een tijdje klonken ze niet meer als vleermuizen, maar schreeuwden ze schril als
opgewonden kinderen die ophemelden wat ze niet konden zien, alsof ze
door de blinddoeken infantiel waren geworden en de dreiging van de rivier trachtten te bezweren.

'Dit is fantastisch,' zei Wood.

'Schitterend,' zei Hack.

Met een aarzelend stemmetje waarin een vleugje misselijkheid doorklonk zei Sabra: 'Alsof ik een sprookjesgrot binnenga.'

'Zei de bisschop tegen de actrice,' zei Janey.

'Die Hernán zet er wel de vaart in,' zei Hack.

Steadman hield zijn hoofd naar beneden en lichtte de blinddoek op
met zijn duim, waardoor hij heel even werd verblind. Hij zag een roestig
bord op de modderige rivieroever, *Prohibido el Paso*, en liet de blinddoek
weer voor zijn ogen zakken.

Hack zei onzeker: 'Dit valt nog mee. Herinneren jullie je nog dat stinkende grottenstelsel in Mexico waar we gingen duiken? Santo-nog-wat?'

'En wat ik echt niet te geloven vind, is de zeg maar geur van de duisternis. Alsof je in een tunnel zit.'

'Dat is een wevervogel,' zei Manfred.

Alsof Manfreds woorden in een script stonden, zei Janey: 'Hartstikke
super.'

De lucht in dit gedeelte van de bovenloop van de rivier was klam, bedreigend, en voelde aan alsof hij vol dreigende gestalten was. Sommige van deze gestalten leken in de akelige stank van de angst te zijn gedrenkt, de muffe lucht van een vergaan lijk dat in het oerwoud in plantaardig slijk ligt te verweken. De afschuwelijke lucht legde hun het zwijgen op, als een oorverdovend lawaai. Op dat moment zei Sabra op ernstige toon: 'Ik denk dat jullie ongelijk hebben – we zijn wél op een zoektocht.' Toen niemand antwoord gaf, voegde ze eraan toe: 'Ik wil een healing.'

Haar ernst deed de anderen zwijgen. Alleen het gorgelende geronk van de buitenboordmotor was te horen, die plofte als hij stationair liep, en de mengeling van geluiden van vogels en insecten die met elkaar schenen te wedijveren en wier roep over het oppervlak van de rivier scheerde.

'Jah, voor mij is het een zoektocht.'

'De grootste afstand op aarde is die van het hart tot het hoofd,' zei Sabra alsof ze iets citeerde wat ze zich herinnerde. Net op het moment dat ze nog wat wilde zeggen, klonk er een spottend gesnuif van de boeg van de boot, dat in een bizarre echo werd beantwoord door een even spottend vogelgeroep.

'Hoe lang moeten we dit ding nog dragen?' vroeg Manfred op smekende toon. Hij verkeerde nu in een heel andere stemming.

'Wat maakt het uit?'

'Ik wil om me heen kijken. Lang geleden, in 1817, zijn Von Spix en Von Martius hier geweest. Zij hebben op de rivier de Caqueta unieke diersoorten ontdekt op een plaats die Cerro de la Pedrada heet. Daar ga ik naartoe voor mijn boek. En Nachtigall is hier ook geweest. Voor het *Schamanismus*. Hebben jullie van *Schamanismus* gehoord?'

De motor plofte en hoestte en klonk onbetrouwbaar, en het water sloeg tegen de boeg van de boot.

'Van 1905 tot 1922 was Koch-Greenberg hier ook.'

'Dát is toevallig. Mijn moeder heette ook Greenberg.'

'En Otto Zerries,' zei Manfred toen het hem te binnen schoot. 'En Schultes, natuurlijk.'

'Hè, kan er geen prop in die mond,' zei Janey.

Maar niemand luisterde. Naarmate de rivier breder werd en opwarmde in de zon, werd de lucht minder zwaar en nam het oerwoud in hun fantasie zachtere kleuren aan in het middaglicht – groenere bomen en helderder water, een blauwe lucht die tussen de hoge boomkruinen was te zien, en vogels die nog meer lawaai maakten en waarvan ze vermoedden dat ze groter waren dan de andere, met grote snavels en rechtop-staande kuiven, toekans en neushoornvogels met kleurige neerhangende staarten.

Het licht kalmeerde hen. Ze luisterden naar het geklots van hun kiel-zog tegen de oever.

'Confluencia,' zei Nestor toen de boot overhelde en zijwaarts op een snellere stroom scheen weg te glijden. 'Río Arana. Jullie zeggen toch "confluentie"?'

Na een poosje herinnerde de helderheid hun eraan dat ze onbeschut zaten, waardoor ze weer druk gingen praten. Steadman hield een kol-kende werveling van klotsend water naast de boeg voor een wegvluch-tende slang die zich in de stroom afrolde. De lucht voelde vochtig aan op zijn gezicht. In de schaduw van de bomen zaten jaguars en ocelotten. Zonlicht glinsterde op het water als stukjes metaal. Hernán zat achterin, Nestor zat roerloos voorin bij de boeg en zei niets, op zijn gemompelde instructies na: 'Naar de oever' en 'Recht vooruit' en 'Ondiep hier' en het herhaalde 'Siga, no más.'

Janey Hackler leek op het punt te staan iets te zeggen, een plotselinge vraag die begon met 'Joeroep!' Maar er kwam geen woord uit. Ze kok-halsde heftig, waarbij haar bolle buik zich hoorbaar samentrok, en het volgende moment kotste ze over de rand van de boot. Ze snikte van wal-ging en toen ze op adem was gekomen zei ze zielig: 'Ik heb allemaal kots op mijn vingers.'

'Dat is nou wat je donkere materie noemt,' zei Hack.

'Even serieus, Marshall. Ik plak aan alle kanten,' zei Janey terwijl haar maaginhoud weer naar boven kwam. 'Joeroep! Hè verdikkeme!'

'Wacht,' zei iemand. 'Luister.'

Er kwam een kano langs. Het moest wel een kano zijn: geen motor-geluid, alleen het slurpen, zuigen en druipen van peddels. De mensen in de kano riepen een begroeting. Het was geen Spaans maar een keten van op en neer dansende eenlettergrepige woorden. Nestor antwoordde in dezelfde taal, maar vlakker, alsof hij iets herhaalde wat hij ooit had ge-hoord.

'Wat zei je daar nou?' wilde Hack weten, maar hij zei het op een onze-kere, zeurderige toon.

'Secoya-taal.'

Ze vinden het verschrikkelijk om geblinddoekt te zijn, dacht Stead-man, die het niet alleen prettig vond maar tegen de verwachting in ook

74

het gezelschap van de geblinddoekte mensen waardeerde vanwege alle onthullingen die ze in de duisternis prijsgaven.

'Veel vogels,' zei Wood.

'Dit is niks,' zei Hack.

'Maar jíj zit tenminste niet onder de kots, of wel soms?' zei Janey snikkend. 'Wat heb je eigenlijk te zaniken?'

'Ik zie geen zak!' schreeuwde Hack.

'Ik heb mijn Leica's in Quito achtergelaten,' zei Wood. 'Ze zeiden dat we weinig moesten meenemen.'

'Die kleine Leica's, zij wegen nichts.'

En iedereen zuchtte omdat Manfreds accent in het duister zoveel irritanter klonk. Toch was de duisternis een soep van kleuren, en de kleuren waren geuren, geen beelden, een werveling van geuren, gemarmerd als een boekomslag, en door de hitte werd de kleur groen bijna zwart, het karmozijnrood zwart, de boomschors zwart. Het groen had de scherpte van versneden blad, de lucht rook ranzig en stoffig en de boomschors had de muffe geur van tabak die vochtig is geworden van de regen. De geuren waren onregelmatig gelaagd, als de delen van een plant: wortels en bladeren en glinsterende vlekken van bloemen die ze werkelijk konden proeven.

Sabra zei: 'Rivieren zijn grenzen. Als je nooit zonder toestemming een grens bent overgestoken, heb je niet gereisd.'

Steadman hield zijn adem in en wachtte tot iemand commentaar zou leveren op dit al te vereenvoudigde citaat uit *Trespassing*. Hij hoorde het geklok van de buitenboordmotor, een paar seconden gingen voorbij en toen sprak Manfred: 'Hoe ver is het nog?'

Nestor gaf geen antwoord.

'Ik dacht dat het een makkie zou zijn,' zei Janey.

Het was nu ver in de middag en de dag was zwaar van een hitte en vochtigheid die hen in zijn greep hield, en de felgekleurde geuren om hen heen werden sterker en vermengden zich met het geluid van de rivier.

'En het is oersaai,' zei Janey, 'en ik moet een kleine boodschap doen.'

De kleuren verwisselden, blauwe rivier en groene hemel, glinsterende bomen; het bederf in de lucht lichtte op tussen de hangende ranken en lange dunne uiteinden van lianen. Nadat de motor was uitgezet en opgehaald en ze in de ondiepten tussen de zandbanken door peddelden, werd het geschreeuw van de insecten oorverdovend: glimmende torren en libellen met grote vleugels en vogels als papieren vliegers en zwermen muggen die in het schuine zonlicht gloeiden, een droombeeld van de diepe Ecuadoriaanse jungle.

'Goed, doe de blinddoeken nu maar af.'

Dat deden ze en ze vielen stil. Nu zagen ze pas hoezeer ze zich hadden vergist. Niets was hier groen. Het daglicht was bijna weg. De rivier was modderig en smal, en vlak voorbij de aanlegplaats was een draaikolk; de bomen waren zo donker dat ze bijna zwart leken, de lucht was zwaar en heet, de hemel haast niet te zien. De rivieroever was bedekt met vernielde en gekneusde boomwortels. Ja, er was bederf, en waar de aarde niet kruimelig was, was hij papperig.

'Waar zijn we,' vroeg Hack.

'*Remolinos*,' zei Nestor, in een poging het Engelse equivalent te noemen en hij wees op de draaikolken. In het wegstervende licht was het stromende water bezaaid met klonten en graszoden als afgehakte scalpen en gezwollen blaren en samenklonterend zeepsop.

Maar nadat ze hun blinddoek hadden afgedaan, roken ze niets meer. Zelfs de luidruchtigst zeurende vogels waren onzichtbaar, maar sommige insecten leken wel zo groot als mussen.

Vóór hen riep iemand iets, een kuchend geluidje dat in de holten van de spreker nagalmde, als een verschrikt dier dat een koerend geluid maakt ten teken van herkenning, geen mens, maar de onvolledige geest van een mens, wat deed denken aan toverij waarbij iets was misgegaan. Er stonden wat haveloze en hoopvol kijkende mensen op de oever, als schipbreukelingen tussen de schurftige bast van de boomstronken. Kleine mensen, van wie ze aannamen dat het Secoya waren, met vochtig haar dat in hun ogen hing, sommige halfnaakt, andere in een rode kiel die tot hun knieën reikte – hoe kleiner, hoe naakter – zaten bij wijze van begroeting op hun knieën en gaapten hen aan met een passieve nieuwsgierigheid die op imbeciliteit leek te duiden. Ze waren bruin, trolachtig en ze lachten.

Joelend greep een jongen in een gescheurde korte broek het meertouw en legde de boot vast. Nog steeds lachend haastten anderen zich de oever af en gingen in spreidstand met één voet op de steiger en met de andere op het dolboord staan en begonnen de tassen uit de boot te tillen en gaven ze door aan de jongens op de oever. Aan één kant van de steiger stond een man die de passagiers aan land hielp.

'Ze lijken wel achterlijk met hun bloempotkapsels,' zei Hack.

Janey zei: 'Hun haar ziet er verschrikkelijk uit, alsof de ratten eraan hebben geknaagd.'

Hun mond stond open, hun tanden waren klein en afgesleten, ze luisterden en keken aandachtig toe. Een naakte moeder, haast een kind, drukte een blote baby aan haar borst en het kind zag er met zijn bungelende beentjes slap en levenloos uit.

'*Cómo está?* Hoe gaat het?' vroeg Sabra, en toen ze geen antwoord kreeg, zei ze: 'Waarom kijken ze naar ons alsof we apen zijn?'

Omdat hij zag dat de boot overhelde in de stroming van de draaikolk, stoof een van de Secoyamannen, die een versleten broek droeg van het merk Polo Sport, de oever af en greep de lus van het touw dat aan de achtersteven vastzat.

Ik heb nog nooit een menselijk wezen gezien dat zich zó voortbeweegt, dacht Steadman. De man had met zijn o-benen en kromme rug een huppelende schommelgang waardoor hij haast onzichtbaar bleef op de momenten dat hij in beweging was. Hij greep het touw en legde het in dezelfde beweging om een uitstekende boomwortel.

'Dit is Don Pablo,' zei Nestor.

Bij het horen van zijn naam aarzelde de man en keek naar de passagiers. Hij kakelde iets tegen de anderen, die op de oever nog steeds gehurkt toekeken. Sommige Secoyamannen mompelden zachtjes en staken hun hand uit. Hernán gaf een van hen een blauwe plastic koeltas waarvan het deksel met een hangslot dichtzat. De vrouwen en kinderen zeiden niets.

'Het lijkt wel of ze een hekel aan ons hebben, ik zie het aan hun benevelde ogen,' zei Janey terwijl ze zenuwachtig met haar mobiel speelde. 'En waarom kijken ze zo nors?'

'Welke?' vroeg Wood.

'Allemaal. Hij, hij kijkt zo sip.' Janey riep naar de man: 'Kom op, niet zo somber. Misschien valt het allemaal wel mee!'

'Maar ze verdienen toch wel wat aan ons, Nestor?' vroeg Hack, en hij hielp Sabra uit de boot terwijl Wood zijn plunjezak dichtritste.

Op de oever verzamelden de Secoyavrouwen zich rond Sabra en raakten de kleine vlindertatoeage op haar schouder aan, maar ze merkte het nauwelijks.

'Dat kind zit onder de vliegen,' zei Sabra.

'Hij heeft een etterende ontsteking, iets met zijn ogen, conjunctivitis misschien,' zei Ava. 'Daar heb ik wel crème voor.' Ze pakte een tube uit haar heuptasje en zei: 'Medicina. Crema para los ojos de su niño.'

'Kom op, wegwezen hier,' zei Hack.

Maar bij het horen van het woord 'medicina' raakten de toekijkende mensen opgewonden en dromden rond Ava samen, plukten aan haar kleren, tot Nestor iets schreeuwde. Toen deden ze een stap naar achteren en maakten de weg vrij voor de bezoekers.

Zonder een woord te zeggen had Don Pablo zich omgedraaid en liep met zijn wonderlijke huppelpas het pad af. De anderen volgden – Manfred, één vinger tussen de bladzijden van zijn grote plantenboek om te weten waar hij was gebleven, schopte in de bladeren en nam grote passen om voorop te blijven. Daarachter Wood en Sabra, Hack en Janey, Steadman en Ava en daarachter de Secoyajongens met hun tassen.

Hack zei tegen Ava: 'Ik heb je daar met dat medicijn bezig gezien. Je bent toch geen wereldverbeteraar, hè? Ik heb een hekel aan dat soort mensen. Weet je wat ik denk?'

'Wie kan het nou een reet schelen wat jij denkt?' zei Ava met een glimlach.

Van achter leek het of Hacks oren rood werden. Janey draaide zich om met haar duim op haar mobiel om te kijken of ze bereik had en zei: 'Je kunt niet iederéén redden!'

'Zal ik je eens wat vertellen, meid? Je hebt kots op je lippen,' zei Ava.

Steadman genoot van het feit dat Ava zo van zich af beet. Ze was in de eerste plaats arts, en in dit soort oorden wist hij dat ze redeneerde met de hoogmoed van de dokter: *Uiteindelijk heb je me nodig. Ik heb medicijnen.* Hij volgde hen in ganzenpas en vroeg zich af of de andere reizigers door ongeduld of moed werden voortgedreven. Hoewel ze in de boot ontzettend hadden zitten kakelen toen ze nog geblinddoekt waren, leken ze hier niet bijzonder geïntimideerd te zijn. Of was dit alleen maar het vertrouwen, de onverschilligheid van mensen die wisten dat ze beschermd werden: toeristen met een gids.

Hij had de pest in dat hij zich zo slecht op zijn gemak voelde bij de anderen, zich ergerde aan hun irritante gemaniëreerdheid, hun aanwezigheid alleen al. Als hij in zijn eentje was geweest, had hij zijn eigen conclusies kunnen trekken, maar nu moest alles worden uitgewisseld en op een overdreven manier worden gedramatiseerd of juist genegeerd. Hij had erop gerekend dat het een belangrijke reis zou worden maar wist dat het moeilijk zou zijn erover te schrijven, omdat veel ervan zijn waarde verloor doordat hij het door hun ogen zag. En wat net zo erg was, ook al had hij een bloedhekel aan de anderen, hij moest wel toegeven dat hij toch onder de indruk was. Ze lieten zich hun ervaring niet zomaar afpakken en tot dusver hadden ze, ondanks hun geklaag, geen moment overwogen om terug te gaan. Ze waren sterker en vastberadener dan hij had gedacht.

'Dit ding is waardeloos,' zei Janey terwijl ze haar telefoon heen en weer schudde. 'Het is een miskoop.'

'Toen we naar Bhutan gingen was er ook een dokter mee,' zei Hack over zijn schouder. Hij sprak tegen Ava. 'Hij werd zo ziek als een hond. Hij vroeg míj om raad!'

Er waren geen dieren of vogels in de buurt van het pad. Steadman lette op of hij geen slangen zag. Hij hoorde sluipgeluiden, keek achterom en zag dat ze door kinderen werden gevolgd. Sommigen waren naakt, en ze liepen allemaal op blote voeten. Maar de reizigers droegen hoge wandelschoenen en beenkappen en shirts met lange mouwen, en hun twee vrouwen hadden een hoed met een brede rand en een sluier van muggengaas.

Vóór hen lag een dorp, niet meer dan een groepje hutten met rieten daken op een open plek die gevuld was met de witte rookflarden van kookvuren.

Janey zei: 'Is het niet enig, de manier waarop ze dat goeie sterke riet op hun daken bij elkaar binden en afwerken? Dat zou ik in mijn priëlen en in het tuinhuis ook kunnen doen. Hoe zou je dat noemen? Iets als "inlandse retrostijl"?'

Nestor zei: 'Wij noemen het arme mensen die geen geld hebben voor een golfplaten dak.'

Een kleine jongen kwam met uitgestoken handen door de rook op hen af rennen alsof hij bedelde. Nestor mompelde wat en wuifde hem weg, en daarna kwam een oude man op hen af, ook door de rook.

'Dit is Don Pablo's broer. Hij heet Himaro.'

De man knikte en wierp een blik op de nieuwkomers, hun gezicht, hun kleren. Hij droeg een korte broek en een gescheurd hemd, op zijn hoofd had hij een tiara van gevlochten stro en omhoogstaande veren en om zijn middel een ceintuur van gevlochten ranken waaraan verscheidene totems bungelden: een gebroken tand, een gele dierenklauw, een plukje dons, een reepje bont, een stel scherpgemaakte botten die tegen elkaar tikten toen hij naar voren kwam om de bezoekers te begroeten. Toen hij dichterbij kwam zag Steadman dat de tranende ogen van de man niet alleen ontstoken waren maar ook troebel en onzeker, zoekend en hulpeloos.

'*Himaro* betekent tigre, de soort die we yana puma noemen,' zei Nestor. 'Die wordt hier gezien als een machtig dier.'

Nestor en de man overlegden enige tijd in de taal van de Secoya. De bezoekers bleven bij elkaar staan en knepen hun ogen tot spleetjes bij het horen van die onbegrijpelijke kwaakklanken.

'We hebben niet veel tijd,' zei Wood, die hun gesprek onderbrak. 'Kun je hem dat zeggen?'

Nestor zei: 'Ja, dat kan ik hem wel zeggen. Maar hij zou het niet begrijpen.'

Wat ze van het dorp zagen waren strooien daken, de verlichte binnenkant van hutten en een hut waar rook uitkwam, waarschijnlijk een gemeenschappelijke keuken. Naast een enorme boom stond het felst verlichte bouwwerk: een grote verhoging met open zijkanten en een rieten dak, en kippen die daaronder in de lichtspleten van het lantaarnschijnsel liepen te pikken. Tussen de bomen waren waslijnen gespannen, en als donkere silhouetten, van achteren belicht door de fel schijnende lantaarns, zaten daar Secoya, platte schaduwen die de bezoekers aanstaarden.

Janey wees naar een lage in elkaar geflanste hut en zei: 'Die ziet er leuk uit. Het is een soort sprookjeshuisje. Wat is het toch jammer dat die bananenbladeren er altijd zo rommelig uitzien.'

Hack overzag de open plek en zei: 'Het lijkt verdomme die bullshit van Discovery Channel wel,' en deed alsof hij schakelde met een onzichtbare afstandsbediening en zei: 'Hé jongens, ik kan geen ander net krijgen!'

Steadman draaide zich om naar Ava, maar zag dat ze een eindje was weggelopen naar de plaats waar de vrouwen en kinderen zich hadden verzameld. Hij kwam daar bij haar zitten en zag hoe de vrouwen haar aanraakten en haar waarschijnlijk smeekten om – ja, om wat eigenlijk? Medicijnen of misschien iets wat ze kon uitdelen. De oude man kwam met slepende tred aanlopen en zocht zich op de tast een weg van schouder naar schouder.

'Ze zijn allemaal snotverkouden,' zei Ava en ze raakte degenen aan die het dichtstbij stonden. 'Deze heeft een onschuldige ontsteking. En moet je het scheenbeen van dit kind eens zien. De zweer is zo diep dat hij zich in het spierweefsel heeft gevreten. Deze oude man kan blind worden – hij heeft antibiotica nodig. En dan zit hij er verdomme nog in te wrijven ook. *No toca, no toca.*'

'De *pajé*,' zei Nestor. 'Himaro. De broer.'

'Hij is ook sjamaan,' zei Steadman.

Nu kwam Don Pablo weer te voorschijn. Hij droeg een kiel en een kroon van fijne gevlochten ranken en een rij stijve veren. Ook zijn ogen waren ontstoken, het ene oog traande heviger dan het andere, dat bloeddoorlopen was en naar binnen gedraaid. Door zijn oogziekte leek hij nog meer op zijn broer. Toch had de sjamaan een onbeholpen beweeglijkheid en hoewel hij allesbehalve behendig was, waren zijn gebaren des te effectiever omdat ze niet helemaal precies waren en aandacht en gezag afdwongen door zijn onhandige gestuntel. De Secoya bij hem in de buurt hielden hem verlegen maar respectvol in de gaten en gaven hem de ruimte waarbij de oude man zijn vingers als antennes gebruikte om te weten waar ze zaten, alsof hij ogen op zijn vingertoppen had.

Nestor gebaarde dat ze moesten volgen zodra de oude man zich omdraaide en met schuifelende schopbewegingen naar het aangestampte middenplein van het dorp liep, waar potten en manden stonden. Voor het rokende vuur stonden boomstammen opgesteld als banken.

'Ga zitten. Neem iets kouds te drinken.'

Bij deze woorden sleepte Hernán de blauwe plastic koelbox naar het vuur, maakte hem open en haalde er blikjes frisdrank uit. De blanke bezoekers dronken ervan en zagen er in hun verkreukelde kleren afgepeigerd uit, zwijgend aangestaard door de naakte Secoya en hun snotterende kinderen. Sommige mannen die languit in een hangmat lagen, kromden hun rug en draaiden zich op hun andere zij, en bleven zo van opzij naar de vreemdelingen liggen kijken.

De verzameling potten, de manden van gevlochten wingerdranken, de emaillen kommen op een stelling van samengebonden bamboe duidden op kookactiviteiten, maar er stond niets te pruttelen. Naast deze attributen zaten enkele vrouwen op hun knieën cassave te raspen.

'Dat zou een fantastisch dressoir zijn,' zei Janey, die de bamboe stelling vastpakte. Toen zei ze met een meewarig glimlachje: 'Maar ik heb bij een van die hutten naar binnen gekeken. En weet je, ze hebben helemaal geen accessoires.'

Geërgerd zei Sabra tegen Nestor: 'Worden we geacht hier te slapen?'

'We zorgen voor hangmatten, of jullie kunnen een plaatsje zoeken op de vloer van het gemeenschapshuis onder de kapokboom.'

'Hoe zit het met wassen? En eten?' zei Wood.

'Ik was van plan jullie iets over de achtergronden te vertellen,' zei Nestor. 'Dit is een spirituele ervaring, zeg maar religieus en medisch tegelijk.

Er zitten zoveel aspecten aan. Misschien willen jullie daar meer van weten?'

'Ja, alles,' zei Manfred.

'Laat die achtergronden maar zitten,' zei Hack en hij maakte zich breed met de handen in de zij. 'Ik ga een duik nemen.'

'Er zitten mantaroggen in de rivier,' zei Nestor. 'Hernán is een keer gestoken en heeft drie maanden in een hangmat moeten liggen.'

Janey zei: 'En wat denk je van een hapje? Ik voel me een beetje flauw.'

Nestor boog zich naar haar toe, liet zijn snor op en neer gaan en keek haar met een niet-begrijpende glimlach aan.

'Honger,' zei ze.

Nestor zei iets in het Secoya en een van de vrouwen die de cassave aan het raspen was gaf hem antwoord zonder op te kijken. Zonder te stoppen riep ze iets. Uit de richting van de grote boom en de rokende hut klonk een kinderstem, en binnen een minuut kwamen er twee kleine jongens haastig de open plek op gelopen met een grote geblakerde kookpot aan een stok die door het hengsel was gestoken. Er liep een meisje achter hen aan met blikken kommen en lepels.

'Wat is dat?' vroeg Janey.

'*Caldo* van yucca en *pavo*.'

'Zit er ook varkensvlees in? Porco?' vroeg Sabra.

'No *puerco*,' zei Nestor.

Manfred zei: 'Pavo betekent wilde kalkoen. Een soort soep.'

Bij het ronddelen van de soep hield Janey haar kom omhoog en zei: 'Ik wil nog een ietsepietsie. Er is nog een heleboel over.'

Hack vroeg: 'Wanneer gaan we de ayahuasca drinken?'

'Don Pablo wil iets zeggen,' zei Nestor.

De man zette zijn hoofdkrans van gevlochten ranken en veren recht en ging mompelend en met zijn voeten schuifelend achter Nestor staan. Hij zette een verbogen bril op met gebarsten glazen.

'Kijk, hij heeft superkoetslantaarns,' zei Janey.

Maar de man zette de bril weer af en begon met de knokkels van zijn hand in zijn loopoog te wrijven.

'Hij zegt dat vanavond niet goed is. Jullie zijn net aangekomen. Sommigen van jullie zijn kwaad. Jullie moeten de boosheid uit je leven bannen. De vrouwen' – Nestor zweeg om Don Pablo aan het woord te laten en ging daarna verder – 'hij denkt dat een van de gringovrouwen haar maandstonde heeft.'

'En die gringovrouw ben ik natuurlijk,' zei Sabra, die er preuts bij zat, met ogen die fonkelden van ergernis omdat ze eruit was gepikt. Ze staarde naar een klein smerig jongetje dat dicht bij haar op zijn hurken in het stof zat en richtte zich tot hem. 'Ik ben onrein. Ik ben bevlekt. De rode vlag hangt uit. Ze zijn erger dan chassidische joden!'

'Kevertje, alsjeblieft,' zei Wood vermanend.

'In de cultuur van de Secoya is het taboe om aan een ceremonie mee te doen als je je maandstonde hebt. Het is te veel reiniging. Te veel licht, zegt Don Pablo. Het kan de sjamaan ernstig ziek maken. Hij zal de hutten zien druipen van het bloed. Dus' – Nestor sprak nu direct tot Sabra – 'blijf alstublieft uit de buurt van de kookplaats. Het eten. Andermans borden.'

'Maak je geen zorgen. Ik ga mijn boek wel lezen. Dat is spannender dan deze onzin.'

Wood zette zijn kom met soep op de grond, kroop naar haar toe en legde zijn arm onhandig om haar schouders. Ze begon zachtjes te huilen. 'Het is goed, Kevertje. Gooi het er maar uit.'

Manfred zei: 'Ze hebben regels. Die moeten we gehoorzamen.'

'Ja, daar weten jullie Duitsers alles van hè, van regels gehoorzamen,' zei Sabra.

Met een gezicht dat glom van het zweet en met zijn grote malende tanden zei Manfred: 'Dat klopt, ik ben een slechte Duitser die de wereldoorlog is begonnen en al die kampen heeft gebouwd en jij bent een goed mens die nooit iets slechts doet.'

'Woody, zeg dat hij moet ophouden,' zei Sabra in tranen.

Maar Manfred zat op zijn knieën en siste haar toe: 'Ik ben in Ramallah geweest! Heb jij Ramallah gezien?'

'Ach, hou toch je mond,' zei Janey.

Op dat moment stond Nestor op en legde de ruziemakers met een gebaar het zwijgen op. Hij zei: 'Don Pablo wil jullie verwelkomen.'

De oude man achter hem was hoofdschuddend aan het mompelen en als hij knikte zwaaiden sommige pluimpjes in zijn hoofdtooi heen en weer.

'Don Pablo is al vele jaren een sjamaan. In het Secoya heet een sjamaan een pajé. Het betekent "de man die alle ervaring belichaamt". Hij zegt dat sommige mensen die hij heeft behandeld, heksen waren. Een sjamaan heeft altijd vijanden omdat hij ervan wordt beschuldigd verantwoordelijk te zijn voor de dood van sommige mensen.'

'Waar komt hij vandaan?' vroeg Hack.

Nestor vertaalde de vraag, luisterde naar Don Pablo en zei toen tot de groep: 'Hij heeft het niet begrepen, maar zijn antwoord is hoe dan ook interessant. Hij gelooft dat de Secoya afstammen van een groep apen in Santa María – stroomafwaarts hier vandaan, waar twee rivieren bij elkaar komen.'

Het vuur was bijna uit, en naarmate het knetteren van de vlammen minder was geworden, waren de geluiden van de jungle harder gaan klinken. Hoewel het alleen maar insecten konden zijn geweest, klonken ze Steadman als een koor van buiten zinnen geraakte vogels in de oren – het geloei en geschreeuw dat uit de omringende duisternis kwam.

'Zijn vader was ook een sjamaan. Hij heeft Don Pablo en Himaro geleerd hoe je *ayahuasca* moet gebruiken. Don Pablo is een pajé geworden omdat hij heel ziek was. Hij heeft zichzelf genezen en is een genezer geworden. De beste manier om een pajé te worden – en misschien wel de enige manier – is heel ziek te zijn en dat pad te volgen.' Nestor luisterde naar Don Pablo en begon weer te spreken. 'Ayahuasca is als de dood. Als je het drinkt, ga je dood. De ziel verlaat het lichaam. Maar deze ziel is een oog dat je de toekomst laat zien. Je zult je kleinkinderen zien. Wanneer de trance over is, keert de ziel weer terug.' Don Pablo was nog steeds aan het praten. Nestor zei alsof hij een samenvatting gaf: 'Hij heeft het over "het oog van alwetendheid".'

Manfred zei: 'Vraag Don Pablo alstublieft om uit te leggen wat dat betekent.'

De vraag werd voorgelegd aan Don Pablo, die zich van hen afkeerde en antwoord gaf met zijn gezicht naar de bomen, de duisternis en het geluid van de insecten.

'Dit oog kan dingen zien die fysiek niet te zien zijn. Sommige mensen hebben dit derde oog al van zichzelf. En anderen kunnen het oog van de alwetendheid verkrijgen door ayahuasca of andere planten uit de jungle.'

Steadman was hoopvol gestemd en terwijl hij luisterde, verscheen er nog een oude man, in een gele kiel, met een verenkrans en een halsketting van rode kralen en dierentanden. Hij sprak met Nestor.

Nestor zei: 'Dit is Don Esteban. Hij is een Kofan. Hij wil jullie vertellen dat hij in één nacht Secoya heeft leren spreken van een papegaai nadat hij een heleboel *yajé* had gedronken.

'Is yajé hetzelfde drankje als ayahuasca?' vroeg Janey aan Hack, die zei: 'Zou best kunnen.'

'Don Pablo kan in een tijger veranderen. Hij kan andere planeten bezoeken. Hij heeft er al veel gezien – hij maakt er mooie tekeningen van. Hij kan in een ziek lichaam kijken.'

'Wie had dat kunnen denken, die klootzak is een astronaut,' fluisterde Hack.

Don Pablo leek op waarschuwende toon te spreken en Nestor vertaalde: 'Een bloem kan misschien niet praten, maar heeft een geest die alles ziet. Dat is de ziel van de plant, die hem doet leven.'

Don Esteban voegde er iets aan toe, en haalde toen zijn schouders op. Nestor glimlachte. 'En ja, bloemen kunnen ook praten.'

Zonder verder een woord te zeggen, gaven Don Pablo en Don Esteban Himaro een teken en glipten weg het donker in. Nestor stak een fakkel aan in de nagloeiende as van het vuur en ging de bezoekers voor over het pad.

'Ik ben onrein, dus ik ga maar naar mijn kamer,' zei Sabra.

Wood omhelsde haar. 'Je hebt geen kamer, Kevertje.'

Nestor was al vooruitgesneld en had bij de toegang tot de verhoogde slaapvloer zijn toorts neergezet, die onmiddellijk door kleine witte motten werd omzwermd. Harige insecten ter grootte van een vingerkootje zoemden rond en botsten tegen de verlichte palen. Steadman keek hoe de anderen er langzaam naartoe liepen, en kon hun tegenzin aflezen aan de manier waarop hun stoffige korte broeken tussen hun op en neer bewegende billen zaten geklemd.

7

In zijn gevlochten hangmat die tussen twee bomen was opgehangen, lag Steadman als het ware gekneveld in het net en zag de anderen op de verhoging om zich heen meppen, de Wilmutts en de Hacklers, die door de lantaarns van achteren werden belicht en omgeven werden door wolken fladderende motten; de hele nacht hoorde hij hun klagerige gemompel.

Steadman zei met lijzige stem: 'Natuurlijk vind je het in het begin romantisch, maar wacht maar tot je hier vijf dagen op je pijnlijke reet hebt gezeten en in indiaanse hutten hebt geslapen en ondefinieerbaar vlees hebt gegeten en je ze de hele nacht aan de motor hebt horen klooien.' Hij zweeg en luisterde naar het gekrijs van de insecten. 'Burroughs had gelijk. Morgen staat het water van de rivier hoger.'

Manfred was ertussenuit geknepen. Misschien wist hij dat hij onophoudelijk praatte in zijn slaap en vragen stelde, verklaringen aflegde, meestal in het Duits, soms in het Engels. Steadman had het gebrabbel gehoord en hoewel hij het niet kon verstaan, leek het een coherent verhaal, alsof Manfred het al heel vaak in zijn slaap had verteld. Maar Steadman vermoedde dat Manfred een gerieflijker hut, een betere slaapmat of misschien gezelschap had gevonden.

Maar het kon net zo goed zijn dat hij een stompje kaars had gevonden zodat hij zijn boek over medicinale planten kon bestuderen. De man was irritant, maar in wat hij las, in de aantekeningen die hij maakte, in zijn pedanterie, in zijn koppige tactloze eerlijkheid tegenover de anderen riep hij een gevoel van schaamte op bij Steadman, omdat die maar wat in zijn hangmat lag te schommelen en het jammer vond dat hij zijn eigen aantekenboekje zo weinig gebruikte. Hij maakte zichzelf wijs dat hij niets had opgeschreven om niet op te vallen in het gezelschap, dat hem anders misschien als de schrijver zou hebben herkend en hem met vragen zou hebben bestookt.

In haar eigen hangmat naast Steadman zei Ava: 'Dat vreselijke mens zit nog steeds in je boek te lezen.'

De dageraad kwam vroeg maar aarzelend, omdat de zon niet door het gebladerte heen drong en alleen delen van de hemel verlichtte die als kleine blauwe vlekjes door het bladerdak zichtbaar waren. Onder dat gewelf was de lucht lichtgroen, grasachtig en vol fladderende insecten en delicate draden die lui heen en weer zwaaiden als gescheurde spinnenwebben, hoewel ze erg hoog in de groene lucht hingen waar Steadman nooit gedacht zou hebben dat er spinnen leefden.

De vogels waren al lang voordat het licht werd begonnen met krijsen en een ervan liet een eentonige, afkeurende roep horen die zeurend door het oerwoud klonk. Snelle, wendbare en ongrijpbare vliegen gingen voortdurend op Steadmans gezicht zitten en staken hem. Overal waren mieren, groot en klein, in colonnes, in groepjes, grote glimmende en kleine beweeglijke, sommige niet groter dan een zandkorrel. Ze verzamelden zich op Steadmans sandalen en gingen op zoek in zijn tas. Ze werden wakker van de hitte; de hitte scheen alle insecten te activeren: steekvliegen, witte motten, grote harige kevers, sluipwespen en glanzende kakkerlakken met vleugels in schildpadpatroon.

Toen hij met Ava naar de overdekte verhoging liep, raapte Steadman een slak op zo groot als een vuist, die een slijmerig spoor op de aangestampte aarde achterliet.

'*Desayuno*,' zei hij tegen een klein Secoyameisje dat naar hen keek, maar toen hij haar verwonderde blik zag, realiseerde hij zich dat ze geen Spaans sprak. De anderen zaten in kleermakerszit op de verhoging en zagen er in hun gekreukte kleren doodmoe en ellendig uit.

'Mijn haar lijkt wel een rattennest,' zei Janey. Ze beklaagde zich bij Ava. 'We hebben geen oog dichtgedaan. Dit ellendige gat lijkt wel een vuilnisbelt. We hebben er zo schoon genoeg van dat we er zwaar over denken weg te gaan.'

Ava zei: 'Ik heb als een blok geslapen.'

Nestor kwam de verhoging op klauteren. In tegenstelling tot de anderen stonden zijn ogen helder en zag hij er uitgerust uit. Zijn dikke haar was strak achterovergekamd en hij droeg een schoon T-shirt en een schone spijkerbroek.

'Ik wil jullie een paar instructies van Don Pablo geven,' zei hij.

Hack zei: 'Hou op met dat gepreek.'

Nestor staarde hem zwijgend aan met een smalende ironische trek om zijn mond. Hoewel hij een stevige man was, had hij een smal gezicht met donkere, diepliggende ogen, maar hij kwam des te dreigender over omdat hij kalm bleef en zweeg totdat Hack wegkeek.

'Mag ik jullie eraan herinneren,' zei Nestor, 'dat jullie niet thuis zijn. Je bent in de provincie Succumbios.' Met zijn tong tussen zijn tanden voegde hij eraan toe: 'Oriente.'

Nu verscheen Manfred bij de verhoging, in zijn jungle-uitrusting zag hij eruit als een commando. Ook hij zag er uitgerust uit, en zette daarmee de anderen die een ellendige nacht hadden doorgebracht, alweer te kijk. Hij had een metalen kroes in zijn hand. Hij ging zitten en nam met een weldadige zucht een slok.

'Ecuador-*café*. Heerlijk!'

Steadman moest glimlachen toen hij zag hoe Manfred de haat van de anderen opriep en hoeveel behagen Manfred daarin schepte.

'Herr Mephistos,' zei Hack en hij gebaarde naar Manfreds schoenen.

'Heb ik van een boer gekregen,' zei hij terwijl hij zijn koffie dronk.

Nestor zei: 'Eet alstublieft wat fruit als ontbijt en daarna niets meer. De hele dag niet eten. Maar blijf actief. Als jullie drinken, drink dan alleen water. Straks vertel ik jullie wat je moet meenemen. Het belangrijkste is een heldere geest en een rein hart. En een lege maag.'

Het was zeven uur in de ochtend, zonsondergang zou nog bijna twaalf uur op zich laten wachten en nu al leken de hitte, de steekvliegen en de stank die uit de zompige aarde opsteeg, ondraaglijk.

'Waarom kunnen we die ceremonie niet meteen houden?' vroeg Wood.

'De nacht is voor ceremonies. Het moet donker zijn,' zei Nestor, 'zodat jullie kunnen ontspannen.'

'Ik ben hier niet voor veel geld naartoe gekomen om me te ontspannen!'

'Dan kun je misschien Joaquina's tuintje wieden. Ze heeft hulp nodig.'

'Pech voor Joaquina,' ze Janey. 'Ze kan haar eigen tuintje wieden. Wat een brutaliteit. Stel je vóór dat je je tijd staat te verdoen in het tuintje van een of andere slet.'

'Of de Secoyavrouwen kunnen jullie leren vlechten. Of je kunt foto's maken. Of Don Pablo kan je de namen van de planten leren.'

Wood keek met een ongelovige blik opzij naar Hack, en mimede: 'Het is toch verdomme niet te geloven?'

'Wij vermaken ons wel,' zei Hack alsof hij zijn vriend wilde kalmeren.

'Ik ben sowieso onrein,' zei Sabra, die nog steeds in kleermakerszit zat en haar exemplaar van *Trespassing* pakte. 'Kijk eens wat er in dit klimaat mee is gebeurd!' De bladzijden waren opgezwollen van het vocht, de band was omgekruld en het hele boek was dik en misvormd geraakt.

'Jíj hebt tenminste iets te lezen om de vloek van dit klotedorp te bezweren,' zei Janey.

'Zit jij erom te springen?'

'Niet echt,' zei Janey.

'Ik zou dat spul toch nooit in mijn lijf stoppen,' zei Sabra. 'Het is alsof je een pact met de duivel smeedt als je een toverdrankje drinkt om visioenen te krijgen. Ik ben blij dat ik dit bij me heb.' Ze klopte op het boek. 'Hier staat tenminste niet van die gevaarlijke onzin in. Ik bedoel, in dit boek gaat het er nu juist om dat je je grenzen kunt verleggen zonder dat soort rommel in je lichaam te pompen.'

Steadman staarde met samengeperste lippen voor zich uit en voelde dat Ava naar hem keek.

Nestor zei: 'Als iemand een wandeling door het oerwoud wil maken, zal Hernán jullie meenemen.'

'Ja, wij,' zei Ava.

Na het ontbijt gingen ze op pad, alleen Ava en Steadman. Manfred zag hen op weg gaan naar het pad met Nestor en Hernán, glimlachte naar Steadman en zei: 'Ik wil graag met jullie mee.' Hij klonk oprecht, maar hij klonk vooral familiair, en hij sprak tegen Steadman op een toon die hij nooit tegen de anderen bezigde.

Ava zei: 'Jij hebt hier vast wel iets interessanters te doen.'

'Jah. Ik wil bij het koken zijn voor mijn aantekeningen. Zien hoe de ayahuasca wordt bereid. Hoe het wordt gekookt. Zeg je "koken" als je het over yajé hebt?'

Nestor zei: 'Wij zeggen *hervir*. We zeggen ook *reducir*. Ze doen er ook andere planten bij.'

'Natuurlijk. Dat weet ik. Dat heb ik gelezen. Ze doen er andere speciale plantensoorten bij. Dat wil ik zien. Wil jij het ook zien?'

Hij sprak tegen Steadman, maar die was zo verbaasd over de onverwachte vriendelijkheid van de man dat hij alleen maar zijn schouders ophaalde.

'Ze noemen het mengsel *changru-panga*.'

'U hebt mij niet meer nodig,' zei Nestor tegen Manfred. 'U bent een *perito*. Een expert!'

Hernán knikte ten teken dat hij klaar was om te vertrekken, draaide zich toen abrupt om en ging hen met opgeheven machete voor. Een Secoyajongen op blote voeten en een canvas knapzak op zijn rug volgde hem met een stok. Ze baanden zich een weg door Joaquina's maïsveldje en sprongen over een brede greppel. Vrijwel meteen glibberden ze verder over een smal modderig pad onder de hoge bomen. Hernán sloeg naar bladeren die op hoofdhoogte hingen en naar lage stekelige takken en de jongen prikte met zijn stok in de druipende varens langs het pad.

Het terrein liep vlak en het pad redelijk recht, maar dieper het oerwoud in was de lucht zwaar, heet, plakkerig, klam van de vochtigheid en gonsde het van de insecten. Hier en daar drongen kegels van zonlicht door het opengescheurde bladerdak, maar de diepgroene schaduw bleef overheersen. De schaduw was nat en het mos op de bomen zag eruit als groen schuim.

Na een halfuur – ze waren nog niet ver gevorderd – was Steadmans shirt doorweekt van het zweet en het vocht doordat hij langs de grote druipende laaghangende bladeren was gelopen. Zijn schoenen waren zwaar van de modder. De huid van zijn blote onderarmen was geschramd en smerig. Ava glimlachte naar hem maar was zelf ook drijfnat.

'Waar gaan we naartoe?' riep Steadman naar Hernán.

'*Paseo*,' zei hij. 'Alleen een stukje lopen.'

Misschien omdat hij vond dat hij wat meer informatie zou moeten geven, plukte hij een paar blaadjes van een struik en liet ze aan Ava zien.

'De Secoya maken hier thee van, als ze last hebben van hun maag.'

'*Tortuga*,' riep de Secoyajongen plotseling en schoot langs Steadman heen en knielde in de modder. Steadman had niets gezien, maar even later hield de jongen een kleine modderige schildpad met spartelende druipende pootjes omhoog.

'Hoe heeft hij dat kunnen zien?' zei Ava.

'Hij heeft honger, daarom ziet hij alles,' zei Hernán.

Verderop bleef Steadman staan en zei: 'Ik heb me altijd afgevraagd waar die bloemen vandaan komen.'

'Hier hebben wij een heleboel van,' zei Hernán.

'Ik geloof dat het een Heliconia is,' zei Ava.

De trossen met knoppen, rood en geel, hingen als kleine glinsterende bananen aan een lange stengel, kleine brokjes kleur die fel afstaken tegen de donkere varens en de in schaduw gehulde bladeren.

'Hebben jullie deze?' vroeg Hernán en hij wees op een hoge struik met een overdaad aan witte klokvormige bloemen, die vlezig en slap aan de dunne takken hingen.

Steadman herkende ze als de bloemen die iets van een mond weghadden, die Nestor bij Papallacta had aangewezen, en zei: 'Ik heb er zo een bij de hete bronnen gezien.'

'Is goed voor dit,' zei hij. Hij tikte tegen zijn hoofd en glimlachte tegen de Secoyajongen, die gretig knikte, grijnsde en een gebroken voortand liet zien. 'Ziet u? Zelfs hij weet het. Hij helpt deze verzamelen.'

'Doornappel,' zei Ava, zich herinnerend wat Nestor hun had verteld. 'Hoe noem je hem?'

'Het is toé. *La venda de yana puma*. De blinddoek van de tijger.' Onder het spreken glimlachte hij en sperde zijn ogen open. 'We schrapen het af. We koken het. We drinken het.'

Ze liepen nog een uur door, maar traag, vanwege de modder en de hitte. Tegen de middag kwamen ze bij een plek waar een paar bomen waren omgevallen en de grond hadden bezaaid met massa's dode bladeren en dode verdorde takken. Sommige stammen leken verrot en aangetast, maar er was één stevige stam over met een goede zithoogte. Ava liep er naartoe om te gaan zitten.

'*Mira. Espera un momentito*,' zei Hernán en hij hakte met zijn mes op de stam in, die meteen tot leven kwam met grote, razende mieren en miereneieren, rondtuimelend als dolle rijstkorrels.

'Ik denk dat ik maar blijf staan,' zei Ava.

Hernán nam de knapzak van de Secoyajongen over en deelde blikjes frisdrank uit.

'Paseo is beter,' zei Hernán en hij veegde zijn mond af. 'Als je in het dorp blijft, zie je allemaal eten en krijg je honger. En als je dan vanavond yajé neemt, word je misselijk.'

Maar Steadman was de ceremonie vergeten. Hij keek om zich heen naar de grote, dampende, met vliegen bespikkelde leegte, waar een zware rottingslucht hing, alles was groenig, vochtig en glibberig onder het dak van het regenwoud.

Op deze afgelegen plaats floreerde zonder menselijk ingrijpen een duistere en eeuwigdurende dichtbegroeide lusthof onder het hoge onregelmatige oerwoudplafond. In de diepste schaduwen op de modderige grond lagen kleine hoopjes vuil die afkomstig waren van het gewroet van boomratten en schildpadden. Op elk niveau groeiden bloeiende planten die zich op de hoogste boomstammen hadden vastgezet.

Nog meer doornappels, bleke, sappige, omlaag hangende kelken, gemberplanten met karmozijnen bloemknoppen en de Heliconia die Ava had herkend, de gele, rode en zwartgestreepte gladde, ronde vruchten; de lipvormige bloembladen van een bloeiende rozige vulva op een blauwige steel; de oranje bekken van de Strelitzia en de teerheid van geschulpte en wijd uitgespreide paarse orchideeën. Van een hangende rank wezen roze-gekookte vingers naar beneden en aan een andere rank groeiden kleine gele klokjes met bladeren die net vleugels leken. Dat alles gloeide op in het zwakke licht en vanaf de allerhoogste takken slingerden immens lange luchtwortels, sommige bedekt met haartjes, zich tussen de muskieten en de vliegen door.

Hij zag vlinders vechten voor hun leven, bungelende wormen, de kronkelige symmetrie van blauwe nerven op grote bladeren, het broze lichtgevende weefsel van hangende bloemen dat iets weghad van gekreukte zijde, de stijvere stammen van natte zwarte planten, de bleke slierten van hechtranken en de pluizige knoppen, als de monsterachtige klauwen van naamloze uitwassen – allemaal op een plek waar het smalst denkbare pad liep, geen andere voetafdrukken waren te zien en slechts het zwakste daglicht doordrong tot de bodem van het oerwoud. Hier kon je je voorstellen dat hoewel hier vlakbij mensen waren langsgelopen, niemand deze plek had verstoord, nooit een stengel had verbogen of een bloem had geplukt. De hele wereld was blind voor de schoonheid ervan.

'Mira... cuidado,' zei de Secoyajongen schril, en hij ging voor Steadman staan. Hij wees met zijn stok en Steadman zag de draden van een spinnenweb dat glinsterde van de dauw. Het hele geval had de afmetingen van een wagenwiel maar hing hoog, het middelpunt hing ter hoogte van zijn ogen en trilde in de vochtige adem van het hete oerwoud. Als de jongen hem niet had gewaarschuwd, was hij er recht tegenaan gelopen en had hij het web over zijn gezicht en hoofd gekregen. Alleen al de gedachte daaraan deed Steadman een stap terug doen.

'Waar is de spin?'

'Araña,' zei de jongen en hij duidde het wezen aan dat aan de rand van de cirkel van melkachtige draden zat.

Steadman ontdekte de spin en hoewel hij uit angst nog een stap naar achteren deed, kon hij hem goed zien: een grote purperen vrucht met de stoffige glans van een pruim met rozig-gele accenten, die er rijp en zwaar uitzag. De spin zat gehurkt op dunne pootjes die eindigden in een getand voetje. Hij bleef aan de rand van het web zitten met opengesperde kaken die aan een pincet deden denken. Steadman werd niet van zijn stuk gebracht door de omvang van het beest of door de felle fruitachtige kleur; hij werd verontrust door de starende blik, de glimmende ogen die als druppels gif op hem waren gericht en zijn eigen ogen fixeerden.

'*Escucha*,' zei Hernán, en hij hield zijn hoofd schuin om te luisteren en omhoog te kijken.

Pas op dat moment ontwaakte Steadman uit de trance waarin hij onder de strakke blik van de spin was verzonken. Al wat hij hoorde was het kabaal van insecten. De jongen en Hernán luisterden ingespannen.

Ava zei: 'Wat is dat?'

Van veraf klonk een gepuf als van een motorboot die onzichtbaar door de hemel voortzwoegde, en toen het dichterbij kwam werd het een onmiskenbaar wap-wap-wap.

'*Mira! Helicóptero*,' zei de jongen, met het haar voor zijn ogen, en het ingewikkelde woord kwam door zijn glimlach en zijn afgebroken voortand naar buiten.

Hernán zei: 'Een helikopter.'

Een schaduw als een grote bruine wolk kwam boven hun hoofd voorbij, een gigantisch lawaai uitbrakend luchtschip, de grootste helikopter die Steadman ooit had gezien.

Hij begon er achteraan te lopen over het pad, maar Hernán drong zich langs hem heen en daarna sprong ook de jongen met snelle bewegingen van zijn dunne bruine benen als een hert voor hem uit. Het geluid van de helikopter klonk nog steeds hard, niet ver weg, misschien omdat hij rondcirkelde of lager ging vliegen.

Binnen in het afgesloten oerwoud met zijn dak van takken en bladeren konden ze niet zien waar de helikopter naartoe ging, maar ze hoorden hem nog steeds en konden het ritmische geluid volgen, de trommelslag van de ratelende motor in de verte.

Ze hadden het pad verlaten en liepen nu tot borsthoogte tussen de varens en grote bladeren tot ze voor zich een lichte schittering zagen, een opening in het oerwoud, misschien een open plek, en daarna de dalende duisternis van de helikopter die zich op de grond neerzette.

Hernán en de jongen zaten gehurkt in een spiedende houding en gebaarden Steadman en Ava dat ze achter hen moesten blijven en hun hoofd omlaag moesten houden. Het felle licht lokte hen, maar verblindde hen tegelijkertijd, want ze hadden de hele ochtend in de gespikkelde schaduw van het regenwoud gelopen en nu stroomde er zonlicht door de bomen.

Ze werden tegengehouden door een manshoog hek van harmonicagaas dat dwars door het oerwoud liep met scheermesdraad langs de bovenkant en om de zes meter bordjes met doodskoppen waarop met rode letters stond: *Probibido el Paso.* Zonlicht geselde de open plek achter het hek – zonlicht en stalen torens en doosvormige geprefabriceerde bouwsels en olievaten, en de enorme sputterende helikopter waarvan de dubbele schroeven langzamer gingen draaien terwijl mannen met een gele veiligheidshelm op heen en weer renden en vanuit het openstaande laadruim kartonnen dozen naar buiten droegen.

Het kamp werd volledig omsloten door het hek en het oerwoud. Hier liepen geen wegen naartoe. En er was geen onderbreking in het hek – geen opening, zelfs geen poort. Vandaar de helikopter. Zodra het geluid van de helikopter was weggestorven, hoorden ze het zachtere maar regelmatiger pulseren van een machine en zagen ze midden op de open plek een stalen cilinder op en neer gaan die de aarde beukte en hijgende, slikkende geluiden maakte onder het pompen en een duidelijk gebrom uitstootte dat klonk als een uithaal van genot.

'*Mira.* Gringo,' zei Hernán toen hij een lange man in een ruitjesoverhemd en laarzen de werklieden zag aansporen.

Maar voor Steadman en Ava was die Amerikaan nog niet het meest merkwaardige aan de open plek, want vlak bij de ingang van een van de nieuwe, frisse doosvormige gebouwen stond een Ecuadoriaan, helemaal in het wit – wit overhemd, witte schort, een hoge witte koksmuts – met een andere donkere man in een kort zwart vest, gestreepte broek en een vlinderdas te overleggen. Deze tweede man, overduidelijk een kelner of een sommelier, droeg een dienblad op zijn vingertoppen en op het blad stond een stel wijnglazen met een dunne steel en een fles wijn in een ijsemmer.

Er klom nog een man uit de cockpit van de helikopter. Steadman zag aan de achteloze, bijna slordige manier waarop hij moeizaam over het grind liep, en aan het geflapper van zijn grote hand en de ongedwongen zwaai waarmee hij de andere man begroette, dat hij ook een Amerikaan was. Hij straalde de onverschilligheid uit van de zelfverzekerde eigenaar.

'*Es él quien tiene la culpa,*' zei de jongen.

Hernán vertaalde: 'Is zijn schuld.'

De twee mannen schudden elkaar de hand en spraken even met elkaar, en de kelner kwam naderbij met het onderdanige loopje van een bediende, en bood hun glimlachend zijn dienblad aan en werd weggestuurd. De Amerikanen liepen naar een afdak, een dekzijl dat dienstdeed als zonnescherm – en de kelner volgde hen, evenals de chef in zijn smetteloze witte kleren.

'*Petroleros*,' zei Hernán.

De jongen vroeg Steadmans aandacht en zei: '*Nos gustan los Estados Unidos.*' Toen trok hij een gezicht en gebaarde naar de oliemensen en zei: '*Pero!*'

'Ik wou dat ik dit niet zag,' zei Steadman tegen Ava. Het speet hem dat hij daar was en even was hij vergeten waarom hij naar Ecuador was gekomen.

Op dat moment zei Hernán: 'We gaan. We moeten terug.'

Pas toen herinnerde Steadman zich de ceremonie. Op de terugweg via het smalle pad naar het dorp en de rivieroever leek het regenwoud veel fragieler en minder woest, niet meer zo schaduwrijk, maar onderdeel van de geketende en geschonden wereld die hij altijd al had gekend.

8

Ze hadden zich in afnemende daglicht verzameld bij het gemeenschapshuis met het rieten dak, en zagen er bleek en onzeker uit. Iedereen had
een hangmat en schone kleren bij zich, plus de dingen die ze hadden
moeten meenemen: een slaapmatje, een poncho, sokken, een jack en een
fles drinkwater. De vergaderplaats had er aan de buitenkant eenvoudig
uitgezien, maar toen ze eenmaal binnen waren en een plaatsje zochten
om te zitten, zagen ze hoe zorgvuldig hij was gebouwd, de van hun bast
ontdane stammen die waren samengebonden, het schuine dak van gespleten bamboe dat met dichte bundels riet was bedekt, de op zuilen lij-
kende gladgeschuurde palen. Het hele bouwsel, dat werd verlicht door
beroete lantaarns en flakkerende kaarsstompjes, leek meer op een kapel
in het oerwoud dan op een vergaderplaats.

Don Pablo en Don Esteban zaten op krukjes helemaal aan de andere
kant waar het altaar gestaan zou hebben als het een kapel was geweest.
In hun plechtstatige houding en hun eenvoudige rode kiel deden ze aan
monniken denken met hun halsketting van oranje kralen en gevlochten
hoofdtooi met de veren. Ze hadden allebei een plastic kan op hun knie
waarin een donkere vloeistof klotste en die was afgesloten met een houten stop.

Andere Secoyamannen in T-shirt en korte broek, die echter net zo ernstig keken als de twee opgetuigde oude mannen in hun kostuum, stamp-
ten met hun voeten op de lemen vloer. Er klonk geen muziek, geen enkel
geluid behalve het vogelgeroep en het doordringende gejammer van insecten uit het oerwoud.

Vanuit de richting van het dorp kwamen uit de duisternis nog meer Secoyamannen met toortsen aangelopen. Zodra ze de vergaderplaats betra-
den, die daardoor helder werd verlicht, leken Don Pablo en Don Esteban
tot leven te komen. Ze hieven een monotoon gezang aan, aanvankelijk
prevelend, maar daarna met een laag gebrom dat Steadman deed denken
aan de kreunende syncopen van biddende Tibetaanse monniken.

Steadman en Ava hadden hun slaapmatten aan de ene kant uitgerold, dicht bij een lantaarn. Ze hadden hun kleren, hun kussens en hun flessen water klaargezet. Steadman hield zijn notitieboekje en pen bij de hand.

Manfred zat vooraan, dicht bij Don Pablo, en de anderen zaten achter hem. Janey leunde tegen Hacks schouder en de Wilmutts worstelden op hun hurken met hun luchtbed.

'Ze horen zich vanzelf op te blazen,' zei Wood.

'Wie gaat er als eerste?' vroeg Hack en Steadman hoorde een zweem van vrees, een trilling in zijn stem.

Sabra zei: ''t Lijkt wel nummertje trekken.'

Toen hij haar hoorde, stopte Don Pablo met zingen en wuifde haar weg en omdat ze aarzelde, stond hij op, liep naar voren en porde met zijn staf tegen haar schouder. Met een woedende blik op de sjamaan trok Sabra zich terug.

Manfred zat op zijn knieën voorovergeleund en had een lege kroes in zijn handen zodat hij klaar zou staan en de eerste zou zijn als het moment daar was. Hij keek Nestor aan en wachtte op een teken.

Maar Nestor negeerde hem. Hij had de hele tijd vol afkeuring naar Sabra staan kijken in de hoop haar blik te vangen. Hij had haar al eerder gezegd dat ze niet in de buurt van de vergaderplaats mocht komen omdat ze ongesteld was. Don Pablo had haar zo hard met zijn staf geport dat ze over haar schouder wreef alsof ze pijn had. Met een verongelijkt gezicht verliet ze de vergaderplaats en veranderde in een schaduw die zich langzaam terugtrok.

Nestor zei: 'Goed, we kunnen beginnen, maar haast is hier niet op zijn plaats. *Calma*. Ik voel een heleboel botsende energiestromen.'

Manfred aarzelde, de anderen mompelden iets, Janey deed een stap achteruit, alsof haar een vraag was gesteld waarop ze het antwoord niet wist, en nu was Steadman eigenlijk blij dat hij niet alleen was. Hij zag dat Ava opgelucht was dat Manfred als eerste ging.

'Don Pablo wil jullie de planten laten zien die in het mengsel zijn gegaan,' zei Nestor, en hij volgde de oude man.

Manfred zei: 'Zeg me de namen van de andere die jullie erbij doen. Ik bedoel, misschien doen ze wel *rusbyana* bij de *caapi*.'

'Ik weet niet hoe ze heten.' Nestor sprak met de sjamaan en zei toen: 'Tabak. En soms toé. Wat jullie *datura* noemen.'

'Ik wil er graag meer over weten.'

'Doe me een lol!' zei Hack. 'Het is alsof je bij Four Seasons wilt lunchen en ze je eerst hun kloterige keuken laten zien. Hallo! Kunnen we nu beginnen?'

Manfred negeerde Hack en vroeg: 'En de *cosas cristalinos*?' aan de oude man, die steeds meer op een kobold begon te lijken naarmate hij dichter bij het vuur kwam. Toen de oude man zijn hoofd scheef hield in een vaag gebaar dat 'soms' scheen te beduiden, begon Manfred opgewonden tegen Steadman te praten. 'Fischer Cárdenas was de eerste die de alkalische kristallen in pure vorm uit de yajé wist te winnen. Hij noemde het telepathine. De kristallen zijn ongelooflijk mooi, als juwelen. Het zijn harmala alkaloïden.'

Don Pablo bracht hen naar de rand van de open vergaderruimte. Bij het vuur stond een pot met een bruine vloeistof te borrelen, takjes en gesnipperde bladeren dreven aan de oppervlakte. Met een vork viste Don Pablo een paar stukken van een dikke klimplant op. De vloeistof zelf zag er in het schijnsel van het vuur modderig en klonterig uit.

'Dat is de Kool-Aid,' zei Hack.

'Psychotrope substantie,' zei Manfred.

'Ayahuasca,' zei de oude man.

De anderen kwamen tot leven toen ze dat hoorden, alsof ze zichzelf feliciteerden, want het was het eerste woord uit zijn mond dat ze hadden herkend.

Zonder verder iets te zeggen of ceremoniële handelingen te verrichten, lepelde hij wat van het vocht in een grote emaillen kom en liet het zien, een ondoorzichtig brouwsel dat leek op thee die te lang had staan koken en niet was gezeefd. Hij schudde het heen en weer alsof hij de viscositeit ervan wilde controleren, goot het toen terug in de pot en ging weer naar zijn zitplek achter in de vergaderplaats waar Don Esteban nog steeds als een koorzanger met geronde lippen zat te zingen.

Steadman en Ava zaten in kleermakerszit. Manfred knielde omdat hij als eerste aan de beurt wilde komen. Wood zat bij de Hacklers, achter Manfred. De Secoyamannen keken met hun door het vuur verlichte gezicht gretig toe vanaf de rand van de vergaderplaats.

'Ga jij maar,' zei Janey tegen Wood. 'Jij wilde dit toch zo nodig doen?'

'Waarschijnlijk is het een grote vergissing,' zei Wood met een gespannen giechellachje. Hij pakte de kom, hield hem schuin en nam een teugje van de rand.

'Drink het helemaal op,' zei Nestor, 'en ga dan liggen.'

Dat deed Wood, onder de verschrikte ogen van de anderen, en hij moest hoesten en kokhalzen. Toen ging hij liggen en wachtte tot de drug zijn uitwerking op hem zou hebben.

'Ik voel nog niets. Maar het is ontzettend bitter,' zei hij en bij het laatste woord kokhalsde hij opnieuw, trachtte zichzelf te beheersen, kromp ineen, en in plaats van over te geven richtte hij zich op, greep naar zijn gezicht en graaide naar zijn keel en zijn ogen. Janey staarde even naar hem en keek vervolgens naar Hack, die er beteuterd en hulpeloos bij zat, met een wezenloze, angstige glimlach op zijn gezicht. Janey stond op en liep houterig en struikelend van angst en onzekerheid naar Wood toe, die kokhalzend op de grond lag.

Don Pablo ging met zijn stok tussen hen in staan, maar keek geen van beiden aan – de ogen van de sjamaan deden Steadman trouwens denken aan opgebrande lampen. De sjamaan pakte een rokende emmer en nam er een stukje gloeiende kool uit en bewoog dat onder het uitspreken van een repeterende litanie van kwaakgeluiden boven Woods hoofd, zodat het door rookslierten werd omkringeld.

'Heeft de oude man ook ayahuasca genomen?' fluisterde Ava tegen Nestor.

'Misschien een klein beetje. Hij drinkt het om jullie te begrijpen.'

Wood lag nu op zijn zij en sloeg naar de rook, kokhalsde nog steeds en hapte naar adem en schopte in het rond alsof hij geen lucht kreeg. Iedereen staarde naar hem, geschokt door dit slachtoffer dat plotseling door ademnood overmand lag te snotteren.

'Heeft hij het te snel opgedronken?' vroeg Janey. 'Hij ziet er verschrikkelijk uit. Voel je je vreselijk, Woody?'

'Hij is hartstikke stoned,' zei Hack. 'Die klootzak is helemaal high.'

'Hij snakt naar adem,' zei Ava. Ze keek naar hem alsof ze met een triage bezig was en een patiënt op een brancard onderzocht, ze keek aandachtig, beoordeelde zijn vitale functies en probeerde hem te taxeren. 'Een soort stuiptrekking.'

Wood lag schokkend van de spasmen op de grond en kokhalsde weer, braakte zonder dat er iets naar buiten kwam, schopte opnieuw om zich heen, de aderen op zijn voorhoofd en in zijn hals waren helemaal opgezwollen.

Steadman zag dat Wood nieuwe wandelschoenen aanhad, een model uit de catalogus dat Trespassing had uitgebracht om de Timberland-schoenen te overtreffen. Hij vond de nieuwheid ervan iets droevigs hebben, het smetteloze bovenwerk, de gloednieuwe zolen en de gele veters.

Woods knieën waren vies, net als zijn handen die zijn gezicht besmeurden toen hij met zijn vingers over zijn wangen streek.

'Het lijkt wel alsof hij aan het zwemmen is,' zei Hack, die nu wat afstandelijker leek, bijna opgelucht dat hij een eindje van de wild om zich heen maaiende man af stond.

'Alsof hij verdrinkt,' zei Ava.

Wood begon heftig te kokhalzen, ademde in en leek niet te kunnen uitademen en zwol op met lucht en toen hij naar lucht hapte in een poging om te ademen, begon hij te huilen of in elk geval te jammeren, en de tranen liepen over zijn besmeurde wangen. De inspanning kalmeerde hem, alsof hij bezig was te sterven door gebrek aan lucht. Zijn gedrogeerde lichaam verslapte en er liep een straaltje dun geel braaksel uit de zijkant van zijn mond. Hij drukte zijn gezicht tegen de mat en had zijn ogen nog steeds open, maar zag niets.

Nestor had de hele tijd van een afstand met gekruiste armen en een tevreden frons op zijn voorhoofd staan toekijken. 'Hij gaat even slapen. Misschien wel een hele tijd.' Hij richtte zich tot de anderen. 'Wie volgt?'

'Ik niet,' zei Janey. Onder het spreken keek ze naar Wood. Die lag onbeholpen als een ziek kind met gekromde vingers op de mat, die door zijn spastische gekronkel helemaal was verfomfaaid.

Janey beet op haar lip en keek vol afschuw toe. Ze zag er in haar gekreukte kleren kinderlijk en meelijwekkend uit, een dik meisje dat hier niets te zoeken had, maar ze werd niet getroost door de verward glimlachende Hack.

'Ik raak dat spul niet aan,' zei Janey met een holle lach.

Manfred schuifelde ongeduldig op zijn knieën naar voren en zei: 'Jah, nu ben ik.'

Don Pablo tilde zijn plastic kan op en goot wat van het ayahuascamengsel in een kom. Die hield hij de Duitser voor, daarna liet hij de kom zakken en knikte, waarop Manfred hem begreep en zich naar achteren liet zakken en onhandig in de kleermakershouding ging zitten in een poging het decorum te bewaren. Hij nam de kom aan met beide handen – die ontzettend smerig waren –, hief de kom en dronk die langzaam met klokkende geluiden leeg, alsof hij uit een bierpul dronk. Daarna veegde hij zijn mond af met de rug van zijn hand en keek weer geërgerd en ongeduldig.

'Niets. Alleen mijn vingers.' Hij kromde zijn vingers, strekte ze en hield ze voor zijn gezicht. De gemorste vloeistof had vlekken op zijn vuile handen achtergelaten en hij staarde in stomme verwondering naar die donkere plekken op zijn huid.

De anderen deden een stap naar achteren, alsof ze verwachtten dat hij zou ontploffen. Maar hij bromde en vroeg nog meer te drinken. Don Esteban leek dat niet goed te vinden en overlegde even met Don Pablo. Manfred moest even wachten en kreeg toen nog een volle kom. Hij liet het brouwsel op dezelfde manier langzaam in zijn keel lopen.

Nog altijd bleef hij wachten en keek naar zijn handen, maar op een andere manier, want nu lagen ze krachteloos op zijn knieën. Hij liet zijn hoofd zakken om ze te bekijken, alsof ze van iemand anders waren. Hij vroeg om een derde kom, maar voordat hij ervan kon drinken, zwaaide hij naar voren. Hij hield zijn hoofd scheef als een hond en had net zijn mond opengedaan om te klagen, toen hij voorover op zijn gezicht viel en braakte, met zijn armen langs zijn zij, en hij bleef daar liggen met het kwijl op zijn lippen. Hij rilde een keer en bleef toen stil naast Wood liggen, die daar ook roerloos lag, met zijn mond open, beiden uitgestrekt op de ondergekotste matten, als slachtoffers van vergiftiging.

'Oké, ik doe het,' zei Hack met tegenzin. Hij nam de kom aan en hield hem onhandig vast waardoor hij wat van het brouwsel morste. 'Ik bedoel, hier zijn we toch voor gekomen? Ik gooi het er wel even in.'

'Niet doen, schatje,' zei Janey, die de onzekerheid in de handen van haar echtgenoot zag, de tegenzin in zijn vingers, en zijn angst die zich in onhandigheid vertaalde. 'Marshall, doe het alsjeblieft niet.'

Janey maakte gebruik van zijn aarzeling om de kom uit zijn handen te nemen. Hij verzette zich niet, leek opgelucht en keek vervolgens hulpeloos toe hoe zij het opdronk.

Janey ving zijn blik, wierp hem een brutale glimlach toe, en likte de bruine vloeistof op om hem te plagen, tot Hack wegkeek alsof hij door zijn vrouw te schande werd gemaakt. Ze zei: 'Dit glijdt naar binnen als limonade,' en sloeg het niet achterover, maar dronk het bedachtzaam, en door haar trage bewegingen werd de stilte nog zwaarder. Toen zette ze de kom met het klotsende bezinksel weer neer. Ze sloeg haar armen om zichzelf heen en concentreerde zich, waarna ze ging liggen, zachtjes begon te jammeren, zich op haar zij draaide, van Hack afgekeerd, en slikkende geluiden maakte. Ze zag er sereen uit, licht ademend als iemand die droomde.

'Kut, doet je dit niet aan Jonestown denken?' zei Hack. Hij zei tegen Nestor: 'Ik drink niets totdat zij weer wakker zijn.'

'Is uw keuze.'

'Ik ben een soort BOB,' zei hij in de richting van Steadman, die aan Hacks nerveuze bravoure zag dat hij bang was. 'Dit zijn mijn vrienden.'

Steadman vroeg aan Ava: 'Wil jij het proberen?'

'Er zou iets giftigs in kunnen zitten. Al dat overgeven. Ik kijk wel toe. Misschien moet ik mijn vinger wel in je keelgat steken als je er slecht op reageert.'

Dus kwam Steadman naar voren, nam zijn plaats op de mat in en kreeg een kom met de vloeistof aangereikt. Zijn tong raakte verdoofd door de modderige, vlakke, twijgachtige smaak en hij kon zich moeilijk voorstellen dat het troebele brouwsel ook maar enig effect zou hebben: het smaakte zurig, naar aarde en naar de soepige, van insecten vergeven lucht van het grijze oerwoud.

'Smaakt als medicijn.'

Zichzelf voorhoudend dat hij alles moest opdrinken, keek hij naar wat er over was, maar de klotsende vloeistof was zo dik en bruin dat hij de bodem van de kom niet kon zien. Hij probeerde woorden te vinden om de smaak te omschrijven. Het is alsof je vergif drinkt, dacht hij, en hij probeerde een volledige zin te maken. Maar voordat hij hem af had gemaakt, voelde hij dat er een scheiding in zijn lichaam plaatsvond. Zijn hersenen werden licht van euforie, en zijn lichaam voelde misselijk en zwak aan.

De kom werd van hem weggenomen. Hij steunde op één elleboog en verschoof zijn hele lijf naar de mat. Hoewel zijn hoofd en nek in een ongemakkelijke stand stonden, bezat hij niet de kracht noch de wilskracht om een comfortabeler houding te zoeken. Maar het maakte nauwelijks iets uit, want het volgende moment verliet hij zijn lichaam en zweefde erboven en keek omlaag naar de doodzieke zak vlees die zijn kleren aanhad. Hij zweefde in de lucht. Hij was een en al bloeddoorlopen ogen in een zinderende wereld van licht.

Het brommende gezang hielp hem zich staande te houden in een aura van felle kleuren en krassende geluiden en een onregelmatige echo van stemmen en vogelgeluiden. Hij hoorde het ruisen van een waaier, maar besefte dat het de vleugels van een libelle waren. Onder hem lagen de misselijkheid en het compacte vlees van zijn lichaam, maar waar hij zweefde was licht en lucht, doortrokken van primaire kleuren, een prisma van hitte, en zijn moeder, Mildred Mayhew Steadman, die net door de lucht kwam aanzweven en op een verre planeet af suisde.

Het was geen extase, geen vervoering, hij was begraven in een diepe droom van rust en plechtige contemplatie die zijn lichaam verzadigde en zijn zenuwen verwarmde. Voor zijn ogen ontrolde zich een ingewikkeld en kleurrijk panorama. En een aaneenschakeling van lichtzones die over hem heen rolden. Eerst kwam er zware regenval, het kon ook een waterval zijn geweest. Daarna de speldenprikken van heldere sterren, elk met een andere kleur, en tegelijk voelde hij zijn spieren samentrekken. Daarna duisternis en vervolgens een doorschijnendheid. Toen kronkelden slangen zich om bomen, maar het konden ook klimplanten zijn geweest, maar dan klimplanten met ogen en monden. Hele spinnenfamilies groepten als primaten samen: de grootste spin leek net een volwassen mannetjesgorilla die zijn kaken bewoog en sprak – niet in woorden maar in klanken die Steadman voorkwamen als verstandig of zelfs wijs. De spin richtte zich op en kwam zo dichtbij dat hij uiteenviel in een scherp zwart licht.

Het dolende licht nam de vorm aan van een gezicht, en de helderste trekken waren ogen; de mond had katachtige snorharen en was gedeeltelijk verborgen. Geen neus, maar een snoet en zachte harige oren. Het was de kop van een leeuwin met een Egyptische hoofddoek, uitdrukkingsloze, starende, nietsziende ogen, smalle katachtige kaken en vrouwenborsten, een echte leeuwin met echte borsten en tepels als roze, gladgezogen pinnetjes op een bleke huid. Het prachtige beest had vleugels – dat was het eerste geluid dat hij had gehoord, de papierachtige vleugels. De mond kon spreken, sprak tegen hem, maar bewoog niet en was toch vasthoudend en riep hem naar voren in een taal die hij begreep.

Hij gleed naar voren, alleen met zijn ogen, zijn geest, en liet zijn lichaam onder hem in een schimmig hoopje liggen. De stem van de leeuwin lokte hem naar een licht. De gestreepte hoofdtooi van de leeuwin zag er vriendelijk uit, haar stem was zacht, haar neus vochtig, haar zware borsten waren troostrijk, het verre licht was een vriend.

Ondanks een zware hoofdpijn ervoer Steadman een verrukkelijk gevoel van macht en invloed, interpreteerde het visioen van licht als een welkom en verstond de taal met de klokkende geluiden en labialen uit het kattengezicht onmiddellijk.

De brommende stem zei: '*Zoek het hart van de bloem.*'

Deze plechtige boodschap was speciaal tot hem gericht en werd uitgesproken op een toon waaruit bleek dat alles over hem bekend was – zijn paar successen, al zijn mislukkingen, zijn angsten, zijn zwakheden, zijn hele geheime geschiedenis. Hij was kwetsbaar. Hij stond naakt tegenover dit alwetende wezen; en naakt, deemoedig en volledig doorzien, voelde hij zich heel klein, minder dan een kind. Hij was een vleugje geest – al zijn stoffelijkheid, de materie van zijn bestaan, de jas van vlees die hem altijd had gehinderd, was allang van hem af gegleden. Hij wist dat hij op twee plaatsen tegelijk was.

In een groene schaduw luidden grote, bleke geluidloze klokken die zachtjes aan het uiteinde van een lage tak heen en weer zwaaiden. Een van die grote kelken werd nog groter en begon witte, donzige geluiden van klotsend water voort te brengen die Steadman herkende als het geluid van de zee, brekende golven en luider wordende branding, en de ronde klokvormige mond wenkte hem, een duister welkom dat hem aantrok, want de klok veranderde in een sierlijke bloem, een die hij kende maar waarvan hij de naam niet wist. De bloem begon weer te luiden en hij zag dat de duisternis door een speldenprik van licht werd doorboord.

Als hij naar binnen ging, liep hij het risico opgeslokt te worden en te stikken. Toch bleef hij naar het kleine spikkeltje licht kijken dat als één enkele ster van hoop temidden van die duisternis aan de andere kant van een moeras van levend rimpelend slijm naar hem terugstaarde.

Zoek het hart. Hij wist dat hij de keel van de bloem moest binnengaan. Zich overleverend aan het gevaar herinnerde hij zich een vreemde zinsnede uit een van de werken van Borges, 'de unanieme nacht', stak zijn hoofd naar voren en wist meteen dat hij een doorgang in de bloesem van de doornappel binnen was gegaan.

Aanvankelijk raakte hij verblind, werd daarna herboren in licht, en genoot van een schitterend visioen dat nog krachtiger op hem over kwam omdat het zich afspeelde boven een put met natte knorrende varkens en verknoopte slangen, omheind door een manshoog hek. De put vertoonde strepen van een vettige olieachtige substantie die uit mooie ronde gaatjes druppelde, maar toen hij nog eens keek, kon Steadman de slangen niet meer van de oliesporen onderscheiden.

Maar door zijn getormenteerde hoofd in de vertrouwde bloem te steken, had hij zichzelf gered.

De triomfantelijke openbaring van het licht, de kleuren, de waarschuwing en de vleugels was dat hij ze kon vertrouwen; het was allemaal waar. En nu zag hij grote rokende olieputten waar eerst het moeras was geweest, en rook hij verbrand vlees, verkoolde botten, verbrand haar – de smeulende stank van verbrand mensenhaar was onmiskenbaar. Maar dit was die hele walmende wereld waar hij gekend was en klein, overgeleverd aan een blinde leeuwin met zware borsten. Deze waarheid drong tot zijn bewustzijn door, maar toen hij zich de aansporing herinnerde verder te gaan, dat er niet veel tijd was, had hij medelijden met de hoop zwak vlees beneden hem, die eruitzag als een lijk. Hij begon te huilen en had verdriet om zichzelf, om de weinige tijd die hem nog restte.

Zijn snikken was niet te onderscheiden van zijn misselijkheid. Hij kokhalsde en huilde en werd wakker met speeksel op zijn wang en hoorde Ava zeggen: 'Het gaat goed met je. Slade, hoor je me?'

Ja, hij hoorde haar, maar dat kon hij niet zeggen. Hij verbeeldde zich dat hij sprak, dat hij een helder antwoord droomde waarin hij beschreef wat hij had gezien. Maar kennelijk begreep Ava hem niet, want ze bleef maar vragen of hij haar kon horen. Dat gebeurde allemaal in zijn visioen, maar toen hij er eindelijk in slaagde zijn ogen te openen voor het gedempte licht van het oerwoud onder de verkleurde bomen, en Ava's gezicht en haar angst zag, wist hij dat hij weer was geland en zijn lichaam weer was binnengegaan. Daarna voelde zijn lichaam loodzwaar en halfdood, een lijk dat uit de dood herrees, eerder een zombie dan een menselijk wezen.

'De anderen zijn daar,' zei Ava. 'Die vrouw Janey is helemaal hysterisch geworden, Wood is aan het afkicken, Hack heeft niets genomen maar gedraagt zich vreemd, Manfred wil nog een keer.'

Steadman kon niets zeggen. Het visioen zat nog steeds in hem, maar het licht lekte langzaam uit hem weg.

'Ik heb besloten niets te nemen,' zei Ava. 'Ik dacht dat ik misschien van nut kon zijn als er echt iemand dreigde te stikken. Dit is behoorlijk sterk spul.'

De oude man en Nestor kropen naar Steadman toe. En Steadman zag aan de gemarmerde hemel dat het vroeg in de ochtend was.

'Goed?' vroeg Nestor. 'Alles oké? Wat gezien?'

Steadman glimlachte en zei: 'Een leeuw, een grote kat. Prachtig, sterk, met...' en hij maakte een bollend gebaar met zijn handen om een paar borsten aan te duiden.

Nestor sprak met de oude man, die al die tijd met zijn gehavende ogen in de verte had gestaard.

'Oké, inpakken en wegwezen,' zei Hack.

'Misschien kunnen we hier beter nog een dag blijven,' zei Nestor. 'De mensen die de yajé hebben genomen zijn moe. Dit is een goed dorp –

goede mensen, en het is hier veilig. Morgen gaan we terug naar Lago Agrio.'

'Dat gooit wel ons hele reisschema in de war,' zei Janey. Maar ze sprak moeizaam, want het effect van de drug en de misselijkheid waren nog steeds duidelijk te horen aan de manier waarop ze de klanken inslikte.

Nestor imiteerde de manier waarop zij het woord uitsprak en zei: 'Reischema.'

'Overmorgen vliegen we naar de Galápagos-eilanden,' zei Wood.

'Ach Jezus. We zitten weer in Kenya hoor,' zei Hack. 'Luister, laat ze nu even uitrusten, dan kunnen we straks vertrekken. Vanavond.'

Hernán zei: 'Zelfs de Secoya, die gaan niet 's nachts.'

Nestor zei: 'Hier in de Oriente vallen er 's nachts soms slangen van de boomtakken in de boot, en die zeggen echt geen sorry.'

Daarna was de discussie gesloten, hoewel er wel veel werd geklaagd, vooral door Hack, die geen ayahuasca had genomen en een sterkere indruk maakte, en door Sabra, die nog steeds kwaad was omdat ze was buitengesloten. Wood en Janey zagen er verzwakt uit; ze zagen bleek, ze waren stiller, alsof ze aan het herstellen waren.

Hernán zei: 'De Secoya zeggen dat het beter is dat jullie je vandaag niet wassen. Als je het toch doet, wassen jullie de mooie dingen weg die je hebt gezien en de *pinta*.'

Op de terugweg naar het midden van het dorp ging Nestor naast Steadman lopen. Hij zei: 'Ik heb de oude man, Don Pablo, verteld wat je hebt gezien. Hij wil dat ik je zeg dat je geen leeuw hebt gezien. Het was een póema, een tijger. Jouw droom was waar. Hij weet het – hij heeft dezelfde droom gehad.'

9

Ze waren niet gewend mislukkingen te incasseren. Ze konden er slecht tegen, alsof het op een zwakte in hun karakter duidde, dus ontkenden ze het gewoon. Ze waren niet beschaamd, maar boos en verwijtend. 'Het is allemaal de schuld van Nestor,' zei Hack. 'Wat een sukkel.' En Janey viel hem bij: 'Het is hier één gore troep' – terwijl Steadman zich herinnerde dat zij degene was die naar de hutten had gekeken en had gezegd: 'Is het niet enig, de manier waarop ze dat goeie sterke riet op hun daken bij elkaar binden en afwerken? Dat zou ik in mijn priëlen en in het tuinhuis ook kunnen doen.' Nu zei ze: 'We hadden hier nooit naartoe moeten gaan. Dit hele gedoe is een rotzooitje.'

De anderen waren het ermee eens: Nestor, ingehuurd om de ayahuasca-ervaring te regelen, had hen in de kou laten staan. De reis was oncomfortabel geweest, de blinddoeken waren onnodig en desoriënterend, het dorp afstotelijk, de dorpelingen onaangenaam en onvriendelijk, de sjamaan een bedrieger met zijn haveloze verentooi en trollenkiel, om van zijn andere parafernalia nog maar te zwijgen. Wood was bijna vergiftigd. Janey was nog steeds misselijk: 'Ik voel me verschrikkelijk breekbaar.' Sabra schrok van elk geluid en Hack, die van afgrijzen werd vervuld bij de herinnering dat hij doodsbang was geweest, bleef maar zeggen hoe geschokt hij was: 'Je had wel een leverbeschadiging kunnen oplopen! Je nieren hadden het kunnen begeven!' schreeuwde hij Wood toe. 'En dit eten is bagger.'

'Wat zit er in deze stoofpot?' vroeg Sabra.

'Waarschijnlijk hetzelfde als gisteren. Kalkoen. Yucca.'

'Waarom geen vis? Er moet veel vis in de rivier zitten.'

'Slijkvis. Aal. Mantaroggen. Slangen. Wil je slangen?'

Nestor zag er onaangedaan uit en hield in zijn ene hand een sigaret terwijl hij met zijn andere lusteloos in zijn eten zat te prikken. Hij zei: 'Geen kalkoen vandaag. Het is *cuy*. Cavia.'

De vier Amerikanen stopten met eten. Ze lieten hun lepels op de morsige mat vallen. Ze maakten een verslagen indruk in hun dure junglekleren, die juist omdat ze veel te chic waren, nog verfomfaaider en smeriger oogden en de dragers ervan tot een karikatuur van een uit de hand gelopen reisje maakten. En de labels dreven ook de spot met hen: Hacks verkreukelde North Face-pet droeg het motto *Never Stop Exploring*, op Sabra's jeans, Janeys heuptasje en Woods windjack stond *Trespassing Overland Gear*.

'Dit hadden we niet verwacht,' zei Hack. 'Mijn vrouw kan wel ziek zijn. En we moeten nog naar de Galápagos.'

'Je denkt toch niet dat we nóg een nacht in dit dorp willen slapen?' vroeg Wood.

'Er hangt hier zo'n vréselijke stank,' zei Janey. 'Sommige bloemen ruiken zelfs naar zweetvoeten.'

'Misschien kun je proberen je neus dicht te houden,' zei Nestor. 'Morgen zitten jullie weer in een hotelkamer in Quito.'

'Ik heb het niet over morgen!' brulde Hack. 'Ik heb het over nu!'

In plaats van dat de dorpelingen schrokken van zijn geschreeuw, begonnen ze te glimlachen en kropen dichterbij om naar de grote man met zijn rode hoofd te kijken, zwaaiend en stampvoetend in zijn korte broek; zijn knieën waren vies, zijn kin droop van het zweet en onder zijn oksels vormden zich transpiratieplekken.

In het schuin door de bomen vallende ochtendlicht zweefden de lichtgevende, zilverkleurige rookslierten van de vuren boven de open plek, daardoor oogde die eerder betoverend dan troosteloos en hadden de inwoners meer weg van geestverschijningen dan van straatarme indianen. Toen ze twee dagen geleden uit de kano stapten, hadden de bezoekers het dorpje smerig maar wel pittoresk gevonden. Maar toen dachten ze nog dat ze er maar even zouden blijven. Nu dreef hun eerste indruk de spot met hen: pittoresk betekende eigenlijk smerig. Bij het vooruitzicht er nog een nacht door te moeten brengen, leek het dorp opeens gevaarlijk en bood het geen privacy, en zoals Janey Hackler naar voren bracht, je kon nergens zitten.

'Ik wil alleen maar mijn gezicht even wassen,' zei Sabra. Toen liep ze een eindje weg, alsof ze op zoek was naar een wasbak, een handdoek en een zeeprekje, maar na een paar passen begon ze te schreeuwen. 'Een spin! Haal hem weg!'

Wood snelde haar te hulp. 'Opzij Kevertje!' Maar toen hij zijn stok ophief om de spin uit zijn web te slaan, sprong Steadman op hem af, greep de stok vast en griste hem uit zijn hand.

'Niet doodmaken,' zei hij.

'Waar bemoei je je mee, man!'

'Loop nou maar door,' zei Steadman en hij bleef hem aankijken tot hij zijn ogen neersloeg.

Manfred zei met een goedkeurend lachje: 'Jah. Niet nodig om dood te maken.'

Maar zijn uitval had de stemming nog meer verziekt. De anderen voelden zich zo vernederd dat ze het niet meer over hun angst of hun misselijkheid door de ayahuasca hadden. Ze vonden het een schande dat het dorp zo smerig was en dat het Nestor allemaal niets kon schelen en ze zeiden dat ze de reisagent een fax zouden sturen. Dat ze hun geld terug wilden hebben. Dat ze hun beklag zouden doen bij de toeristenorganisatie in Quito.

'Ik zorg ervoor dat jullie in Quito komen,' zei Nestor, en ze haatten hem om zijn brutaliteit en zijn ondoorgrondelijkheid.

Manfred Steiger, van wie je zou verwachten dat hij ook zou klagen, leek door dit alles alleen maar enthousiaster te worden. Steadman bewonderde zijn levendigheid en veerkracht, de manier waarop hij zijn aandacht op de miniemste details van de planten en de ceremonie gericht wist te houden. Zijn nieuwsgierigheid was onverzadigbaar, zoals vaak het geval is bij gierige mensen, en zijn vrekkigheid maakte hem tot een ongeduldige drammer; maar als hij zich ergens over beklaagde, ging het nooit om voor de hand liggende zaken, en hij zanikte nooit. Hij was saai, maar bij Manfred was dat eerder een deugd; en door zijn saaiheid en zijn noeste ijver leek hij onverwoestbaar. Hij maakte aantekeningen, zocht dingen op in zijn plantenboek, ondervroeg de Secoyajongens – en liet zich niet uit het veld slaan als ze naar hem glimlachten omdat ze geen woord verstonden van wat hij zei.

Hij ging er prat op dat hij nooit fooien gaf; daar geloofde hij niet in, en als het even kon, betaalde hij ook niet om dingen gedaan te krijgen. Hij schepte bij het eten altijd twee keer op, en soms wel drie keer. Steadman had gezien dat hij om een derde kom ayahuasca vroeg. Manfred stopte altijd eten in zijn zakken: sinaasappels, hardgekookte eieren, suikerklontjes, bananen. Nadat hij bij Papallacta noedels naar binnen had geschrokt, had hij ook nog beignets weggegrist, in een servet gedaan en in zijn zak laten glijden. Als er iets werd aangeboden, stak Manfred als eerste zijn hand uit en altijd nam hij meer dan hem toekwam, alsof hij ervan uitging dat de anderen te beleefd waren om er iets van te zeggen. Hij was een roofdier wiens succes afhing van andermans onoplettendheid, aarzeling of beleefdheid.

Zijn ogen bewogen voortdurend, net als zijn vingers, die zich alsmaar strekten en samentrokken. Hij had de rusteloosheid van een aaseter. En terwijl Steadman en Ava luisterden naar de klaagzang van de anderen, die er niet aan moesten denken om nog een nacht in het Secoyadorp te moeten doorbrengen, maakte Manfred een ommetje door het dorp. Hij liep snel en zag er hongerig uit, met zijn gulzige heen en weer schietende ogen en de schokkerige bewegingen van zijn hoofd.

Toen hij weer terugkwam, knikte hij naar Steadman. De Duitser gebaarde dat hij hem even apart wilde spreken.

'Wil je nog iets anders proberen?' vroeg hij.

Ava zei: 'Wat heb je gevonden?'

Maar Manfred, die tot nog toe geen blijk van interesse voor Ava had gegeven, keek haar niet eens aan. Hij hield zijn aandacht op Steadman gericht, op een onbevangen, ongedwongen manier die Steadman in de war bracht, alsof Manfred ervan uitging dat Steadman een vriend was, of, als hij dan geen bondgenoot was, dan toch in ieder geval bereid om met hem mee te doen. Hij liep een eindje verder naar een flard van een gescheurd spinnenweb en wenkte hem.

'Dit is geen doornappel,' zei hij tegen Steadman, die op hem af liep. Manfred kneep in een stengel die nog bladeren had en dunne, verschrompelde bloemen droeg. Hij rook eraan en hield hem dicht bij Steadmans gezicht. 'Het is een Brugsmansiakloon. Zie je de armetierige bladeren? En die bloemen die haast op draadjes lijken? De naam is *methysticodendron*. Hij is ongelooflijk zeldzaam, niemand heeft deze plant ooit gezien, op een paar botanisten na die veel geluk hebben gehad. En daarvóór was hij misschien niet eens bekend.'

'Wat betekent dat?'

'Het betekent dat dit datura is – helemaal verschrompeld.'

'Waar wordt het voor gebruikt?'

'Ik ken een man, een Duitser uit Koblenz, die hier is geweest. Hij was scheikundige. Hij wilde de alkaloïden uit deze kloon synthetiseren. Ze zeiden tegen hem: "Probeer het eerst." Het was een scopolaminekristal. Hij raakte helemaal van de wereld.'

'Ik ben door de ayahuasca al helemaal van de wereld geweest,' zei Steadman. 'Ik heb alle visioenen gehad die ik aankan.'

'Geen visioenen,' zei Manfred. 'Ik weet het een en ander van deze plant. Ze maken thee van de bladeren en de stengels. Dat heb ik in mijn boek gelezen. Je moet het schraapsel in water laten weken.' Steadman moest een glimlach onderdrukken toen hij zag dat het water Manfred in de mond liep terwijl hij dat zei. 'Het moet fantastisch zijn. Het verandert je bewustzijn, het geeft ervaringen. Het is alleen een kwestie van geld, maar jíj hebt geld.'

Steadman wierp een blik op Nestor, die onaangedaan tussen zijn tanden stond te peuteren.

'Wat wil je nou zeggen?'

Manfred zei tegen Nestor: 'Hij wil het weten,' maar Nestor haalde alleen maar zijn schouders op – veelbetekenend en tegelijkertijd neutraal.

Steadman zei: 'Waarom vertel je me dit, Manfred?'

'Snap het dan,' zei Ava. Ze was met Nestor aan komen lopen om te luisteren. 'Het is iets wat geld kost. Hij wil niet betalen.'

Zelfs toen keek Manfred haar niet aan. In plaats daarvan trok hij zijn nek in en klemde zijn kaken op elkaar, waardoor zijn gezicht hard en compact werd. Hij perste zijn tanden krampachtig op elkaar en trok zijn lippen strak.

Nestor glimlachte naar Steadman, maar uit zijn glimlach sprak alleen uitdaging en ontkenning. Hij zei: 'In de Oriente moet je zo'n drankje drinken om erachter te komen wat het doet.'

'Ervaring,' zei Manfred. 'Hij weet het.'

'Kennis,' zei Nestor. 'Sommige mensen noemen het *borrachero*. Of toé. Vraag het maar aan señor Perito. Meneer de Expert.'

'En de anderen?' vroeg Steadman.

Hij gebaarde naar de twee stellen die een eindje verder net buiten gehoorsafstand op een paar boomstammen bij het overdekte platform zaten. Ze zagen er troosteloos uit en wilden weg; ze hadden een hekel aan de rook en de geuren en zagen als een berg op tegen de nacht die ze in het dorp zouden moeten doorstaan.

'Rijke toeristen,' zei Manfred.

Dezelfde achteloze kleinerende gedachte was ook bij Steadman opgekomen, maar het ergerde hem dusdanig dat deze irritante man die gedachte onder woorden bracht, dat hij zichzelf voorhield dat die beschrijving misschien niet juist was. Een van hen scheen zijn boek te waarderen. En als het eropaan kwam, deden deze mensen hetzelfde als hij. Net als zij had ook hij op avontuur gehoopt en had hij zich bij Nestor aangesloten voor de ayahuasca. De waarheid was dat ze allemaal hetzelfde drugsreisje maakten.

'Jij bent niet als zij. Jij bent een intelligente man – een wijs man. En moedig.' Hij tikte op de zijkant van zijn neus. 'Dat wéét ik. Als je het wilt proberen, moeten we het nu doen.'

Steadman vroeg: 'Nestor, wie hebben dit nog meer geprobeerd?'

'Niet veel mensen. De laatste tijd niemand. Het werkt niet bij iedereen, en je moet er extra voor betalen. Vijfhonderd per persoon.'

Zonder ja te zeggen, zei Steadman: 'Vijf is te doen.'

'De Secoya nemen geen creditcards aan,' zei Nestor.

'Misschien kun je me wat geld lenen,' zei Manfred.

Ava liet een valse lach horen. Ze zei: '"Lenen" wil zeggen dat je het niet terugkrijgt.'

'Ik heb alle informatie bij elkaar gezocht,' zei Manfred drammerig. 'En ik heb er tijd ingestoken. Ik heb met de indiaan onderhandeld. Ik heb bemiddeld.'

Nestor zei: 'Ik laat het helemaal aan jullie over.'

'Zie je wel? Zei ik het niet?' zei Ava. 'Hij wil niet betalen.'

Alsof ze een eind aan de discussie wilde maken, liep Ava met Nestor terug naar de anderen, die er troosteloos uitzagen.

Manfred duwde zijn gezicht tegen dat van Steadman. 'Ik weet wie je bent. Al sinds Lago Agrio.'

'Je hebt in het hotel mijn paspoort zeker gezien.'

'Ja, maar zelfs als dat niet zo was, had ik het geweten,' zei Manfred. 'Jij bent anders dan die mensen. In het busje dacht ik: Er is iets met die man. En ik heb je aantekeningen zien maken.'

'Wat wil je?'

'Ik wil je verhaal hebben voor mijn boek.'

'Ik ben niet degene die je denkt dat ik ben, en ik héb geen verhaal,' zei Steadman, die hem aan de ene kant uitdaagde en aan de andere kant onder de indruk was van het feit dat Manfred al die tijd had geweten wie hij was. 'Maar zelfs áls ik een verhaal had gehad, waarom zou ik het dan aan jou geven?'

Hij was niet eens verbaasd over Manfreds arrogantie – hij beschouwde schrijvers als koppensnellers. Dit was de typisch arrogante hoogmoed van de schrijver die alles pikte en gebruikte wat hij nodig had; dezelfde aanmatiging die hij bij zichzelf bespeurde. En weer raakte hij geïrriteerd omdat de Duitser een van zijn eigen ideeën verwoordde, een ambitie die nog niet was vervuld. En door het hardop te zeggen – zoals 'rijke toeristen' – stelde hij het weliswaar te simpel voor, maar had hij ergens wel gelijk. Steadman wist niet wat hij wilde schrijven, maar wat het ook was, hij wilde dat het zijn eigen, oorspronkelijke, verrassende verhaal zou zijn, en niet iets wat een vreemde had kunnen bedenken. En dat was precies wat Manfred had doorzien.

'Ik wil je verhaal hebben' was wat een dwerg met een angstaanjagend insectengezicht tegen de gekwelde held uit een sprookje zou kunnen zeggen.

Manfred hield de bijzondere plant met de vreemde doornachtige bladeren en de nog merkwaardiger bloemen nog steeds in zijn hand. Hij liet hem bungelen en zei met vlammende ogen: 'Ik heb de zaak geregeld. Zonder mij kun je het niet doen.' Hij ademde zwaar door zijn mond. 'En dit is iets ongelooflijks.'

Altijd wanneer iemand hem schaamteloos iets probeerde op te dringen, voelde Steadman zijn aandacht verslappen en verloor hij zijn belangstelling. Hoe indringender en creatiever het verkooppraatje was, hoe meer hij zich verzette omdat hij de verkoper als paljas zag. Een overtuigend verkooppraatje had een averechtse uitwerking op hem en veroorzaakte eerder een golf van aversie. Het merkwaardige was, dat hoewel hij dat allemaal wist, en Manfreds motief glashelder voor hem was, en hij zelfs zijn weerstand voelde toenemen naarmate Manfreds toon steeds scheller werd, hij tóch meer wilde horen. En hij was gefascineerd door zijn eigen reactie – dat hij deze groezelige mooiprater toestond hem te verleiden met de misvormde bloemen aan de gekronkelde stengel.

Ava scheen te voelen dat Steadman belangstelling had. Ze kwam weer aanlopen en zei: 'Als je die Duitser geld geeft, ben je echt gek.'

Manfred zei: 'Jah, ik ben maar een Duitser,' maar zijn accent ging zo met hem op de loop dat zijn tegenwerping in een Teutoons geblaf overging waardoor hij bijna moest kokhalzen. 'Als je mij ziet, zie je een Duitser. Als je naar Sabra kijkt, zie je dan ook een jodin? O ja, we zijn slechte mensen. We hebben de joden vervolgd. We hebben ons lot bezegeld. Nu zijn wíj de joden. Jullie mogen alles tegen een Duitser zeggen zonder dat er iemand protesteert.'

Nestor zat een eindje verder op zijn hurken een sigaret te roken en luisterde naar de tirade en volgde de onderhandelingen. Naast hem zaten verscheidene Secoyamannen net als hij gehurkt met hun armen om hun benen geslagen en rookten pijp.

Alsof hij een brandende vraag verwachtte, riep Nestor: 'Het zit niet in het reispakket.' Ze keken naar hem en Nestor leek nog een vraag op hun gezichten te lezen, die hij beantwoordde. 'Dus ik ben niet verantwoordelijk.'

Steadman vond dit vleugje risico wel aantrekkelijk. Hij zag de anderen, die zichzelf de Bende van Vier noemden, achter Nestor als treurige aapjes in de regen op hun boomstam zitten.

Steadman stond onverschillig tegenover Manfreds gemarchandeer. Maar hij zag er wel een kans in om nog iets van deze tocht te redden – iets om over te schrijven, iets nieuws wat hij in zijn eigen verhaal zou kunnen verwerken. En het feit dat Ava ertegen was, was nog een reden voor hem om door te zetten. Het was uit tussen hen. Het besluit om het nóg zeldzamere middel te proberen, had iets definitiefs waarmee dat nog eens extra onderstreept zou worden. Het was meer dan een gebaar; het was een nieuw aspect van hun scheiding, een daad van verzet.

'Luister toch niet naar die slijmerd,' zei Ava. 'Hij sleept zijn dikke plantenboek hierheen en neemt het voortouw, en jij slikt dat voor zoete koek?'

'Ja,' zei Steadman, en hij telde tweehonderdvijftig dollar uit en gaf ze aan Manfred. Die tekende bezwaar aan met een beweging van zijn mond. Steadman zei: 'De rest krijg je als het achter de rug is. Maar mijn verhaal krijg je niet.'

Ava zei: 'Hij is de duivel!'

Maar Steadman glimlachte. Hij vond Manfreds gierigheid en hang naar manipulatie wel amusant, de doorzichtigheid ervan, vooral vergeleken bij de zelfingenomen spendeerdrift van de Amerikanen met hun peperdure uitrusting: het contrast tussen Manfreds afgedragen Mephisto's en zijn stinksokken en de dure Trespassing Treads van de Amerikanen. Manfreds korte broek en zwarte huis-tuin-en-keukentrui zaten vol scheuren en pluizen; Woods Trespassing-jack had zeventien zakken – daar bleef hij op hameren – en Manfred had alleen een vettige tas waar hij van alles in propte, met inbegrip van de hardgekookte eieren die hij gewoontegetrouw meepikte.

Manfreds zonnebril zag er niet uit; de Amerikanen droegen titanium TOG-brillen en petten met nekbescherming, net als soldaten van het Vreemdelingenlegioen. Als er een kortstondig regenbuitje viel, haalden de Amerikanen hun Trespassing-regenjacks en poncho's te voorschijn, kropen in de motregen bij elkaar en wachtten tot de bui was overgedreven. Manfred was het toonbeeld van een armoedzaaier, bemodderde benen, wondjes op zijn vingers, smerige nagels, piekerig bezweet haar en moddervegen op zijn wang omdat hij tijdens de ayahuascasessie door een spierverkramping van zijn slaapmat was gerold. En zelfs nu hij op zijn smerigst was, hield hij nog steeds vol: 'Ik beschik over goede connecties in Washington en New York. Ik werk aan een boek. Vele mensen kennen mijn naam.'

'Dit horloge is waterdicht tot op tweehonderd meter,' had Hack gezegd.

'Zie je dit horloge? Dat heb ik gevonden,' zei Manfred.

Steadman waardeerde Manfreds onverschrokkenheid en zag hem als een natuurlijke bondgenoot, als de improviserende reiziger die hij zelf ooit was geweest. Ook dat maakte Ava onzeker.

'Weet jij iets van dat gedoe?' vroeg ze aan Nestor.

'Alleen dat het buiten het dorp gebeurt,' zei Nestor. 'Het is een sjamanendrank. Het is niet als ayahuasca. Deze plant is nieuw. Hij is zeldzaam, een toevalligheid. Ik heb een paar mensen deze plant zien gebruiken. Slechts één van hen kreeg een roes.'

'Wat voor roes?'

'Dat is het merkwaardige. Die vent werd helemaal rustig. Hij kon niet zien. Het was zoals wij zeggen *una ceguera*, hij werd met blindheid geslagen. Geen prettige gedachte. Maar tegelijkertijd doorzag hij alles wat er gebeurde – hij wist meer dan wij.'

'Wat is het?'

'De plant die hij heeft laten zien.'

'Doornappel?'

'Toé. Borrachero,' zei hij. '*La venda de tigre.*'

Manfred tikte op zijn plantenboek en zei: 'Datura. Methysticodendron.'

'De blinddoek van de tijger,' zei Nestor. 'Hij gaf er een idiote naam aan: "Een noodzakelijk vergif".'

'Het is niet ver,' zei de Secoyaman terwijl hij zich een weg door de lage struiken baande. Zijn Spaans was net zo elementair en gebrekkig als dat van Ava – '*No muy lejo.*'

'Niet ver betekent altijd dat het ver is,' zei Ava.

Ze volgde Steadman, hoewel ze het middel zelf niet zou gebruiken – en zeker niet op Manfreds voorwaarden – maar ze wilde Steadman beschermen. Haar medeleven en geduld met hem waren een onverwachte reactie op hun scheiding, net zo vreemd als de plotselinge opleving van de seks. Maar de drang ervoor te zorgen dat hij geen gevaar zou lopen had niets te maken met hun toekomst; er was geen sprake van compensatie of beloning. Ze had uiteindelijk beseft dat ze allebei alleen waren, en na de verliefdheid, de romance, was de genegenheid verdwenen en stonden ze onverschillig tegenover elkaars macht, en aan dit alles lag zwakheid en vriendschap ten grondslag – een wederzijds begrip.

Maar het had ook iets ongemakkelijks, het besef dat ze elkaar eigenlijk niet helemaal kenden. Ze hadden iets achtergehouden, hadden nog steeds geheimen voor elkaar. Die geheimen oefenden een subtiele kracht uit, en geblinddoekt hadden ze zich vrijmoedig genoeg gevoeld om die geheimen te ontdekken, waren ze weer vreemden voor elkaar geworden in de blinde duisternis van de sensualiteit, waren ze minder geremd. Voor Ava stond erotiek gelijk aan anonieme honger – 'Ik ben mezelf aan het volproppen,' had ze hem met een gulzige glimlach gezegd; ze bekommerde zich niet om zijn genot.

Ze was vrij, niet getrouwd of verloofd, niemands vriendin; gewoon zijn maatje, zodat ze kon doen en laten wat ze wilde. Dat ze met Steadman meeging was haar keuze. Ze verlangde naar het moment dat ze er zeker van was dat hij veilig was. Dan zou ze met hem klaar zijn.

De indiaan had het goed gezegd; het was niet ver. Voorbij de bosjes en de omheining van gespleten bamboe om het dorp stond nog een open hut met een rieten dak, uit het zicht, een eindje van de rivieroever af.

'Het lijkt erop dat we aan onszelf zijn overgeleverd,' zei Steadman.

Nestor had met hen willen meegaan, maar de Hacklers en de Wilmutts hadden geëist dat hij en Hernán bij hen in de buurt zouden blijven voor het geval zich een probleem zou voordoen. Nestor had '*Niños*' gemompeld en had dreigend een paar stappen in hun richting gedaan alsof hij hun iets akeligs toewenste. Toen bleef hij staan en negeerde hen, en stak een sigaret op, omdat ze een hekel aan rokers hadden en hij in het busje niet had mogen roken.

In de open hut werden Ava, Steadman en Manfred verwelkomd door de kleine sjamaan met het gladde gezicht, Don Esteban, die Don Pablo had geassisteerd bij het toedienen van de ayahuasca. Hij was de kok; hij had het vuur aangemaakt, de ranken geschild en kleingesneden, en in de pot geroerd; hij had het mengsel gebrouwen.

Ava zei: 'Het lijkt wel of hij een nylonkous over zijn gezicht heeft getrokken.'

Toen hij haar hoorde praten, gaf Don Pablo Don Esteban een klopje op zijn schouder en zei: '*Vegetalista. Toéro.*'

En er waren nog anderen: drie Secoyamannen keken wezenloos toe. Of misschien niet uitdrukkingsloos, maar met een gezicht dat zó expressief was, zo vreemd, dat er niets aan af te lezen viel: indianen met raadselachtige gezichten die op hun hurken zaten en op een onduidelijke manier druk bezig waren, als koksmaats in een primitieve keuken. Een gefronst voorhoofd was misschien wel een glimlach, hun gesnuif klonk alsof ze nieuwsgierig waren; als ze hun lippen samenpersten kon het van alles betekenen: wrevel, frustratie, ongeduld.

De taal hielp ook niet veel. In het Spaans met een Duits accent zei Manfred: 'We beginnen. Ik ga eerst.'

Ze negeerden hem en bleven in de pot roeren en lieten de bast van de droge dunne stengels trekken, wreven ze erin fijn en lieten de vloeistof inkoken tot die donkerder en dikker werd. Steadman zag dat het koken en pruttelen heel eenvoudig was. Hij dacht: Dat kan ik ook. Ze maakten eigenlijk gewoon thee, maar lieten die dan lang trekken. Don Esteban, de sjamaan die de toéro werd genoemd, was bezig bij een ander vuur waar hij wat van de vloeistof in een andere pot lepelde, verder liet inkoken en er andere stukjes van planten bij deed en erin roerde tot het een dikke soep werd.

Manfred kwam weer met een vraag aanzetten, maar de Secoya gingen zo op in het koken dat ze niet doorhadden dat hij over hen heen gebogen stond, en ze zagen hem pas toen hij in frustratie op zijn hurken ging zitten wippen en naar Steadman riep.

'Dit is *Datura candida*,' zei hij. 'Het bevat alkaoïden als tropane en scopolamine. Niet zoveel als *maikua*, maar toch behoorlijk sterk.'

De Secoya maakten hem met bemoederende gebaren duidelijk dat hij moest gaan zitten. Toen hij eenmaal zat en naar voren leunde, bracht de sjamaan hem een kop – een gebarsten porseleinen kop – met de donkere vloeistof. Wat betreft kleur en consistentie verschilde het brouwsel niet van ayahuasca, een kopje modderige thee met een rimpelig laagje schuim erop. Manfred nam een teugje, dronk wat, hield het kopje schuin en dronk het toen leeg. Hij knipperde hevig met zijn ogen.

'Niks,' zei hij, en hij wenkte ongeduldig met zijn vingers. '*Más. Más.*'

Don Esteban, de toéro, dacht erover na, wachtte even en vulde het kopje opnieuw. Manfred dronk het tweede kopje langzamer terwijl de Secoya toekeken.

Don Pablo, de kalmste van de gehurkte Secoyamannen, staarde alleen maar en bromde toonloos, zachtjes neuriënd, alsof hij wist wat er komen ging. Don Esteban deed Steadman denken aan een tandarts die een verdovende injectie geeft en zich vervolgens omdraait om nog een blik op de röntgenfoto's te werpen die aan klemmen boven zijn instrumenten hangen, in de wetenschap dat de kaak binnen enkele ogenblikken voldoende verdoofd is om te gaan boren of een kies te trekken. Don Esteban had dat zelfvertrouwen van een tandarts, waar ook een onverschillige blik bij hoorde.

'Waarom werkt het niet?' vroeg Manfred met strakke mond. '*Esta medicina no vale nada*.'

Maar hij keek hen niet aan en praatte tegen het met houtsnijwerk versierde uitsteeksel van de door houtworm aangetaste pinakel van een hoeksteun van het afdak.

'*Más, más*,' zei hij.

Don Esteban reageerde niet. Hij zat op zijn hurken en keek naar Manfred, die nog steeds in beslag werd genomen door het houtsnijwerk op de hoeksteun, ertegen mompelde en op zoek leek te zijn naar de betekenis ervan.

Ava zei: 'Hij is high.'

Manfred stond struikelend op, keek een andere kant op en liep toen recht naar de zijkant van het afdak en stootte zijn hoofd tegen een balk. Hij wankelde en zakte door zijn knieën met zijn handen tegen zijn oren. Hij viel langzaam op zijn zij en hield zijn hoofd vast met zijn ellebogen in de lucht. Hij was helemaal van de wereld.

Don Esteban haalde zijn schouders op en zei: '*El resultado no depende de mí*.'

Steadman kwam overeind en wilde zijn hand naar Manfred uitsteken, maar voordat hij hem kon helpen wuifde de sjamaan hem weg met een achteloos gebaar dat leek te betekenen: Laat maar, het komt wel goed.

'Ik denk dat ze dit al eerder hebben meegemaakt,' zei Ava. Ze inspecteerde Manfreds hoofdwond vluchtig, zoals ze bij een dronken vreemdeling zou hebben gedaan die bewusteloos in de goot lag. De Secoya waren gefascineerd door de manier waarop ze zijn ooglid optilde en naar zijn verwijde pupil keek. Ze schenen uit deze handeling op te maken dat ze door deze opening, door zijn lichaam, in zijn ziel kon kijken.

'Nu ben jij, schat.'

Nu was Steadman blij dat ze bij hem was. Hij had haar ervaring, haar scepticisme, en haar kracht nodig. Pas sinds hun scheiding had hij zich gerealiseerd hoe sterk ze was. Misschien was dat de reden dat de seks tussen hen nu beter was, ondanks het feit dat zoveel andere dingen die ze samen deden, slechter gingen.

'Alsjeblieft, blijf vlak bij me tot het is uitgewerkt,' zei Steadman.

Hij zat met zijn rug stijf tegen een hoeksteun en nam de kroes van de toéro aan. Hij nam een teugje, wachtte even, slikte het door en nam nog een teug. Hij hoorde iemand mompelen: '*Está bebiéndolo.*'

Hij wist dat hij de hele kroes met de donkere vloeistof had opgedronken, maar toen hij de kroes liet zakken en erin keek, zag hij een grote spin die met zijn poten naar de verroeste plekjes in het emaille op de bodem klauwde. Niet alleen leefde het beest, maar hij werd ook zichtbaar groter en hariger en zijn oogbollen zwollen steeds verder op, vol genegenheid voor Steadman, wiens eigen gezichtsvermogen intussen afnam. In de houding en de blik van de spin zag Steadman een vriend die geduldig op hem wachtte.

Hij draaide de kroes naar Ava toe zodat zij de spin ook kon zien. Hij glimlachte, en zij glimlachte terug. Maar hij zag haar niet. Hij keek door haar heen, en van veraf klonk het zachte, doffe gekletter van een metalen kroes die op de grond viel.

Er gebeurde zoveel bij hem vanbinnen dat Steadman niets kon zeggen. Hij kwam midden in een scène terecht die zich in de schemering afspeelde en waarin mensen op de voorgrond bezig waren. De stoffige vloeistof in zijn keel was als warme, oude thee, maar de smaak ervan had niets te maken met het effect, want het smaakte naar ayahuasca, de scherpe modderpoellucht van stof, regen, gekneusde stengels en wortels en dode bladeren; elk kruid zou zo hebben gesmaakt. Het was een mondvol aarde. Door de modderige, doodgewone smaak van het saaie drankje was hij niet voorbereid op wat er volgde.

Wat hij voor schemering had gehouden, het invallen van een zomeravond, de naderende schaduw van de invallende nacht, was in feite de dageraad, een schuin invallend licht, de eerste zonnestralen die als het blad van een zwaard door de lucht kliefden, de duisternis openbraken en de hele hemel met daglicht vulden. Het verschil was dat de maan nog steeds duidelijk zichtbaar was, evenals de sterren, zoals hij zich die herinnerde van de helderste ochtenden in zijn leven. Op deze ochtend stond de bleke hemel vol heldere sterren, met dezelfde belangrijke constellaties, die hij nu kon lezen: het ingewikkelde patroon van sterren was volkomen logisch voor hem.

Hij had geen ogen, en toch was zijn hele verblinde lichaam één groot gezichtsorgaan dat ontvankelijk was voor alle beelden. Hij scheen deze beelden te ontvangen en te begrijpen met het oppervlak van zijn bevende huid. Hij ervoer een helderheid van bestaan, een prikkelende bewustwording – het was geen simpelweg kijken, maar een weten, een verbonden zijn met alles wat hij zag, alsof hij er deel van uitmaakte.

Er waren geen visioenen die zich voor hem afspeelden. In plaats daarvan gloeiden ze binnen in hem; zijn lichaam was de motor van het visioen, het licht was in hemzelf. Hij was hyperalert, alsof hij koortsig was, en de kristallen wereld bestond niet uit oppervlakken maar uit innerlijke toestanden, die onder de verschijningsvorm van de dingen lagen. Soms was dat lachwekkend, want onder een verzameling dure survivalspullen ving hij een glimp op van een groot bleek lijf waarin hij Hack herkende. Het was zo vreemd om deze niet terzake doende Amerikaan hier te zien met Sabra die onder hem lag en een wiegje maakte van haar gespreide benen. Minder hilarisch was zijn besef van zijn directe omgeving, want er zaten slangen in de bomen en spinnen in het rieten dak en een stel knabbelende knaagdieren zo groot als ratten in het struikgewas. Hij luisterde aandachtig en herinnerde zich alles wat Manfred in zijn slaap had gezegd en verstond ook wat hij zei.

Niemand kende hem, niemand zag de staat waarin hij verkeerde: de Secoya stonden onverschillig tegenover zijn toestand. Ze stonden op het punt de gringo kronkelend achter te laten en hij wist dat híj de gringo was.

Nu hij binnenstebuiten was gekeerd, kon hij helder nadenken. Hij zag de bloem; hij was in de trompetvormige bloem van de doornappel. Hij dacht: Dit is wat de ayahuasca me heeft verteld. Hij was blind op een manier die hem macht gaf, in de ban van een helderheid die hij nooit eerder had meegemaakt, zodat zijn blindheid niet een schemerig obstakel was dat door iets donkers werd veroorzaakt, maar eerder een heet licht van openbaring, als een lavastroom binnen in hem, een rivier van vuur, en hij was euforisch.

Hij kon in een duizelingwekkende boog boven de mensen dicht bij hem vliegen. Het waren er veel, sommigen uit het verre verleden, vrouwen en meisjes die hij had gekend. Maar hij was de enige die kon zien. In hun afgeplatte, schemerige toestand konden ze hem, noch zichzelf zien.

'Slade.'

Ava riep hem, fluisterend, smekend. Hij wist dat ze bezorgd was, meer dan bezorgd, ze was doodsbang. En hij begreep: Dit is haar angst voor zichzelf en de wereld; het heeft niets met mij te maken. Ze treurt om iets in haarzelf, ze schreeuwt tegen zichzelf.

Steadman sprak met zijn hele lichaam en zei: 'Ik ben die man niet.'

Hij stond buiten de tijd, buiten zijn ogen, buiten zijn lichaam en verkeerde in het tegenovergestelde van een droomtoestand. Hij was een zwevende getuige die alles zag, alle ingewanden, de naaktheid van bekenden, de droefheid van hun leugens. Ook die van zijn eigen leugens, want hij was net als zij; dat was zijn scherpste inzicht: een glimp van zijn gelijkenis met deze mensen.

Licht was macht, en in deze ervaring van macht wist hij wat hij met zijn leven en met zijn schrijven moest doen; hij zag zijn levensverhaal. Hij besefte waarom hij naar dit dorp aan de oever van de rivier was gekomen en hij wist precies waarom het nodig was dat hij hier was met al die andere mensen die voor hem zaten. Hij kende hen door en door. Het was magnifiek, maar wat hij zag – de menselijke schaduwen die veranderden in intriganten van vlees en bloed – vervulde hem toch van afkeer.

Langzaam kwam hij naar de oppervlakte, alsof hij opsteeg uit de diepten van de oceaan, en kwam weer tot zichzelf terwijl het schemerige daglicht terugkeerde, het echte halfduister, de echte schaduwen, de klamme lucht waarin de wereld zijn eigen menselijke geur terugkreeg – uitzinnige vogels, getande bladeren, armoedig dorp, rokend vuur. Hij was terug op aarde en op het moment dat zijn wijsheid hem langzaam ontglipte, vermoedde hij dat hij zonder de trance waarin hij had verkeerd, nooit het inzicht had gehad dat er iets coherents viel te onderscheiden onder het stilstaande oppervlak van de zichtbare wereld. Het daagde hem plotseling dat hij het hart van de wereld had gezien, waar alles licht en zonneklaar was. Maar nu hij wakker was begreep hij niet veel van wat slechts een troebel vloeibaar worden van de tijd leek te zijn. En het licht was verdwenen.

'Ik geloof dat het niet heeft gewerkt.'

'Je bent helemaal van de wereld geweest.'

'Hoe lang?'

Ava hief haar pols en liet hem haar horloge zien, de stilgezette chronometer. 'Bijna vier uur.'

'*Una ceguera*,' zei Manfred. Nestor plooide zijn mond tot een halve glimlach, alsof hij bedoelde: Wie zal het zeggen?

Manfred staarde naar hem en zag er weer hebberig uit, en op een of andere manier wist Steadman dat de Duitser teleurgesteld en jaloers was. Hij had het hele gebeuren aangezwengeld en mogelijk gemaakt, en alles wat hij had ervaren waren stuiptrekkingen, krampen en aanvallen van heftig braken geweest, zo zei hij keer op keer. Hij wilde weten wat Steadman had gezien. Steadman was zo versuft, zo verward door de ervaring, dat hij besefte dat hij het brouwsel nog een keer zou moeten innemen om het zich te herinneren.

'Je was blind. Ik scheen met een lampje in je ogen en zag geen reactie,' zei Ava. 'Waarom glimlach je?'

Hoe kon hij het uitleggen? Blindheid was het tegenovergestelde van wat hij had ervaren, maar blijkbaar had zij een andere indruk gekregen.

'Ik kon zien in de duisternis,' zei hij. Laat in de nacht werd hij wakker in zijn hangmat. Hij zei: 'Ken je die zin van Lévi-Strauss? "Je kunt meer leren van de geur die je in het hart van de lelie ruikt dan van welk boek dan ook?" Dát bedoel ik.'

10

De anderen sliepen die nacht niet. Ze wisten niet wat wachten was, ze hadden een bloedhekel aan luisteren en ze stikten zowat van ongeduld. Ze lagen de hele nacht te mompelen, probeerden zichzelf gerust te stellen, smeedden bedeesd snode plannen, maar waren te bang om echt kwaad te zijn. De dorpskinderen, die ook wakker waren, maar dartel en vrolijk, speelden bij het maanlicht op de open plek terwijl de Amerikanen, die honger hadden en zich onbehaaglijk voelden, met elkaar zaten te fluisteren als gijzelaars en zo snel mogelijk weg wilden.

Nog voordat de dag aanbrak, voordat ze het geluid van de eigenwijze vogels hoorden en de zachte stemmen van de Secoyavrouwen die hun vuren aanmaakten, waren de Amerikanen al klaarwakker op het moment dat ze Nestors oproep hoorden, slechts een gemompeld 'Goed, we gaan,' en meteen daarna waren ze luidruchtig en actief. Hack dreigde in Quito een klacht tegen Nestor in te dienen; Janey was in tranen en had nog steeds een kater van de drug; Wood en Sabra waren stilletjes, en Wood was ook nog steeds misselijk van zijn dosis ayahuasca. Manfred, die luid in zijn slaap had gepraat, zelfs met zijn hoed over zijn gezicht, moest wakker worden geschud. Steadman en Ava werden wakker uit een onrustige slaap. Steadman dacht: Ieder van ons is nu anders.

In de hete donkere ochtend van druipende bomen en planten met enorme oren en de doordringende geur van gebladerte dat naar oude kleren rook, werd geen afscheid genomen. Volwassen Secoya-indianen keken onbewogen toe hoe de bezoekers zich over de plank naar de grote kano haastten, en de kinderen keerden hun de rug toe. De Secoyavrouwen waren nog het nieuwsgierigst en staarden naar de Amerikaanse vrouwen alsof ze een groep bleke, opgewonden apen observeerden die ongeschikt waren om op deze rivieroever te leven.

Nestor deelde in de boot weer blinddoeken uit, en Hack zei: 'Je bent toch zeker niet bang dat we echt van plan zijn het bestaan van deze plek te onthullen?'

'Zie ik eruit alsof ik bang ben?' vroeg Nestor, en hij wachtte op antwoord.

De bezoekers deden de blinddoeken voor en zwegen, mokkend als kinderen die een standje hadden gekregen.

Steadman zat dicht bij Ava en transpireerde in de opkomende hitte van de ochtend. Hij ademde de stank van het oerwoud in en luisterde naar de dubbelzinnige vogelgeluiden die af en toe als plagerig menselijk gejoel klonken. Hij vond het jammer om weg te gaan en voelde nog steeds de intensiteit van het dorp, die hij als een fysieke sensatie ervoer, iets wat hij kon proeven, een gespannen gevoel in zijn keel, een vermoeidheid, de ingetogen vreugde over de initiatie die hij had doorgemaakt. Hij was treurig omdat hij vermoedde dat hij het dorp waarschijnlijk nooit meer zou zien en door zou moeten gaan zonder op zijn schreden terug te kunnen keren.

Door het puffen van de buitenboordmotor, het gorgelen van de boeggolf en de zachte stemmen van Hernán en Nestor leken de anderen zich wat te ontspannen en voelden ze zich sterk genoeg om weer te gaan klagen.

'Ik geloof dat mijn toilettasje is gepikt,' zei Janey. 'Ik kon het nergens vinden.'

'Mijn dagrugzak is helemaal door elkaar gehaald,' zei Wood.

'Heeft iemand mijn mes gezien?' vroeg Hack.

Sabra zei: 'Ruikt jullie blinddoek ook zo vies als de mijne?'

Maar hun geklaag klonk gemoedelijker, laatdunkend, omdat ze wisten dat ze teruggingen. Het busje wachtte op hen in Chiritza, waar Nestor de blinddoeken in ontvangst nam. Voor het middaguur waren ze in Lago Agrio, waar ze lunchten. Na de eenvoud van het Secoyadorp maakte de stad een extra boosaardige indruk op Steadman, want hij zag – hij wíst op een of andere manier – dat deze stad van drugsdealers en wapensmokkelaars en bordelen ooit, voordat er olie werd gevonden, een slaperig dorpje aan een rivieroever was geweest. Ze stapten weer in het busje en namen de lange weg naar Baeza, waar ze in de schemering aten, passeerden vervolgens Papallacta en legden de lange klim naar Quito in duisternis af. Het dorp was achteraf helemaal niet ver, maar leek nu toch onbereikbaar.

Steadman vroeg zich af of hij en de Duitser bondgenoten waren geworden doordat ze samen de datura hadden gebruikt.

'Wat heb jij gezien?' fluisterde Steadman terwijl het busje moeizaam de bochten van de steile weg nam.

Manfred haalde zijn schouders op en bromde wat en bleef passief, fronste zijn wenkbrauwen en zei niets. Steadman glimlachte vriendelijk maar was verrast door het gebrek aan enthousiasme van de Duitser en ook teleurgesteld, want hij wilde over de drug praten, details en twijfels ophelderen.

De anderen, die zich met elkaar verbonden voelden in hun afgang en vernedering, hadden een afkeer van Manfred gekregen, die ze 'Herr Mephistos' noemden omdat Manfred steeds de aandacht op zijn degelijke schoenen vestigde. Steadman begreep nu dat de Duitser het verbond van blindheid – kijken door de ogen van de tijger – niet met hem deelde. Op de terugreis probeerde Steadman die ervaring weer op te roepen, en de episode van blindheid ontvouwde zich opnieuw voor hem en voerde hem terug naar de stralende schittering die de misselijkheid door de ayahuasca volledig naar de achtergrond verdrong. Het middel was de weg naar een grot, maar dan een verlichte grot met vele echoënde ruimten, geen duisternis maar een visioen, een ander zelf, een ander leven, een andere wereld. Hij was daar helemaal alleen geweest. Het was als de liefde: een verterend gevoel van geluk en een zorgeloos verlangen naar meer.

Steadman begreep dat Manfred weinig of niets had gezien, hoewel Manfred door de ervaring wel was opgevrolijkt. Het feit dat hij de drug had gevonden en Steadman had overgehaald het middel uit te proberen, had hem een bijzondere status verleend, had hem spraakzaam gemaakt.

De Hacklers en de Wilmutts, die er bedeesd en kwetsbaar uitzagen, hadden al afstand genomen van dit uitstapje en waren in gedachten al bezig met de volgende etappe van hun reis, de Galápagos. Ze waren voor de ayahuasca gekomen en hadden een verhaal om mee naar huis te nemen, hoewel het een ander verhaal was geworden dan de bedoeling was.

Toen ze vanuit Tumbaco omhoog klommen naar de pas die hen naar een bewolkte bergkam en naar de ijle lucht van Quito leidde, vond er een voorvalletje plaats.

Nestor had gezegd: '*Baños*. Moet er iemand?'

'Pitsstop!' had Wood geroepen.

Hernán ging langzamer rijden en parkeerde het busje aan de kant van de weg, dicht bij een café, maar voordat hij het portier had opengedaan, ontstond er commotie achter in het voertuig.

'Doe me een lol!' schreeuwde Hack, want Manfred wilde iets uit het bagagerek pakken en stootte daarbij tegen de ruggen van de Hacklers. Janey zei: 'Alsjeblieft, zeg!'

Manfred trok zich niets aan van hun protesten. Hij trok zijn uitpuilende plunjezak naar beneden, ritste die open en haalde er een grote mand uit, niet fijn gevlochten zoals de meeste in de curiosastalletjes, maar grof, van dunne gevlochten twijgjes die niet van hun bast waren ontdaan. Uit de grote opening van de mand diepte hij een menselijke schedel op.

'Mijn vriend.'

De schedel was donker en glad en had de structuur en de glans van gepolitoerd hout. De oogkassen staarden Ava aan, die terugstaarde.

'Je vriend heeft een ernstige verwonding opgelopen aan zijn wenkbrauwboog en zijn jukbeen. Ik denk dat iemand hem met een stomp voorwerp op zijn oog heeft geslagen. Ik hoop niet dat jij het was.'

'Ik koop hem in het dorp.'

Hack zei: 'En ik heb dit,' en hij trok een primitief mes met een gevlochten raffia heft te voorschijn. Hij priemde met het lemmet in Manfreds richting en zei: 'Een zelfgemaakt mes. Ter vervanging van het mes dat ze hebben gestolen.'

Manfred zei een woord in het Duits en propte de schedel weer terug in de mand. Ava wierp Steadman een blik toe.

Toen ze uitstapten om naar het café en de toiletten te gaan, nam Steadman Manfred apart en zei: 'Dat is ongelooflijk.'

'De schedel is oud. Ze noemen het *tsantsa.*'

'Maar waar ik nieuwsgierig naar ben,' hield Steadman aan, 'is met welk geld je hem hebt betaald.'

'Was mijn laatste geld,' zei Manfred, die door zijn ontwijkende antwoord zijn welbespraaktheid had verloren. 'Daarom moest ik wat van je lenen.' Manfred slikte en er bleef iets in zijn keelgat steken, waardoor zijn ogen glazig werden, net als toen hij zag dat Hacks mes op hem was gericht.

Ava zei: 'Een lening is iets wat je terugbetaalt.'

Manfreds gezicht was stoppelig en zijn haar piekte. Hij had in het busje met open mond zitten slapen, met de handen op de knieën. Steadman had bewondering voor het gemak waarmee hij overal sliep, maar verachtte hem tegelijkertijd vanwege de manier waarop hij zichzelf bevoordeelde en een hele bank in beslag nam om te slapen. Steadman, die zichzelf zag als een gevoelig type dat snel beledigd raakte door blijken van minachting, kritiek of zelfs welgemeende aanmoediging – 'Wanneer ga je weer een boek schrijven?' – was gefascineerd door iemand die het niet kon schelen hoeveel afkeer hij opriep. Manfred scheen bovendien zelfs energie te putten uit het feit dat hij het mikpunt van minachting was.

Ava zei: 'Hij wil zijn geld nu terughebben.'

Manfred keek haar niet aan, maar hij lachte en genoot van haar agressie.

'Ha! Heb ik niet.'

Dit vond allemaal plaats op een uitkijkpunt langs de weg, naast het café. Een hond lag aan de kant van de weg in het vuil. Waarschijnlijk sliep hij, maar hij was zo mager dat hij ook dood had kunnen zijn. De anderen die de baño hadden gebruikt – 'Het is gewoon een gat in de grond, net als in Bhutan' – brachten nu hun kleren in orde en schuifelden schuchter terug naar het busje. Ze maakten een verslagen indruk. Deze terugreis was in wezen een soort aftocht en hun afgang werd nog eens benadrukt door hun dure, gekreukte expeditie-uitrusting, omdat de kleding symbool stond voor hun ambitie en hoogmoed.

'Je hebt meneer Knekel,' zei Steadman.

'Is alleen een aandenken. Een curiositeit als het ware.'

Steadman keek op en zag dat Nestor om hun meningsverschil moest glimlachen. Hij leek onder de indruk van Ava, van haar vasthoudendheid, want zij was kleiner dan Manfred, maar agressiever dan Steadman. Doordat zij erbij stond, leek het dispuut serieuzer.

Nestor zei: 'Wie wint er, Amerika of Duitsland?'

'Ik ben Amerikaan,' zei Manfred op zo'n scherpe toon dat de hond ervan schrok en zijn kop oprichtte om te luisteren.

Nestor wierp hem een norse blik toe en zei: '*Usted es una persona aprovechada.*'

Steadman zei tegen Nestor: 'Wat zou een Ecuadoriaanse douanebeambte zeggen als hij een menselijke schedel in iemands bagage aantrof?'

'Dat vinden ze fijn,' zei Nestor. 'Soms vinden ze die. Dan zijn ze erg blij.'

Manfred keek niet-begrijpend, en Steadman glimlachte en vroeg zich af wat er komen ging.

'Omdat ze je dan een *dávida* vragen, een vette *soborno*, smeergeld.' Nestor was groot en vol zelfvertrouwen en nam zijn tijd, waarbij hij zijn sigaret gebruikte als dramatisch element en om de tijd te rekken. 'En jij zegt ja. Want jij bent ook blij, omdat ze zo onbetrouwbaar zijn.'

'Dat had je gedacht.'

'Ja. Want als ze eerlijk zouden zijn, zouden ze niet om smeergeld vragen. Dan zouden ze je arresteren omdat je de wet overtreedt. Als je ooit een Ecuadoriaanse gevangenis vanbinnen hebt gezien, weet je wat een geluk je hebt als ze je om smeergeld vragen.'

Daarna reden ze in stilte de steile helling op naar Quito. Steadman keek uit het zijraampje zonder iets te zien, zelfs niet de weerspiegeling van zijn gezicht, maar herinnerde zich alleen zijn episode van blindheid, de smaak van de datura, en wenste dat hij zich meer kon herinneren. Hij had zijn verhaal, hij had rust gevonden, hij had iets om mee naar huis te nemen. Hij wist dat het egoïstisch was dat hij meer wilde, maar het gevoel dat van de ervaring was blijven hangen was als begeerte: de verliefdheid waardoor hij ooit totaal geobsedeerd was geraakt door Ava, waardoor hij haar voortdurend nodig had gehad en had gezegd: 'Ik geloof in feromonen; jij hebt ze,' waarop zij had geantwoord: 'En jij bent gewoon kutgericht. Daar hou ik van.'

Hij voelde dat Manfred nog steeds een praatje wilde aanknopen, dus keerde hij zich van hem af en pakte Ava's hand vast en stelde zich voor dat ze weer geblinddoekt was.

Nadat de anderen hun tassen hadden gepakt en met Nestor de lobby van hun hotel waren binnengegaan, zei Manfred: 'Ik heb geen geld.'

'Dan neem ik wel iets anders.'

De Duitser fronste zijn voorhoofd en trok aan zijn neus. Hij zei: 'Je denkt dat ik je niet ken, maar ik heb je boek gelezen. Toen ik het las, zei ik tegen mezelf: Ik zou zo gelukkig zijn als ik zo'n boek zou kunnen schrijven. Daarom wil ik je verhaal voor mijn boek hebben. Je bent een groot schrijver; veel beter dan ik. Jij hebt geen geld nodig.'

'Deze vent is zo'n ongelooflijk gladjakker,' zei Ava, waarop Manfred haar een kwade blik toewierp.

'Hij heeft gehoord wat Nestor zei. Wanneer hij door de douane gaat, krijgt hij zeker problemen met die schedel. Daar zal ik voor zorgen.'

Manfred glimlachte grimmig en scheen te hebben verwacht dat dit bij de onderhandelingen hoorde. Hij werd er niet zenuwachitg van maar knikte berekenend. Hij zei: 'Goed. Ik betaal je. Morgen.'

'Je hebt het gehoord, schat.'

Ze werden afgezet bij Hotel Colón. Ze namen een bad, dronken bier uit de minibar en gingen toen naast elkaar op het grote bed liggen, uitgeput.

Ava zei: 'Hoe was het?'

Steadman wist waar ze naar vroeg, maar hij had er geen woorden voor. En hij wilde niet zeggen dat hij dacht dat het probleem met de duisternis hier en overal was dat die juist niet donker genoeg was. De blindheid die hij gisteren in het dorp had ervaren was zo naadloos zwart dat die het gezichtsvermogen te boven ging, niet te zien was, en niets te maken had met de schaduw die hij altijd duisternis noemde, maar een leegte die zo volkomen zwart was dat die tegelijkertijd het tegenovergestelde was, een helder licht dat hem macht verleende.

De volgende ochtend ging hij op zoek naar Manfred. Hij was vastbesloten Manfred niet te laten vertrekken zonder dat die hem had terugbetaald. Hij zag Nestor in de lobby met Hernán, en nog voordat Steadman iets had kunnen zeggen, wees Nestor met een veelbetekenende grijns naar de koffiebar.

Manfred zat in een hoekje de *Miami Herald* te lezen. Steadman ging tegenover hem aan hetzelfde tafeltje zitten.

'Vijfhonderd dollar,' zei Steadman.

'Het is niet eens zoveel geld,' zei Manfred.

'Maar het is wel van mij.'

Manfred zei: 'De datura. Is die je bevallen?'

Steadman wilde liever geen antwoord geven; die ervaring was iets van hemzelf geweest. Het ergerde hem dat Manfred erover begon, vooral omdat Manfred niet op het middel had gereageerd en alleen had toegekeken hoe Steadman met een gloeiend gezicht weer uit zijn roes was ontwaakt. Manfred had er niet eens over willen praten.

'Ik geef je wat datura. Je kunt het gebruiken, klaarmaken als thee. Dat is nog beter dan geld.'

Steadman trachtte zijn belangstelling te verhullen, maar toch zag hij Manfred glimlachen, omdat die wist dat zijn voorstel in goede aarde viel. Meer van het middel hebben, dat was precies wat Steadman wilde.

'Heb je wat meegenomen?'

Manfred trok aan de stoffen tas aan zijn voeten. Hij maakte hem open voor Steadman, die de schedel in de grote mand zag liggen. Lege oogkassen, versplinterd neusbeen, kaken met tanden erin.

'Ik zie alleen maar een schedel.'

'De mand zie je niet?'

De mand, zo groot en in het oog springend dat je er haast overheen keek, lag op zijn kant als een knullig gemaakte bolle wasmand.

'Die mand is van datura gemaakt; de beste soort. Vijf kilo. Ze maken hem van de bloemstelen. Wat je in het dorp hebt gehad is een klein beetje hiervan waar ze thee van hebben getrokken. De mand is helemaal van methysticodendron, een zuiver hallucinogeen, maar niet een drug die bekend is – staat in geen enkel officieel boek beschreven. Dat zeg ik je. Het is een kloon van Brugmansia.' Hij frunnikte met zijn vingers aan de rand ervan en pulkte er een stukje bast vanaf. Hij liet het kruimelige stukje aan Steadman zien. Hij zei: 'Ik weet dat je het wilt hebben. En misschien vertel je me op een dag wat je hebt gezien.'

'Dat zal ik doen. Wat kost de mand?'

Manfred liet zijn hoofd zakken en zei: 'Tweeduizend.'

'Vijftienhonderd. En ik heb nog vijfhonderd van je tegoed. Ik geef je duizend.' Steadman begon de biljetten van vijftig dollar uit te tellen.

Ze maakten het af op zeventienhonderd, en Steadman moest zich beheersen. Hij was bereid geweest er veel meer voor te betalen. Ze spraken af dat Nestor het geld bij zich zou houden. Nadat Steadman de daturathee had geprobeerd en goed had bevonden, zou het geld worden overgedragen. Nestor klaagde over het feit dat hij onkundig werd gelaten – 'Waar is al dat geld voor?' – maar Steadman vermoedde dat hij precies wist waar het om ging.

Manfred kneep zijn ogen tot spleetjes en voerde Steadman met een plechtig samenzweerderig gebaar weg van de anderen – Steadman moest glimlachen toen hij zag hoe volkomen eerlijk Manfred was in zijn tactloosheid.

'Je zult de datura appreciëren, en op een dag' – Manfred wees met een theatraal gebaar om zich heen – 'gaan we terug naar Quito, jah? Wij samen. De rivier af, naar het dorp. En dan drinken we het spul weer. Dan krijgen we visioenen.' Manfred fixeerde zijn starende blik op Steadmans ogen. 'Dan geef je me je verhaal.'

Terug naar Quito? De rivier afzakken? Naar het dorp? Visioenen? Hij glimlachte naar Manfred, die er hariger en spinachtiger uitzag dan ooit.

'Zeker,' zei Steadman.

Boven keek Ava hem aan met dezelfde 'wie ben je?'-uitdrukking op haar gezicht als Steadman in het dorp had gezien. Toen ze de grote tas met de mand in zijn hand zag, wist ze dat de kwestie met Manfred was afgehandeld. Ze zag dat Steadman tevreden was; meer dan tevreden: hij was zo blij dat hij haar nog amper zag staan.

Ze zei: 'Nestor wil vanavond voor iedereen een afscheidsfeestje geven. Zijn manier om ons te bedanken.'

Steadman gaf geen antwoord. Hij inspecteerde de indiaanse mand en schraapte eraan met zijn vingernagel. Hij was losjes gevlochten van dikke, ruwe twijgen die niet van de schors waren ontdaan en hier en daar waren gespleten. Hij zag eruit als een ruwe versie van de manden die hij vaak op de curiosamarkten in Quito had gezien.

Ava kwam terug op haar eerdere vraag. 'Wat is er? Wat heb je meegemaakt?'

Als hij haar vertelde dat hij blind was geworden door de drug, zou ze een verkeerd beeld krijgen, zou ze het nooit begrijpen, want 'blind' was niet het goede woord.

Hij zei: 'Tussen de bloemen heb ik tijgers in mensengedaante gezien.'

'Je draait er gewoon omheen,' zei ze, wat ook waar was. 'Je hebt deze hele reis nauwelijks iets gezegd.'

Ook dat was waar. Niemand had gemerkt hoe stil Steadman was geweest. Dat was niet ongebruikelijk. Mensen die zelf veel praatten, merkten het nooit; alleen mensen die luisterden schenen zich ervan bewust te zijn dat een gesprek een tweerichtingsverkeer veronderstelt. Doordat het leek alsof hij niet luisterde, had Steadman de anderen onbedoeld aangemoedigd te praten.

Ava draaide zich om, liep naar het raam en mompelde wat. Hij wist dat ze nergens naar keek, alleen maar naar de lege ruimte staarde, net zoals ze zes dagen geleden had gedaan toen hij haar had geblinddoekt en met haar had gevreeën. Misschien voelde ze dat het allemaal komedie was geweest en voelde ze zich nu leeg en dacht: Wat een verspilling, al die tijd en moeite, wat hebben we ervan geleerd?

Afgezien van Manfred, die met zijn stuntelige gedrag uiteindelijk de grootste leperd van hen allemaal bleek te zijn, besefte Steadman dat de anderen teneergeslagen waren, vol ongeduld zaten te wachten om ergens anders heen te kunnen gaan omdat ze niet zonder reizen konden. Ze praatten over de wezens die ze op de Galápagos zouden zien. 'Grote, malle zeeschildpadden.' Ze hadden het niet over de ayahuasca gehad. Het waren net kinderen die hun eerste sigaar hebben gerookt, ziek zijn geworden en zeggen: 'Dat nooit weer.' Ze hadden niets geleerd.

Ava stond nog steeds met haar gezicht naar het raam. Met het licht achter haar was ze op haar mooist. Het bezit van de indiaanse mand vervulde Steadman van zelfvertrouwen. Hij moest alleen een manier zien te vinden om haar dat te zeggen. Hij zag dat hij een toekomst had, het was niet slechts een hoop die hij koesterde, maar de zekerheid dat hij geïnspireerd zou kunnen werken.

11

Nestor had een briefje voor hen achtergelaten bij het hotel waarin stond dat hij een afscheidsfeestje had georganiseerd in een afgehuurde kamer van het restaurant van een hotel. Er stond bij: *el precio incluye todo*, alsof het feit dat het feestje bij de prijs van de reis was inbegrepen, hen ertoe zou kunnen verleiden er naartoe te gaan. Ava lachte, verkreukelde het briefje en gooide het weg, maar Steadman raapte het weer op en streek het glad. Hij bestudeerde het kaartje op de achterkant, vouwde het op en stopte het in zijn zak.

Ava zei: 'Je bent toch niet echt van plan om te gaan?'

'Geen keus.'

Het hotel stond in het district Mariscal Sucre, op loopafstand van Hotel Colón, aan een brede avenue, de Amazonas, waarvan de zijstraten op deze kille novemberavond vol wandelaars en jeugdige toeristen zaten. Geen maskers, geen zondagse kleren, geen processies: het feest was voorbij. De enige gekostumeerde mensen die ze zagen waren indianen uit de bergdorpen die sjaals en kralen en wollen beenstukken droegen, en gevlochten matten en felgekleurde kleedjes verkochten. De meeste winkels langs de avenue waren gesloten, maar Ava merkte op dat ze inspeelden op toeristen op zoek naar junglereisjes, leren jacks en raffiatassen. De Ecuador-ervaring.

'Mensen zoals wij,' zei Steadman.

Toen hij hen zag aankomen, wuifde Nestor vanuit de foyer van het restaurant. Uit de vijandigheid die als de stank van koude as over hen heen hing, maakte Steadman op dat het geen vrolijk feestje zou worden maar een onontkoombaar afscheid dat bijna het karakter van een begrafenis had, maar dan een ritueel met holle gebaren, alsof ze een vreemde ten grave droegen. Vanaf het begin maakte niemand oogcontact. Manfred was het restaurant al binnengegaan, had plaatsgenomen aan tafel en was al begonnen met drinken.

'Dit soort afscheidsfeestjes noemen wij een *despedida*,' legde Nestor uit.

Janeys welkom aan Steadman was: 'We hadden niet gedacht dat jullie zou komen opdagen.'

'De mysterieuze man,' zei Hack.

Steadman had Hack uit een elegante zilveren heupfles zien drinken, en Steadmans glimlach was zoals gebruikelijk bedrieglijk mild en zijn zwijgen tartend en uitdagend.

'Wij hebben het idee dat je je te goed voelt voor ons,' zei Wood.

'Is dat het mysterie?' vroeg Ava.

'Het mysterie is dat hij haast niets zegt,' zei Hack, en het kwartet reizigers klonk eensgezind. 'En het mysterie is dat we ons er nog iets van aantrekken ook.'

Ava zei tegen Nestor: 'We verheugen ons op uw despedida.'

Steadman glimlachte nog steeds. Hij wist dat zijn glimlach irritant was en dat hij de anderen gek had gemaakt met zijn zwijgzaamheid en zijn strakke blik.

'Wat heeft die vent toch?' zei Hack, maar het was niet zozeer een vraag als wel een onafgemaakte opmerking.

Het restaurant van het hotel heette Papagayo en was in een indiaanse Amazonestijl ingericht – oerwoudgebladerte en ara's in kooien en strooien matten en zelfs een assortiment van grote manden die leken op het exemplaar dat Manfred aan Steadman had verkocht. Als entertainment werd 'folklore' aangekondigd. Nestor had deze plek ongetwijfeld uitgekozen omdat die gelieerd was aan het hotel waar de Hacklers en de Wilmutts logeerden, het was een soort ruilhandel.

De twee stellen hadden zich een andere kledingstijl aangemeten, de vrouwen droegen nu een wit shirt, een gemakkelijke trainingsbroek en sandalen: ze zagen er weer uit als fotomodellen uit een catalogus, en Steadman zag tot zijn verbijstering dat ze het Trespassing-logo trouw waren gebleven. De mannen droegen hun nieuwe panamahoed, een safari-jasje en een versgestreken trekkingbroek. Ze hadden de jungle veroverd. Ze zagen er modieus, kalm en opgelucht uit; ze hadden de vernedering en teleurstelling achter zich gelaten. Hun avontuur was voorbij. Ze zouden het nooit meer overdoen. Ze hadden hun verhalen, hun foto's en toen ze het restaurant binnenkwamen hadden ze allemaal een vermoeide maar triomfantelijke blik in de ogen.

Zodra Steadman bij hen aan de lange tafel kwam zitten, verdween hun zelfvertrouwen en werden ze weer schichtig, ongemakkelijk en rancuneus, want deze man was nog steeds een vreemde voor hen. Hij had niets over zijn ervaring verteld en had al die dagen die ze samen hadden doorgebracht geen woord tegen hen gezegd. Ze wisten niet eens hoe hij heette. Hij leek wel iemand die in een oerwoud was verdwenen en die na lange tijd weer was opgedoken zonder iemand te vertellen wat hij had meegemaakt.

'Dank je dat je dit met ons hebt willen delen,' had Wood op de terugweg in de bus gezegd in een poging hem uit zijn tent te lokken.

Sarcasme was hun manier om hun frustratie te uiten. Ze werden gek van Steadmans stiltes, vooral omdat hun eigen gepraat hen te kijk zette als verongelijkt en beschaamd, als naakte mensen in het bijzijn van iemand in smoking. In hun poging hem te sarren, dreven ze in feite de spot met zichzelf en voelden ze zich opgelaten.

'Aguardiente,' zei Manfred, en hij nipte aan zijn glas, waar een heldere vloeistof in zat.

'En jij?' vroeg Hack aan Ava. 'Neem een drankje.'

Ava had het idee dat ook zij aan een test werd onderworpen, want ieder blijk van beleefdheid van hun kant voelde als een uitdaging.

Aan het hoofd van de tafel zat Nestor, die de schotels bestelde en zei: 'Dit is een specialiteit van de Esmeraldas,' en 'De mensen in Riobamba maken deze kip *seco* klaar – net als een stoofschotel, maar dan droog, *seco de gallina*,' en: 'Mijn moeder komt uit Guayaquil en maakt de vis op deze manier.'

Toch werd er niet veel gegeten. De ijle lucht had hun eetlust bedorven, zeiden ze. Alleen Manfred at en dronk met smaak, en schepte zich een tweede keer op. Steadman dacht: Hij is alleen maar stil omdat hij zijn mond vol eten heeft.

Terwijl ze lusteloos in hun dessert prikten ('Ik zou dit eerder een bitterkoekje noemen dan een glazuurgebakje,' zei Janey), hield Nestor een kort praatje waarin hij hen bedankte voor hun bezoek aan zijn vaderland Ecuador en zei dat ze zulke geweldige reizigers waren geweest. 'En misschien is het beter dat we niet veel zeggen over waar we zijn geweest en wat we hebben gedaan.' Hij boog zich naar voren om hen in vertrouwen te nemen. 'Het is *secreto*. Het is *escondido*.' En hij legde zijn vinger tegen zijn lippen.

Hij hield even ruggespraak met de ober, betaalde de rekening onopvallend en strooide wat visitekaartjes op tafel. Hij liep hoffelijk glimlachend achteruit, zwaaide even en liet hen toen alleen. Zijn vertrek liet een opmerkelijke leegte achter, die door de achterblijvers als een verwijt werd ervaren.

'Hij heeft de pest aan ons,' zei Wood. 'Misschien omdat we hem geen fooi hebben gegeven.'

'Omdat de hele expeditie klote was,' zei Hack. 'Ik bedoel: aan wie zouden we het nou willen doorvertellen?'

'Die indianen in dat smerige dorp waren brutale apen,' zei Janey.

Hack vervolgde: 'Nestor was ontzettend arrogant. Dat zat me helemaal niet lekker. Laten we hier wegwezen.'

Maar hij bleef zitten en nam een slok uit een groot glas, een groen brouwsel, een van de plaatselijke drankjes die het hotel te bieden had, *canelazo*.

'Raketbrandstof,' zei Hack. Hij was dronken, hoewel hij op Steadman altijd die indruk maakte vanwege zijn woede en luidruchtigheid en zijn uitstraling van onbezonnen gewelddadigheid. Zelfs uit zijn lichaamshouding sprak een dronken dreiging.

Wood zei tegen Ava en Steadman: 'Komen jullie boven nog wat drinken?'

Hij meende het niet; dat wist ze. Zijn opgelegde beleefdheid was geen uitnodiging, maar een uitdaging. Uit onoprechte vriendelijkheid – eigenlijk was het een vijandige actie – werden ze uitgenodigd een drankje te komen drinken, juist omdat Wood en de anderen daar eigenlijk helemaal geen zin in hadden omdat ze hen niet mochten.

'Nou, eentje dan,' zei Ava, die de uitnodiging aannam omdat ze hen op haar beurt ook niet mocht. Het was alsof ze elkaar probeerden te ontmaskeren. Als Ava en Steadman de uitnodiging hadden afgeslagen, zou hun afkeer zonneklaar zijn geweest.

Tegenover Manfred hanteerde Wood minder plichtplegingen: 'En jij?'

'*Vámonos*,' zei Manfred en hij veegde zijn mond af.

In de lift sprak Hack een vreemde aan, een man in trainingspak, overduidelijk een Amerikaanse hotelgast die net terugkwam van een rondje joggen, en vroeg: 'Amerikaan? Wij ook. Bay-district, San Fransisco. Marshall Hackler,' en hij stak zijn hand uit. 'Wij komen net terug uit de Oriente. Lago Agrio? De rivier de Aguarico? We zijn in een indianendorp geweest. We hebben een psychedelische drug genomen, echt waar.'

'Ayahuasca,' zei Wood. 'Ik was helemaal van de wereld.'

'Het was allemaal vreselijk,' zei Janey.

'Eigenlijk mag ik je dit helemaal niet vertellen, maar mijn vrienden kunnen het bevestigen. Hoe dan ook, het was gewoon waardeloos.'

'Dat meen je niet.'

De man veinsde belangstelling, maar leek zich niet op zijn gemak te voelen doordat hij zo dicht bij deze luidruchtige man stond en bij dit groepje kennelijk dronken mensen die de lift vulden. Hij keek naar de verlichte cijfers van de verdiepingen die versprongen, en toen de bel klonk en de lift bij zijn verdieping stopte, wrong hij zich snel langs Hack heen, die nog steeds aan het praten was.

'Dit is geen land, het is een themapark. Het moet aan een particuliere onderneming worden overgedragen. Disney zou het kunnen beheren.'

'Dat zei je in Kenya ook al,' zei Sabra terwijl de deuren met een zucht weer dichtgingen.

Steadman begreep dat conversatie voor hen bestond uit het keer op keer terugkomen op een onderwerp en in eentonige herhaling door-zeuren over banaliteiten. Hij had dezelfde grapjes al verschillende keren aangehoord, in de bus, bij Lago Agrio, bij Papallacta en in het dorp.

'Kenya is verdomme een dierentuin,' zei Hack. 'India is een complete vuilnisbelt. China is helemáál klote. In Egypte stikt het van de tulband-koppen. Japan is één grote parkeerplaats. Wil je een seksreisje? Ga naar Thailand. Wil je gerold worden door een zigeuner? Ga naar Italië. Ben je op zoek naar een echte shit-ervaring tussen de smeerlappen? Kom hier naartoe.'

'Hou alsjeblieft op, schat, je klinkt als een reactionaire communist,' zei Janey.

'Maak ze levensvatbaar. Zet een paar Amerikaanse topmanagers aan het roer. Bestuur die derdewereldlanden als een bedrijf,' zei Wood.

'Ze hebben mijn jachtmes,' zei Hack. Zijn ogen werden klein en er stond eerder kwaadaardigheid dan spijt in te lezen. Hij balde één hand tot een vuist, alsof hij de herinnering aan het mes vastgreep. 'Het was echt handgemaakt, uit één enkel stuk staal.'

'Mijn chique verrekijker van Harrod's is gejat,' zei Janey.

'Ik ben wat contant geld en reischeques kwijt, maar de cheques krijg ik terug,' zei Wood. 'Dit land zit vol kleptomanen.'

De bel van de lift klonk weer en de deuren zoefden open. Hack ging ze voor naar de kamer – het bleken twee luxe aangrenzende kamers te zijn, verbonden door een grote gemeenschappelijke zitkamer. Hierin stonden een sofa, een paar leunstoelen en een breedbeeldtelevisie, en op de salon-tafel lagen tijdschriften en kranten en Sabra's exemplaar van *Trespassing*. Manfred vroeg op luide afkeurende toon wat dit arrangement hun had gekost en of ze het van tevoren hadden geregeld. Door het raam konden ze de Pichincha zien, met de twinkelende lichtjes van de hutten op de helling.

'Reizen jullie altijd samen?' vroeg Ava, die maar eens een onschuldige vraag stelde omdat de anderen er zo geagiteerd uitzagen.

Janey zei: 'Ja, inderdaad. We zijn de Bende van Vier. Je hebt onze T-shirts toch gezien?'

'Ik dacht dat die iets met China te hadden maken,' zei Ava.

'Neem iets te drinken,' zei Hack tegen Steadman.

'Hij drinkt eigenlijk niet meer.'

'Je lijkt zijn moeder wel.'

In het hete, modderige dorp hadden ze zich geïntimideerd en ongemakkelijk gevoeld en waren ze in de verdediging gedrongen, maar in de lift en hier in hun keurige hotelkamer gedroegen ze zich agressief en onbeschoft, alsof ze de herinnering aan hun afgang wilden uitwissen, of misschien gewoon omdat ze toch weggingen en niets te verliezen hadden.

'Ik kijk toch zó uit naar ons volgende uitstapje,' zei Janey. 'Tibet. We hebben een manier gevonden om er te komen zonder dat we door dat rottige China hoeven. Je chartert gewoon een vliegtuig in Nepal.'

Manfred zei: 'Misschien ga ik wel mee. Ik ben daar geweest. Ik heb een paar artikelen geschreven over het *Schamanismus* in Nepal. Ik ken een paar belangrijke mensen, healers in Kathmandu.'

Steadman luisterde alleen maar. De lichten verblindden hem, zijn oren tuitten van het geklets, hij was gespannen, hij vond het vreselijk dat zijn boek in deze kamer lag. Hij zag dat Hack wellustige blikken op Sabra wierp, hij hoorde Wood uitleggen hoe je het moest aanpakken als je een land wilde besturen alsof het een bedrijf was. Janey zat met haar knieën tegen elkaar te kijken hoe Manfred uit een fles aguardiente dronk die hij van de tafel in het restaurant had meegegrist. Steadman voelde een grote leegte in de kamer: het was per slot van rekening gewoon een hotelkamer waarin iedereen om de beurt te gast was. Maar de vibraties van een onuitgesproken drama onder de aanwezigen prikkelden zijn verbeeldingskracht, waardoor hij meer zag dan hij onder woorden kon brengen, als een geur die hij niet kon benoemen of de echo's van vreemde rituelen.

Hij wachtte een moment van stilte af en vulde dat toen zo opvallend mogelijk door te zeggen: 'Moeder, breng me naar huis.'

'Niemand gaat hier de deur uit,' zei Hack. 'Je bent hier gekomen om iets te drinken. Je moet eerst iets drinken.'

Steadman zei: 'Eigenlijk wil je helemaal niet dat ik hier ben.'

In plaats van dit te ontkennen of te protesteren, staarden ze hem alleen maar aan.

'Blijf gewoon zitten,' zei Hack, 'en drink wat.'

'Dat meen je niet.'

Hack keerde Steadman de rug toe en zei: 'Deze man noemt me een leugenaar.'

'Wil je de waarheid horen?'

Steadman zat naar hen toegekeerd, en de manier waarop hij ze allemaal strak aankeek, de toon waarop hij zijn vraag had uitgesproken – zijn glimlach, zijn ernst, zijn houding – bracht iedereen tot zwijgen.

Hij vroeg wat water. Janey schonk een glas in met mineraalwater van het hotel en gaf het hem. Steadman begon nog niet te drinken, maar haalde een flesje met donkere vloeistof uit zijn zak.

'Dat is de datura,' zei Manfred terwijl Steadman er wat van in zijn glas schonk en het met een roerstaafje mengde, zodat het water modderig werd en de kleur van thee kreeg en er stukjes gebroken en vermalen stengel kwamen bovendrijven.

Het was eigenlijk zo'n doodgewone handeling, alsof iemand zijn dagelijkse dosis medicijn nam, dat de belangstelling van de anderen afnam en het geroezemoes van stemmen weer aanzwol. In de overtuiging dat ze Steadman en Ava hadden overgehaald te blijven, hadden de anderen het gevoel dat ze gewonnen hadden, zodat ze hen vervolgens negeerden en Steadmans scherpe vraag vergeten leken te zijn.

Ze verwachten dat je je intuïtie niet volgt, zei Sabra

Het is maar goed dat de olie-industrie in waardeloze kleine landjes als dit het heft in handen neemt, zei Hack.

Het bevrijdende van leningen, zei Wood.

Ik heb geen zin meer om een doorzetter te zijn, zei Janey. *Ik heb het gehad. Ik ben kapot.*

En alleen Ava en Manfred keken toe hoe Steadman het grote glas donker water opdronk – Ava met een onzekere glimlach, Manfred met ontzag en een soort afgunstige vreugde waaruit een hevig verlangen sprak.

In de gloed die zich als een warmte door zijn lichaam verspreidde, merkte Steadman dat zijn fysieke zijnsvorm uitdijde, dat er schaduwen bij hem binnenglipten die zijn geest van zijn lichaam scheidden en zijn zenuwen van het vlees losmaakten. Dat had hij ook in het dorp ervaren: het vage gevoel dat alles een kwetsbaar oppervlak had. Alles wat hij zag had een absurde doorschijnendheid, maar wat eronder lag was onverwacht, net als de spin in het dorp die van de bodem van zijn kroes omhoog kroop nadat hij de vloeistof had opgedronken. En wat nog het vreemdst was, geen verdronken spin, maar een grote, springlevende, met bewegende poten en een energieke intelligentie.

Steadman werd er zo door in beslag genomen dat hij opgehouden was met te doen alsof hij moest glimlachen om alles wat hij zag. De kamer was getransformeerd. De mensen erin ook. De woorden die ze gebruikten waren zichtbaar voor hem. Ze hadden gewicht en dichtheid en substantie; omdat hij hun wezen begreep, kende hij hun geschiedenis. Hij kon elk woord onderzoeken en hij was verbijsterd door de bedrieglijkheid ervan, want hij kon ze bestuderen en vertalen en ze leken zichzelf allemaal volledig tegen te spreken. Liefde betekende haat, zwart betekende wit, en vreugde stond voor verdriet. 'Ik meen het' betekende het tegendeel: onoprechtheid, het bewijs dat iemand had gelogen.

De kamer was nu veel groter en er stonden een heleboel dingen in die eerst niet zichtbaar voor hem waren geweest. Het plafond was hoog, het geluid van buiten erg luid, en hij kon zelfs het zachtste gemompel horen.

Hij was in staat te beredeneren dat aangezien een droom iedere logica en verband mist, van de hak op de tak springt en verwarrend is, dit dus het tegenovergestelde van een droom was en een weldadige coherentie bezat. Hij zag de versie van de kamer die hij nu zag, voor de waarheid aan. Deze mensen bestonden in hun essentie. Het was geen droom voor hem: zij bevolkten een droom waaruit hij zojuist was ontwaakt.

Naast hem had Manfred tegen Ava zitten kwebbelen en hij had niet gemerkt dat Ava's aandacht op Steadman was gericht.

'Mijn vader heeft me geleerd hoe ik een boot moet voortpeddelen,' zei Manfred.

'Je vader was een wonderlijke, gewelddadige man,' zei Steadman. Hij had geen idee waarom hij dat zei of wat hij hierna zou zeggen, maar de woorden bleven komen. 'Hij was soldaat. Je haatte hem. Maar het is een vreselijk verhaal.'

'Kalm aan,' zei Janey, want ze had het gesprek van een afstandje gevolgd en zag Manfreds gezicht rood worden alsof hij zich net had verslikt.

Steadman zei: 'Je vader was een nazi.'

'Dat is geen nieuws, schatje. Alle moffen waren nazi's,' zei Janey en ze keek gretig naar Manfred, en uit de vreselijke uitdrukking op haar grote, alledaagse gezicht en de manier waarop ze haar tong tussen haar tanden klemde, bleek hoezeer ze zich verkneukelde en dolgraag meer wilde horen. Nu ze doorkreeg dat er een geheim zou worden onthuld, verscheen er een wellustige uitdrukking op haar gezicht.

Manfred zei: 'Mijn vader was niet gezond. Er was iets mis in zijn hoofd.'

'Hij zat bij de SS.'

'Niet de SS, maar de SA, de *Sturm Abteilung*. Maar wat dan nog? Waarom krijg ik de schuld van wat mijn vader heeft gedaan?'

Hoewel hij protesteerde, waarbij zijn Duitse accent met hem op de loop ging, en deed alsof hij zich niets van de beschuldiging aantrok, klonk hij zwakjes en geëmotioneerd.

'Hij is gevangengenomen,' zei Steadman. 'Hij heeft in een krijgsgevangenkamp gezeten.'

'In Rusland, in een werkkamp waar hij in de mijnen moest werken,' zei Manfred, 'tot halverwege de jaren vijftig. Tien jaar na het einde van de oorlog lieten de Russen hem vrij. Je begrijpt er niets van. Het was heel moeilijk voor ons!'

'Dat was nog niet alles,' zei Steadman. 'Toen hij eenmaal thuis was kon hij zich niet aanpassen.'

Manfred zei: 'Je kent me niet eens! Hoe weet je dit allemaal?' Manfred had zijn stem verheven en iedereen in de kamer was nu vol aandacht.

'En hij heeft zelfmoord gepleegd,' zei Steadman.

'Waarom kom je hier nou mee aanzetten? Zie je niet dat hij overstuur is? zei Sabra. 'We zouden hier op onze despedida drinken.'

'Jullie hebben om de waarheid gevraagd,' zei Steadman. 'Manfred haat zijn vader. Hij haat álle vaders. Hij haat elke vorm van gezag.'

'Dat doet er niet toe.'

'Zijn haat heeft hem neerbuigend gemaakt. Hij haat jullie allemaal. Hij is volslagen subversief.'

Manfred staarde Steadman met glinsterende ogen kil en onbeschaamd aan terwijl de anderen wachtten op wat er komen ging.

'Hij is een dief.'

'Dat is een leugen,' zei Manfred. 'Ik ben een belangrijke persoon in mijn land. Ik ken vooraanstaande wetenschappers. Ik schrijf over drugs en etnobotanie. Ik ben een journalist in de States. Amerikanen kennen mijn naam.'

Steadman negeerde hem en zei kalm: 'De diefstallen die jullie aan de indianen in het dorp en de mensen in het hotel hebben toegeschreven, de verrekijker, het mes en de reischeques, dat was Manfred. Hij heeft van elk van ons iets gestolen.'

Janey zei: 'Is dat waar, Manfred?'

'Het is een leugen.'

Maar juist die ontkenning en de manier waarop hij slikte en kwaad zat te kijken, vormde het zuiverste bewijs van zijn schuld.

'Ik ben niets kwijt,' zei Sabra.

'Hij weet je sofinummer,' zei Steadman.

Hij stond zelf verbaasd over zijn eigen vloeiende taalgebruik, want hij zei deze dingen zonder zich ervan bewust te zijn dat hij ze wist. En de tijd speelde geen enkele rol, want er bleef niets verborgen en hij scheen onbelemmerd toegang tot het verleden te hebben. Hij wist alles wat hij had gezien, ook wat zich onder de oppervlakte bevond, alsof hij in een toestand van beheerste extase verkeerde: Sabra die in haar portemonnee stond te rommelen en Manfred die aandachtig naar het stapeltje kaarten loerde, de kaart met haar sofinummer bovenop, voorzien van haar volledige naam en nummer.

'Hij heeft jullie nummers onthouden. Hij heeft ook het nummer van een van jullie American Express-kaarten, maar daar zit een kredietlimiet op,' zei Steadman. 'Hij heeft al jullie gegevens. Daar kan hij een hoop mee doen. Hebben jullie ooit gehoord van identiteitsroof? Hij kan op jullie naam een bankrekening openen. Op internet kan hij nog meer gegevens achterhalen. Hij kan jullie een hoop geld afhandig maken voordat je het in de gaten hebt. Daarom gaat hij morgen terug. Tegen de tijd dat jullie weer in de States zijn, heeft hij jullie rekeningen geplunderd.'

De hele kamer was stil, alleen Manfreds ademhaling die schurend door zijn neus ademde, was hoorbaar.

'Ik ga het hotel vragen zijn kamer te doorzoeken,' zei Hack. 'Als ze mijn mes vinden en Janeys verrekijker, bel ik de politie.'

'Ga je gang, ga maar kijken,' zei Manfred met een stelligheid die de anderen voor bluf hielden. Maar hij stond op en leek zich langzaam naar de deur te begeven alsof hij wilde voorkomen dat er iemand de kamer uitging.

'Je ziet er bezorgd uit, Herr Mephistos,' zei Wood.

Hacks stem klonk aangeschoten, hij reeg de woorden aaneen en hij sloeg een kameraadschappelijke toon aan toen hij tegen Steadman zei: 'Ik weet niet hoe je dit te weten bent gekomen, maar als je het kunt bewijzen, zit er voor jou ook iets in.'

Steadman zei: 'Misschien is het beter om niet op zoek te gaan naar de spullen die Manfred van jullie heeft gestolen. Ik bedoel, het klopte wat hij zei, hij heeft behoorlijk wat invloed.'

'Hij is een dief, dat heb je zelf gezegd.'

'Jij bent ook een dief,' zei Steadman.

Ava zei: 'Alsjeblieft, lieverd,' omdat Hacks haren overeind gingen staan en hij een stap naar achteren deed alsof hij Steadman, die nog steeds rustig in zijn leunstoel zat, een oplawaai wilde verkopen. Steadman keek recht voor zich uit, dwars door Hacks gezicht heen.

'Je hebt met Sabra geslapen,' zei Steadman.

Sabra hapte naar lucht, stond op en ontkende het. Wood ging dicht bij haar staan en zei: 'Kevertje?'

Janey begon te huilen en zei: 'Ik wíst het!'

Hack dook op Steadman af, maar werd getackled door Manfred, die gewoon een stap opzij deed en de aanstormende man omvergooide. Door deze nieuwe onthulling was Manfred een en al aandacht voor Steadman, die alles scheen te weten.

'Het is misschien al jaren aan de gang,' zei Steadman. 'Al die tijd dat jullie reisjes met elkaar maken. Misschien is dat wel de enige reden waarom jullie die reisjes maken.'

'Haal die vent hier weg voordat ik hem godverdomme helemaal afmaak.'

Wood zei: 'Als hier iets van waar is, Hack, dan trem ik je in elkaar.'

'Wat ben ik toch een sufferd,' zei Janey huilend.

Hack zei: 'Zie je dan niet dat hij moeilijkheden zoekt?'

'Maar jij bent ook een bedrieger,' zei Steadman tegen Wood. 'Je hebt het over je bedrijf gehad, maar de cijfers kloppen niet. Dat kan alleen betekenen dat je nadat je je partners had uitgekocht, met de boekhouding hebt geknoeid zodat je de zaak voor een veel te hoge prijs kon verkopen. En dat is nog maar één voorbeeld. Je bent niet in staat de waarheid te vertellen. Steeds als je een getal noemt, is het onjuist. Dat boek waarvan je beweert dat je het hebt geschreven, is in werkelijkheid door een paar studenten geschreven die je hebt ingehuurd en hebt belazerd.'

'Bullshit,' zei Wood.

'Alles wat je ooit hebt gedaan is mensen belazeren en met valse kaarten spelen,' zei Steadman. 'Dus is het wel toepasselijk dat je vrouw ook een leugenaar is.'

Sabra zei: 'Nee, Wood, het is niet waar. Geloof niet wat hij zegt.'

Maar haar protest werd overstemd door Janey, die in elkaar was gezakt en nu als een groot verdrietig kind luid snikkend op de grond zat.

'En deze hier is de zieligste van het hele stel,' zei Steadman, die recht voor zich uit bleef staren, met een zelfverzekerde, monotone stem. 'Arme kleine Londense die in Amerika de weg is kwijtgeraakt. Ze heeft een zenuwinzinking zonder dat ze het zelf weet. Haar echtgenoot neukt haar beste vriendin. En ze liegen allebei tegen haar. Ze denkt dat ze gek wordt.'

Janey prevelde: 'Nee, nee, nee.' Wood keek Hack woedend aan. Sabra's ogen schoten vuur. Manfred moest glimlachen om de verwarring en keek alsof hij was gerehabiliteerd, en torende als een beschermer boven Steadman uit.

Hack zei tegen Ava: 'Als je je vriendje niet gauw meeneemt, maak ik hem godverdomme helemaal kapot.'

Na al deze onthullingen, die met veel overtuiging waren uitgesproken, stond Steadman op en wankelde even. Hij zocht verstrooid naar houvast, en leek onzeker. Hij liep op de tast naar voren omdat zijn perceptie van de kamer was veranderd, en hoorde Ava zeggen: 'Hierheen.' Toen struikelde hij en viel.

'Wat is er met hem aan de hand?'

'Hij is blind,' zei Manfred haast triomfantelijk, alsof Steadman hem toebehoorde. 'Hij ziet niets.'

Sabra keek met verbazing naar Steadman en keek aandachtig naar zijn ogen. Ze bewoog haar hand voor zijn ogen heen en weer. Steadman knipperde niet met zijn ogen.

'Ik had gelijk,' zei ze met een holle stem. 'Hij weet helemaal niets.'

Ava ging naar hem toe en hielp hem overeind. Steadman fluisterde geëmotioneerd: 'Ik kan niet zonder je leven.'

Hij had haar nog nooit zo nodig gehad. Hij voelde zich ellendig, alsof hij op een modderige ster was gestrand.

Twee

Verblindend licht

1

'Wat is dat?' vroeg Steadman op een andere toon, een achterdochtig fluisteren, terwijl hij zijn adem naar binnen zoog. Hij was zichzelf met een ander stemgeluid in de rede gevallen en was nu de draad van zijn verhaal kwijt. Zijn hele gezicht werd warm. Alleen op deze momenten werd hij aan zijn blindheid herinnerd: het moment van inbreuk door een onbekende bezoeker, een donker geluid, een plotselinge schaduw waarvan hij wist dat die van een mens was.

Je bent helemaal op dreef, midden in de beschrijving van een intieme passage, je laatste woord is 'lingerie', en dan is er veraf een zwak schijnsel, het kloppen van een versnelde polsslag, het knedende-knarsende geluid van grind dat wordt belopen, kiezelsteentjes die door naderbij komende voetstappen worden geplet. Tot dan toe was het een gewone middag geweest in zijn huis met de vele gevelspitsen op het zuidwestelijke deel van Martha's Vineyard. Hij lag op de bank met zijn rug naar Ava toe zijn boek te dicteren: gedrogeerd, blind. Toen hoorde hij de hartslag van de onbekende.

Zijn stem had een scherpe klank: 'De achterdeur. Ik hoor iemand. Een vrouw.'

'Ik hoor niets.'

'Ze heeft nog niet geklopt. Ga kijken.'

Omdat hij net bezig was een openhartige erotische scène te beschrijven, voelde hij zich bijzonder ongemakkelijk. Hij had de geluiden gehoord en voelde zich als een kwetsbare prooi. Hij richtte zijn hoofd op in de stilte en bewoog als een waakzaam dier, verschoof zijn lichaam, stelde zich in op gevaar, zijn alerte houding deed zijn nekspieren verstijven, de hele kamer dreunde in zijn oren. Hij voelde dat er iets mis was. Hij ervoer alles wat onverwacht was als een bedreiging.

'Het is niets,' zei Ava. Ze keek niet eens op: hij lag trouwens nog steeds met zijn rug naar haar toe gekeerd. Hij gaf de voorkeur aan deze paranoide houding, vooral bij de meer sensuele passages. Toch kon hij de warmte van haar lichaam voelen als ze dicht bij hem was zoals nu, wachtend, gloeiend, lichaamswarmte uitstralend.

Ava spoelde de band terug om het laatste stuk van Steadmans dictaat af te spelen, waar hij was gestopt: *Hij kon alleen maar denken aan de vrouw die na de maaltijd op hem wachtte, de lingerie...*

Hij had zich nog steeds half opgericht, geschrokken, dierlijk, in waakzaamheid verstard, luisterend alsof hij zich op een open plek in het groen bevond, en hij leek het bedekte hoofd, de glimp van een uniform, de reikende handen, de gebroken vingernagels van een bemoeial waar te nemen. De starende ogen, de grote, zware voeten. Alleen een achteloze indringer zou die geluiden maken. Iemand die ergens niet thuishoorde, scheen dat feit altijd kenbaar te moeten maken met veel lawaai of met een dreigende, zinloze stilte. Zelfs zonder te weten wie de eigenaar was, voelden vreemden zich vaak aangetrokken tot het grote in gotische stijl opgetrokken huis in een weiland achter hoge stenen muren, waarvan het koepeldak hoger was dan de eiken op het terrein. Maar geen enkele vreemde was hier welkom.

Op dat moment klonk er een luide klop, vastberaden knokkels op hout.

'Ik zei, ga kijken.' Zijn stem klonk ademloos en zijn kaken waren gespannen van agressie. Hij liet nauwelijks een pauze vallen voordat hij eraan toevoegde: 'Dokter.'

Terwijl Ava naar de achterdeur liep, raakte Steadman de wijzerplaat van zijn horloge aan, betastte de wijzers en toen hij zich omdraaide, voelde hij de warmte van een vurige zonsondergang die de zijkant van zijn gezicht en de rug van zijn hand rood kleurde. Grote, hete gewatteerde wolkendekens dreven door de lucht, een blauwe soep die in een brede band tot roze verkleurde en vervolgens snel uiteenviel in vurige flarden, paars en gesmolten. Na vijf seconden verschenen er plotseling schapenwolkjes die dicht tegen elkaar aan kropen en stijf werden opgeklopt tot pieken die een bergketen met vergulde toppen vormden die vervolgens langzaam inzakten en weer roze werden, tot ze laag in de verte slechts een oranje lint vormden. Het hele lint transformeerde zich tot een gespikkeld ei, maar dan karmozijnrood, en uiteindelijk tot een blind oog.

Hij moest bijna glimlachen toen hij bedacht dat er misschien werkelijk iets mis was, dat er misschien echt een indringer was. Hij had de laatste maanden zoveel meegemaakt, dat hij op het ergste was voorbereid.

De gloed was nog steeds zichtbaar, nog steeds voelbaar op zijn wang, en hoewel de bomen snel afkoelden en de schaduw op hun takken dieper werd, bleef er nog wat licht en warmte over in het westelijke kwadrant aan de andere kant van de baai, als een lamp in de hoek van een kamer die van roze tot blauwgeel verschoot, op de manier waarop gloeiende as afkoelt.

Ava kwam de kamer binnen met iets wat ze tegen haar lichaam hield; een pakje, een compact pakket dat ze op tafel legde. De manier waarop het op de tafel neerkwam zei hem dat het zwaar was in verhouding tot de omvang.

'Een vrouw,' zei Steadman.

'Klopt.'

'Zei ik toch.' Hij was weer de assertieve man die met zijn eigen stem sprak.

In plaats van daarop in te gaan, zei ze: 'FedEx. De nieuwste versie van het boek.'

Hij zag het als Boek. In gedachten schreef hij het manuscript altijd met een hoofdletter, want hij dacht aan het boek als *Het Boek der Openbaring.*

Dat was prettig nieuws voor hem – de gedachte dat hij na zoveel jaren aan een nieuw boek was begonnen en vorderingen maakte. Hoewel hij voor sommige mensen niet meer dan een naam was, had hij een omvangrijk en dankbaar publiek dat verlangend uitkeek naar dit boek, en daar was hij blij om. Bijna twee decennia had hij met dit tweede boek geworsteld. En nadat hij van zijn reis naar de bovenloop van de rivier in Ecuador was teruggekeerd, had hij gestaag doorgewerkt en had nu ongeveer eenderde deel klaar. Die reis had zijn ideeën over bijna alles in zijn leven en over zijn schrijven veranderd en hem een gevoel van macht gegeven.

'Zullen we verder gaan?'

Ava ging zwaar in de stoel zitten. De manier waarop ze zich liet vallen en het kussen liet puffen was nadrukkelijk, een verwijt dat verpakt zat in het geluid waarmee ze ging zitten: *Nou geef je mij de schuld omdat ik niet meteen naar de deur ging.*

Steadman voelde haar blik als een flakkerend schijnsel, als warmte en geruststelling, die hem duidelijk maakten: *Je bent nog nooit zo veilig geweest.*

'Ja, dokter.'

Het kon hem niet schelen dat ze geprikkeld was. Hij was blij dat hij zich door zijn instinct had laten leiden: de krakende voetstappen op het grindpad hadden hem meer verteld dan een bewaker of een schildwacht had kunnen doen. Bezorgers waren ook indringers, en hoe ongedwongener ze probeerden te doen ('Mooi huis heeft u hier'), hoe meer inbreuk ze maakten. Maar nu hij zijn vermoedens bevestigd zag, was Steadman voldoende gekalmeerd om door te gaan met dicteren – of liever gezegd, niet om door te gaan, maar er weer in te komen door een zijpaadje in te slaan.

Hij kon alleen maar denken aan de vrouw die na de maaltijd op hem wachtte, schreef Ava op Steadmans dicteersnelheid, terwijl ze naar de op en neer springende staafjes van licht op de cassetterecorder keek die de klemtonen van zijn stem weergaven. *Ze wachtte in de met kaarsen verlichte serre en droeg de zwarte lingerie die hij voor haar had gekocht. Toen hij de kamer binnenkwam, zei ze zachtjes...*

En hij glimlachte, want deze geïmproviseerde samenwerking was het mooiste gedeelte van de dag. Hij wilde niet dat het werd verstoord door iemand die kwam binnenvallen. Aan het eind van een dag werken veranderde hij van toon; die werd intiemer en een hele dag van verbeeldingsvolle inspiratie veranderde in een haperende beschrijving van hoe hij wilde dat de avond zou eindigen.

Ava hielp hem en zei op zachte toon: 'Hierheen.'

Zachtjes zei ze: 'Hierheen.'

'En hij gehoorzaamde,' zei Steadman.

'Omdat zij hem in haar macht had.'

Omdat hij ervan genoot zich over te geven aan haar wil, haar te gehoorzamen.

Steadman hield van Ava om de diepgang van haar trefzekere suggesties, om het feit dat ze wist hoe ze hem moest dicteren. *Ik ben de jouwe. Als je me niet precies vertelt wat ik moet doen, dan neem ik het heft in handen,* had ze in het begin tegen hem gezegd. Haar stelligheid had hem verrast. Hun seksualiteit was gebaseerd op vertrouwen, op inventiviteit, op verrast worden; het wond hem op dat hij die nu in romanvorm kon gieten.

Omdat zij hem in haar macht had, herhaalde Steadman, *en hij niets anders kon doen dan haar gehoorzamen. Hij stond tegenover haar in het kaarslicht. De lingerie...*

'Een wijdzittende slip van zwarte zijde die zij voor hem had bewaard,' zei Ava langzaam en ze keek hem onderzoekend aan om zijn reactie te peilen.

Onder het dicteren van zijn roman aan Ava moest Steadman altijd denken aan de vertroosting van vertellingen, dat het vroeger niet veel anders was geweest, toen mensen in barokke zalen, kleine hutten en rond kampvuren verhalen vertelden over verlangen en de gevolgen ervan, hele vertellingen over een enkele gebeurtenis, oplettende ogen die op de verteller waren gevestigd, de verhalen die expliciet en eenvoudig waren, verhalen over reizen en ontdekkingen, opzienbarende ontmoetingen, overspel en bedrog, de genoegdoening van de wraak, de keerzijden van de fantasie.

Ze boezemden hem angst in, de kleren, dicteerde Steadman, *vanwege de manier waarop ze het lichaam veranderden, als een masker, een blinddoek of make-up. Angst, ook omdat hij erdoor opgewonden raakte, het gevaar dat daarin school.*

Ava nam het van hem over: *Ze besefte dat hij ze voor haar had gekocht, maar voor zichzelf, omdat ze wist dat hij zich heimelijk wilde onderwerpen. Met het slipje aan zou ze zijn handen vastbinden en het zwarte broekje uittrekken. Ze zei streng: 'Aandoen.' Maar hij was hulpeloos, zodat zij het voor hem deed, langzaam, en hem ondertussen vertelde hoe aantrekkelijk hij was. Daarna de lipstick. Hij protesteerde, maar het wond hem zo op, ze wist...*

'Zo is het genoeg,' zei hij.

'Net nu je zo geïnteresseerd begint te raken.'

'Wiens boek is dit?'

Zijn gezicht stond sereen, want ze had iets nieuws bedacht; ze was een expert, ze zat vol ideeën. Hij bedacht dat hij het zonder haar in Ecuador niet zou hebben gered: toen was ze van doorslaggevend belang geweest vanwege haar medische kennis; nu was ze belangrijk in haar rol van luisteraar en minnares. Ze hadden deze fantasie eerder verkend, maar hadden zich nog niet aan de details gewaagd, het noemen van de lingerie en de make-up. Hardop denken was een van de genoegens van het dicteren: je kon alles zeggen, je kon het terugspoelen en wissen; het was gewoon een verhaal, het was lucht.

Maar Ava deed veel meer dan alleen maar aantekeningen maken wanneer hij tegen de cassetterecorder praatte. Ze waakte echt als dokter over de man die onder invloed van drugs in een roes verkeerde. Steadman, de schrijver, die meer vertrouwen in zichzelf had dan ooit, voelde zich gerustgesteld door haar zelfverzekerde optreden. Het succes was begonnen met het dicteren. *Trespassing* had hij op basis van zijn reisnotities met een typemachine geschreven, maar dat was in een ver verleden geweest. Nu schreef hij nooit meer. In plaats daarvan drogeerde hij zich en praatte, volledig in beslag genomen door zijn gestaag vorderende roman, *Het Boek der Openbaring*, dat een waarheidsgetrouwere uitdrukking was van de wereld zoals hij die kende dan *Trespassing* ooit was geweest. Hoewel het zíjn woorden waren, raakte hij nooit een pen of toetsenbord aan, maakte hij nooit aantekeningen; dat was Ava's werk. Hij sprak zijn boek in de duisternis van zijn trance in. In het donker deden woorden er zoveel meer toe.

'Zullen we wat drinken?' vroeg hij.

Er kwam geen antwoord. Was Ava de kamer uitgegaan? Hun routine vertoonde zo'n vast patroon dat hij zich niet kon herinneren of ze zich had geëxcuseerd of had aangekondigd dat ze wegging. Maar meestal verliep de overgang tussen het eind van de werkdag en het begin van de avond op dezelfde manier. Het idee was dat ze iets hadden om over na te denken voordat ze elkaar weer troffen. Terugkijkend op het laatste deel van het dicteren, vond hij het buitengewoon aangenaam om op dit schemeruur van de dag in zijn eentje te zitten. Ava's ongrijpbaarheid wond hem op en maakte hem nieuwsgierig.

Behendig zocht hij de salontafel af waar de cassetterecorder altijd stond, en rondtastend met zijn handen ontdekte hij een koeler met een fles wijn erin. Daarnaast stond een leeg glas op een dienblad.

Omdat de dagen zo ordelijk verliepen, had hij afwisseling nodig. Eerst kwam het werk en dan de afsluiting ervan, de prikkelende onuitgewerkte fantasie, Ava die aantekeningen maakte en die voor hem terug las. Ava's vertrek en de komst van de wijn kondigde het einde van het dicteren aan. Het glas wijn betekende dat al het werk werd opgeschort, het einde van de dag. Bij zonsopgang of vroeger – want hij kon zien in het donker – begon het werk weer.

In deze eenzaamheid nipte hij van de wijn en genoot van de soliditeit van het huis, van de geur van de boeken en de vloerkleden, van een vleug rook uit de haard, van de aroma's uit de keuken, altijd stoofpotjes van lamsvlees of vis of maaltijdsoepen en verse salades die elke ochtend werden bezorgd door een restaurant in Vineyard Haven, dat in het laagseizoen blij was met deze klandizie.

De bleekgele chablis was zo kostelijk dat de tranen stroperig en langzaam langs de binnenkant van het glas omlaag zakten wanneer hij zijn glas weer rechtop hield nadat hij ervan had gedronken. Hij proefde de zonneschijn op zijn tong, in zijn keel, en de warmte ervan ontspande hem.

Op sommige avonden hielp Ava hem bij het uitkleden, zoals een moeder deed bij een kind, en streken haar kleren langs zijn naaktheid, haar mouwen tegen zijn naakte huid, en bemoederde zij hem met bedreven handen.

'Dat is fijn.'

Hij merkte dat zij het ook fijn vond. Hoewel haar vingers op deze momenten geen erotische lading hadden, voelde hij dat ze het prettig vond hem aan te raken, dat haar handen warm en vertrouwd aanvoelden. Dat was vooral het geval wanneer ze hem methodisch schoor en zijn wangen roze kleurde door de scheerkwast en de geparfumeerde zeep, zijn stoppels met scheerschuim inzeepte, het scheermes hanteerde en tevreden bromde bij het wegschrapen van de haartjes. En elke twee weken knipte ze zijn haar met een tondeuse en een ouderwets scheermes, waarbij ze dicht tegen hem aan stond en haar slanke dijen tegen hem aan duwde en met haar borsten langs hem heen streek. Niet alleen haar handen waren vaardig, maar haar hele lichaam blaakte van zelfvertrouwen.

Soms waste ze 's avonds zijn haar met een lichte aanraking, heel zacht, en toch met een trefzekere druk van haar vingers. Dan gaf ze Steadman een handdoek en hielp hem in zijn kamerjas. Maar vanavond ging hij alleen in bad. Het bad was vol, de badkamer rook naar een geurkaars. Hij kon niet eten voordat hij een bad had genomen, andere kleren had aangetrokken en een paar glazen had gedronken. In schone kleren bereidde hij zich voor op het volgende deel van de dag en voelde zich herboren. Het was allemaal net zo zorgvuldig uitgedacht als het ritueel van het dicteren van zijn boek. Hij kon na een dag dicteren in zijn werkkamer niet overhaast naar Ava's kamer gaan. Het was belangrijk dat hij rust nam en dat hij van die pauze genoot. Hij moest diep nadenken over wat er zou volgen.

Hij zocht op de tast zijn weg naar de eetkamer en mompelde tegen zichzelf dat hij zich gelukkig mocht prijzen: de bloemen, de kaarsen, de stoel die naar achteren was getrokken, de dampende dekschalen, alles zo neergezet dat het onder handbereik stond, het eten, de wijn, de gedekte plaats aan het hoofd van de tafel.

Onder het eten wist hij dat Ava zich in haar kamer aan het voorbereiden was. Hij had alle mogelijke combinaties voor de avondmaaltijd uitgeprobeerd. In het begin van zijn experimenten met de blindheid hadden ze samen gegeten, maar na de maaltijd en al hun ongedwongen gepraat voelde hij zich altijd verzadigd en moe. Ze praatten, ze dronken, ze waren vrienden. Maar Steadman ontdekte dat die geestverwantschap zijn hartstocht bekoelde. Bovendien, zei Ava, had zij er ook behoefte aan hem even niet te zien; om een tijdje alleen te zijn nadat ze de hele dag met hem samen was geweest en aantekeningen had gemaakt.

De soep van vanavond was vers in de stad gemaakt, gepureerde tomatensoep met kruiden. De tomaten hadden met basilicum in wijn liggen sudderen en deze rode pulp met wat roze schuim en een massa goudkleurige zaadjes die er bovenop dansten was gepureerd en daarna door een zeef gedrukt en karmozijnrood geworden. Dat was een van de genoegens van de Vineyard, verse groenten uit de tuinderijen en kassen, de zachte rijpe tomaten, de malse aubergines, de knapperige groene paprika's, de manden vol diepgroene basilicum.

Na de soep vond hij nog een schotel en tilde het deksel op. Op de dikke bodem van de schaal lag een gesmoorde lamsschenkel op een bed van risotto. Het malse vlees rustte samen met broccoliroosjes op de dikke, boterachtige rijst. Steadman bediende zichzelf en at langzaam, kauwde op het zachte vlees en likte zijn lippen af. De maaltijd stimuleerde hem, de smaak van knoflook, de citrusaroma's van de wijn. Hij veegde een paar kruimels van zijn wang. Hij voelde zich groot en warm en roze, lichtjes aangeschoten en tevreden. Vanuit deze gemoedstoestand scheen de overgang naar seks eenvoudig.

Hij hield ervan alleen te eten en te drinken in deze eetkamer die naar bloemen geurde. Het was alsof hij een eigen mis vierde met een erotische verrassing als laatste onderdeel van het ritueel: een ontmoeting met een gewillige onbekende. Na een dag van eten en praten had hij behoefte aan afzondering, een bad, aangeraakt worden, het vooruitzicht van seks, de afzondering van zijn eigen huis met de hoge muur eromheen.

In het begin was er altijd een dessert geweest, meestal chocolademousse of ijs, iets zoets als tegenwicht voor de scherpte van de maaltijd. Maar een van de ingrediënten ervan, misschien iets simpels als het vet of de zoetigheid erin, ging niet samen met de datura want hij werd er misselijk van en het veroorzaakte krampen en heftig braken. Als de porties maar klein waren, had het eten geen effect op de werking van de drug. Hij zocht ongeduldig naar de beker met datura. Meestal maakte hij het zelf en liet het voor het ontbijt trekken. Ava was er ook bedreven in geraakt het schraapsel van de twijgen die ze van de indiaanse mand afbrak te laten sudderen, de vloeistof te zeven en te laten afkoelen. Er was maar weinig van de drug nodig om een effectief werkend drankje te maken. Het werd sterker naarmate je het verder liet inkoken, waardoor het indikte tot een donkere aardekleur. Als hij op maandag een kan maakte, deed hij daar een groot deel van de week mee. Steadman schatte dat als hij zuinig was met het stuksnijden van de mand en het koken van de datura, hij een voorraad had voor een jaar, genoeg om het boek af te maken.

Sinds de ochtend was hij blind geweest, maar 's avonds leek de blindheid weg te trekken, alsof er scheuren in de wapperende sluier voor zijn ogen kwamen. Hij pakte de beker plechtstatig met beide handen vast, hief hem naar zijn lippen en dronk alles op. Hij wist dat hij nooit aan de smaak zou kunnen wennen. Het was de smaak van het oerwoud: van vogels, wingerdranken, bloemen, de vochtige schubben van slangenhuid, de zurige smaak van insecten, het kleurenspel op torrenvleugels, en het wikkelde hem in een strak en lichtgevend verband, alsof hij in een delicaat web zat gevangen en ingekapseld was door het glimmende speeksel van een spin.

Hij drukte op de toetsen van zijn mobiel en voelde de warmte van het nummer uit het geheugen opgloeien op het scherm. Hij drukte nog eens en hoorde vrijwel meteen een telefoon overgaan aan de andere kant van het huis, in Ava's vleugel. Niemand anders gebruikte die lijn; het nummer was als een liefkozing.

'Ik wacht op je,' zei ze op bevelende toon, autoritair, dwingend, een doktersvoorschrift.

Bij het opstaan moest Steadman de tafel vastgrijpen om zijn evenwicht te bewaren en besefte hij hoe ongeduldig hij was. Hij wankelde enigszins.

Hij schuifelde door de gangen, werd warmer en voelde het vlees om zijn ogen pafferig worden, zijn ademhaling ging moeizamer, zijn neus zat half verstopt, zijn hoofdhuid stond strak gespannen alsof hij een pet op had die aan het krimpen was. De seksuele opwinding was in zijn hele lijf voelbaar aan een soort kriebels en maakte dat hij op bepaalde plekken ging gloeien, het deed hem struikelen, maakte zijn vingers en tenen dikker, vulde hem met bloed en licht terwijl er tegelijkertijd een donker gordijn om zijn hersenen werd dichtgetrokken, waardoor hij op een aangename manier maar half bij bewustzijn was. Die bedwelmende mengeling van begeerte, verdoofde spieren en gevoelige zenuwen die zo heerlijk was.

Ik moet naar de dokter...

Hij vond niets opwindender dan zich in deze staat van verruimd bewustzijn voort te bewegen, door deze in schaduwen gehulde gangen die naar Ava's kamer leidden. Dat was het mooiste gedeelte: de voorkennis – de grote lijnen van het plan te kennen en bij de dokter langs te gaan om de bijzonderheden ervan te horen.

De dokter wachtte op hem, naakt onder haar witte doktersjas...

Hij raakte opgewonden toen hij de deur op een kier zag staan en in het gedempte licht een glimp van het lange, naakte been van de vrouw opving. Ze stond aan de andere kant van de schemerige, met kaarsen verlichte kamer, maar lag niet op bed zoals ze soms deed. Ze had een glas wijn in haar hand en was voor een spiegel gaan staan, zodat hij de achterkant van haar hoofd kon zien. Vanavond had ze kort haar, als een jongen. Ze had een welgevormd hoofd en een slanke hals.

Ze had zichzelf omgetoverd tot een androgyn type; weer zoiets waarmee ze hem wilde verrassen. Ze zag er zo anders uit dat hij niet eens probeerde een verband te leggen tussen haar en de vrouw die hij de hele dag had gedicteerd. De witte doktersjas zag er alleen op het eerste gezicht zakelijk uit, want hij was gemaakt van ruwe zijde, een vibrerend gewaad met daaronder, en dat was duidelijk te zien toen ze haar been optilde en haar zwarte hooggehakte schoen op een stoel zette, het zwarte onderbroekje.

'Dokter,' zei hij.

'Doe de deur op slot.'

De spiegel ving het licht. Hij zag haar liever in de spiegel; haar spiegelbeeld kende hij het best, begeerde hij het meest.

Zelfs aan de paar woorden die ze had gesproken kon hij merken dat ze had gedronken. Ook dat maakte haar minder vertrouwd. Het was belangrijk dat ze een onbekende was. De Ava aan wie hij dicteerde had geen lichaam, geen allure, geen parfum. Maar de jongensachtige dokter met de rode lippen en de stralende ogen in deze kamer was in de eerste plaats sensueel.

'Gaat u even liggen,' zei ze.

Vlak voordat hij zich gewonnen gaf, deed hij alsof hij zich verzette, een seconde van uitstel waardoor Ava hem aanspoorde en hem bijna een uitbrander gaf, waarna hij haar meteen gehoorzaamde.

'Hierheen – geen kuren.'

Hij zag dat ze een paar riemen in haar hand had die ze boeien noemde, ging op bed liggen en liet zijn handen aan de spijlen van het bed vastbinden. Hij rook de wijn en zag haar glazige, gulzige ogen. Hij vond het fijn dat ze had gedronken, want als ze dronken was, was ze impulsief. Hun ontmoetingen werkten het best als ze raadselachtig en onvoorspelbaar was.

Ava maakte de zware gesp van zijn riem los en trok hem langzaam uit de lussen van zijn broek. Met een schurend geluid, ruwe stof tegen huid, trok ze zijn spijkerbroek uit en gaf zijn opzwellende penis een tikje, liefkozend en streng tegelijkertijd.

'Dit is een ruil,' zei Ava.

Ze wist dat hij toekeek en dat zijn hele lichaam een en al aandacht was. Ze duwde haar broekje met haar duimen naar beneden, liet het toen op haar enkels vallen en stapte eruit, slechts een sliertje zijde op de grond. Hij keek toe en stond perplex, want wat ze net had gedaan was een uiting van macht, niet van onderwerping. Ze deed zijn leren riem om haar middel, gaf er met één hand een ruk aan en zette de gesp vast.

Ze klom op het bed en ging op hem zitten met haar rug naar hem toe, en trok het broekje over zijn voeten en omhoog over zijn benen.

'Wat doe je?'

'Je bent mijn speeltje,' zei ze lachend, alsof ze een pop aan het aankleden was en geen antwoord hoefde te geven. Ze liet merken dat hij niet zomaar een pop was, maar een heel belangrijke pop, een pop die ze koesterde en waar ze mee speelde, gemaakt om haar eigen fantasieën op uit te leven. Zodra het onderbroekje strak om hem heen zat, raakte hij opgewonden, maar hoewel ze hem streelde en hij haar smeekte nog verder te gaan en aan zijn boeien rukte, wilde ze hem niet aanraken behalve door de zijde heen, en plaagde ze hem met haar vingers.

'Ik ga je een nieuw gezicht geven,' zei Ava. 'Een mooi gezicht.'

Ze zette een blad met flesjes en potjes op het bed en poederde zijn gezicht terwijl ze voortdurend praatte en uitlegde wat ze aan het doen was. Ze deed wat rouge op zijn wangen, kleurde zijn lippen met een klein kwastje: lip-gloss, zei ze tegen hem.

Wat als spel was begonnen, leek nu een serieus ritueel, een offerceremonie, want het lichaam op het bed leek op een operatietafel te liggen en er werd aan hem gewerkt, hij onderging een gedaanteverwisseling. Hij probeerde zich voor te stellen hoe hij eruit moest zien, angstige ogen, een meisjesgezicht, een clownsmond, een opgeschilderde pop met een uitpuilende onderbroek.

'Je bent in mijn macht. Ik kan met je doen wat ik wil,' zei Ava. 'Ik ben je dokter. Doe precies wat ik zeg.'

Steadman bedacht dat beestmensen dat tegen hun slachtoffer zeiden wanneer ze van plan waren iemand van kant te maken, maar toch klonk ze ook als een dokter; ze herinnerde hem aan zijn zwakheid, zodat hij zich aan de medische procedure zou onderwerpen. Alleen in zijn slachtofferrol besefte hij hoezeer hij haar nodig had, want op dat moment was zij voor hem de enige persoon op aarde.

Hoe vrouwelijker hij werd, hoe meer hij haar toebehoorde; ze nam bezit van hem door hem tot haar pop te maken en het beeld te creëren van iemand die ze begeerde. Hoe vollediger zijn onderwerping, hoe duidelijker hij haar wellust zag, en hoe machtiger hij zich voelde.

'Waarom glimlach je?' vroeg ze op luchtige toon, alsof ze het antwoord al wist.

Ze reed de manshoge spiegel op zijn standaard dichter naar het bed en bestudeerde hem in het grote ovaalvormige glas, bewoog zijn hoofd wat en keek nadenkend, raakte zijn lippen weer aan met het kwastje, depte zijn wangen en schikte zijn haar.

'Je hebt dit nog nooit gedaan,' zei ze, 'maar je hebt er wel over gefantaseerd.'

Steadman lag nog steeds hulpeloos als een pop op bed, ongemakkelijk omdat zijn handen waren vastgebonden, maar ook opgewonden onder haar brutale blik. Hij had gewild dat ze hem vanavond zou domineren, zodat hij kon zien hoe geil ze was, vervuld van lust.

Ze kuste langzaam zijn lippen, likte zijn mond, zijn gezicht en nek, en beschilderde hem weer, beschilderde zijn tepels en kuste ze en zoog eraan, beschilderde zijn buik en likte die en wreef haar gezicht tegen hem aan. Ze bracht haar mond naar zijn oor en ademde warmte naar binnen toen ze fluisterde dat ze nat was tussen haar benen.

Ze ging naast hem op bed liggen en liet haar vingers over zijn lijf glijden, van zijn gezicht naar beneden naar zijn borst en zijn buik, en naar de plek waar het broekje hem omknelde, krabde aan de stof van het broekje en aan de stijfheid eronder, zijn dikke pik, als een zwellende slang in een zijden beurs.

Ze speelde zwijgend met hem, zo doelbewust en nauwgezet dat het een ritueel was, en geen spel. De druk, de sporen van haar vingers waren ondraaglijk, hij wilde meer, hij smeekte haar, maar ze gaf geen antwoord. Op een beslissend moment stond ze op, gleed ze van het bed, liep naar de andere kant van de kamer en keek naar hem terwijl ze een slok van haar glas wijn nam. Ze was zo gaan staan dat hij alleen haar reflectie in de spiegel kon zien. Ze staarde naar hem via de spiegel, bracht een hand naar beneden en raakte zichzelf aan terwijl hij zich mompelend en zuchtend inspande om haar goed te zien.

'Moet je zien hoe je daar ligt.'

Haar benen gingen uit elkaar, ze streelde zichzelf met twee vingers en keek naar zijn gezicht. De kamer was warm, zijn gezicht vochtig, hij kon nauwelijks ademhalen, nu was hij echt gevangen. Nadat ze hem een poosje van een afstand had opgegeild, kwam ze dichterbij en legde haar vochtige vingers tegen zijn lippen en beval hem ze te proeven. Toen legde ze haar handen op het broekje en greep hem vast.

'Vind je het fijn?'

'Vraag me dat alsjeblieft niet,' zei hij.

Hij was volledig opgehitst, zijn pik zat gevangen in de strakke zijde. En hij had het gevoel dat het niet zijn lichaam was dat ze begeerde. Waar ze van hield was haar eigen broekje aan te raken dat hij aanhad, alsof ze de liefde met zichzelf bedreef.

Ze bracht haar gezicht omlaag, besnuffelde zijn dijen, duwde haar lippen en wangen tegen het broekje, gromde erin, sprak tegen zijn stijfheid en mompelde in zijn kruis, en door die trilling werd hij nog harder.

'Alsjeblieft,' zei hij, half verzonken in delirium.

Ze wist wat hij wilde. Ze was nog steeds aan het kreunen met haar gezicht tegen hem aan, en vertelde hem een lang onsamenhangend verhaal, een soort sprookje over berouw. Haar bewegende lippen brachten hem aan het jammeren.

'Alsjeblieft.' Hij kon amper praten, zo zwaar was zijn tong.

Hij snakte naar verlichting, hij smeekte om haar mond. Ze wachtte nog wat en gaf hem toen wat hij wilde. Toen ze boven op hem zat bevrijdde ze zijn pik uit het broekje en zoog eraan en hield hem tussen haar lippen. Haar mond was heet, haar vingers streelden hem door de zijde heen.

Maar dat was niet het hoogtepunt van Steadmans genot. Vlak voordat hij in haar mond klaarkwam, voelde hij hoe haar twee handen hem met harde pompbewegingen dichtknepen waardoor hij het uitschreeuwde. Ze was gulzig, zuchtte diep en slikte gretig.

Vlak daarop viel hij in slaap. Hij droomde, viel in donkere diepten, en vlak voordat hij zou verdrinken werd hij hulpeloos wakker, snakkend naar adem, maar hij was niet meer vastgebonden, zijn handen waren vrij en hij was op zijn zij gerold als een man die is aangespoeld, op het strand is achtergelaten, bijna opgegeven, bij bewustzijn komt, en zich weer alles herinnert. Hij zag Ava naast zich zitten, die er zedig uitzag met haar benen over elkaar.

'Het is laat. Morgen moeten we werken.'

Ze was weer eens streng, afstandelijk en nuffig. Haar nuffigheid wond hem net zo op als haar sensualiteit.

'Tijd om naar bed te gaan,' zei ze, en ze hielp hem overeind.

Toen ze hem ondersteunde, mopperde hij hulpeloos. Al zijn vitaliteit was weggevloeid, en zonder dat kon hij bijna niets zien; dat kon hij nooit in deze toestand. Ava bracht hem naar zijn kamer. Weer ging hij slapen. Hij droomde nauwelijks. Toen hij wakker werd, was het licht zwakker, de zonsopgang anders, een wakend bestaan van een heel andere orde.

Hij was blind geweest. Hij had verkozen blind te zijn. Nu hij wakker was, kon hij duidelijk zien, maar hij was ongeduldig, en ontevreden met de verbleekte kleuren, de lelijkheid aan de andere kant van het raam, de afzichtelijke midzomer met door de wind getormenteerde bladeren, een lucht als een kattenvel – de oude wereld.

Bij het ontbijt meed hij het uitgebluste daglicht en vond de kan met daturathee. Toen hij kokhalsde – het brouwsel was slijmerig en koel, als een oerwoud in zijn donkerste, druipende uren – trok de dag zich terug, binnen één minuut vervlakte al het zonlicht tot schaduw. Hij wachtte en wist wat er komen ging. Hij zat nog steeds aan de ontbijttafel toen zijn ogen donkerder werden, de schemering inviel, en hij weer blind was, gereed om te dicteren.

2

Bijna acht maanden lang had hij zich gedrogeerd met de datura, zeggenschap gehad over zijn blindheid, een masker dat net zo verfijnd was als een valkenkap, en had hij zijn afgelegen huis niet verlaten. Een gewone dag zag er als volgt uit: een hele dag met inbegrip van de nacht. De duisternis was een domein dat Steadman betrad om zijn geest te leren kennen en om het verhaal van zijn boek te vertellen. Het daglicht was niet behulpzaam omdat het echt leek, maar in feite armoedig en misleidend was. Hij bracht zijn dagen door met het dicteren van de openbaring van zijn nachten, die stralend, lang en scheppend waren. Hij werd helemaal in beslag genomen door de twee kanten van de dag, donker en licht, en de twee kanten van zijn leven, werk en seks, en eindelijk voelde hij zich compleet.

Op dit eiland wenste hij geen onderbrekingen. Bezoek aan zijn huis op Martha's Vinyard had hij nooit aangemoedigd. En in de sombere maanden in het laagseizoen kwamen hier weinig mensen. Voor de meeste mensen van het vasteland bestond het eiland in de wintermaanden niet, zelfs niet in het voorjaar, dat net als het voorbije jaar koud en vol natte sneeuw kon zijn, met de gure noordoostenwind die over de Vineyard Sound blies en over de binnenmeren en oevers narcissen platsloeg en door de bomen raasde om aan zijn ramen te klauwen. Voor Steadman was dit weer om te schrijven.

In de zomer was het eiland vol; meer dan vol: het werd overstroomd, samendrommende mensen, havens stampvol boten die elkaar verdrongen, de wegen verstopt met grote, langzaam rijdende auto's. Daarom sloot hij zich vooral in de zomer in zijn huis op. En hij bedacht dat het eiland niet altijd zo was geweest. Hij was in de eerste jaren van zijn roem naar het eiland gevlucht om er eenzaamheid te zoeken toen hij de behoefte had gevoeld om zich te verbergen als een jager in een schuilhut.

In de loop der tijd waren de mooiste plekjes drukker geworden en soms kapotgemaakt. De Vineyard leed eronder. Haar schoonheden werden vertrapt vanwege het stomme feit dat ze mooi waren; onder de voet gelopen en aangeraakt door een overvloed aan bewonderaars. Zelfs Steadman was ontdekt, net als om het even welke bezienswaardigheid op de Vineyard. Bij zijn aankomst had hij verklaard dat hij zich wilde terugtrekken, en de mensen die hem lastig vielen, hadden die aankondiging alleen maar opgevat als een uitdaging. Maar het eiland was vol schuilplaatsen. Hij had er een gevonden in het groene hart van het eiland, aan een landweggetje, achter een muur en hoge heggen.

Omdat hij het grote landgoed met het geld van de merchandising en de tv-rechten van *Trespassing* had gekocht, viel de koop in de categorie nieuws over beroemdheden en werd erover geschreven in de rubrieken waarin huizen van spraakmakende figuren werden genoemd. Zijn plan werkte averechts. Juist door zijn wens met rust te worden gelaten, werd hij tot doelwit. Zijn hang naar afzondering had hem uitverkoren, hem onder de aandacht gebracht, hem tot een nog grotere trofee gemaakt. De pers scheen niet geïnteresseerd te zijn in mensen die toegankelijk waren. Iemand die meewerkte aan publiciteit of interviews toestond, werd beschouwd als publiciteitsgeil en gold daardoor als een gemakkelijke prooi. Verslaggevers die op zoek waren naar een verhaal probeerden hem op te sporen omdat hij onwillig was, een kluizenaar.

Wie het eerst met een verhaal over Steadman kwam, zou een grote slag slaan. Dat lukte niemand, maar dat vormde alleen maar een nog sterkere prikkel. Omdat Steadman zich afzonderde en er niet over hem werd geschreven, liep hij meer in de gaten en werd er meer over hem gepraat, gegist en geroddeld. Jarenlang had zijn wens om zich uit de openbaarheid terug te trekken net zoveel bijgedragen aan zijn roem als zijn boek, en de titel ervan, *Trespassing*, vormde juist een uitdaging voor lezers die meer over hem te weten wilden komen. Hij werd voortdurend genoemd omdat hij schitterde door afwezigheid en zijn naam werd nog steeds met dat ene boek verbonden.

Steadman leek niet in het minst op de auteur van *Trespassing*. Dat was vreemd, want die figuur had zich ten onrechte vastgezet in het hoofd van de lezers als een eendimensionaal zwart-witbeeld, zoals dat alleen maar kan gebeuren bij schrijvers met één titel op hun naam. Deze man, de indringer, wás zijn boek. Het boek was het enige dat bekend was. Wanneer hij in de pers werd genoemd, beschreven de artikelen iemand waarin Steadman zichzelf nauwelijks herkende, wat een extra reden was dat hij jarenlang thuis was gebleven.

Hij walgde van zijn roem, niet omdat die oppervlakkig was en makkelijk was verkregen – hij had het verdiend, hij had er vurig naar verlangd – maar omdat hij zich met het verstrijken der tijd waardeloos begon te voelen. Er was alleen dat ene boek, de kroniek van een gedurfde stunt, en waar bleef zijn tweede? Door zijn afkeer van zichzelf werd hij cynisch en jaloers, hij schaamde zich voor zijn inactiviteit. Hij verzamelde de namen en las over het leven van Amerikaanse schrijvers die maar één boek op hun naam hadden: Salinger, die was afgetakeld en in New Hampshire zat, Ralph Ellison, die letterkunde doceerde in New Jersey, Jim Powers, dronken en breekbaar in Minnesota. Steadman begreep hun boosheid en verbittering. Ze waren niet vergeten, men had zich van hen afgekeerd.

De mensen spraken amper meer over hen. Als je geen volgend boek produceerde, was je zo goed als dood. Steadman was door dezelfde plotselinge onbekendheid overvallen; dat realiseerde hij zich toen de telefoon niet meer rinkelde en de praatjes ophielden. Ooit had hij gesmeekt met rust te worden gelaten; jaren later ging zijn wens in vervulling en voelde hij zich verloren. Er was geen enkele reden meer om zich te verstoppen, niemand voor wie hij zich moest verbergen. Wie kon het iets schelen? Naarmate de Vineyard populairder was geworden, was zijn eigen roem vervlogen, en het punt was bereikt waarop de titel *Trespassing* weliswaar bekend was, maar zonder dat zijn naam ermee in verband werd gebracht. Het boek werd geassocieerd met de tv-serie, de slechte film en de merknaam van de lijn in vrijetijdskleding en de officiële accessoires: waterdichte horloges, schoeisel, verrekijkers en zonnebrillen. Zijn eigen naam was vergeten of misschien – wat Sabra in Ecuador al had gesuggereerd toen ze naar hem verwees als een 'legendarische schrijver van wie je nooit meer iets hoort' – dachten ze wel dat Steadman dood was.

De meeste schrijvers op leeftijd vervielen in stilzwijgen en leidden een krachteloos bestaan in totale vergetelheid, dat niet van de dood was te onderscheiden. Zwijgend, bejaard, zwak en vergeten waren ze niet veel meer dan verstofte relikwieën die van stal werden gehaald voor prijzen en feestelijke gelegenheden: de vernedering om minzaam uitgenodigd te worden een thematoespraak te houden, een eredoctoraat te krijgen, de belachelijke gewaden en de medailles die je niet kon dragen, het bombastische eerbetoon van cultuurbarbaren dat alleen maar diende om een onverschillig publiek eraan te herinneren dat dergelijke vergeten oude sukkels nog bestonden. Ze zagen eruit als een zwerver of een gekke oom, met wilde haren, trillende vingers en flodderbroeken. Oude schrijvers zagen er lelijker en idioter uit en hadden een sterkere lichaamsgeur dan andere burgers. Ze schuifelden na de plechtigheid haastig naar het toilet, en voordat je het wist, waren ze écht dood.

In het eerste jaar van zijn afzondering wilde Steadman een roman schrijven die net zo origineel en eigenaardig was als zijn reisboek. Maar alles wat hij schreef waren tijdschriftartikelen, reisverhalen die het tegenovergestelde van *Trespassing* waren, het tegenovergestelde van wat hij eigenlijk wilde schrijven. En hij zei tegen zichzelf dat hij nog een ander schrijversleven had, dat werkelijker voor hem was omdat het zijn geheim was. Hij had vertrouwen in zijn eigen ideeën: de ongeschreven boeken, de verhalen die slechts bestonden uit gekrabbelde aantekeningen, de stapel met valse starts. Hij nam er de tijd voor; waarom zou hij door haast een goed idee verknoeien? Hij wilde zijn boek niet gehaast schrijven. Maar hij schreef niets substantieels.

Een groot deel van schrijven bestond juist uit absolute stilte, overpeinzingen, meditatie, een soort zen, het oproepen van de juiste stemming, voldoende greep krijgen op het materiaal om te kunnen beginnen. Door slecht te schrijven, de valse start, deed je een idee meer kwaad dan wanneer je er niet over schreef. Zo redeneerde Steadman tenminste. Hij minachtte de verwaandheid van schrijvers die overhaast ter perse gingen; hij walgde van hun onhandige zinnen en opgeklopte alinea's. Hij haatte het als hij hen hoorde praten: 'Ik ben bezig met een roman.' Dit armzalige in elkaar flansen van boeken was slechts een herhaling van de banaliteiten uit het verleden; en Steadman zwoor dat als hij niet iets nieuws kon schrijven – een roman die zo oorspronkelijk was dat hij choqueerde, met een taalgebruik dat speciaal voor dat doel was gecreëerd en waarin de werkelijkheid doorklonk, een boek dat net zoveel invloed zou hebben als *Trespassing*, maar dan een reis door het innerlijk – nou, dan zou hij helemaal geen fictie meer schrijven, maar alleen artikelen die hem interessant leken.

Toen stopte hij helemaal met de artikelen, en in de jaren voor hij naar Ecuador ging, had hij alleen maar een obscuur leven geleid en poppetjes zitten tekenen aan zijn bureau in de Vineyard. Toch stond hij in het hoogseizoen nog steeds op de lijst van genodigden en was een veelgevraagde gast omdat hij zo zelden kwam opdagen. De zomergasten, voor wie de Vineyard het grootste zomerkamp ter wereld was, werden volledig in beslag genomen door feesten, tennis en watersport. Deze mensen waren net zo roddelziek als kampeerders en hadden ook dezelfde kliekjesgeest. Soms vroegen ze hem: 'Schiet het boek al op?' Dan glimlachte hij en zei: 'Langzaam. Ik werk er pas twintig jaar aan.'

Het feit dat hij niets publiceerde omdat hij weigerde slecht werk af te leveren, maakte juist een sterke indruk, waardoor hij zich een tijdlang gewichtig voelde. Schrijvers gingen er vaak op een indirecte manier prat op dat ze zó getormenteerd en geblokkeerd waren, dat ze niet konden schrijven. Maar uiteindelijk vroegen de mensen niet meer naar zijn boek. Veel erger dan hun onbeholpen vragen over zijn werk was hun tactloze niet-vragen, net als mensen die in verlegenheid worden gebracht door een sterfgeval, en die medeleven veinzen door de overledene dood te zwijgen. Hij vermeed de feesten vanwege gênante situaties als deze. En hij haatte zichzelf voor de vertraging in het schrijven van een tweede boek. Of was vertraging wel het goede woord? Misschien had hij wel niets te schrijven. Hij had slechts één boek in zich gehad. Hij was jong geweest, net als Salinger en Ellison, en nu was hij van middelbare leeftijd en leeg, en hield zichzelf misschien wel voor de gek door te denken dat hij nog meer te bieden had.

Toch kon hij geen vrede met die gedachte hebben, dat kon hij niet aan. Niet te schrijven leek hem de wreedste vorm van zelfontkenning, een soort verminking.

Hij was veranderd, hij was ouder, meer belezen; hij begreep dat *Trespassing* een goed verkoopbaar verhaal was geweest. Het was een boek van een jonge man, maar nu, en hij had nooit gedacht dat het zo ver zou komen, werd hij veronachtzaamd en genegeerd. Om maatschappelijk succes te hebben, moest je hetzelfde blijven. Dat gold ook voor het meest vulgaire succes in de uitgeverswereld: je moest het merk trouw blijven en jezelf herhalen. Wat hem had doen aarzelen over de bekentenisroman die hij al zo lang van plan was te schrijven, was dat die geen enkel verband hield met *Trespassing*, en dat was tegen de regels.

Jarenlang was het enige dat hij van redacteuren en uitgevers te horen had gekregen, en vooral van het bureau dat de rechten van de merchandising verkocht: 'Schrijf nóg een *Trespassing* voor ons.'

Met het verstrijken van de tijd was hij zich enigszins ongemakkelijk gaan voelen onder het succes van zijn boek, was hij aan de integriteit ervan gaan twijfelen, juist omdat het een succes was. Wat hij indertijd als een prestatie had beschouwd, leek nu een toevalstreffer. Het enige boek dat ze van hem wilden, was het boek dat hij weigerde te schrijven. Dus deed hij niets, en had hij net zo goed dood kunnen zijn.

Martha's Vineyard was de perfecte plek om dood te zijn. Behalve in de zomermaanden was het een eiland van autochtonen, bannelingen en verstotenen. Buiten het hoogseizoen was de bevolking verdeeld in miljonairs en bedienden – de rijken die mochten blijven en de burgerij zonder land die er niet weg te slaan was maar feitelijk de dienst uitmaakte op het eiland via een netwerk van duistere relaties, wederzijdse hulpverlening en een vruchtbare rivaliteit. Als je een rijke zomergast op de Vineyard was, wilde dat alleen maar zeggen dat je een stuk grond had met een huis erop. Maar het huis was weinig meer dan een vrijbrief om er te mogen wonen, en in de meeste gevallen dan nog alleen in het hoogseizoen. Op de Vineyard speelde geld geen rol bij het verwerven van macht. Met geld kon je zelfs geen invloed kopen, want invloed ging boven alles en was daarom niet te koop. De zaken werden geregeld via een haast Aziatisch aandoend systeem van loyaliteit en afhankelijkheid, vertrouwen en samenwerking, en zonder dat systeem zou het leven in welk seizoen dan ook onmogelijk zijn. Je naam was het belangrijkst. Iedereen wist wie je was, of kon dat tenminste weten. De oudste families, die het meest werden gerespecteerd, de families met macht en invloed, waren geenszins rijk, hoewel sommige nog steeds land bezaten. In de loop der jaren was de Vineyard in elk opzicht steeds meer op een eiland in de Stille Zuidzee gaan lijken – gekenmerkt door inteelt, raadselachtigheid, ingewikkelde bondgenootschappen en onoplosbare geschillen over land en macht – eigenlijk net als de vele bestemmingen in *Trespassing*.

Het eiland werd overweldigd door de invasie van badgasten. Die werden gedoogd vanwege de inkomsten die zij meebrachten en hun volgzaamheid. De menigten verzamelden zich begin juni en hun aantal groeide tot vlak na Labor Day, begin september. Onder de zomergasten bevond zich een aantal trouwe aanhangers van het eiland: de beroemdheden, de mensen uit het geldwezen, de fondsenwervers, de weldoeners, degenen die zich voor de Vineyard inzetten, voor wie het zowel een kunstenaarskolonie als een schuilplaats was. De meesten van hen kwamen er om elkaar te zien en zich te verheugen op een nieuwe stralende zomer. Het dorp Edgartown was overdreven proper, gewichtig en snobistisch, verknocht aan zijn geschiedenis en tot voor kort onvermurwbaar in zijn stilzwijgende interpretatie van Alleen voor Blanken en Geen Joden. Vineyard Haven was een aanvoerhaven en zakencentrum; Oak Bluffs, dat daar tussenin lag, was voor de beter gesitueerde zwarten; Aquinnah was indiaans; Chappaquiddick, dat het meest recent was gekoloniseerd, bestond uit New Yorkers en advocaten en protserige huizen; South Beach was nouveau riche; Lambert's Cove bestond uit landbouwgrond en grote huizen. De eilanders, de oudgedienden, zaten over het hele eiland verspreid, in de bospercelen, tussen de dwergeiken, de boomheide en het struikgewas van azijnbomen. Velen van hen woonden in bouwvallen of kleine lage huisjes, temidden van een wanordelijke verzameling pickups, kinderspeelgoed dat links en rechts op het gras lag, en hier en daar slordige stapels kreeftenfuiken.

Het zuidwesten van het eiland was minder goed te definiëren, omdat er zo weinig duidelijk aanwijsbare landschappelijke herkenningspunten waren. Maar de aanwezigheid van oude families – de Mayhews hier, de Nortons en de Athearns daar – was een van de kenmerken van dit deel van het eiland, net als het kruispunt in West Tisbury. Squibnocket ook. Alley's Store en de oude kerken waren ook oriëntatiepunten. Maar het zuidwesten bestond toch voornamelijk uit verscholen huizen en steil omhoog lopende weilanden die waren omringd door hoge hagen en stenen muren. Een van die stukken grond was van Steadman, aan het eind van een grindpad dat meer een landweggetje was dan een oprit. Wat hem betrof was de Vineyard in de loop van de tijd niet kleiner geworden, en hij had geen last van de 'eilandkoorts' waar anderen het over hadden. Hoe langer hij op het eiland woonde, hoe groter het leek, en soms leek het wel net zo uitgestrekt als Australië. Toch bleef het een plek waar je niets geheim kon houden.

Jarenlang had Steadman gevonden dat hij zich moest verschuilen, dat hij werd achtervolgd en lastig werd gevallen. Maar uiteindelijk, doordat hij zo consequent op zijn privacy had gestaan, kwam men niet langer op hem af. De pers verloor zijn belangstelling; er was geen schandaal en geen nieuw boek. Steadman had een serie vriendinnen in huis gehad, maar geen van hen voelde zich thuis op het eiland. De winters waren er te stil en de zomers te luidruchtig en Steadman had het nooit over trouwen. Hij zweeg als hem werd gevraagd: 'Waar leidt dit nu allemaal toe?' Maar de vrouwen wisten dat juist het feit dat ze die vraag stelden, betekende dat het antwoord 'Nergens' was. Toen was hij getrouwd, maar dat was een ramp geweest, het huwelijk duurde korter dan hun verkering. Dat was Charlotte – Charlie. Ava, die hij voor het eerst in het ziekenhuis van de Vineyard had ontmoet, was meer zijn vrouw dan Charlie ooit was geweest.

Als een van de weinige dokters op het eiland was Ava veelgevraagd;

ook elektriciens, loodgieters, schoonmakers, timmerlieden en klussers waren in trek omdat er zo weinig van waren. Sommigen werden zelfs van het vasteland gelokt en kwamen met het forenzenvliegtuig uit Hyannis om alledaagse taken te verrichten: een dak te repareren, een lek te verhelpen of een huis van nieuwe bedrading te voorzien. Toen Ava verlof nam van het ziekenhuis om Steadman met zijn roman te helpen, schreeuwde de ziekenhuisdirectie moord en brand en smeekte haar terug te komen.

Wat betreft onroerend goed was de Vineyard dé gebeurtenis in Steadmans leven. Hij was er als kind uit Boston heen gegaan toen het nog een eiland was waar hymnen werden gezongen en waar vissers, tuinders, scharrelaars en kreeftenvissers woonden. Zijn moeder was een Mayhew geweest; voor haar was het een terugkeer. Daarna begon het eiland op de rest van Amerika te lijken; een gewilde bestemming waar zonder ophouden werd gebouwd, met te veel nieuwkomers, wederzijdse achterdocht en klassengeschillen, strijd om het milieu, onverdedigbare bouwprojecten te dicht op natuurgebieden, een afnemende beroepsbevolking, veel verkeer, drugs in de zomer, rassenproblemen, boze indianen en af en toe een steekpartij in Oak Bluffs: typisch Amerikaans dus.

Toch was het nog steeds zijn thuis, en om die reden was het mooier dan waar dan ook. Oud geld bouwde ingetogen, kleedde zich eenvoudig, pronkte niet en stond bekend om zijn zuinigheid. Oud geld verbroederde met de lokale bewoners, vormde bondgenootschappen, kreeg dingen voor elkaar, of liever gezegd, wist zaken stilletjes te traineren en beijverde zich voor het welzijn van het eiland. Wat er aan nieuw geld was, werd voortdurend door de lokale bevolking geïntimideerd en goedmoedig gekoeioneerd omdat het maar niet begreep dat de betere stand op het eiland er prat op ging dat ze de arbeidende klasse kende en daar zelfrespect aan ontleende, omdat de botenbouwers, de vissers, de veerlieden en de armoedigste Wamponoags de eigenlijke aristocraten van het eiland waren.

'Hoe lang woon je hier al?' werd Steadman soms gevraagd.

'Ik ben naar de begrafenis van John Belushi geweest,' zei hij. 'En de voorouders van mijn moeder, de Mayhews, wonen hier al driehonderdvijfenzestig jaar.'

Tegenwoordig dacht hij als verslaafde, er was geen ander woord voor, vaak aan Belushi's drugsverslaving. Hij wist er genoeg van om te begrijpen dat die lijnrecht tegenover zijn eigen verslaving stond. Die arme Belushi spoot zich vol met een mengsel van cocaïne en heroïne en was incoherent en onhandelbaar, comateus en doelloos. Steadmans verslaving was heilzaam, gaf hem inzicht, deed hem goed en was productief.

Het verblindende licht van de datura inspireerde hem, gaf hem kracht en bracht het verleden terug; verleende hem iets dat aan alwetendheid grensde; het was openbaring en herinnering. Hij had gehoord dat blindheid gelijkstond aan sensorische deprivatie en had gedacht dat het iets was als een zak over het hoofd van een gedoemde met een strop om zijn nek. Hij had nooit kunnen denken dat blindheid hem zoveel macht zou geven, dat hij er zo'n inzicht door zou krijgen. Duisternis was licht, de wereld stond op zijn kop, hij zag de essentie der dingen en het was profetisch, want in de kern had het allemaal met de toekomst te maken.

Blindheid was zijn verslaving en zijn obsessie, hij besteedde zijn hele wakende leven eraan; zijn hele wereld was veranderd. Niemand wist wat hij wist. Wat lieten ziende mensen zich toch misleiden, insecten die krampachtig bewogen in een tango als lucifermannetjes, zich door hun zwakke impulsen lieten leiden en zo weinig zagen.

Als hij van het modderige mengsel dronk, werd Steadman verblind en raakte hij in vervoering. In de gloed van zijn blindheid bleef er niets verborgen; de wereld was uitgestrekt en helder, en de primaire geuren ervan vulden zijn ziel. Door zijn tragische zeggingskracht maakte de eenvoudigste aanraking iets in hem wakker. Hij leerde een heel verhaal van geuren kennen, een grammatica van geluid en een syntaxis van de tastzin.

Aanvankelijk werd hij zo in beslag genomen door het experimenteren met de datura, dat hij helemaal niets schreef. Hij had daar gezeten, groot en stralend, alsof hij op een troon was gezet, badend in de lichtgevende warmte die de blindheid in hem had ontstoken en de inzichten die erdoor werden opgeroepen; hij zag de wereld werkelijk voor het eerst. Het schrijven kon wachten. Hij had gefantaseerd dat hij als blinde dag en nacht verzorging nodig had. Welnu, dat klopte voor een deel.

Hij was niet meteen begonnen met schrijven, maar toen hij eenmaal aan het werk ging, besefte hij hoe onvolmaakt *Trespassing* was, hoe mager de verbeeldingskracht, en dat het zelfs geen toevalstreffer was maar een mislukking. Maar de lezer liet zich zelfs door mislukkingen misleiden. Op een keer had hij zich afgevraagd of hij ooit nog iets zou schrijven. *Trespassing*, voor degenen die zich herinnerden dat hij het ooit had geschreven, zou weleens zijn enige literaire nalatenschap kunnen zijn. Maar nu hij de datura dronk, leek er geen eind te komen aan zijn scheppingsdrang. Hij kon het tumult van zijn visioenen nauwelijks bijhouden, het verslag van zijn nachten en dagen, in het goddelijk aandoende domein van de erotiek, met de dokter aan zijn zijde, waarin zijn duistere dromen werden vervuld en geopenbaard.

Op sommige dagen had hij het gevoel dat hij zichzelf had vergiftigd en dood was gegaan; dat hij in de dood de schemerige kamers was binnengegaan waarvan sommige mensen een glimp hadden opgevangen maar die niemand had beschreven, want in tegenstelling tot Steadman konden zij niet terugkeren uit de dood. Hij stierf één keer per dag en werd weer wakker, verlost van de dood en beladen met openbaringen.

Hij werkte alleen, met Ava. Verder wist niemand dat hij een verandering had ondergaan. Steadman bleef in afzondering leven, ook toen op de Vineyard de sombere seizoenen overgingen in het koude voorjaar en er af en toe een ijzige zon te voorschijn kwam. Hij hoefde nergens heen. Zijn schrijven was de enige constante in zijn leven en hij voelde zich voldaan bij de hoogmoedige gedachte dat hij met deze blindheid de wereld kon bevatten.

Eind mei bracht warmte en kleur. Na de klamme winter en de koude noordwestenwind volgden er een paar wisselvallige dagen, maar eindelijk leek de Vineyard groter te worden in het vastberaden zonlicht, nam de regen af en draaide de wind naar het zuidwesten. Hij wist dat het eiland de eerstvolgende vier maanden zonnig en aangenaam zou zijn. De eerste bloemen waren het grootst en het kleurrijkst, de narcissen en de vroege daglelies, de azalea's, de rododendrons, de witte sneeuwbal die door de lokale bevolking 'meibloem' werd genoemd, de bloemen die hij het liefst had vanwege hun geur, want hoe weelderiger de bloem, hoe bescheidener het parfum. Hij liet zich niet meer bedriegen door zijn ogen. Een van de lessen van de blindheid was dat 's nachts bloeiende bloemen de krachtigste geur hadden.

Na de lange winter op het eiland bereidde hij zichzelf voor op de zomer; de genoegens van het voorjaar duurden maar een paar weken. Steadman vroeg zich af wat het seizoen hem zou gaan brengen. De winter was perfect voor hem geweest: veilig en erotisch, en had hem in een verbeeldingsvol beest veranderd. Na een dag werken at hij en gaf hij zich over aan de lust en viel daarna als een blok in slaap. Hij werd wakker en maakte zichzelf direct blind en ging verder met dicteren. Hij was net zo zeker van zichzelf als een profeet. Hij vertelde zijn verhaal terwijl het boek aan hem werd onthuld.

Zijn schrijven was geen werken – het was zijn leven, vlees dat in woorden was omgezet, de erotische roman die 's avonds werd gerepeteerd. Hij was als iemand die een experiment op zichzelf uitvoerde en de resultaten ervan opschreef. De blindheid fungeerde als zijn werkwijze en zijn geheugen; het middel verhoogde op een wonderbaarlijke manier zijn herinneringsvermogen en zijn scheppingskracht.

Hij was het meest zichzelf in zijn blindheid, een blinde worm die voortkruipt; het meest zichzelf in zijn seksualiteit, en samen met Ava was hij absoluut zonder remmingen. Hij was ervan overtuigd dat zijn seksuele geschiedenis de essentiële waarheid was die als fictie moest worden opgeschreven.

Hij was tot dusver tevreden met zijn vorderingen: er was al genoeg van getranscribeerd en afgedrukt om het een boek te kunnen noemen. Het boek bevatte zijn wereld; hij woonde in het boek. Hij kreeg inzicht in de scheppingsdaad: het was een schitterende transformatie, het ging er niet om iets uit niets te maken, maar het ging erom zijn leven opnieuw te ordenen en duisternis in licht te veranderen. Hij wist nu dat het reizen in *Trespassing* een waanidee was. Geen reis op aarde was te vergelijken met de afstanden die hij nu aflegde, opgesloten en geblinddoekt in zijn afgelegen huis.

Hij hervond een tevreden stemmende afzondering en genoot enorm van de stimulans die hij daarvan kreeg. Jarenlang had hij ernaar verlangd een geromantiseerde tegenhanger van *Trespassing* te schrijven, een innerlijke reis in romanvorm, die tegelijk een erotisch meesterwerk zou zijn, dwalend door domeinen van de menselijke ervaring die als verboden werden beschouwd – als het soort afgegrendelde grenzen die hij in zijn reisboek was overgestoken: seks als schending van de domeinen van tast-, smaak- en geurzin; seks als geheugen, als fantasie, als profetie. En de fantasie werd vanwege het ritualistische karakter ervan een soort sacrament dat hem toegang verleende tot de waarheid van zijn verleden.

Hij had geaarzeld om naar Ecuador te gaan; er was wilskracht voor nodig geweest om zich aan de drugs over te geven; hij had ertoe verleid moeten worden; hij wist dat het zijn laatste kans was. Maar de datura had alles uitgemaakt, had zijn boek aan hem geopenbaard, en de maanden van productieve afzondering die hij had doorgebracht sinds hij op het eiland terug was, waren de gelukkigste geweest die hij ooit had gekend.

En door het verblindende licht van de drug had hij ontdekt dat de waarheid seksueel was: de bron van de waarheid was het genot zelf, fundamenteel en sensueel. Al het andere was een onoprecht aspect van een ingewikkelde en misleidende buitenkant: allemaal leugens.

Hij wilde dat zijn boek een bekentenis en een vertroosting zou zijn. Hoe kon seks in een wereld vol wanhopige en bloederige beelden nu choquerend zijn? Toch was hij alleen geïnteresseerd in de beschrijving van de nachtmerrieachtige intimiteit van zijn seksualiteit. Voor de reiziger die verder overal op aarde was geweest, was dit de onontdekte wereld van zijn geest en hart, het fundament van zijn bestaan, de onthulling van zijn innerlijke leven en niet dat van iemand anders. Niemand kon zeggen: 'Dat is niet waar!' als hij wist dat het zijn eigen waarheid was, dat hij in zijn pogingen die te begrijpen blindheid had geriskeerd.

Op een dag in het begin van de zomer zat hij met Ava in zijn bibliotheek aan de roman te werken, toen ze hem een kaart aanreikte. Hij hield hem bij de randen vast, liet daarna zijn vingers over het gladde oppervlak glijden en raakte de gestanste letters aan, en zei: 'Een uitnodiging. Ik kan hem bijna lezen. De Wallaces?'

Ava zei: 'De Wolfbeins. Feest bij hen thuis.'

Het geluid dat Steadman maakte, nasaal, goedkeurend, belangstellend, drong Ava in de verdediging.

Ze zei: 'Je hoeft er echt niet heen.'

Zij was degene die meestal naar feesten wilde, en als ze niet gingen, beschuldigde ze Steadman van ijdelheid, van minachting voor zijn oude vrienden, van prima-donnagedrag. Het zomerverblijf van de Wolfbeins lag in Lambert's Cove, een flink eind rijden van Steadmans huis in het zuidwesten van het eiland, en de laatste paar zomers had Steadman dergelijke feesten gemeden. Toch was hij geïnteresseerd.

'Ik vind dat ik moet gaan.'

'Serieus?'

'Mijn debuut,' zei hij.

'Wat een woord.'

'Om mezelf te laten zien zoals ik ben.'

Ze lachte luidkeels. 'Je lijkt wel een homo als je dat zo zegt.'

'Je snapt het niet.' Hij glimlachte en keerde zijn gezicht naar haar toe met zijn uitdrukkingsloze blik. 'Ik wil er blind naartoe.'

Hij kon horen dat Ava's hele lichaam reageerde, dat het leek te verstijven van afkeuring.

'Dat is gewoon een stunt,' zei ze.

'Ik ben het meest mezelf wanneer ik blind ben.'

'Het is een drug!' zei Ava. 'Je ziet fosfenen, die bestaan onafhankelijk van een lichtbron. Het is een zinsbegoochelend bedrog, een soort van migraine. En wat ga je doen als het uitgewerkt raakt?'

Steadman wendde zich van haar af en zei: 'Ik moet erheen.'

Hij dacht aan de toekomst, aan zijn verlangen om verder te gaan omdat hij afstand wilde nemen van *Trespassing* en de jeugdige halve waarheden die het bevatte. En sinds hij de drug gebruikte had hij ook veel nagedacht over de dood. Hij kon elk moment sterven. En de man die hij nu was vertoonde geen enkele gelijkenis met de man die de mensen dachten te kennen. Hij stelde zich voor hoe ze hem prezen in een grafrede, zich zijn geschiedenis zouden toe-eigenen en zijn necrologie zouden schrijven, al gissend, want geen mens was zo aanmatigend of onwaarachtig als een necroloog.

'Niemand kent me,' zei hij. 'Niemand heeft me ooit gekend.'

Ava zweeg. Ze hoefde niet te benadrukken of zelfs maar te zeggen dat zij hem kende, dat zij de enige was. Ze zei: 'Maak je boek af als je naar buiten wilt treden.'

Hij haalde zijn schouders op, want dat lag voor de hand en dat was ook altijd zijn bedoeling geweest. Dat ene boek te schrijven dat alles over hem zei, al zijn geheimen zou onthullen, was een obsessie voor hem. Hij zou het een roman moeten noemen omdat hij andere namen zou gebruiken, maar de rest, de maskerade van fictie, zou echt zijn, want met een masker op is een mens het meest zichzelf.

'Ik wil dat mensen me zo zien,' zei hij. 'Mijn vrienden tenminste.'

'Als je naar het feest van de Wolfbeins gaat, verschijn je in het openbaar,' zei Ava. 'Ze nodigen alleen beroemde mensen uit.'

Hij zweeg weer. Hij begreep dat ze ruzie zocht. En het was trouwens waar; hij wilde in de openbaarheid treden.

'Je blindheid is een leugen,' zei ze. 'Het is tijdelijk. De fosfenen zitten in je hersenen en in je oogzenuwen, en dat komt door die rotzooi die de drug bevat.'

'Nee,' zei hij.

'Het is een spel,' zei ze.

'Een keuze,' zei hij. 'En ik wil die mensen zien.'

'Zien?'

'Ze kennen,' zei hij.

3

Steadman droeg een zonnebril en had een dunne witte wandelstok in zijn hand. Hij had de wandelstok niet nodig, behalve als rekwisiet en om interessant te doen. De bolle lenzen als insectenogen en zijn dikke achterovergekamde haar accentueerden zijn scherpe, onderzoekende gezicht. Ava had zijn kleren uitgezocht. Hij had kunnen doorgaan voor een wandelaar in de West Chop Club: witte broek, geel overhemd, witte espadrilles en een dun zwiepend rottinkje.

'Hé, ouwe pik,' zei Harry Wolfbein. En tegen Ava: 'Wat is er met hem loos?'

Steadman zei: 'Rustig maar, Harry. Ik ben blind.'

Bij het woord was een plotselinge ademtocht hoorbaar, en in de schaamtevolle stilte die erop volgde, ademde Wolfbein zwaar bij wijze van verontschuldiging.

Steadman wilde zijn blindheid alleen maar aankondigen en er verder niet over praten, wilde geen medelijdend tonggeklak horen. En om hem af te kappen, zei Steadman: 'Er is daar ergens een geluid van een machine dat ik nooit eerder heb gehoord.' Hij gebaarde naar de achterkant van het huis, in de richting van de grote garage. 'Een transformator, een generator, wat is het?'

'Insectenverdelger,' zei Wolfbein.

Steadman wist dat hij loog. Hij zei: 'Waar is dan al die extra stroom voor nodig?'

Voordat Wolfbein zich kon herstellen en antwoord gaf, zei een man die na Steadman was binnengekomen: 'Mijn god, weer zo'n gekkenhuis.'

Toen hij Bill Styrons stem herkende, begroette Steadman de schrijver en zijn vrouw, Rose. Ze zeiden dat ze het fijn vonden hem weer te zien. Hij begon niet over zijn blindheid; ze zouden het allemaal snel genoeg weten. Toen ze zijn donkere bril en zijn wandelstok zagen, glimlachten de Styrons alleen maar begripvol. In de jaren dat hij niet schreef, had Steadman zich in reactie op zijn vergetelheid rare gewoonten in kleding en gedrag aangemeten bij wijze van afweer, zodat zijn excentrieke gedrag zou worden opgemerkt, en niet zijn zwijgen.

'Gekkenhuis' was de juiste uitdrukking voor een feest waar een troep mensen stond te drinken en in je gezicht stond te schreeuwen, langs je heen keek net zoals jij ook langs hen heen keek, voor de afwisseling, om te ontsnappen, of omdat je op zoek was naar iemand die je beter kende of die geestiger was. Op een gegeven moment was een feest net een galmende ruimte vol knetterende, statische elektriciteit, als een kolonie grote, uitzinnige vogels.

Vanaf het moment dat hij bij het huis van de Wolfbeins in Lambert's Cove was aangekomen, wist hij dat het feest op geen enkel ander zomerfeest leek. Hij kon de contouren van de mensen niet ontwaren; maar hij doorzag hun kern. Hij moest blind zijn om de spanning te kunnen voelen, het hoge, doordringende geluid ervan, als het gezoem van een rondtollende klomp moleculen. Steadman bleef aandachtig luisteren naar het woeste gezoem dat dwars door het geklets heen klonk en onderscheidde in dat gezoem de verschillende persoonlijkheden van de mensen. Als hij niet blind was geweest, zou hij dan de vrouw hebben opgemerkt – een en al gretige atomen – die hem stond aan te staren en hem volgde vanaf het ogenblik dat hij een voet op de veranda had gezet?

Hij hoorde haar hartslag, hij voelde de vrouw als een polsslag in de lucht, als een geur, een gloeiend oog in de dieper wordende schaduw. En toen hij dichter bij haar ging staan en door andere gasten werd omringd, raakte ze hem aan, misschien omdat ze dacht dat hij haar niet van de anderen zou kunnen onderscheiden; ze aaide over zijn arm, raakte zijn mond aan, liet een smaak op zijn lippen achter. Het was niet haar aanraking die bleef hangen, maar een olieachtige vochtigheid, alsof haar zoutig-warme, zweterige haar nog steeds om hem heen hing en zich in zijn neus en op zijn tong nestelde. Hij had de dierlijke geur opgevangen en bleef die opsnuiven, een geurspoor dat temidden van al dat lawaai als een duidelijke uitnodiging van het lichaam van de vrouw weg kringelde.

Toen hij jonger was, had Steadman altijd van feestgedruis gehouden omdat je je erin kon schuilhouden. Het geluid was als de duisternis en maakte dat je smeekbeden voor iedereen onhoorbaar waren, behalve voor de vrouw tot wie ze waren gericht. Een feest was een gelegenheid voor een honds paringsritueel, voor kontsnuffelen en toespelingen. Een feest met een grote groep luidruchtige mensen waarin je iedereen kon aanraken, was een bevrijdend voorspel tot seks. Een groep mensen werd zo een soort dans in een kamer waarin je iemand apart nam en een toezegging van haar loskreeg om elkaar nog eens te zien, je in het geheim te ontmoeten; het was een kans, een begin, een plotselinge hofmakerij.

Maar dit feest bij de Wolfbeins was heel anders. Het was een bijeenkomst van oudere, mildere, succesvolle mensen, allemaal vrienden van elkaar die de bezeten overspeligheid van hun vroegere leven waren ontgroeid. Steadman was ook een vriend, maar hij was anders omdat hij de vaste bewoner was van een eiland waar de zomergasten dachten dat alles om hen draaide.

De zomerkampsfeer op de Vineyard in het hoogseizoen was zo intens en infantiliserend, dat Steadman bijna nooit naar feesten ging. Bovendien, wanneer de zomergasten vlak voor Labor Day weer vertrokken, waren de permanente eilandbewoners weer op zichzelf, en het viel hun niet mee om toe te geven dat ze elkaar in het laagseizoen eigenlijk nauwelijks spraken, behalve bij de supermarkt, het postkantoor of bij de aanlegplaats van de veerboot.

'De eregast is er nog niet.'

'Steadman dacht dat híj de eregast was.'

'Misschien is hij dat nu ook wel,' zei Wolfbein zachtjes met een nieuw soort eerbied. 'Het is erg fijn dat je bent gekomen, Slade.'

Steadman interpreteerde de dankbaarheid in Wolfbeins stem als pieteit: dat Steadman, kreupel en invalide, hun allemaal een plezier deed door dapper te zijn en op te komen dagen. Als een kreupele die zichzelf het daglicht in had getrokken, vertoonde de trotse, beschadigde man zich in het openbaar.

Ze moesten eens weten. Steadman dacht dat hij door zijn blindheid gezegend was met bijzondere gaven, hij voelde zich verheven boven hen allemaal, begiftigd met de macht die hij aan zijn uitzonderlijke inzicht ontleende. Hij was alleen gekomen om zichtbaar te zijn, om zijn blindheid te verkondigen. Hij was Ismaël, die geloofde dat niemand zijn eigen identiteit kan kennen tot hij de ogen sluit. Steadman dacht: Niemand kan nu nog beweren dat hij mij kent.

En zoals hij al had vermoed, verleende zijn blindheid hem op het feest een soort roem. De enige manier om zijn geheim te onthullen, was zich hier te presenteren, waar toevallig de meesten van zijn vrienden waren, hoewel geen van hen een vertrouweling was, want die had hij niet. Hij werd gegroet door Mike en Mary Wallace, Beverly Sills en haar dochter, Alan Dershowitz, Mike Nichols en Diane Sawyer, Mary Steenbergen,

Walter en Betsy Cronkite, Skip Gates, Evelyn de Rotschild en Lynn For-
rester, Olga Hirshhorn en Ann en Vernon Jordan. Of hij zou zijn blindheid geheimhouden óf al deze mensen mochten het weten. Hij kon niet
selectief zijn en het alleen aan sommige mensen vertellen op dit eiland
waar de mensen praatten – niets anders deden dan praten.

'Ik voel me net Zelig,' zei Dershowitz toen hij tegen Steadman op botste en zich eerst uitgebreid excuseerde voordat hij informeerde naar de
oorzaak van zijn handicap, alsof hij zijn toestand trachtte in te schatten
voor een letselschadezaak.

'Helemaal mijn eigen schuld,' zei Steadman.

'Onze eigen Tiresias,' zei Styron met zijn gebruikelijke hoffelijkheid.

Steadman vond het niet erg om als tragische held te worden gezien.
Het enige alternatief was grappen maken over zijn blindheid, en dat
vond hij maar een ordinaire manier om bij hen in de gunst te komen.
Niet dat hem dat te min was, maar het strookte niet met hoe hij tegen
zijn blindheid aankeek. Wanneer zijn boek verscheen, zou pas duidelijk
worden in hoeverre hij als schrijver ervoor verantwoordelijk was.

Alsof hij blijk wilde geven van zijn medeleven vertelde Wolfbein over
iemand die hij kende die leed aan macula degeneratie – hoe erg dat was
– en leek verbaasd toen Steadman zei: 'Misschien is dat wel het beste dat
hem ooit is overkomen. Wat doet hij voor werk?'

'Dat is het hem nou juist,' zei Wolfbein. 'Hij is schrijver, net als jij. Hij
heeft zijn ogen nodig.'

'Hij heeft ze niet nodig. Hij zal er een betere schrijver door worden,'
zei Steadman.

'Dat begrijp ik niet.'

'We worden door onze ogen misleid,' zei Steadman.

'Ik hoop dat je gelijk hebt.'

'Je kijkt naar me alsof ik een invalide ben,' zei Steadman. 'Je ogen bedriegen je.'

'Ja, wat weet ik er nou eigenlijk van?' zei Wolfbein zonder overtuiging
en gaf zich hulpeloos gewonnen als om te vermijden dat hij een invalide
zou kwetsen, en sneed toen een ander onderwerp aan.

Steadman zei: 'Harry, je bent niet overtuigd. Je denkt dat ik een zielepoot ben die er het beste van probeert te maken en zich ondanks zijn handicap groot houdt en zegt: "We kunnen nog een hoop van die invaliden
leren!" Omdat ik een hopeloos geval ben, tegen muren bots, tegen een lege ruimte glimlach en wankelend de trap af loop met etensresten op mijn
kin.'

'Dat is niet wat ik denk,' zei Wolfbein, maar hij klonk nog steeds onoprecht.

'"De blinde schijt op het dak en denkt dat niemand hem ziet,"' zei Steadman. 'Een Arabische wijsheid.'

'Doe niet zo lullig.'

Steadman kon het ongemak van de ander voelen. Wolfbein probeerde een vriend voor hem te zijn. Hij was zo geschrokken van de aanblik van Steadman, die er totaal anders uitzag met zijn zonnebril en witte stok, dat hij niet wist hoe hij zijn medelijden moest verbergen. En daarom was Steadman er meer dan ooit van overtuigd dat hij er goed aan had gedaan hier te verschijnen. Anders had hij dit nooit geweten.

Maar tussen zijn huis en dit feest, tussen de afzondering van zijn gotische villa met zijn lange blinde nachten van seksuele openbaringen en het valse geschitter van zijn optreden in het openbaar, was er niets. Maar was dat niet precies waar het om ging? Hij was blij dat hij naar zo'n uitbundig feest was gegaan, omdat iedereen die hij hier kende meteen kon zien wat er met hem was gebeurd.

Toen hij dat tegen Ava had gezegd, had ze geantwoord: 'Ze zien wat er níet met je is gebeurd. Waarom hou je ze voor de gek? Dit is zo'n gelul. Je ziet uitstekend.'

'Nee. Op deze manier zie ik beter. Alleen weten ze het niet.'

Ava kromp ineen wanneer de feestgangers hun medeleven met hem betuigden. En het was nog erger voor haar wanneer ze medelijden met háár hadden en haar deelgenoot maakten van hun bezorgdheid. Ze klakten met hun tong en wensten hem sterkte, en Steadman lachte alleen maar en maakte tegenwerpingen: 'Het gaat goed met me. Ik ben weer aan het werk. Ik ben bezig met een boek.'

Wolfbein zei: 'Met alle respect voor Ava, maar heb je een goede arts?'

'Ik zie wat niet zichtbaar is,' zei hij. 'En ik zie Ava meer dan je ooit zult weten.'

Wolfbeins vrouw, Millie, was bij haar man komen staan. Ze kuste Steadman en haar omhelzing werd gedempt door haar grote, zachte borsten. Ze zei: 'Ik ben blij dat je bent gekomen.'

'Ik ook,' zei Steadman. 'Toen ik hier aankwam besefte ik pas hoe jullie hebben uitgepakt. Wie verwacht je?'

In de stilte die volgde voelde hij dat ze een blik met haar man wisselde, die van haar ging gepaard met een veelbetekenende frons die vroeg: Van wie heeft hij dat gehoord?

'Het is een belangrijk iemand,' zei Steadman zelfverzekerd.

'Kun je gedachten lezen of zo?'

'Er zijn zoveel mensen die hier niet thuishoren. Ik heb het niet over gasten. Ik heb het over zwaargewichten die zich verdekt opstellen, mompelende mannen. En de spanning. Sommige mensen vermoeden iets, andere niet.'

Hij wist dat Millie glimlachte, en hij kon haar hart horen fladderen.

'Al die opwinding,' zei hij. 'Waar wachten jullie op?'

'PVDVS.'

'Wat zei je?'

'Elvis.'

'Ik wist het.'

Millie kneep in zijn hand en liet hem alleen. Iemand met een zware ademhaling die hij herkende als Hanlon, masseerde zijn schouder en zei: 'Fijn om je te zien.' Blinden, zo wist Steadman nu, werden voortdurend aangeraakt. Sinds hij op het feest was aangekomen, was hij beknepen, betast, was er aan hem gefriemeld, en was hij bij de hand genomen, allemaal met de beste bedoelingen.

Zelfs Ava had hem aangeraakt toen ze weer verscheen. Hij zei: 'De president komt.'

'Hou toch op,' zei ze, maar hij voelde hoe ze om zich heen keek en de vreemde dingen opmerkte: de generator, het gegons van telefoons, de figuranten die veiligheidsmensen moesten zijn geweest.

De president was op het eiland, dat wist iedereen, en het was altijd mogelijk dat hij kwam opdagen, want Wolfbein was een vriend en een fondsenwerver. Maar Steadman was de enige van alle gasten die zeker wist dat het zou gebeuren. Hij begreep de spanning die het feest beheerste, hoorde overal het gekraak van mobiele telefoons en de onbeholpenheid van het vooruitgestuurde team.

De gasten op het feest zagen alleen de mensen die ze kenden; Steadman zag iedereen. De veranda en de tuin stonden vol mensen, maar bij de grote garage en tussen de bomen stonden het ondersteuningsteam van de president en de zwijgende, oplettende mensen van de geheime dienst. Behalve de feestgangers was er nog een tweede menigte.

Steadman wist als eerste, zelfs vóór de Wolfbeins, dat de auto van de president voor het huis was gestopt, en nadat de president door de gastheer en gastvrouw was begroet, was Steadman de eerste die wist dat hij dichterbij kwam en zijn aanwezigheid kenbaar maakte. Het was een trilling in de lucht en een hartslag: onmiskenbaar die van de president, die al even onmiskenbaar versnelde, een akelige opvlieger van verlegenheid.

Op het moment dat de president de kamer binnenkwam, voelde Steadman een verandering in de atmosfeer. Toen draaiden een paar mensen zich om, andere waren nog steeds aan het praten. Er hing een opwinding in de lucht, een bezorgdheid, de president onbeschermd en kwetsbaar, die in het rond spiedde maar toch zelf de prooi leek te zijn. De gloeiende, geconcentreerde blikken van de gasten waren allemaal naar één kant gericht en maakten een vouw in de kamer.

'Ik kan niet geloven dat hij met Mike Nichols praat.'

'Roth,' zei Steadman.

Philip Roth grinnikte. 'Mike zegt: "Ik had u in mijn film moeten gebruiken. U bent perfect. Waarom heb ik John Travolta genomen?" Zie je zijn gezicht?' Toen greep hij Steadmans arm, iets te hard. 'Ach jezus, Slade, het spijt me verschrikkelijk.'

Maar Steadman zei: 'Ik kan zijn gezicht zien. Hij ziet er complexer uit dan ik had verwacht.'

Het feest kreeg de vorm van een cirkel, geëlektriseerd en ordelijk als een magnetisch veld, het hele huis was in beweging, met de president in het midden en de first lady in de periferie, ook al het middelpunt van een wervelende beweging van mensen die om haar heen draaiden.

Toen ze zagen dat Steadman een witte stok had en een zonnebril droeg, de onmiskenbare attributen van de blinde, met zijn hoofd in een oplettende pose, trots in zijn luisterende houding, liepen de feestgangers in een boog om hem heen, waardoor hij steeds dichter naar het centrum van het krachtenveld kon opschuiven, op de president af, die hij ontwaarde als een warm, roze, glimlachend wezen, hyperattent en spraakzaam temidden van een grote groep bewonderaars.

Hij was sympathiek, vriendelijk, seksueel geobsedeerd, iedereen kende zijn karaktertrekken: charmant, gretig, op een subtiele manier prestatiegericht, innemend, dwangmatig hunkerend naar macht en erkenning, maar toch onverschillig tegenover persoonlijke rijkdom, niet materialistisch, grappig, intelligent, erop gebrand het mensen naar de zin te maken. En vanwege al die eigenschappen, vooral zijn merkwaardige scheve glimlach, maakte hij sterk de indruk dat hij zich ergens voor trachtte te rehabiliteren, dat hij gebukt ging onder geheimen.

Voor Steadman was hij als een leerling uit de hoogste klas van de middelbare school met een onduidelijke achtergrond die wanhopig op zoek was naar invloed, die zich in allerlei bochten wrong om iedereen te charmeren, omdat hij voorzitter van de leerlingenraad wilde worden. Ook tegenover geld had hij de houding van een middelbare scholier: het inzicht dat geld geen macht gaf, dat alleen overredingskracht en waardering macht gaven, en de president smachtte naar waardering.

De president sprak met zijn prettige, vastberaden lijzige stemgeluid tegen Mike Nichols, zei op enthousiaste toon iets over een film, maar hij sprak ook tegen de geïmponeerde toehoorders. Steadman kwam naderbij, waarop de groep onmiddellijk ruim baan voor hem maakte, en in de menselijke warmte die in de doorgang vrijkwam, proefde Steadman de lichamelijkheid van de president, zijn zelfverzekerde houding, hoe hij een man bij de schouder pakte en de hand van een vrouw vasthield. Hij trok haar tegen zich aan voor een fotograaf terwijl hij nog steeds met Nichols over de film praatte, *The Barefoot Contessa*.

'Ik was veertien of vijftien, nog een kind, toen ik daar in Hot Springs in de bioscoop zat en echt zó deed!'

Steadman zag hoe hij vol zelfspot een verbijsterd gezicht trok en hoorde het gebrom en het bewonderende gelach. En toen stak de president een hand uit en trok Steadman naar zich toe, naar het midden van de cirkel van toehoorders.

'Slade Steadman, Mr. President,' zei een kortademige man die naar voren kwam en Steadman in een poging tot hulpvaardigheid de weg versperde.

Die bemoeizucht was Steadmans eerste confrontatie met het feit dat zijn blindheid hem neerzette als een dove klomp inert vlees, niet in staat om voor zichzelf te zorgen.

'Ik weet wie deze kerel is,' zei de president. 'Hoe gaat het met u?'

'Een tikkeltje veranderd, maar het gaat goed.'

'Harry vertelde me dat u misschien zou komen. Ik ben blij dat u er bent.'

Steadman gaf de president antwoord, maar keek de kortademige man aan toen hij zei: 'Ik zie meer dan u denkt.'

'U bent een moedig man,' zei de president.

'Vanwege dit, bedoelt u?' zei Steadman en hij tikte tegen de donkere glazen van zijn bril. 'Zoals Ismaël zei, duisternis is waarlijk het element van ons diepste wezen.'

Hij wilde nog meer zeggen, maar de president onderbrak hem. 'Ik bedoel *Trespassing*. Ik kan u niet zeggen hoeveel bewondering ik daarvoor heb.'

'Ik weet dat u smaak hebt, Mr. President. Een vriend van me, Redmond O'Hanlon, heeft met u in Oxford gestudeerd en zei dat u een hele plank met Graham Greene had.'

De president raakte Steadman opnieuw aan, en bleef hem aanraken, net als de anderen op het feest, alsof hij Steadman wilde geruststellen. Het was een gebaar van de mensen om hem heen waaraan Steadman een hekel begon te krijgen vanwege de belediging die uit het medelijden sprak, vanwege het paternalisme, de opdringerige drukdoenerij. En toch was de aanraking van de president anders, onthullend, en het vertelde hem zoveel over deze man. Diens bezorgdheid, zwakheid en geslotenheid waren voelbaar in de ongelijkmatige druk van zijn vingers, alsof hij steun zocht om zijn evenwicht te hervinden en energie opdeed door Steadman vast te houden.

'Ik had geen idee dat u slechtziend was.'

Weer iemand die het woord 'blind' niet durfde te gebruiken.

'Mijn gezichtsvermogen is uitstekend,' zei Steadman, 'alleen mijn ogen zijn niet zo best.'

'U gaat niet bij de pakken neerzitten. Dat is echt fantastisch.'

'Nee, want hoe slecht mijn ogen ook zijn, ik zie beter dan wie dan ook.'

De president, merkte Steadman, werd graag gezien. Hij was de verpersoonlijking van zelfbewustheid. Elk woord dat hij zei droeg overtuiging en leek te suggereren: dit moet je onthouden. Hij had een aangename lach die zei: Houd alsjeblieft van me. Hij had de gewoonte zijn gezichtsuitdrukking te overdrijven, alsof hij wilde zeggen: Nu lach ik, ik ben ge- *ont-* roerd, ik luister aandachtig, ik voel met je mee.

'Dat bevalt me. U hebt een geweldige instelling,' zei de president.

Hij was een en al berekening. Maar onder het uiterlijk van zijn zelfverzekerde gezichtsuitdrukking zat een wankel hart en een beverige aandacht, een onzekerheid, de angst dat iemand zou zien wat hij werkelijk voelde, wat hij eigenlijk allemaal wist: zijn smart, zijn bijna wanhopige gevoel dat hij door de mand zou vallen. Terwijl Steadman naast hem stond, voelde hij al deze vibraties, voelde hij dat diens noodzaak om zijn geheim te bewaren voor de president nog zwaarder woog dan de behoefte geliefd te zijn vanwege zijn openhartigheid. In wezen was hij een angstige waakzame man die zijn hele leven al in de publieke belangstelling stond, die het niet kon uitstaan als hij kritisch werd beoordeeld en die het haatte alleen te zijn. Hij had ook iets explosiefs, dat hij onder controle hield. En hij had niet één geheim, maar vele.

'Ik zorg dat u de beste artsen krijgt,' zei de president. 'We kunnen dit oplossen.'

Waar kan ik u mee van dienst zijn? Dat was zijn mantra, want mensen helpen was de sleutel tot hun dankbaarheid, hun respect, hun steun. Steadman mocht de president omdat hij begreep dat macht iets was wat je moest verdienen, iets wat mensen je gaven, niet iets wat je van de argelozen pikte of afdwong. De president was zelf ook arm geweest. De lange klim uit de armoede, een geschiedenis van gunsten vragen en terugbetalen, had hem een scherp geheugen gegeven. Hij had nog steeds ambities. Zelfs in deze ongedwongen omgeving van rijke sympathisanten voerde hij nog campagne. Uit zijn hele sociale pose, zijn glimlach, zijn vriendelijkheid, zijn vrijgevige aard, sprak dat hij wilde dat je op hem stemde.

Iemand, een vrouw, dezelfde vrouw als eerst, nam Steadmans hand en gaf hem een koud glas. Haar parfum, de druk van haar vingers, de zachtheid van haar huid, de warmte van haar hand, de manier waarop ze langs hem streek, haar zachte rok, haar stevige dij, dit alles zei Steadman dat ze slank en jong en zeker van zichzelf was. En ze was hitsig, dat was overduidelijk voor hem nu hij blind was: de hete vochtige gevoeligheid van haar huid, de kleverigheid van haar lippen en de drukkende vochtigheid van haar adem, die niet verhuld kon worden door haar parfum.

'Ik meen het,' zei de president over zijn aanbod.

'Dat is heel vriendelijk. Dank u wel.'

Maar de president, wie niets ontging, had de vrouw ook gezien en hij vond haar aantrekkelijk. Steadman besefte hoe de reactie van andere mensen een handje kon helpen, en was deze laatste paar minuten, terwijl hij de verhitte blik van vele mensen voelde, het middelpunt van alle aandacht geworden.

Omdat Steadman de opvallendste persoon in de kamer was geworden, bleef de president bij hem staan omdat hij hem kon gebruiken. Steadman voelde dat aan, want doordat hij vlak bij de president stond was die heel duidelijk zichtbaar. Die zelfzuchtigheid van de president ging gepaard met een paradoxale mengeling van verwaandheid, medeleven en vriendelijkheid.

Dat de anderen gechoqueerd waren was duidelijk: niemand had verwacht dat Steadman blind zou zijn. Mensen die hem eerst arrogant of afstandelijk of kortaf hadden gevonden, hadden nu medelijden met hem en traden hem nu directer tegemoet, omdat ze nu moed putten uit de macht en zelfvoldaanheid die toeschouwers voelen in gezelschap van iemand die zwak is. Want in hun ogen was Steadman als blinde krachteloos en lam, en moest hij bij zijn elleboog worden rondgeleid, was hij niet langer een bedreiging of een bron van sarcasme; hij was impotent, meelijwekkend, een mankepoot die zonder hulp over stoelen zou struikelen en tegen muren zou opbotsen.

Steadman glimlachte bij deze gedachte, want wat die mensen niet wisten was dat hij nu misschien een veel grotere bedreiging voor hun privacy vormde. Hij had toegang tot al hun geheimen waar hij in kon graven, hij was wendbaarder, scherper en virieler dan ooit. Niets bleef voor hem verborgen.

De president, die nu zowel een nieuwe vriend als een helper was, had hem bij zijn arm vast, hield hem een beetje tegen en leek Steadmans inzicht te begrijpen. Hij stelde hem aan een paar mensen voor, mannen en vrouwen die Steadman al kende, en daardoor eiste hij Steadman voor zich op en gebruikte hem voor zijn aura, en om aandacht af te dwingen.

De president was gefascineerd door zijn blindheid, en zag die als een bijzonder geschenk, een unieke kwaliteit, een kenmerkende eigenschap. En dat was het ook, dacht Steadman, dat allemaal en nog veel meer.

De president hield hem nog steeds vast, iets steviger nu, en leidde hem door het feestgedruis rond. Steadman begreep dat de president op een eenvoudige, ouderwetse manier blind was en bang was om ontmaskerd te worden. De arme man kon zichzelf helemaal niet zien. Hij hield wanhopig vast aan zijn geheimen, geheimen die voor Steadman duidelijk uit zijn hele gedrag spraken. Het deed er niet toe wat voor geheimen het waren: ze smeulden als half gesmoorde vuren in de ziel van de president en schenen door in zijn kwetsbare en eenvoudig te lezen gezicht.

De president wilde alles, maar het meest van al wilde hij onmisbaar zijn. Dus ontfermde hij zich over Steadman, maakte zich van hem meester en leek trots te zijn, alsof hij een land of een vrouw had veroverd – hij had wat hij wilde.

Hij bleef Steadman aanraken met vaardige, slanke vingers, en toen Wolfbein weer verscheen en mensen aan de president voorstelde: 'Mr. President, ik wil u graag voorstellen aan een oude vriend,' wimpelde hij hem af, en zei met Steadman aan zijn arm: 'Dit is Slade Steadman. Ik weet zeker dat u zijn werk kent.'

Steadman was zijn rekwisiet geworden, zijn doel. En hoewel de president de leiding had genomen en ten behoeve van Steadman groot en druk deed, kon Steadman zien hoe gekwetst hij was. De man stond naast hem, hield hem vast, kneedde zijn schouder. Steadman voelde de warmte, die eigenlijk meer dan warmte was: de verzengende hitte en kracht van zijn gretigheid, en iets wat op schaamte leek. Hij was een en al energie, maar wat had hij gedaan dat hij zo gloeide van schaamte?

Aan zijn polsslag, zijn aanraking voelde Steadman hoe belangrijk uiterlijke schijn voor hem was, dat buitenkanten doorslaggevend waren, hoewel hij de meest waakzame persoon was die je je voor kon stellen. Misschien had hij in de gaten dat hij die eigenschap met Steadman gemeen had. Hij leek iemand te zijn die altijd maar op jacht was, altijd een onverzadigbare eetlust had, zijn honger was groter dan die van wie ook.

En bovendien, wat eruit zag als schuld of schaamte was geen van beide: die raakten hem niet diep genoeg. Het was puur onbehagen. Hij hield zich groot onder zijn geheimen, had er geen spijt van maar was alleen bang om door de mand te vallen. Zijn behoefte om in de schijnwerpers te staan stond haaks op zijn behoefte om dingen te verbergen, en zijn energieke, plezierige verschijning verhulde zijn heimelijke waakzaamheid en gaf zijn glimlachende en veel te betrouwbare gezicht een diepe roze gloed.

Daarom was hij niet bij Steadman weg te slaan, omdat het bewees dat hij meeleefde, altruïstisch en menslievend was. Hij was hier op een feest en gaf zich niet over aan een zwelgpartij – hij leek eigenlijk bijna niet te drinken, had zijn glas nauwelijks aangeraakt – maar ondersteunde een blinde man, hoewel Steadman zich ervan bewust was dat het eigenlijk andersom was.

Ava voegde zich bij hen en werd door de president omhelsd: 'U hebt het maar getroffen,' en ze nam Steadman even apart om te zeggen dat ze met de first lady had gesproken.

'Ze is ongelooflijk, ze is aardig,' zei Ava. 'Ze kijkt je recht aan en zegt precies wat ze vindt.'

'Ik heb haar gezien toen ze binnenkwamen.'

Steeds als Steadman zei dat hij iets zag, reageerde Ava, maakte ze een gebaar dat niet zozeer op twijfel duidde, als wel op ongeduld.

'En wat viel je aan haar op?'

'Het vuiltje in haar neus,' zei Steadman.

Ava begon haar te verdedigen, alsof het echt waar was wat hij zei. 'Ze is mooi. Ze is sterk. Ze kent hem door en door. Het is een hecht team.'

Maar toen hij nog eens in de richting van de first lady keek, zag hij dat er haast niets tussen de twee echtelieden was, behalve kilheid. Zij was minder bedreven in het ophouden van de schijn dan hij.

'Ze is zijn gevangene,' zei Steadman.

Hij liep naar buiten, de stenen trap af naar het gazon. Veel gasten waren naar buiten gegaan om van de avondgeuren te genieten. Ze dronken wat en lachten zachtjes, praatten over de mooie zomer. 'Wij zitten sinds 4 juli op het eiland,' zei Wolfbein. Door de slanke dwergeiken kon je de Sound in de laatste stralen van de ondergaande zon zien glinsteren.

In het lichtgevende halfduister van de schemering op het gras, enigszins apart van de andere gasten, voelde hij zich euforisch en zag alles duidelijk terwijl hijzelf ongezien en onbekend bleef. Hij werd eraan herinnerd hoe hij in zijn euforie leek op de bejubelde romanschrijver die hij wilde worden, een verteller die zich tussen zijn personages bevond. Hij was overtuigd van het betekenisvolle inzicht dat zijn blindheid hem verschafte, zijn ogenschijnlijke blindheid, en dat zijn nieuwe roman eindelijk het boek zou zijn dat hij altijd al had willen schrijven.

Steadman voelde dat er iemand achter hem stond en richtte zijn hoofd op om te luisteren. Zijn hand werd aangeraakt door zachte, vochtige, smachtende vingers en ook zijn arm werd vastgepakt, iedere aanraking was een smeekbede, een verzoek, een uitnodiging, tengere botten die hem vastgrepen. De mensen die hem op het feest hadden aangeraakt, dachten dat ze onzichtbaar en onbekend bleven, en dat was ook zo, behalve voor Steadman, die iedereen kon zien: de grote, vrijpostige vrouw, de schuchtere blondine, de donkere vrouw met het vossengezicht en de zoekende handen die op hem af was geslopen en hem had gestreeld, haar aanwezigheid kenbaar had gemaakt toen hij net was aangekomen. Ze was klein, kleiner dan Ava, en ze had hem aangeraakt zonder dat Ava het had gezien. En nu was ze er weer, op het gras, en streek weer met haar hand langs hem terwijl haar hart tekeerging en ze weer snel wegliep.

De zonsondergang was snel gekomen, een dieper wordende schaduw in de lucht, een lichte, vochtige dauw op het gras. Aangeraakt worden was in zijn herinnering alsof je langs de laaghangende takken van een scheve boom streek, of langs de bladeren van de bosjes naast het pad, of langs het struikgewas en de groepjes bomen die wanordelijk op de rand van de steile klif groeiden, waar het zeegras en zand de droge gonzende hitte van de dag nog vasthielden.

En met de duisternis werd ook de stank van de walmende fakkels merkbaar: oranje vlammen, plat en gerafeld, op manshoge bamboepalen die in de grond waren gestoken.

'Deze kant op!' riep Wolfbein. Hij zag eruit als een verkeersagent toen hij de gasten met een uitgestoken arm naar een smal stenen pad dirigeerde, waar bij het flakkerende licht van kerosinetoortsen werknemers van het cateringbedrijf stonden, knappe jonge mannen in een wit overhemd, ordelijk en plechtig als soldaten, die de gasten langs het pad naar de rand van de klif leidden, vanwaar een trap naar het strand liep.

'Ik red me wel,' zei Steadman toen een van de jonge mannen zijn hand naar hem uitstak.

Steadman keek naar beneden, tikte met zijn stok tegen de houten treden en hield de andere gasten die de afdaling van de blinde gadesloegen expres op, en bleef praten terwijl hij langzaam naar beneden liep.

'De vuurtoren van Nobska,' zei hij en hij zwaaide met zijn stok naar het zwaaiende licht aan de andere kant van de Sound. Toen keek hij naar beneden. 'Geruite tafelkleden. Veel tafels. Lantaarns. Vuurrode kreeften op zeewier uitgestald. Een wastobbe met gestoomde venusschelpen. Emmers vol maïs. Een pan vissoep. Een bak vol salade. Nog meer fakkels. En het water kabbelt rond de tafelpoten.'

'Dat is ongelooflijk,' zei iemand die hem hoorde en rondom klonk bevestigend gemompel.

'Een paar jaar geleden was ik ook al bij zo'n picknick op het strand,' zei Steadman.

'Maar ik vind het tóch ongelooflijk. Ik had al die dingen niet gezien tot u ze beschreef.'

'Herinnering is zien,' zei Steadman, die nog steeds bezig was de trap af te lopen en terwijl hij dat zei, hoorde hij Ava kreunen.

Beneden aan de trap zei Ava op zachte, vermanende toon: 'Waarom probeer je zo de aandacht te trekken?'

'Daarom ben ik hier gekomen.'

'Hoe kun je nou zo verrekte pretentieus zijn? "Herinnering is zien", jezus!'

Maar hij glimlachte, en liep op de tast verder. Hij streek langs het stuk papier in Ava's hand.

'Wat heb je daar?'

'De tafelschikking.'

'Waar zit ik?' vroeg hij.

'Zeg jij het maar,' zei ze. 'Je kunt toch zien in het donker?'

En dat ging allemaal op fluistertoon.

Hij kende Wolfbein als een vriend die ongetwijfeld een goede plaats voor hem had gereserveerd – en iedereen was extra aardig voor blinden. Hij zei: 'Ik zit naast de president.'

Ava probeerde haar woede te onderdrukken en haar lichaam verkrampte: hij had het goed geraden. En toen hoorde hij aan het geluid van haar schoenen op de stenen langs de waterkant dat ze wegbeende naar haar eigen tafel.

En de hand van een vrouw rustte op zijn onderrug, een vrouw die niet door Ava was opgemerkt.

Steadman zei: 'Wie ben jij?'

De vrouw die hem had aangeraakt, draaide zich snel om en struikelde heel even over de kiezels op het strand, en liet ter hoogte van zijn hoofd een vleug parfum achter.

Hij ging als eerste zitten, en toen de anderen dus bij hem kwamen zitten begonnen ze tegen hem te praten, ze stelden zich vlak voor zijn gezicht op en spraken hem aan. Hoewel het allemaal vrienden van hem waren en hij ze herkende zodra ze begonnen te praten, noemden ze hun naam, alsof hij zwakbegaafd was: Walter en Betsy Cronkite, Olga Hirschhorn, Bill Styron, Millie Wolfbein, en als laatste de president, die een gesprek met Vernon Jordan aan het afronden was.

'Het komt wel goed met je, man,' zei Vernon terwijl hij over Steadman heen boog en hem zijn zegen gaf voordat hij doorliep.

'Hallo, meisje,' zei de president tegen Millie, en omhelsde haar. Toen zei hij: 'Slade redt zich wel. Ik denk dat hij meer ziet dan wij.'

Dat klopte, en hij wist het. Steadman voelde dat de president niet op zijn gemak was, wat voor hem een reden te meer was om zich van de blinde man meester te maken en hem te ontwapenen. Hij was bang voor de ondoorgrondelijke blik achter de donkere brillenglazen, hij was bang dat Steadman zijn geheim zou ontdekken. Steadman kende de details van het geheim niet, maar wist wel dat het om een vrouw ging, en omdat het geheim seksueel getint was, voelde de president zich tegelijkertijd ongemakkelijk en gretig. Hij was gelukkig, hij zag roze van verwarring, en leek jonger en makkelijker te doorgronden: alle grijnzende kenmerken van verliefdheid.

Toen de drankjes werden geserveerd en het gesprek op films kwam, haalde de president herinneringen op uit zijn jeugd; het afgebroken gesprek dat hij eerder in het huis was begonnen over *The Barefoot Contessa*.

Styron zei: 'Ik heb met Ava Gardner op de middelbare school gezeten. Ze was een lief eenvoudig meisje, een boerenmeid. Kwam helemaal vanuit North Carolina naar Newport News, ze was een Teerpoot zoals wij dat noemden.'

Steadman zei: 'Je had haar mee kunnen nemen naar het schoolfeest.'

'Nou, ze zat een jaar lager dan ik. Maar dat had ik inderdaad kunnen doen,' zei Styron en hij wreef over zijn gezicht, wat hij altijd deed als hij zich ongemakkelijk voelde, en liet zijn diepe, gulle lach horen.

De president zei: 'Die scène waarin ze haar jurk losmaakt, die dan gewoon naar beneden valt. Mijn god!'

Iedereen aan tafel keek met genoegen naar de president.

Hij zei: 'Ik kreeg zowat geen adem!'

Het gelach barstte los toen hij dat zei, maar Steadman zag de waarheid van zijn onthulling. Het was zonder twijfel een bekentenis, maar het was ook een droom over verlangen en macht in een drukke bioscoop in Hot Springs. Steadman zag een jongetje in een bioscoopstoel met grote ogen en zijn mond wijdopen, dat de wereld wilde hebben.

Toen de strandpicknick in volle gang was en de obers stoompannen en borden beladen met maïs en kreeft rondbrachten, trad er een groepje jonge mannen aan, een stuk of tien en allemaal in hetzelfde rode overhemd. Ze begroetten de president en de andere gasten. Een van de leden van de groep stelde hen voor als de Tiger Tones uit Princetown, haalde een stemfluit te voorschijn, blies een noot aan, en ze begonnen te zingen. Ze zongen het ene liedje na het andere, ouderwetse deuntjes, 'Chattanooga Choo Choo', en 'Hey, There' en 'What'll I do?'

De president keek aandachtig toe met een bewonderende glimlach en zong mee. Hij was geen spontaan mens, maar wist dat anderen constant naar hem keken en hij deed zijn uiterste best om te laten zien dat hij was wat hij leek: een open en welwillende persoon die niets te verbergen had.

De woordvoerder van de Tiger Tones kwam naar de tafel en vroeg de president of hij verzoeknummers had, alle liedjes die hij maar wilde horen.

'Gaan jullie maar door. Jullie doen het fantastisch,' zei de president. Wat slim was, want met een verzoeknummer liet je je ook in de kaart kijken.

Steadman zei: 'Kennen jullie ook nummers van Chuck Berry? "Maybelline" misschien?'

'Sorry,' zei de jongeman en hij herhaalde het luider toen hij Steadmans donkere bril en de witte stok zag die tegen de tafel stond.

Ze zongen 'Up on the Roof'.

De president zei: 'Chuck Berry heeft een keer in het Witte Huis gespeeld.'

'Fantastisch.'

'Ik kan ervoor zorgen dat hij ook bij jou komt.'

Steadman was geroerd, niet door het aanbod maar door de gedachte die erachter stak, de betekenis ervan die hij al eerder had opgemerkt, dat de president niet zei: 'houd van me' maar 'heb me alsjeblieft nodig'.

Hij mimede de woorden van de liedjes en scheen te beseffen dat iedereen naar hem keek en dat hij deed wat ze van hem verwachtten. Hij zou er niet graag op betrapt worden dat hij de verkeerde dingen deed, wat de reden was dat zijn geheim zo zwaar op hem drukte, en het moest haast wel een maîtresse zijn, want waarom was hij anders zo roze?

De president was zo aanwezig, was zo graag bereid op iedereen te reageren, zo snel in het peilen van reacties, zo aanwezig, dat hij wel iets te verbergen móest hebben. Ontwijkend gedrag en berekenende geheimhouding waren belangrijk voor hem, want hij was zowel de pop als de poppenspeler. Maar hij spiedde zo oplettend rond, zijn charme was zo overrompelend, dat hij de controle nam over de situatie.

Alleen Steadman doorzag hem en hij was gefascineerd, alsof hij naar een man keek die op het slappe koord danste, terwijl de anderen aan de tafel zo respectvol tegen hem spraken. De bejaarde Cronkite, die zo hoffelijk vooroverboog, zei: 'Neem me niet kwalijk Mr. President, maar ik vraag me toch echt af...' En de president ging meteen op de vraag in en gaf een nog hoffelijker antwoord.

Er zat hem iets dwars. Hij was steeds een fractie te laat met zijn antwoorden, alsof hij in die tussentijd een andere stem in zijn hoofd hoorde die hem afleidde en aandacht eiste. Waar dacht hij aan? Misschien aan een zaak van nationaal belang, maar toch had Steadman sterk het gevoel dat het iets anders was, een soort gêne, een bron van schaamte en kracht.

'Is dat de veerboot die je daar ziet?'

Hij leek naarstig op zoek naar afleiding, omdat hij in de gaten had dat Steadman hem observeerde en hij zich ongemakkelijk voelde onder diens starende blinde ogen.

'Dat is de grote veerboot,' zei Olga.

'Misschien is het de Uncatena wel,' zei Betsy Cronkite.

'Die razendsnel de Sound oversteekt alsof hem een worst wordt voorgehouden,' zei Walter.

Steadman zei: 'Naar Woods Hole, net links van het vuurtorenlicht. Dat is Nobska.'

De mensen aan tafel staarden hem aan en de president verplaatste zijn stoel wat naar achter om een goed zicht op Steadman te hebben en op de dingen die hij beschreef.

'De lichten in het westen zijn de Elizabeth-eilanden. Het donkere stuk is Tarpaulin Cove. In het oosten, voorbij Nobska, zie je de kust van Falmouth, Falmouth Harbor, Falmouth Heights, East Falmouth, de ingang van Green Pond Harbor, Waquoit, en Cotuit ligt net voorbij die uitgestrekte arm met de lichtjes.'

De president was ontspannen en dankbaar, want hij was van alle aandacht verlost nu alle ogen even niet op hem waren gericht.

Hij zei: 'Dat is prachtig. Dat is ongelooflijk.'

Toen noemde Steadman enkele sterren in de noordwestelijke hemel.

'Ik zie helemaal niets!' zei Olga.

'Lichtvervuiling,' zei Steadman.

Walter zei: 'Slade kent deze contreien goed. Ik heb hem graag aan boord als we met de Wyntje gaan varen.'

Steadman zei tegen de president: 'Die witte streep vlak voor de kust is de staande golf bij de zandbank van Middle Ground Shoal. Schuimt als het ware in het maanlicht. Goeie visstek.'

De president leek het gesprek niet te kunnen volgen en zei: 'We hebben gisteren zo'n fijne zeiltocht gemaakt in de boot van James Taylor.'

Precies op dat moment viel er een zwakke lichtbundel op het lichaam van de president en een man die er officieel uitzag in zijn donkere uniform, misschien een van de beveiligingsmensen, liet zijn zaklamp over de grond dwalen, ging bij de elleboog van de president staan en scheen met het licht op een verkreukeld en dun velletje papier. Het moest een fax zijn omdat het papier omkrulde en niet plat bleef liggen.

Nu was Steadman zich meer dan ooit bewust van de slanke, bijna vrouwelijke handen van de president, zijn lange, tere vingers, zijn dunne polsen, zijn beverige motoriek. Het papier knisperde zachtjes terwijl de president het aandachtig las, met een ernstige blik in zijn ogen.

'Houd me op de hoogte,' zei hij tegen de man, die knikte en wegglipte.

'Er is een ongeluk gebeurd,' zei hij en hij eiste met zijn bestudeerde plechtige manier van doen de aandacht van de hele tafel op, terwijl overal om hen heen aan de andere picknicktafels vrolijkheid heerste waardoor het leek alsof er aan deze ene tafel een seance plaatshad. 'Prinses Diana is gewond geraakt bij een auto-ongeluk. Haar vriend is omgekomen.'

Terwijl Steadman de wijzerplaat van zijn horloge aanraakte – het was even over tien – was de president allerlei vragen aan het beantwoorden: 'Parijs... vanavond... in het ziekenhuis... Geen verder nieuws.'

De president scheen zich te ontspannen, niet op een ledige manier, maar met groots, rotsvast zelfvertrouwen, als een man die een belangrijke positie bezet, die in het middelpunt staat, die het bevel over een operatie heeft, als een kapitein die bij slecht weer het commando overneemt en een koers uitstippelt. En omdat hij deze serieuze taak van leidinggeven uitstekend beheerste, trok niemand hem in twijfel en bekeek niemand hem kritisch. Hij werd geaccepteerd, vertrouwd, en was nodig – hij had wat hij wilde.

Steadman zag zijn geheim dwars door zijn opluchting heen; maar die opluchting was slechts tijdelijk en het geheim was een litteken op zijn ziel, een obsessie die een wond was geworden.

'Heeft een van u misschien herinneringen aan prinses Diana?' vroeg hij als voorzitter van de tafel. 'Sommigen van u moeten haar weleens hebben ontmoet.'

Dat was briljant: de pijn van hun bezorgdheid over haar verwondingen te verlichten door op de betere tijden terug te kijken als een geheel van heilzame hoopvolle herinneringen.

'Walter Cronkite zei: 'Er ging een gerucht dat ze bij ons in Edgartown logeerde en dat ze met me meezeilde op de Wyntje, zonnebadend op het dek terwijl ik aan het roer zat. Lieve hemel, wat had ik graag gewild dat het waar was.'

'Ze zou deze zomer op het eiland zijn,' zei Styron. 'Rose zei zoiets.'

De president zei: 'Ze heeft contact met me opgenomen. Ze wilde naar de States komen. Ze maakte zich grote zorgen over het gebruik van landmijnen.'

Millie zei: 'Ik heb haar in Londen bij een filmpremière gesproken. Ze was heel schattig. Je kon nergens aan merken dat er iets mis was met haar huwelijk. Misschien had ze wel een minnaar. Als ík met die slome Charles was getrouwd, zou ik het tenminste wel weten.'

De president glimlachte. 'Ze is op het Witte Huis geweest. Ze was zó mooi.'

Betsy Cronkite zei: 'En hebt u met haar gedanst?'

'Ik had het voor geen goud willen missen.'

'Laten we op haar gezondheid drinken,' zei Styron.

Millie zei: 'Het zou verschrikkelijk zijn als ze stierf.'

'Maar als dat gebeurt,' zei Steadman, 'adviseer ik iedereen om niet vanavond te sterven.'

'Dat was ik niet van plan, dank je wel,' zei Olga.

'Maar als een van ons zou overlijden, zou niemand het weten. Het
zou geen nieuws zijn,' zei Steadman, die zich realiseerde dat zijn blinde ogen hem een gewichtigheid verleenden die de hele tafel in zijn ban
hield. 'Morgen staan de kranten vol van dit verhaal.'

'Dus wat zou het als wij doodgingen?' zei Millie.

Steadman glimlachte en leunde haar kant op. 'Wanneer is Aldous
Huxley overleden?'

Niemand wist het. Steadman zag dat de president een hekel had aan
vragen waarop hij het antwoord niet wist, van een blinde nog wel, die nu
het middelpunt van alle aandacht was.

'Ik heb geen idee,' zei Olga en ze grinnikte wat.

De anderen mompelden, maar Steadman wachtte tot ze weer stil waren en hem aanstaarden. Hij begon plezier te scheppen in deze eerbied
voor zijn blindheid, die hem deed denken aan de eerbied van gelovigen
voor de zwijgende beeltenis van een godheid.

Hij zei: '22 november 1963.'

'De dag dat JFK werd vermoord,' zei de president.

'En er met alle koppen vandoor ging, met de hele krant.'

'Ga je niet vanavond dood, schat?' zei Betsy tegen Walter.

De president was onder de indruk en tevreden, niet omdat Steadmans
vraag het tafelgesprek meer drama en diepgang had verschaft, maar omdat hij opgelucht was dat de aandacht even van zijn geheim was afgeleid.

De anderen tobden nog door, maar Steadman keek naar de president
en zag al zijn zenuwen blootliggen. Zou de president dat in de gaten hebben? Hij was zó gevoelig, zó snel van begrip, dat het mogelijk was. Het
was Steadman duidelijk dat hij meer aandacht trok dan de president,
die zich op hetzelfde moment naar hem toe boog en hem even vasthield
voor een fotograaf die langs hun tafel liep. Op het eerste gezicht leek het
alsof hij Steadman daarmee als een meelijwekkende blinde afficheerde:
Geef gul, zodat deze man weer kan zien! Maar de realiteit was dat hij

Steadman, en diens plotselinge beroemdheid, diens innerlijke licht, hard nodig had als dekmantel voor zijn heimelijke hartstocht.

De president gedroeg zich verrassend bezitterig en familiair. Zijn hele leven had hij zich omhooggewerkt omdat hij de kunst verstond de juiste mensen te leren kennen. Hij onthield alles, niet zozeer als politicus, als wel als je beste vriend of een wanhopig en bang dier.

Nu was hij van tafel opgestaan en vertelde het nieuws over Diana aan een grotere groep gasten, waarbij hij een kalme, gezaghebbende houding aannam, die contrasteerde met de droefenis en paniek op de gezichten van de toehoorders. Het verhaal was al helemaal gepolijst toen hij tot hen sprak.

'Blijkbaar een vreselijk ongeluk. En we kunnen alleen maar afwachten.'

Terwijl Steadman luisterde, kwam de vrouw terug en raakte hem opnieuw aan. Steadman voelde dat de president haar zag. Maar ze was niet de enige. Vrouwen schenen gefascineerd te worden door Steadmans blindheid, want het betekende een vrijbrief voor hen om hem aan te raken, hem vast te pakken, hem te leiden, hem in hun armen te nemen. Zijn blindheid scheen een seksuele aantrekkingskracht te hebben; de vrouwen voelden zich vrijer, moederlijk haast, bevrijd van de kritische blik waarmee mannen hun lichaam en kleren keurden. Zij waren een en al geruststellende stemmen en gretige handen.

Nadat hij zijn debuut had gemaakt, zoals hij het zelf noemde, en iedereen kon zien dat hij blind was en hem aanstaarde, begon hij te begrijpen hoe de vrouwen popelden om hem te bemoederen. Sterker nog, ze wilden gezien worden als moeder in het drama van de piëta, met zijn gewonde lichaam in hun armen zodat ze beoordeeld zouden worden op hun altruïsme en hun medeleven en niet op hoe ze zich kleedden.

Maar hij voelde ook de hitte van hun begeerte. Ze waren hitsig. Ze wilden hem bezitten. Hij rook de rijpheid van hun lust als rauw, gezouten vlees als ze hem aanraakten, hem kusten als een afgod, iets levenloos dat door hun handen misschien weer tot leven gewekt zou kunnen worden.

De president stond met zijn rug naar hem toe. Hij was nog steeds bezig met het nieuws over Diana; het was maar weinig, maar zelfs dit kleine beetje had het gewicht en het karakter van een tragedie.

'Mag ik meneer Steadman even lenen?'

Steadman kende die aanraking, die vingers. Hij luisterde of hij Ava hoorde, maar ze was er niet. Het feestje was opgebroken na het nieuws over Diana. Een hoop mensen waren van het strand de trap op gelopen naar het huis om te kijken wat er op CNN te zien was.

De vrouw leidde Steadman de duisternis in langs het strand, weg van de felle kerosinefakkels en dichter naar het kabbelende water en het doffe getoeter van een misthoorn. Hij voelde de vochtige bries van de Sound tegen zijn gezicht.

'Als er geen lichtvervuiling was, zou je Buzzard's Bay kunnen zien,' zei hij.

De vrouw luisterde niet. Ze pakte zijn hand op een besliste manier beet, tilde haar jurk op en raakte zichzelf met zijn vingers tussen haar benen aan. Haar natheid voelde aan als een glibberig zeedier, een kleine, warme inktvis, net als de vissalade waar hij eerder op de avond zijn vingers in had gestoken, maar dan warmer, natter en zachter.

Toen tilde ze zijn hand op, liet hem die proeven en leidde hem daarna, terwijl ze hem nog steeds vasthield, terug naar waar de fakkels nog steeds fel brandden en de president nog altijd beheerst en geruststellend tot de mensen sprak.

'Ze is een fantastische vrouw.'

Maar terwijl de president dat zei, en hij kon alleen maar de vrouw bedoelen die Steadman zonet had meegevoerd, was de vrouw al verdwenen.

De president leidde Steadman de trap op naar het huis en de overige gasten volgden. Terwijl hij hem zo stevig vasthield, gaf de president zich nog steeds bloot. Hij was gewond doordat hij dit geheim met zich meedroeg, en het geheim gaf hem iets stunteligs. Maar hij zei: 'Weet Harry Wolfbein hoe hij je moet bereiken?'

'Zeker,' zei Steadman.

De president liet Steadman los omdat hij Ava naderbij zag komen, omhelsde haar en zei opnieuw tegen haar dat ze het zo getroffen had.

De president was hees en stond nog steeds te praten met een groepje mensen toen Steadman en Ava weggingen. Steadman stond op de oprijlaan te wachten tot de bediende met zijn auto terugkwam, toen Wolfbein op hem af kwam lopen.

'Ik geloof dat je er een vriend bij hebt,' zei Harry.

4

Naderhand, de volgende ochtend al, toen hij akelig wakker werd en zijn ogen toekneep tegen het grauwe schuin invallende daglicht, begon het gefluister. Zo duidelijk en vasthoudend was het, dat hij het in zijn afzondering kon horen: de woorden, de toon, zelfs de hijgerigheid, het tempo en de opgewektheid van de roddels. Kwam het door de timing, de vreselijke gebeurtenis, het schokkende nieuws? Steadman geloofde dat hij meer medeleven ontving omdat hij vasthield aan het leven, of dat leek te doen, terwijl de wereld om prinses Diana rouwde en hij zonder klagen als buitenstaander bij de tragedie toekeek.

Door zijn blindheid werd Steadman eveneens het object van deze uitbarsting van verdriet en medelijden. Hij was moedig, gewond, maar leefde nog, een kreupele overlevende die met dode ogen de wereld in staarde. Hij symboliseerde hoop voor de mensen, want er zat nog opstandigheid en levenslust in zijn beschadigde lichaam, en iedereen deed veel vriendelijker tegen hem, hing aan hem: juist vanwege het afschuwelijke nieuws van het verlies, het auto-ongeluk in Parijs, dat in alle kranten het gesprek van de dag was. Op de Vineyard had iedereen het ook over Steadman. Hij dronk van de datura, de schaduw viel over hem en hij kon hen duidelijk horen.

Het gefluister zei: 'Slade Steadman is blind,' en anderen legden nader uit: 'Slade Steadman, de schrijver van *Trespassing*, is zomaar blind geworden,' alsof hij na jaren van afwezigheid weer was komen opduiken. Niet gewoon was komen opdagen, maar op magische wijze was gematerialiseerd, uit de hemelen was neergedaald, gelauwerd in glorie, met blinde ogen die brandden als de avondlucht boven Buzzard's Bay laat op een zomermiddag, temidden van een overdaad aan voortjagende rook, een aanzwellende verzameling wolken met grijze buiken en roze pluimen en veren die uit een grote zwerm ruiende flamingo's met groengele kleuraccenten kwamen dwarrelen – passende dramatiek voor een gewonde kunstenaar om, van achter belicht door een hemel vol vuurgloed, vanuit grote, dichte rookwolken binnen te stormen en naar voren te treden, tegen een achtergrond van puur goud, en in de smeltkroes van toenemende duisternis bleef alleen het goud over dat in de verblindende zee terugvloeide.

Dat waren de fantasievolle beelden die bij Steadman opkwamen, want dat was wat hij dacht dat ze zagen, een heroïsch bezoek: de ideale manier om na al die jaren weer te verschijnen. De mensen schenen blij te zijn hem weer te zien. En de akelige dood van prinses Diana zorgde voor een extra contrast, want door haar dood – de openbare offering van een bedrogen vrouw, van een miskende heldin, een lid van de koninklijke entourage dat op een zijspoor is gerangeerd, van iemand die graag risico's nam – leek Steadman iemand die tegen alle verwachting in nog in leven was.

De fluisteraars waren bang voor zijn kwaal en toonden daarom betrokkenheid, ze wilden helpen, ze waren manipulatief en bevoogdend, kenden oogspecialisten, hadden van wonderbaarlijke genezingen gehoord, en ze noemden de mogelijke oorzaken: infectueuze staar, macula-degeneratie en diabetes. Hun medeleven maakte deel uit van een ritueel om het kwaad en het ongeluk te bezweren. Ze waren zo opgelucht dat deze weerzinwekkende kwaal de zijne was en niet de hunne.

Het gefluister bevatte niet alleen lof, niet alleen verbazing. Sommige fluisteraars vrolijkten er vreemd genoeg van op, omdat zij gespaard waren gebleven en verkneukelden zich over hun geluk, andere reageerden ontsteld. Sommige fluisteringen waren duister, beschuldigend, dreven de spot met zijn fatterigheid, zijn hoed, zijn stok, zijn arrogantie, de opsomming van wat hij allemaal in de Sound zag, als een dove die Mozart fluit. Sommige jaloerse gasten staken de draak met zijn gedrag omdat Steadman naast de president had gezeten, en alles wat zij van hem wisten hadden ze uit de tweede hand of in de schemering bij de picknick op het strand opgevangen.

De fluisteringen maakten hem tot een wonder, een zonderling, een figuur met duistere krachten, ietwat terughoudend, zelfs tegenover zijn vrienden, bekendstaand om zijn arrogantie, die zowel gevreesd als beklaagd werd. Hij wist dat hij op de Vineyard niet zozeer beroemd was om zijn boek als wel om het feit dat hij een multimiljonair was dankzij de kledingcatalogus. Zo gaat het vaak met tragedies: in hun paniek en onwetendheid kijken mensen aandachtiger naar elkaar en zien dan hoe zwak ze zijn, hoe beschadigd en hoezeer ze tekortschieten, en zijn er dan dankbaar voor dat ze in de schaduw van de dood nog het leven hebben. Doordat de mensen op de hoogte waren van zijn blindheid en bedroefd waren over de dood van Diana in de verfrommelde auto, gingen ze door met fluisteren.

In de volgende dagen van geroddel proefde Steadman opnieuw de roem die hij had gekend toen hij pas op het eiland was komen wonen, toen hij voorpaginanieuws was en zich moest schuilhouden. Hij herinnerde zich zijn beroemdheid, de volgevretenheid ervan, het plezier dat hij beleefde aan het raadsel dat hij tevreden was zonder dat hij ergens op uit was geweest. Toch was er een groot verschil, want hij realiseerde zich dat de hernieuwde belangstelling voor zijn werk met een dieper respect gepaard ging, en dat zijn schrijverschap nu een grotere prestatie werd geacht omdat het samenhing met zijn blindheid. De handicap die hij had overwonnen werd nu gezien als een merkwaardige gave, en in zijn droeve ogen school een soort heiligheid.

En dat allemaal in minder dan een week. Steadman had het gefluister al gehoord voordat er feitelijk iemand had opgebeld. Hij wist dat er iets wonderlijks was gebeurd, dat hij toevallig met de dood van prinses Diana verbonden was doordat hij met de president op de strandpicknick van de Wolfbeins was geweest toen de boodschapper met de fax en de zaklamp was verschenen. De mensen aan de tafel van de president waren een van de eersten op de hele wereld geweest die het verschrikkelijke nieuws vernamen. Deze mensen waren de eerste fluisteraars en zij bespraken de eigenaardige waarschuwing die de blinde Steadman hun had gegeven toen hij tegen de president en de anderen had gezegd: 'Niet vanavond doodgaan. Niemand zal het zich herinneren.'

Eindelijk ging de telefoon, bekenden belden op – echte vrienden had hij niet. De meesten waren mensen van het feest van de Wolfbeins, de kleine kring van beroemdheden die zo ver van het gewone leven af stonden en hun eigen wereldje hadden dat Steadman er zeker van was dat het nieuws van zijn blindheid niet ver zou reiken, althans voorlopig niet. Maar vanwege hun beroemdheid zouden deze mensen het nieuws uiteindelijk wereldkundig maken. Spoedig zou iedereen het weten.

In sommige van de meelevende telefoontjes was een bezorgde toon te horen, niet zozeer om Steadman als wel om de spreker zelf, die bijna altijd bang en een tikje kwetsbaar klonk. Steadman vroeg zich af of ze soms bang waren voor het inzicht dat hem door zijn ernstige aandoening was geschonken, voor het feit dat hij door het verlies van zijn gezichtsvermogen uiterst waakzaam en op zijn hoede was. Hij was niet langer de afstandelijke arrogante man met geld. Hij was een uitzonderlijk slachtoffer. En wat konden die hulpeloze mensen doen om hem te troosten? De waarheid in de wereld van de stervelingen is dat mensen ziek worden, verzwakken en sterven. Als gewonde man stond Steadman dichter bij de dood dan bij het leven en werd zijn lotsbestemming hem steeds voorgehouden, en daarom betekende het leven meer voor hem, wist hij er meer van en was hij een held.

In een paar telefoongesprekken hoorde hij iets meelijwekkends, bijna iets klaaglijks, dat grensde aan jaloezie, want op dit eiland van beroemdheden droeg zijn plotselinge handicap ertoe bij dat hij een nóg grotere beroemdheid werd, alsof zijn blindheid helemaal geen ziekte was, geen gebrek, geen invaliditeit, maar een soort onderscheiding die hem was toegekend, iets wat rancune en afgunst opriep.

Het liet hem koud. Niemand kende hem goed genoeg om de waarheid rond zijn blindheid of het inzicht dat hij erdoor verkreeg, te begrijpen. Het enige dat ertoe deed was dat als het nieuws over zijn blindheid algemeen bekend werd, en hij wist dat dat zou gebeuren, en als zijn naam als schrijver weer in de publiciteit zou komen, hij in alle eerlijkheid kon zeggen dat hij aan een boek werkte en dat zijn blindheid hem had geholpen zijn werk weer op te pakken.

Schrijven was leven, opgewekt opstaan en de draad weer oppakken waar hij was opgehouden. Zijn verhaal met het flinterdunne laagje fictie drukte het diepste deel van hemzelf uit, een zoektocht in de verste uithoeken van zijn geheugen, zijn vroegste en meest hardnekkige herinneringen, verwoord in het ultieme boek der openbaring. Hij kende vele schrijvers die planken vol halve waarheden en uitvluchten, verzonnen verhalen, sprookjes en verzinsels hadden gepubliceerd. Soms leek het wel alsof dat alles was wat schrijvers deden: verhalen vertellen. 'Ik werk aan een roman.' 'Ik ben bezig met een verhaal.' 'Ik probeer een idee uit te werken.' Maar als je je eigen bloed als inkt gebruikte en wat je schreef de waarheid was en je eigen leven het onderwerp, was één roman genoeg; er viel niets meer te weten, niets meer te zien, een hart was blootgelegd. Daar geloofde hij in.

Wat Ava in de dagen na het feest van haar stuk bracht, was dat de bellers voornamelijk vrouwen waren. De vrouwen van zijn mannelijke vrienden waren de eersten, zij vroegen heel vriendelijk hoe het ermee ging, en daarna de vrouwen die hij vóór Ava had gekend en die minder goed te plaatsen waren dan de anderen: zomervrouwen, ongebonden vrouwen, beschikbare vrouwen, berekenende vrouwen, nog steeds aantrekkelijke vrouwen, pas gescheiden vrouwen. En uiteindelijk de volhardende bellers, vrouwen die hij niet kende, die zich in de periferie van de kring van de Wolfbeins ophielden en die het stugst volhielden dat ze hem snel wilden ontmoeten.

'Ik wil je helpen.'

Wat een van die vrouwen op een ochtend zei, op dwingende toon: ze wilde alles voor hem doen – hem betuttelen, redden, commanderen – kwam steeds weer terug in al die lange gesprekken. Steadman nam altijd de telefoon op en Ava, die tijdens het dicteren was onderbroken, zat vlak bij hem en keek kwaad en geërgerd naar de uitgeschakelde cassetterecorder, hulde zich in een beschuldigend stilzwijgen en stoorde zich aan de telefoontjes, verafschuwde iedere seconde die hij aan de telefoon zat. Dit was allemaal het gevolg van het feit dat hij naar het feest was gegaan.

'Dat is heel vriendelijk van je.'

'Wat je maar wilt.' Was dit de vrouw die hem had aangeraakt, hem had omhelsd, zich op het feest aan hem had aangeboden? 'Wat kan ik voor je doen?'

'Ik ben nu even bezig.'

'Ik weet hoe moeilijk het voor je moet zijn.'

Ze was vriendelijk maar vasthoudend, zoals zovelen van hen. De medelijdende mensen die hij sprak hadden een afschuwelijke klank in hun stem, ze hadden een kleffe toon, een intimiderend stemgeluid en de opdringerigheid van een telefonische verkoper.

Ze zei: 'Ik zou vandaag langs kunnen komen, vanmiddag. Of later. Vanavond ben ik helemaal vrij.'

Ava hoorde die woorden niet, maar wist het op een of andere manier, en zuchtte met een harde ademstoot die ze met haar wijdopen mond versterkte, zodat die via de telefoon bijna hoorbaar was, waardoor Steadman zich ongemakkelijk voelde.

'Ik moet ophangen,' zei hij. 'Ik ben aan het werk.'

Maar voordat hij door kon gaan met het dicteren, voordat Ava op een vitterige medelijdende toon een opmerking kon maken waarop hij geen weerwoord had, ging de telefoon opnieuw.

'Slade, ik heb het gevoel dat ik je goed genoeg ken om je Slade te noemen.' Weer een andere vrouw. 'Ik heb een enorme ervaring met visueel gehandicapten.'

Ze was jong, had een lieve stem en klonk gretig. Steadman stelde zich een prachtige huid voor, haar lippen dicht bij de hoorn in haar vochtige hand, haar gespannen ontvankelijke lichaam lichtjes overhellend om hem te kunnen horen.

'Ik ben niet visueel gehandicapt,' zei hij.

'Ik zou je kunnen voorlezen. Dat zou ik fijn vinden.'

Ava wilde het liefst dat hij de telefoon op de haak zou gooien, dat wist hij. Maar hij kon de telefoon niet van zijn oor nemen; hij hield hem tegen zijn hoofd gedrukt. Hij was gefascineerd: de vrouw bood zichzelf aan en smeekte: Neem me.

'Hoe komt ze aan dit nummer?' vroeg Ava.

Ze wist dat de beller een vrouw was, wist wat ze zei, wist alles, en daarom was ze verbolgen over de indringing.

'Zeg tegen je vriendin dat ik om je geef.' De vrouw had Ava's vraag gehoord en gaf antwoord. 'Alle telefoonnummers zijn te achterhalen, als je maar weet hoe.'

'Zeg haar...' Ava wilde de vrouw onderbreken, maar werd zelf geïnterrumpeerd.

'Er zijn geen geheimen,' zei de vrouw. En vlak voordat ze ophing: 'Ik ben er voor je.'

Ava zei: 'Hier was ik al bang voor.'

'Dat vrouwen me achternazitten?'

'Dat je de aandacht op jezelf vestigt. Die vertoning bij de Wolfbeins.'

'"Er zijn geen geheimen." Dat zei ze.'

'Dat zou je zorgen moeten baren.'

Hij deed net alsof hij zijn papieren sorteerde, zijn pennen en potloden naast elkaar legde, een paar notitieblokken recht legde en de cassetterecorder verplaatste, en zei niets in de hoop dat ze zou ophouden.

Maar ze zei in zijn gezicht: 'Omdat er niets mis is met je ogen. Je bent niet eens naar een oogarts geweest. Je bent in een maffe opwelling van bravoure naar een feestje op de Vineyard gegaan waar je jezelf voordeed als wijze blinde man en zelfs de president van de Verenigde Staten trapte erin.'

'Het was de moeite waard.'

'Omdat je de beste plaats had om het fijne over de dodenrit van Diana te weten te komen?'

'Nee, de president. Ik heb in zijn ziel gekeken.'

'Ach, alsjeblieft.'

Ava snoof verachtelijk, dreef de spot met zijn hoogdravendheid, zijn verheven manier van doen die bij zijn blindheid scheen te horen. Dat gedrag zelf was ook een soort blindheid.

Maar Steadman keek haar alleen maar aan met zijn dode ogen en wachtte tot ze zou ophouden, omdat hij wist dat als hij die blik kon volhouden, hij haar van haar stuk zou brengen door met zijn onverschillige geduld een gat in haar schedel te boren. En hij had het gevoel dat hij daar misschien in geslaagd was, dat ze in verwarring was gebracht, want ze dreef niet langer de spot met hem en toen ze weer begon te praten, sloeg ze een redelijker toon aan.

'Als je dat soort dingen zegt, weet ik niet of ik moet lachen of dat ik me echt zorgen moet maken over je gezondheid.'

'Hij wordt gekweld,' zei Steadman. 'Ik heb echt medelijden met hem. Een deel van hem is verdwaald en hij wil niet dat iemand het weet. Stel je het dilemma voor: de man die het meest in de gaten loopt van de hele wereld heeft een geheim.'

'Wat voor geheim?'

'Iets verbodens, iets waarvoor hij zich schaamt, alsof hij hulpeloos is, verloren.' Steadmans lege blik was nog steeds op haar gevestigd. 'Hij is kutgericht.'

Ava zei: 'Ik weet zeker dat de president gerustgesteld zou zijn als hij zou weten dat je zo met hem meeleeft.'

'Vreemd genoeg ben ik het daarmee eens. Bij hem is alles belangrijk. Hij is overgevoelig. En vasthoudend. Hij is vanuit het niets gekomen. En hij wil een held zijn.'

'Misschien hebben jullie dat wel gemeen.'

De telefoon ging voordat Steadman antwoord kon geven, en hij pakte haastig de hoorn op, zoals hij alle vorige keren had gedaan, voordat Ava kon opnemen.

Het was een andere vrouw. Ze zei: 'Je hebt me aangeraakt,' en hing op.

'Hier baal ik van,' zei Ava toen ze de uitdrukking op Steadmans gezicht zag. 'Jij bent een zielepoot en zij zijn beklagenswaardig.'

Ze zei kwaad dat hij zichzelf voor de gek hield door te genieten van de telefoontjes van die onbekende vrouwen. In plaats van kracht uit zijn blindheid te putten zoals hij steeds had beweerd, had hij het egotisme van een invalide die aandacht vraagt en in de watten gelegd wenst te worden en die wil dat zijn gebrek gezien wordt.

'"Moet je me zien; zo blind als een mol!"' zei Ava spottend. 'Prachtig vind je het.'

Hij vroeg zich af of dat waar was. Ja, hij had ervan genoten dat hij op het feest de aandacht had getrokken. Het had hem herinnerd aan die mooie dagen toen hij een gevierd wonderkind was.

'Dus ik ben net zo vulgair en ontvankelijk als wie dan ook. En wat dan nog? Hé, en de president dan?'

'Je vond het leuk om hem te overvleugelen.'

'Waarschijnlijk wel,' zei Steadman. 'Toen stierf Diana en overvleugelde ons allebei. Wat een avond.'

Door haar manier van ademen wist hij dat Ava hem nog steeds aanstaarde, nog steeds geërgerd was.

Ze zei: 'Niet iedereen heeft het goed met je voor.'

'Wat betekent dat?'

'Ik ben er zeker van dat er mensen zijn die blij zijn dat je een toontje lager moet zingen, en anderen vermoeden dat je doet alsof. Trouwens, waarom heb je niet gevraagd of ik een oogarts voor je wilde zoeken? Ik had je naar een specialist kunnen verwijzen.'

'Jij denkt ook dat ik doe alsof,' zei hij. 'Je doet de laatste tijd zo koel.'

Het feest en al de roddel daarna, het feit dat hij weer was opgedoken temidden van al die mensen en plotseling weer zichtbaar was, had hun beider wereld op zijn kop gezet en had hun avonden veranderd. Het was even gedaan met de nachtelijke seksuele maskerade, de verrukkelijke routine. Dat hij als blinde met Ava naar het feest was gegaan, de arm van de president om zijn schouders, had een grote invloed gehad; had hen ontnuchterd, had hun een ongemakkelijk gevoel gegeven, had hen van hun gebruikelijke intimiteit afgehouden. Sterker nog, dit alles had een verblindend licht op hen geworpen dat hun onderlinge afstand extra deed uitkomen.

'Dat zal wel. Je bent iemand anders.'

'Ik ben weer aan het schrijven,' zei hij.

Tot die avond waarop hij naar buiten was getreden had hij het gevoel gehad dat deze vrouw óók in zijn huid zat. Hij had genoten van de intensiteit van hun afzondering, hij hield van de schaduwen die over hen hingen, de schaduwen vanbinnen, de schaduwen die zij in de slaapkamer wierpen. Maar nadat hij voor het eerst sinds hun terugkomst uit Ecuador in de openbaarheid was getreden en was opgemerkt en zelfs werd geprezen om zijn handicap, was alles veranderd. Er hing een andere sfeer. Door andere mensen in hun leven toe te laten hadden ze Slade's geheim onthuld, de aanblik van zijn blindheid, en hadden ze iedereen geschokt met zijn overduidelijke aandoening, maar de diepere waarheid hadden ze verborgen gehouden.

'Het is een truc,' zei ze.

Het was helemaal geen blindheid, ging ze verder, maar een toestand van lichtgevende euforie die door een drankje uit het oerwoud werd veroorzaakt. Je pakte een flesje, je dronk ervan en je was in een lichtere, verblindende kamer en de kamer keek uit op de wereld.

Het laatste telefoontje ('Je hebt me aangeraakt') had Ava geprovoceerd en Steadman zat maar wat te mompelen. Ze zaten tegenover elkaar, maar zagen alleen de muren.

'Ontken maar dat het een truc is,' zei Ava.

Maar Steadman ontkende het niet en had verder ook niets te zeggen. Geïrriteerd, want hij wist weer wat ze zojuist gezegd had, vroeg hij: 'Wat bedoel je met oogarts? Waarom zou ik naar een oogarts moeten gaan?'

'Je hebt een aandoening zonder naam.'

'Het heet blindheid.'

'Die blindheid is een gevolg, een toestand die is opgewekt doordat je die drug neemt,' zei Ava. 'Waarom zou je anders blind zijn?'

Steadman draaide zich om en struikelde heel even; hij haatte het dat hij zo onvast ter been was, voelde zich hevig gepikeerd door Ava's aantijgingen en wenste dat hij haar zijn boek kon dicteren in plaats van naar haar te luisteren. Ze bleef maar doorpraten!

'Blindheid heeft altijd een oorzaak. Het heeft een etiologie, een pathologie. Wil je een uiteenzetting over de visuele cortex en de neurologische basis van visuele beelden? Blinde mensen zijn altijd experts op het gebied van hun aandoening. Ze vertellen artsen hoe het zit met aandoeningen van het netvlies en degeneratie van de macula, ze weten alles van PET-scans en functionele MRI's. Over staar, de verschillende operatietechnieken, de hersteltijd, de risico's van infectie.'

'En wat dan nog?'

'Voor jou is het iets metafysisch. Het is mystiek. Jij verlustigt je alleen maar in je blindheid. Je geniet van de aandacht. Je vindt het schitterend als mensen over je praten en je opbellen. Die sentimentele vrouwen.'

'Zij vragen niet waarom ik blind ben.'

'Maar de president wél. Ik zag hoe je je in bochten wrong en de vraag ontweek. Hij wilde je helpen. Hij wil een dokter voor je vinden. Je zag er belachelijk uit toen je zo stond te hakkelen.'

'Hij begreep dat ik blind ben. Hij begreep ook dat ik hypervisueel ben, dat ik voorspellende gaven heb. Ik zie meer dan wie ook. Ik kon zijn angst ruiken, ik hoorde zijn angst toen hij praatte over iets wat er niets mee te maken had; toen hij het over Chuck Berry had. Ik kon de mensen op het feest alleen al door hun geur van elkaar onderscheiden.'

'Wil je dat de mensen weten dat je je blindheid uit een flesje hebt?'

Nu zag hij waar ze naartoe wilde. Ze had gelijk: door naar het feest te gaan had hij zich blootgesteld aan mogelijke vragen waarop hij geen eerlijk antwoord kon geven. En er zouden meer vragen komen. Hij had een betere verklaring nodig; hij moest een verhaal verzinnen.

'Ze willen je helpen,' zei Ava en ze moest lachen bij de gedachte eraan, maar het was een holle, gekwetste lach.

'Wat heeft het voor zin om naar een dokter te gaan?'

'Dan kun je zeggen dat je bij een dokter bent geweest.'

'Jij bent toch een dokter?'

'Ik ben de minnares van de blinde.'

5

Hij werd veel te vroeg wakker, zag de hele dag in Boston voor zich en werd al humeurig toen hij bedacht hoezeer hij dokters verfoeide, hun absurde autoriteit, hun bazige arrogantie, hun manier van doen: jij deed ongedwongen, zij waren formeel; jij was klein, zij waren groot: 'Wacht hier Slade, de dokter is even bezig.' Dokters deden zich voor als symbool van macht en wijsheid die wisten hoe je pijn kon stillen en ziekten kon genezen en levens kon redden. Die vaardigheden waren eigenlijk een hogere vorm van loodgieteren, die men zich door ijverig zwoegen eigen maakte, maar toch beschouwden ze zichzelf als sjamanen en wilden niet als gewone stervelingen worden beoordeeld. Ze hadden er een hekel aan wanneer hun geleerdheid ter discussie werd gesteld en ze luisterden nooit.

Ava was anders dan alle dokters die hij ooit had meegemaakt. Ze las boeken voor haar plezier, ze presenteerde zichzelf niet als arts en ze sprak hem niet tegen als hij verklaarde dat dokters ziekten veroorzaakten, dat ziekenhuizen een bron van ziekte waren en dat de meeste nieuwe medicijnen onvoldoende waren getest en veel te vaak werden voorgeschreven. Artsen maakten mensen ziek met medicijnen met bijwerkingen. De ideale relatie tussen dokter en patiënt was zijn liefdesrelatie met Ava, of de relatie tussen de Secoyasjamaan en de ayahuascadrinker. Door de neuriënde sjamaan nederig te worden gemaakt en visioenen te krijgen door zijn medicijn, dat was de puurste genezing.

Die dagen van openbaring aan de rivier de Aguarico herinnerden Steadman eraan dat ze de Vineyard niet hadden verlaten sinds ze afgelopen november uit Ecuador waren teruggekeerd, dat ze zich de hele winter, het voorjaar en het begin van de zomer levend hadden begraven – die verbijsterende maanden van werk en seks. En nu stonden ze om negen uur 's ochtends muurvast op de kruising van zijn landweggetje en de hoofdweg, op weg naar het vliegveld, met Ava achter het stuur en Steadman die woedend naast haar zat en chagrijnig naar een ondoordringbare rij auto's keek waarin ze probeerden in te voegen.

Verbrande badgasten met half dichtgeknepen ogen van ongeduld in voortkruipende auto's, de op en neer bewegende, verveelde kindergezichten voor de ramen, een onafgebroken rij auto's die nergens naartoe ging. Steadman walgde van al die opdringerige vreemdelingen in hun jeeps, minibusjes en grote vrachtwagenachtige voertuigen met grote sturen en bumpers als fietsenrekken. Ze waren pas tien minuten op weg en hij had er nu al spijt van dat hij had toegestemd in een afspraak met een oogarts in Boston.

'Neem de kortere weg.' Hij staarde naar haar been en bad dat het de voet waarmee ze gas gaf in beweging zou brengen.

'Ik kan niet eens invoegen.'

In een poging ruimte voor zichzelf te creëren liet Ava de auto voorzichtig optrekken, maar toen een Range Rover aarzelde en een gaatje openliet, dook er onmiddellijk een man op een brommer in, alsof hij het luchtledige werd binnengezogen, en achter hem zat een optocht van fietsen, vader, moeder, schommelende kinderen en nog een volwassene in nauwsluitend lycra die op een fiets een aanhangertje voorttrok. Vervolgens vulden de gehaaste auto's die bijna niet vooruitkwamen het gat op. Een vrouw met een rood gezicht op de passagiersstoel van een cabriolet staarde Steadman aan; toen sloeg ze haar armen over elkaar, duwde haar hoofd naar voren en deed haar mond zo ver open dat haar neusvleugels wit werden, en gaapte geïrriteerd met een ordinair ganzengesis dat hij kon horen.

'Ga toch naar huis!' riep hij.

De vrouw smakte met haar lippen, knipperde met haar ogen en mimede kalm de woorden: 'Klootzak.'

Ava zuchtte bij de aanblik van de rij stapvoets rijdende auto's en trok zachtjes op om van opzij een gaatje te forceren maar stond nu op de baan van de tegemoetkomende auto's, omdat het verkeer in de drie kilometer lange file naar Vineyard Haven opnieuw tot stilstand was gekomen. Ze zaten nog steeds een kilometer van de kortere weg naar het vliegveld.

Brommers scheurden tussen de rij stilstaande auto's door, fietsers hobbelden langs de zijkant van de weg voort en twee vrouwen kwamen triomfantelijk langsjoggen, doorweekt van het zweet in hun schaarse kleding. Een hond met kaken vol kwijl duwde zijn kop uit een autoraam en blafte woedend naar hen. Een radio – van de cabriolet voor hen? – stond erg hard en vanuit de onbeweeglijke auto's in de kalme zomerlucht roken Steadman en Ava de geur van een sigaar.

'De president rookte een sigaar bij de Wolfbeins, heb je dat gezien?'

vroeg Ava om een gesprek op gang te brengen vanwege het langdurige oponthoud en omdat ze Steadmans ongerustheid over het vliegtuig dat ze moesten halen wilde wegnemen.

'Waarom is het verdomme zo druk?'

Steadmans woede uitte zich als een kleverigheid in zijn mond, zand in zijn ogen en ingewanden die opspeelden van frustratie. Hij voelde zich als een onschuldig kind dat in een samendrommende en luidruchtige wereld was losgelaten. Hij was ontsteld en werd nog bozer vanwege de manier waarop Ava hem met haar triviale opmerking over de sigaar probeerde af te leiden van de fietsen, de uitlaatgassen, het lawaai, de vreemdelingen, de New Yorkse kentekenplaten, de joggers, de lommerrijke weg die door auto's was geblokkeerd. En het meest irritante aan het langzame verkeer was dat je de bumperstickers op de luxe terreinwagens kon lezen. Hoe duurder het voertuig, hoe frivoler de boodschap.

'Moet je kijken hoe groot die auto's zijn. Die zijn gemaakt voor het oerwoud en de woestijn.'

Ava zei: 'Dat doet me eraan denken: het bureau wil dat je een voorstel van Jeep goedkeurt voor een soort Trespassing Limited Edition. Zoiets als dat Eddie Bauer-model van de Ford Explorer.'

Hij stelde zich het voertuig in de Trespassing-uitvoering voor: de safarilook, de aardetinten, de stevige stoelen, de veiligheidsbeugels, de koeienvanger, de handschoenenkastjes, het kompas, de hoogtemeter, de uitrustingstassen, de kakikleur, de canvas stof, de in leer uitgevoerde details. Allemaal omdat hij een boek had geschreven. Hij werd er droevig van en zweeg.

Ava zei: 'Trouwens, er is om twaalf uur nog een vlucht,' en ze bleef op hoopvolle toon doorpraten in een poging hem te troosten, tot ze merkte dat Steadman niets terugzei.

Steadman zat vaag glimlachend recht voor zich uit te staren en likte zijn lippen af, hij hield een flesje in zijn handen waarvan Ava zag dat het leeg was.

'Wat heb je nou gedaan?'

In plaats van daar antwoord op te geven, zei hij: 'Het verkeer stroomt weer door,' terwijl dat niet het geval was, zodat hij eraan toevoegde: 'Anderhalve kilometer verderop,' want hij was weer blind, verkeerde in een andere dimensie van inzicht en voelde zich ontspannen; hij kon voorbij de vastzittende auto's en fietsen kijken en uitrekenen dat ze het vliegtuig makkelijk zouden halen.

Op het vliegveld glimlachte Steadman achter zijn donkere bril toen ze incheckten.

'Alleen handbagage,' zei Ava tegen de vrouw die achter de balie op een toetsenbord tikte.

Steadman zei zachtjes, alsof hij in zichzelf sprak: 'Dat verkeer zat in mijn hoofd.'

Zwiepend met zijn witte rottinkje liep hij met lange passen zelfverzekerd op het kleine vliegtuig af, vóór Ava, maar achter de andere passagiers aan.

'Brother Steadman, hoe gaat het met je?' zei een man in een van de voorste stoelen.

'Bill,' zei Steadman toen hij Styrons stem herkende, en, omdat hij voelde dat de ander aanstalten maakte op te staan: 'Blijf zitten, alsjeblieft.'

'Je ziet er goed uit,' zei Styron. 'Was dat geen fantastisch feest bij de Wolfbeins?'

'Een historische gebeurtenis.'

'Dat komt door jou. Je bent een moedige vent.'

'Onzin.'

'Nee, je bent een kei. Ik was geroerd toen ik je met de president zag praten. Hij was ook behoorlijk onder de indruk.'

Ava's gêne zat diep vanbinnen. Steadman voelde het heel duidelijk, hij voelde wat zíj voelde, een samentrekkende kramp, een verwijt aan hem, en hij zei: 'Zeg dat alsjeblieft niet, Bill. Ik ben dezelfde als vroeger, alleen misschien wat slimmer.'

'Hier is uw plaats, meneer,' zei een vrouw, de stewardess, wist Steadman, die hem naar een stoel aan het gangpad leidde. Ava ging bij het raampje zitten.

Steadman besefte dat hij dicht bij Styron zat, vlak achter hem. Een geur, een gemompel, het gekraak van een dikke krant die Styron openvouwde, het gevoel van zijn dunne vingers en zijn knokkels die over de vouw streken.

'Ga je naar Boston, Bill?'

'Alleen om over te stappen,' zei Styron. 'Susanna filmt *Shadrach* in North Carolina. Ze heeft me uitgenodigd.'

'Ik ga naar een arts in het oog- en oorziekenhuis van Massachusetts.'

'Ik hoop dat ze goed nieuws hebben.'

'Ik zie wel. Ik ben gelukkig.'

'Dat bedoel ik nou met moedig.'

En weer voelde hij die samentrekking, de kramp van schaamte van Ava naast hem, hoewel ze elkaar niet eens aanraakten. Maar nu ergerde hij zich aan haar reactie, beschouwde die als inbreuk op zijn serene stemming.

'Ik werk aan een boek.'

'Dat zegt alles,' zei Styron.

De wielen van het kleine vliegtuig hobbelden bij het taxiën; ze stegen op, alsof ze plotseling werden vastgegrepen en opgetild door een windvlaag, het toestel wiebelde en trilde en het motorgeraas vulde het compartiment tot ze hoog genoeg zaten en op kruissnelheid doorvlogen en af en toe heen en weer werden geschud door turbulentie.

'Ik zou dit ding kunnen besturen.'

'Dat zou je zeker,' zei Styron grootmoedig met een toegeeflijk lachje.

Steadman maakte zijn veiligheidsriem los. Hij hees zichzelf uit zijn stoel en liep naar de openstaande deur van de cockpit.

'Dag, Captain.'

Hier was het lawaai het hevigst, het heimachinekabaal van zuigers en propellers, maar een van de piloten voelde dat hij bij de deur stond. Hij glimlachte toen hij de dunne witte stok en de donkere bril zag, de panamahoed, de ellebogen naar buiten gedraaid, het hoofd opgericht, het gezicht naar voren, de gespitste oren, de waakzame houding van een blinde, een luisterend dier.

'Waarom vliegt u langs het kanaal? Dat is niet de gebruikelijke route.'

'In het westen wordt het inkomend verkeer opgehouden door het weer. Wij hebben een tijdstip op de zuidelijke landingsbaan toegewezen gekregen, dus vliegen we vanuit het oosten aan. Zeg, hoe wist u onze koers eigenlijk?'

'De zon,' zei Steadman. 'De ingang van het kanaal ligt hieronder. De krachtcentrale van Sandwich. De haven. Het moeras. De duinen ten oosten daarvan. Scusset in het westen; en nu buigen we af in de richting van Plymouth. Zo dadelijk zien we Duxbury en krijgen we tegenwind, die komt vandaag uit het noordwesten...'

'U kunt maar beter teruggaan naar uw stoel, meneer.'

'Laat mij eens even achter de instrumenten zitten.'

De ene piloot trok geschrokken zijn nek in, boog zich voorover en greep de stuurknuppel in een beschermend gebaar vast, terwijl de andere piloot verontrust naar de glimlachende praatgrage blinde man bleef kijken die zo graag het vliegtuig wilde besturen.

'Ga eens opzij,' zei Steadman en hij porde de man met zijn stok.

'Ik moet u dringend verzoeken naar uw stoel te gaan en uw veiligheidsriem vast te maken,' zei de man, die zichzelf en de copiloot in de spiegelglazen van Steadmans zonnebril zag.

'Denk je dat ik niet blind kan vliegen? Blind vlieg ik beter.'

'Over een paar minuten gaan we landen meneer,' zei de piloot, alsof hij het tegen een gek had.

'Dat weet ik,' zei Steadman en hij tikte weer met zijn stok. 'Marshfield, North River...'

'Ga weg bij de instrumenten!'

Uiteindelijk raakte Ava zijn arm aan en zei: 'Slade, alsjeblieft.'

Toen hij terugging naar zijn stoel, streek hij langs het doodsbange lichaam van de stewardess, die zachtjes aan Ava vroeg of alles in orde was met hem.

Ava was te zeer in verlegenheid gebracht om erover te praten waar Bill Styron bij was en opgelucht toen ze waren geland, afscheid hadden genomen en enkele minuten later in een taxi zaten. Ze wilde net zijn bizarre gedrag in de cockpit ter sprake brengen toen ze de Summer Tunnel in reden en Steadman de leiding nam: 'Ga na de afslag scherp naar rechts. We gaan naar Quincy Market. Ik zeg wel waar.'

'Niks mis met uw ogen, meneer,' zei de taxichauffeur. Zijn eigen donkere ogen, grote neus en een deel van zijn glimlach vulden de besmeurde rechthoek van de achteruitkijkspiegel.

'Hier,' zei Steadman, en toen zei hij, alsof hij de borden las, maar zonder ernaar te kijken: 'Marginetti Liquors. La Rosa Deli. Mama's Pizza. De Dig Big doolhof.'

De taxichauffeur, die door Steadmans gepraat tot zwijgen was gebracht, begon bedenkelijk te kijken, alsof hij voor de gek werd gehouden.

'Stop hier. We lopen verder wel.'

'Quincy Market, zei u.'

'Maar we komen amper vooruit. Het Union Oyster House ligt in een eenrichtingsstraat. Lopend zijn we er sneller.'

Het volgende moment was hij de taxi uit en Ava betaalde de rit. De chauffeur knikte in de zijspiegel en zei: 'Waar is de brand?' Steadman was snel vooruitgelopen en toen Ava hem had ingehaald, stapte hij flink door en sloeg met zijn stok op het trottoir.

'Waarom doe je dit?'

Hij antwoordde niet, hij liep voor haar uit, zwiepte met zijn stok en dreef de andere wandelaars opzij, die wanneer ze merkten dat hij blind was, met een mengeling van angst en eerbied naar hem leken te kijken. Een eindje verder legde hij zijn hand op het erkerraam van het Union Oyster House, liep tastend langs de ramen en de dikke gebarsten verf en zocht tikkend met zijn stok zijn weg naar de ingang.

Een man en vrouw die het restaurant net uitkwamen, gingen bij de aanblik van de grote blinde man opzij; donkere bril, één arm uitgestrekt, in de andere een heen en weer zwaaiende witte stok die hij met de ijzeren dop de drempel in boorde. Een jonge ober kwam toesnellen en zei: 'Deze kant op, meneer.' Steadman volgde de innemende stem naar een zitje aan de zijkant. Een man die er gevaarlijk uitzag werd altijd 'meneer' genoemd.

Ava ging net zitten toen Steadman zei: 'Te dicht bij de bar.'

'De bar is leeg, meneer.'

'Ik wil niet al die barkrukken en flessen voor mijn neus hebben.'

De ober dacht waarschijnlijk: Maar je bent blind!

'Kunnen we daar niet zitten?' Steadmans witte stok zwaaide als een kompasnaald en wees een lege tafel aan.

'Ik ben bang dat die is gereserveerd.'

Steadman staarde hem aan en zei: 'Is het aan uw aandacht ontsnapt dat ik blind ben?'

'Ik denk dat we wel een plaatsje voor u kunnen vinden, meneer,' zei de jongeman en hij ruimde met veel gekletter van tafelzilver twee van de vier couverts af. 'Ik ben Kevin. Ik sta vandaag tot uw dienst. Mag ik u een cocktail aanbieden?'

Ava was gespannen, stil, en vroeg zich bezorgd af wat Steadman nu weer zou zeggen, want hij had de gênante gewoonte om obers op het verkeerde been te zetten door beminnelijk, ironisch en overdreven vriendelijk te doen, wat nog erger was dan ze te schofferen, want het bracht ze van hun stuk en maakte hen soms kwaad. Maar hij tikte op het menu zonder ernaar te kijken.

'Geen cocktails,' zei hij. 'Ik neem een dozijn oesters en een kop vissoep.'

'Zelf vind ik kreeftensoep het lekkerst.'

'Nou, waarom bestel je die dan niet, Kevin. Ik neem de soep van strandgapers.'

Ava zei: 'Kreeftsalade en een glas ijsthee,' en toen de ober weg was:

'Slade, ik wil graag dat je een beetje inbindt.'

'Ik ben blind. Ik leef in een andere wereld dan jij. Misschien had je niet mee moeten gaan.'

Daar dacht ze even over na. Het was waar dat hij dingen had opgemerkt die zij over het hoofd had gezien, maar hij scheen ook veel dingen níet te zien die voor de hand lagen. Hij was vooral gevoelig voor texturen, geuren en stemmen.

'Ik heb er een hekel aan wanneer mensen in restaurants hun mobiele telefoon gebruiken.'

Nadat ze de zaal had rondgekeken, zag Ava uiteindelijk een man aan een tafeltje ver weg die een telefoon aan zijn oor hield; maar ze hoorde hem niet.

'En die mensen in die nis fluisteren over me.'

Zodra de opengemaakte oesters werden geserveerd, liet Steadman zijn vingers langs de rand van het bord glijden, telde de schelpen en koos zonder aarzelen de fles Tabasco uit de verzameling kruiden en sauzen op de rand van het tafeltje. Hij deed een paar druppels op iedere oester en kneep toen een partje limoen uit, dat hij in een draaiende beweging over het hele bord bewoog. Hij hield zijn handen hoog, maakte er een ietwat overdreven vertoning van, trok de aandacht; en het klopte, de vrouwen in de nis vlakbij (hoe wist hij dat ze in een nis zaten?) fluisterden en becommentarieerden Steadmans precieze gebaren.

'Je zit je uit te sloven,' zei Ava.

'Ik ben in Boston.'

'Ik vind je thuis leuker.'

'Is dat echt zo?'

Hij merkte dat ze het hem naar de zin probeerde te maken. Ze at snel en zenuwachtig, voelde zich bekeken en ongemakkelijk vanwege Steadmans impulsieve gedrag. Zijn blindheid had hem extrovert gemaakt, wond hem op, gaf hem een geheimzinnig en bijdehand voorkomen. Hij gleed voort als een dier met nachtziendheid, hij snoof zelfs en bewoog zijn hoofd als een hypergevoelig dier. De blindheid scherpte zijn zintuigen aan, maar leek ook zijn manier van lopen en voortbewegen te beïnvloeden. Hij herinnerde zich levendig dat hij aan de oever van de Aguarico een Secoya-indiaan uit het oerwoud te voorschijn had zien komen en had gedacht: Ik heb nog nooit een man op die manier zien lopen. Hij had destijds niet kunnen zeggen wat er nu precies zo ongewoon aan was, maar nu wist hij dat het een gang was waaruit opperste waakzaamheid sprak.

Toen hij zich van de taxi naar het restaurant haastte, had Steadman net zo'n loopje gehad, hoewel hij meer rechtop liep – zijn blinde gebaren waren minder aarzelend, zekerder en vloeiender, zijn blik vaster en intenser, zijn hoofd zo gedraaid dat hij beter kon horen, want zijn ogen waren leeg. Hij leek met zijn gezicht te zien, met zijn lippen, zijn huid, zijn vingertoppen, doordat hij trillingen in de lucht opving.

'Ik ben nog nooit als blinde in Boston geweest.'

Hij haatte Ava's schimpscheut, 'uitsloven', alsof hij zo nodig iets moest bewijzen! Hij zag haar nu heel duidelijk met zijn tong, met zijn tanden, met zijn voorhoofd, met zijn neus.

'De stad is hetzelfde,' zei ze.

'Voor mij is hij anders. Ik zie nu meer, dus ik reageer anders. Waarom moet ik dat allemaal zeggen? Ik heb er een pesthekel aan om alles te moeten uitleggen. De stad stinkt naar een bouwput, naar vernietiging, dieselolie en cementstof. En ook naar de ontevredenheid van de toeristen, de manier waarop ze rondloeren, zo onzeker. De meesten zijn de weg kwijt. Dat restaurant vol onbekenden. Het is beangstigend. Want ík ben niet de weg kwijt.'

'We hadden een latere vlucht moeten nemen. Je afspraak is pas om twee uur.'

'Ik vind het wel prettig om de tijd te hebben. Jij bent op het ogenblik in een andere stad dan ik,' zei hij. 'Jij bent een slaapwandelaar.'

'Dat bedoel ik nou. Wat een gelul.'

'Ik ben volkomen alert.'

'Je bent opgefokt.'

'Vanwege al dat gepraat. Ik hoor te veel. Mensen weten niet wat ze met blindheid aanmoeten. Ze willen helpen, maar ze weten niet hoe, ze zijn bang dat ik op mijn gezicht val. Ik hoorde iemand zeggen: "Moet je eens kijken hoe snel die blinde man loopt."'

'Ik denk dat je dat met opzet doet.'

Hij wist dat ze ergens gelijk had, maar hij vond de toeschouwers zo hinderlijk omdat ze hem niet-begrijpend aankeken; ze wisten niet genoeg, ze zagen niet hoe scherpzinnig hij was. Hij wilde opvallen, hij wilde misschien wel gevreesd worden, of op zijn minst als een sterk mens worden gezien. Hij vond dat hij lof verdiende, en geen medelijden: hij zag meer dan zij allemaal.

Ava zei: 'Ik denk dat je heimelijk plezier hebt.'

'Ik heb in deze stad op school gezeten,' zei hij. 'Scollay Square en de

Old Howard lagen aan dezelfde straat. Pikante revue, stripteaseshows, Ierse bars. Ik weet nog dat op de markt twee straten hiervandaan paarden, handkarren en groentemannen stonden. Mijn vader nam me mee, niet voor de couleur locale, maar om verse vis te kopen.' Hij duwde het bord weg. 'Verser dan dit.'

'Er zijn nog twee oesters over.'

'Die zijn niet goed.'

'Ze zien er goed uit.'

'Dat is juist het probleem. Want het is vergif.' Hij boog opzij, want de ober was met de dessertkaart verschenen en hij wist dat de man zijn laatste woorden had gehoord. Hij wees op het bord en zei: 'Ze zijn dood. Zorg ervoor dat ze een passende begrafenis krijgen.'

Na de lunch hadden ze nog meer dan een uur te gaan en Steadman was nog steeds rusteloos, nieuwsgierig, en wilde in beweging blijven. Ze staken de City Hall Plaza over naar Cambridge Street. 'Het is harteloos. Het is bedrog. Het is een toneeldecor.' Ze liepen het hele eind naar Charles. Ze passeerden de afslag naar het oog- en oorziekenhuis van Massachusetts en liepen tussen de taxi's, ziekenauto's en wachtende mensen door; sommige mensen zagen er beschadigd en pas opgelapt uit, met een helderwit verband over hun ogen. Steadman liep snel voor Ava uit.

'Waar ga je naartoe?'

Hij zei niets, maar liet met veel vertoon zien hoeveel vaart een blinde kon maken door zijn pas te versnellen; hij stak de hoofdweg over, liep verder, en vond het talud van de Fiedler-voetgangersbrug met zijn stok. Hij stak gehaast de brug boven Storrow Drive over, en liep in de richting van het geluid van gespetter en opgewonden schreeuwende stemmen. Zonder te aarzelen nam hij een kortere weg over het grasveld naar het gaashek rond het openbare zwembad. Daar bleef hij staan met zijn armen omhoog en zijn vingers in het gaas gekromd.

'Ik kwam hier vaak als klein jochie, voordat we weer naar de Vineyard verhuisden,' zei hij toen Ava hem had ingehaald en naast hem stond. Het gaf hem voldoening te merken dat ze buiten adem was, en hij voelde zich superieur.

Het zwembad was een kakofonie van gekooide kreten en kwetterend gelach, kletsende blote voeten die op de betonnen vloer rond het zwembad renden, de knallende plonzen – het lawaai en het water en de jeugdige uitbundigheid, een vrolijkheid die aan uitzinnigheid grensde, en temidden van het gejoel zo nu en dan het schrille piepen van het fluitje van de badmeester, het klappen en natrillen van de duikplank die op zijn klossen stuiterde als er iemand ging duiken. In de hitte, de zonneschijn en het luidkeelse geschreeuw werd geduwd en getrokken, geen mensen die serieus aan het zwemmen waren, alleen springers en spetteraars, kinderen die aan het dollen waren.

'Ze wonden me op,' zei Steadman, die het verleden zag, 'al die magere meiden zonder borsten in hun strakke, te kleine badpakken, met hun paarse vingers en blauwe lippen, die rondrenden en gilden. Ik zag dat ze niet bang waren om risico's te nemen.'

Een mager meisje met bleke benen dat precies aan Steadmans beschrijving voldeed, daagde een jongen uit haar over de rand van het zwembad te duwen.

'Ze waren de meest naakte meisjes die ik kende. Ik kneep ze altijd en raakte ze onder water aan. Als ze lachten wist ik dat ze wilden dat ik ze streelde. Een van hen ging met haar hand in mijn zwembroek en ik was in de zevende hemel. Haar kleine vingertjes die mij in al dat water vonden.'

Hij hing nog steeds aan het hek en glimlachte om het gespetter en het gejoel, jongens die schreeuwden als apen, het zinloze gegil en de vrolijke protesten van de meisjes, één groot slagveld.

Toen verhardde Steadmans stem zich, en op vlakke, dringende toon zei hij: 'Er verkeert een kind in moeilijkheden. Daar. Hij gaat kopje-onder. Zie je hem?'

Eerst zag Ava alleen maar een massa hoofden, nat haar en slaande armen in het zwembad, maar er was één jongen in het kolkende water die niets zei, die zelfs niet eens spartelde om boven te blijven en in het diepe deel van het bad kopje-onder ging met een nauwelijks hoorbaar gekreun van overgave, een hulpeloos, droevig afscheid.

'Help hem!' riep Steadman op een toon die zo luid en dwingend was dat de jongens en meisjes aan de andere kant van het gaashek verstomden.

In die korte stilte klonk het gekreun nog een keer: waterig en plechtstatig, een zacht gefluister van vaarwel, en nu gilde Ava, en toen ze de blik van de badmeester vond, wees ze naar de machteloze zwemmer.

De badmeester gooide zijn honkbalpet af, sprong van zijn hoge stoel en dook de verdrinkende jongen achterna. In een en dezelfde beweging had hij hem te pakken en duwde hem naar de kant. De jongen, een en al slappe armen en benen, verkeerde in shock en keek verontwaardigd en verzette zich in zijn verwarring tegen de hulp. Maar toen barstte hij in tranen uit, snakkend naar adem en begon heel zielig water op te geven.

'Hier zijn we klaar,' zei Steadman, hij draaide zich om en liep haastig voor Ava uit naar het ziekenhuis, tikkend met zijn stok.

6

Langzaam schuifelende mensen met stokken, ooglapjes en zonnebrillen liepen rond in de hal van het ziekenhuis en zagen er precies zo uit als Steadman. Maar ieder van hen had een gids bij zich en bewoog langzaam aan de arm van een echtgenoot of verpleegster. 'Deze kant op.' 'Hierheen.' 'Voorzichtig.' Ze maakten zo'n zwakke indruk dat Steadman vastbesloten was alleen tussen hen door te lopen, voor Ava uit. En nu liet Ava hem de leiding nemen.

Ze was ontsteld maar ze was ook onder de indruk van de manier waarop hij zich zo zeker voortbewoog en de ruimte vóór zich opeiste door zijn stok heen en weer te zwaaien en grote stappen te nemen, en zich zo door de menigte heen drong, die voor de helft uit doelloze slachtoffers bestond. De blinden en bijna-blinden bleven dicht bij de muren, uit de weg, en de enige met wie Steadman in botsing kwam was een man met wiens ogen niets aan de hand was en die in een mobiele telefoon lachte. Steadman zei 'klootzak', trok zijn wenkbrauwen op en liep door, en negeerde de verontschuldigingen van de man.

Een vrouw achter een computerterminal wenkte hen en ze meldden zich bij de receptie. Ava pakte de map met formulieren en begon die in te vullen.

'Hij is hier voor zijn medische keuring.'

'Bent u familie, mevrouw?'

Ava bleef doorschrijven en keek niet op. Ze zei: 'U mag me dokter Katsina noemen.'

'Gaat u maar even zitten,' zei de vrouw achter de computer toen ze de ingevulde papieren terugkreeg.

De dokter liet op zich wachten. Ze zaten in een ongemakkelijke onwillige houding tussen tijdschriften die gekreukt en vochtig waren omdat ze door zovele bezorgde vingers waren doorgebladerd. Als ze hun naam hoorden, stonden de mensen langzaam op en gingen een kamertje binnen waar ze werden onderzocht. Steadman zag ze als hompen zielig, naakt vlees die hun best deden één geheel te blijven maar voor het examen zakten en zich vernederd voelden door hun falen.

'Ik weet echt niet waarom ik de moeite heb genomen hier naartoe te komen,' zei Steadman. 'Ik weet al hoe het vonnis zal luiden.'

'Ik wou dat ík het wist.'

'Dat bedoel ik. Ze hebben vast geen flauw idee.'

Ondertussen was hij al overeind gekomen: hij werd opgeroepen door een hakkelende receptionist. Hij had de stem een fractie van een seconde eerder gehoord dan Ava.

'Loopt u met me mee?' zei de receptionist. En tegen Ava: 'Wilt u hier even blijven wachten?'

Steadman werd naar een kamer gebracht waar een vrouw in het wit hem opwachtte. Zij was de dokter. Ze was zwaar en log, haar lichaam bleek en compact als kaas, de vleesmassa's van haar slappe armen drukten tegen haar zij en ze staarde naar een computerscherm. Ze rook naar ontsmettingsmiddel en talkpoeder en deed Steadman denken aan plastic bloemen, aan vermomming en verval. Haar enkels waren opgezwollen en puilden over de rand van haar schoenen heen. Achter haar tikte een wandklok, en de wijzerplaat leek op haar gezicht. Hij bespeurde verdriet in haar, maar omdat hij gepikeerd was door haar achteloze manier van doen, liet hij die gedachte niet toe.

Toen Steadman binnenkwam, keek ze hem niet aan en stond niet op. In plaats daarvan leunde ze van hem weg en verplaatste haar gewicht op haar dikke, vlezige dijen. Ze reikte naar een pen en een klembord, waardoor het krappe witte uniform strak om haar lichaam spande. Ze leek net een bewaarster in een gekkenhuis, die om haar omvang was uitgekozen. Ze had het lijf van een bullebak en was zelf waarschijnlijk ook een tikkeltje krankzinnig vanwege de bedompte dagen die ze in deze treurige kamer sleet om een oordeel over de zieken te vellen. Hij nam het haar kwalijk dat zij hem niet begroette: een kreupele, een klungel, een blinde die zijn stappen in de kamer moest uitmeten met de punt van zijn stok.

Zonder een gesprek te beginnen, keek ze toe hoe hij tikkend met zijn stok naderbij kwam en een stoel vond waar hij op kon gaan zitten.

'Wanneer bent u voor het laatst medisch gekeurd?'

'Is dat belangrijk?'

'Wilt u uw overhemd omhoog doen?' vroeg ze, en hij hoorde het piepen van de wieltjes van haar stoel en het knerpen van haar crêpezolen toen ze naar hem toerolde en nog enkele korte orders gaf: 'Mouwen omhoog. Mond open. Tong omhoog.'

Zwijgend nam ze zijn bloeddruk en temperatuur op, en ondertussen ademde ze door haar neus waarbij ze een snorrend geluid maakte vanwege de borstelige haartjes in haar neusgaten.

Ze schreef met een krassende pen waarbij haar plompe hand over het papier schuurde en vulde de waarden in alsof ze die uithakte met haar potloodpunt als beitel.

'Wat voor werk doet u?'

Hij kon nauwelijks geloven dat de dokter, die naar zijn naam staarde, niet op de hoogte was van dit simpele welbekende feit; het viel niet te verklaren uit het feit dat ze zo dik en langzaam was. Iedereen kende zijn naam, en vaak vond hij het irritant wanneer hij gegroet werd door iemand die hem herkende. Vroeger had het geleken alsof men dan de draak met hem stak, om datgene waar hij níet mee bezig was.

'Ik ben Slade Steadman.'

Het potlood trilde tegen het papier en sneed toen als de punt van een mes in de bladzijde. De dokter maakte geen enkel geluid afgezien van de bons van haar blote onderarm op het bureaublad, als een stuk rauw vlees, een dikke zij koud varkensvlees dat op het hakblok van de slager wordt gekletst.

Toen ze begon te schrijven klonk haar gekras op het papier als een tenlastelegging. Steadman maakte inwendig bezwaar: wéér een dokter die hem trachtte te domineren, die zich net zo pretentieus gedroeg als een priesteres die liet doorschemeren dat ze over leven en dood kon beschikken, die de diagnose van alle dodelijke ziekten kende, en misschien nog wel de remedie ook. Iemand die schermde met de speciale taal van de ziekte, de codewoorden van verdoemenis, een taal die alleen maar draaide om vrees en vlees. Hij was aan haar onderworpen; hij hoefde niet op sympathie te rekenen.

Hij was tot de conclusie gekomen dat dokters je ziek maakten. Ava was een opmerkelijke uitzondering, maar toch keek hij soms naar haar en dacht: Je weet maar nooit. Hij kon tekeergaan over ziekten die door artsen waren veroorzaakt. Geniepig knagend als lepe ratten ondermijnden ze je vertrouwen en je goede gevoel over jezelf met hun arrogantie en geheimzinnigheid; dokters waren de oorzaak van alle ellende. Steadman was ervan overtuigd dat dokters gezonde mensen op de knieën kregen door het uiten van grimmige waarschuwingen en doordat ze de meest groteske betekenissen toekenden aan de meest onschuldige symptomen.

'Uw hoofdpijn kan door een hersentumor worden veroorzaakt,' en 'Uw hoest kan ernstiger zijn dan u denkt,' en 'Dat vlekje is misschien een melanoom,' en 'U denkt misschien dat uw ogen achteruitgaan, maar het is degeneratie van de macula; u wordt blind.' Ze waren de brengers van slecht nieuws dat zieke mensen nog zieker maakte.

Of ze zeiden helemaal niets tegen je en behandelden je als een geval op sterk water, het schoolvoorbeeld van een kwaal, een nummer. Dan knepen ze hun ogen halfdicht en onderzochten je, keken bedenkelijk en krabbelden iets op, zoals deze dikke zwijgzame tang van een wijf nu deed. Ze waren drugsdealers met de smerigste medicijnen die sommige symptomen wegnamen maar je er andere voor in de plaats gaven, de 'contra-indicaties': duizeligheid, misselijkheid, slapeloosheid, angst, impotentie, huiduitslag, haaruitval, depressies, nierproblemen, rillingen, en je werd door deze bijwerkingen uitgeschakeld of je ging eraan dood. Een paar doses van een middel met een vage naam tegen psychosen en je raakte verlamd en vertoonde alle uiterlijke kenmerken van Parkinson. Je gaat naar het ziekenhuis om een pijnlijk schouderkapsel te laten behandelen en je komt in aanraking met een bacterie die een reumatische artritis veroorzaakt die zó pijnlijk is dat je je bed niet uit kunt komen. Ziekenhuislucht zat barstensvol ziektekiemen. Spuitgrage dokters maakten de mensen ziek, net als deze vrouw nu bij Steadman probeerde te doen door hem te negeren en daardoor klein te krijgen, door luidruchtig te ademen, een soort giftige walm uit te ademen. Maar hij wist beter.

'Hoe heet u?'

'Dr. Budberg,' zei ze hijgend, verrast door de plotselinge vraag, maar niet zo verrast dat ze vergat haar titel erbij te noemen.

Hij wilde haar eraan herinneren dat onwetendheid een naam moet hebben. Ze was eigenlijk geen haar beter dan een boerenpummel op de Vineyard die in de tuin werkte en verontwaardigd glimlachte bij woorden als 'tot op de draad versleten', 'overdadig' en 'ontwarren', en zich beledigd voelde toen Steadman die gebruikte, en agressief reageerde met: 'Ik denk dat u dat even moet opschrijven, meneer Steadman.'

Hij zei tegen dokter Budberg: 'Ik doe hetzelfde werk als Herr Grass, Dr. Canetti en Mr. Wolcott.' Toen ze niet reageerde of haar hoofd ook zelfs maar oprichtte, voegde hij eraan toe: 'Señor Marquez, Mr. White, Mr. Milosz en Mrs. Gordimer.'

Hij zag aan haar aarzeling dat er geen lichtje bij haar was gaan branden; ze hield haar hoofd nog steeds gebogen, haar pen hing roerloos boven de lege regel met Beroep.

'Die hebben de Nobelprijs voor de literatuur gekregen,' zei Steadman, benieuwd naar wat ze zou antwoorden. Ze zei niets. 'Tot nu toe is mij dat nog niet gebeurd, maar mag ik zeggen dat u een merkwaardige blinde vlek hebt?'

Ze keek hem aan en – gezien haar specialisme leek het vreemd – knipperde verward met haar ogen.

'Schrijver,' zei hij.

Vorige week heb ik de president van de Verenigde Staten nog ontmoet, wilde hij zeggen. En: Hoe kan het dat die verheven man mijn naam en werk kende en dat jij, arrogant gezwel dat je bent, van niets weet?'

Dokter Budberg had kennelijk haar pokerface opgezet. Dokters leerden al vroeg dat ze hun verwarring niet mochten laten blijken. Ze was het levende bewijs van die wetenschappelijke aanstellerij, zoals ze in de weer was met een leeskaart, ging verzitten in haar stoel, en ermee heen en weer rolde, waarbij haar ziekenhuisschoenen met de piepende crêpezolen over de vloer gleden. Ze stelde de positie van de oogmeetapparatuur in, en Steadman wist dat hij niet meer was dan een stel starende ogen met een aangehechte verzekeringspolis.

Maar in de bestudeerde minachting die uit haar onverschilligheid sprak, een tikkeltje te gekunsteld, verloor ze haar kalmte en liet haar potlood op de grond vallen. Voordat ze het kon oprapen stond Steadman op, deed vier stappen en pakte het op, speelde ermee, betastte de letters erop, liet haar erop wachten, maar gaf het toen terug en ging weer zitten, alles zonder te aarzelen en zonder zijn stok te gebruiken.

'Hier moet u uw hoofd plaatsen. Leg uw kin op de steun,' zei ze en ze bracht de metalen beugel van het vizier voor zijn gezicht en tuurde naar zijn ogen.

'Kunt u iets lezen?'

'Wat wilt u dat ik lees?'

'Probeer de bovenste regel maar eens.'

Steadman las de bovenste regel.

'Kunt u de volgende regel ook lezen?'

Steadman noemde de kleinere letters op, de hele regel.

'Kunt u nog meer zien?'

Zonder onderbreking las Steadman nog vier regels op.

'De laatste regel staat niet op de kaart,' zei ze, alsof hij iets stoms had gezegd.

'Schuif de kaart maar wat omhoog,' zei hij.

Dat deed ze zodat de gele verlichte rechthoek naar boven opschoof, en de onderste regel die nu verscheen was de regel die hij had opgelezen.

'Hoe wist u dat?'

'Omdat ik het niet oplees,' zei hij.

De zware vrouw verplaatste haar gewicht en zag er in haar verwarring onbeholpen uit; ze leek nog zwaarder te worden, vond het niet prettig wat ze hoorde, werd zenuwachtig van het onlogische ervan en greep de armleuningen van haar stoel vast. Ze zat te stuntelen en draaide het masker van het meetapparaat van zijn ogen weg.

'Wat ziet u nu?'

'Niets,' zei hij.

'Dus u kunt niets lezen?'

'Ik kan alles lezen.' Hij hield zijn kin op de metalen steun en staarde recht vooruit. 'Ik heb die regels al vaker gezien. Waarom zorgen jullie niet voor nieuwe leeskaarten?'

Ze leunde voorover, scheen met een lampje in zijn ogen en tuurde in zijn hersenpan; de warmte van de lamp streek als een veertje langs zijn hoornvlies. Hij rook het zure lijf van de dokter. Ze zei niets, maar hij voelde dat ze van haar stuk was gebracht. Hij werd herinnerd aan zijn eerste indruk van haar, dat verdriet in haar vlees was binnengedrongen en haar van binnenuit opvrat.

'U ziet geen reactie. Mijn pupillen zijn nog steeds verwijd en u weet niet hoe dat komt,' zei hij. Zijn kin rustte zwaar op de steun, waardoor hij zijn mond niet makkelijk kon bewegen en zijn stem spottend en robotachtig klonk, een toon die hem onmiddellijk beviel en die hij uitbuitte. 'Geen spoor van letsel. U bent verbijsterd.'

'Ik ben niet verbijsterd,' zei ze iets te luid. 'Het kan best iets neurologisch zijn.'

'U zegt: "kan zijn", dus weet u het niet.'

'Gebruikt u medicijnen?'

Hij zei van niet, maar was op zijn hoede en gebruikte de kinsteun om de onzekerheid in zijn stem te maskeren.

Nadat ze zijn hoofd weer had gefixeerd en vastgezet, draaide de dokter een andere arm uit het apparaat naar voren, richtte het instrument als een klein pistool op zijn rechteroog en vuurde een kogel van lucht op zijn hoornvlies af. Dat deed ze ook bij zijn linkeroog.

'Mijn oogspanning is normaal,' zei Steadman. 'Waarom zegt u dat soort dingen niet?'

Ze keek even beteuterd, maar herstelde zich en deed weer formeel. Ze zei: 'Dit is enigszins ongebruikelijk.'

'Bedoelt u dat ik enigszins blind ben?'

'Dat heb ik niet gezegd.'

Hij merkte dat hij haar begon te irriteren en was eindelijk tevreden. Hij richtte zijn hoofd op uit de holte van het meetapparaat en glimlachte naar haar.

'Ik ben volkomen blind,' zei hij. 'Nu weet u het.'

Zijn gesar maakte dat ze tegen hem inging. 'U hebt de kaart anders foutloos opgelezen,' zei ze.

'Niet waar. Ik heb hem onthouden. Ik heb mijn hele leven al oogtests gehad.'

De dokter hield nu voet bij stuk. 'Dus u heeft de kaart niet gezien? U zag alleen maar duisternis?'

'Duisternis bestaat niet. Hebt u ooit gehoord van een man die Shakespeare heet? Een schrijver. Ik weet nu dat zijn meest onzorgvuldige zin is geweest: "Starend in de duisternis die de blinden zien." Zwart is de enige kleur die ik niet kan zien.'

'Ziet u dan kleuren?'

'Ik ben als Jorge Louis Borges, die dat heeft waargenomen. Een schrijver. Hij was blind. ' "Ik leef in een wereld van kleuren," ' zei Steadman, en hij ging op citerende toon verder: ' "De wereld van de blinden is niet de nacht die u zich voorstelt." '

'Wat voor kleuren?' Ze hield haar potlood weer in haar korte dikke vingers.

Hij keek haar aan en zei: 'Apenreet-paars, clitoris-roze, ader-blauw, tepel-bruin.'

Maar dokter Budberg had zich van hem afgekeerd, en klemde haar kaken op elkaar waardoor haar onderkinnen opzwollen. Ze onderbrak hem en zei: 'Dus u kon de leeskaart niet lezen.'

'Mijn gezichtsvermogen als lezer en als schrijver is weg,' zei Steadman. 'Wanneer iets ophoudt, begint er iets nieuws. Er zijn allerlei soorten van zien, en die zijn niet allemaal meetbaar.'

De dokter zette zich af met haar benen en voeten en rolde terug naar haar bureau. Ze zei: 'U zult moeten terugkomen. We plannen een PET-scan en een MRI. Maakt u maar een afspraak bij de receptie.'

'U hebt niet eens gezien dat ik stekeblind ben,' zei Steadman. Hij begon te lachen en bracht zijn gezicht dicht bij het hare.

'Dit onderzoek is afgelopen.'

'Nu weet u dat ik blind ben, maar u weet niet hoe dat komt,' zei hij.

'Waarom geeft u dat niet toe?'

Ze was beledigd, dat merkte hij. Dokters mochten dan doorgaans vriendelijk zijn, maar dat was slechts een afleidingsmanoeuvre om je voor de gek te houden; ze lieten niet toe dat ze zelf op de hak werden genomen.

'Ik ben een medisch wonder,' zei Steadman.

'Is dat zo?' zei de dokter ongemakkelijk mompelend, waarbij ze haar lippen nauwelijks bewoog.

'Ik zie meer dan u,' zei Steadman. 'Wie weet er nou meer dan een blinde?'

'Waarom hebt u dan de moeite genomen om hierheen te komen?' zei ze. Haar stem werd schril in een poging hem te provoceren.

'Misschien om bevestiging te krijgen,' zei hij. 'Misschien om u een passend medisch advies te geven.'

Ze deinsde achteruit. Dat gebeurde al de hele dag in Boston; onbekenden reageerden op hem en onderdrukten hun gevoelens, keken angstig als ze zagen dat hij blind was: de piloot, de stewardess, de taxichauffeur, de ober in het Union Oyster House, mensen op straat en in de lift. Hij ging dichter bij de dokter staan, zette zijn zonnebril op, hief zijn stok en zag er woest uit, als een zwaardvechter.

'Als u uw eigen gewicht niet eens binnen de perken kunt houden,' zei Steadman, 'hoe kunt u dan verwachten dat ik mijn kostbare ogen aan u toevertrouw?'

Dat was te veel voor dokter Budberg. Ze stond onhandig op, stuntelde wat en greep papieren en mappen van haar bureau. Ze verliet haastig de onderzoekskamer en liet Steadman op eigen kracht zijn weg naar de deur vinden.

Maar nu ze weg was, zag hij haar pas duidelijk, zoals hij in het begin had gedaan, en hij schrok, want op het moment dat ze zo abrupt wegging, toen hij haar in beweging zag, besefte Steadman dat hij zich had vergist. Dokter Budberg was in de rouw. Hij had haar te streng aangepakt. Hij had het niet begrepen. De manier waarop ze liep, enigszins scheef, haar hoofd tussen de schouders getrokken, één arm gebogen, haar hele houding die verdriet uitstraalde, zei hem dat ze er ellendig aan toe was, een dierbare had verloren, en hij had er nog eens een schepje bovenop gedaan, haar nog verdrietiger gemaakt, haar getrapt. Dat hij er spijt van had, hielp niet veel. Iemand uit haar naaste familie was overleden. Haar verdriet had haar uit de slaap gehouden waardoor ze onzorgvuldig was geworden, en onbedoeld een afstandelijke, langzame en weinig voorkomende indruk maakte.

'Wat heb je tegen haar gezegd dat ze zo kwaad is?' vroeg Ava toen Steadman de wachtkamer binnenkwam, waardoor hij wist dat de dokter hem al voor was geweest.

Steadman wilde die twintig minuten graag terug hebben; vol schaamte dacht hij terug aan zijn onbeschofte gedrag. Hij ging naar de balie van de receptie en gaf zijn dossiermap aan een vrouw in een wit schort die achter een computer zat.

'Wilt u een afspraak maken?'

Zachtjes zei Steadman: 'Dokter Budberg... er is iemand in haar familie overleden.'

'Dochter,' zei de vrouw, en ze kneep haar ogen dicht, haar gezicht verschrompelde. 'Verschrikkelijk om een kind te verliezen.'

Meer wilde hij niet weten. Details zouden hem zich alleen maar schuldiger doen voelen.

'Wat is er? Je doet alsof je slecht nieuws hebt gekregen,' zei Ava.

'Ik ben die dokter wat hard gevallen,' zei hij en hij voelde aan de wijzerplaat van zijn horloge. 'We hebben nog twee uur voordat ons vliegtuig vertrekt. Laten we een taxi zoeken.'

Bij de hoofdingang van het ziekenhuis stond een taxi te wachten. De chauffeur stapte uit om Steadman te helpen, maar hij wuifde hem weg en rukte het portier open.

De chauffeur zei: 'Waarheen?'

'Kent u de Two O'Clock Lounge?'

'Die heet nu anders.'

'Maakt dat wat uit?' Hij wist dat Ava hem aanstaarde. Hij zei: 'Ik heb iets nodig wat het leven bevestigt.'

De tent heette nu Pinky's, op hetzelfde adres in Washington Street waar vroeger de Two O'Clock Lounge zat. Vanuit de hete straat liepen ze door de donkere ingang naar binnen en kwamen in een koele, slecht verlichte, smerige zaal terecht die naar verschaald bier rook en waar luide muziek klonk. Hij snoof opnieuw: naakt vlees, twee vrouwen dansten langzaam op een spiegelvloer, een stel langbenige naakte vrouwen die de wenkende mannen schenen te negeren.

'Ik haat dit soort tenten,' zei Ava. 'Ik ben een dokter. Ik heb dit echt niet nodig.'

'Je hebt het nodig juist omdát je een dokter bent.'

'Alsjeblieft niet vooraan.'

Maar Steadman hield voet bij stuk en ze volgde hem door de duisternis naar de rand van het podium, waar ze hand in hand zaten tussen mannen uit wier houding opperste concentratie sprak, verering bijna. Een volledig naakte vrouw draaide langzaam dansend op haar naaldhakken rond en kwam naderbij. Ze glimlachte naar Ava en keek nieuwsgierig toen ze Steadman met zijn donkere bril en witte stok zag, vervuld van zelfvertrouwen in zijn blindheid, die haar niet zag maar toch glimlachte.

'Nu zit ze op haar hurken,' zei hij.

'Ik zie behoorlijk gehavende schaamlippen. En een paar wratten.'

'Wees alsjeblieft even geen dokter.'

Toen Ava zweeg en hij haar warme vingers in zijn hand voelde bewegen, raakte hij opgewonden omdat hij voelde dat ze zich voor haar plotselinge belangstelling geneerde.

Ze zei: 'Ik ben nog nooit eerder in zo'n tent geweest.'

'Zie het maar als een onderzoekskamer, zei Steadman. 'Duw een biljet van vijf dollar onder haar jarretelgordel, dan kun je een medisch onderzoek bij haar doen.'

Ze liet zijn hand los, tastte in de duisternis onder haar en viste iets uit haar tas. Hij genoot van de heimelijkheid, het ongemakkelijke, steelse gebaar waarmee ze de naakte danseres een fooi gaf, van vrouw tot vrouw. Hij savoureerde de stilte toen de danseres dichterbij kwam, op haar hurken ging zitten en haar benen uit elkaar deed. Ava zei: 'Zulke mooie meisjes, zulke prachtige lichamen. Wat doen ze hier? Hebben ze misschien weinig gevoel van eigenwaarde?'

'Is dit dan zo anders dan een ziekenhuis?' vroeg Steadman. 'Kijk maar eens naar de coassistenten die er werken.'

De ernstige blik van de mannen die hun hoofd tussen de knieën van de naakte vrouwen lieten rusten, de oplettendheid waarmee ze bestudeerden wat ze zagen, een ingewikkeld roze patroon als een bloem in volle bloei; ja, ze zouden voor de meest oplettende medicijnenstudent hebben kunnen doorgaan.

'Of mannen die doktertje spelen.'

'Het lijkt ook op een tempel,' zei Steadman, en hij verklaarde zich nader: een snufje magie, een paar spiegels, een rituele glimp van het verbodene. 'Ze zijn niet zwak, deze vrouwen hebben de leiding. Ze zijn priesteressen. De mannen zijn de hulpeloze aanbidders.'

De gehurkte vrouw had Ava zien glimlachen, ze tuitte haar lippen en maakte een kusgeluidje toen Ava haar beloonde met een opgevouwen biljet van vijf dollar.

Toen boog de knielende vrouw lichtjes naar voren, en trok Ava's hoofd naar zich toe zodat het tussen haar blote borsten kwam te zitten. Ava lachte wat, maar ze realiseerde zich dat ze gevangenzat met haar mond tegen het gootje tussen haar borsten, en wist niet meer hoe ze het had toen de vrouw haar bovenlijf snel van links naar rechts draaide en met het gewicht van haar loshangende borsten klapjes gaf in Ava's gezicht en wangen, triomfantelijk lachend.

Hoewel er geen woord was gewisseld, had Steadman alles gehoord, de klappen, het geklets van vlees tegen vlees, en hij raakte opgewonden door het feit dat zijn minnares op die manier door de naakte vrouw was overrompeld.

Ava's ogen glinsterden, haar mond stond een beetje open alsof ze met hem van plaats had gewisseld, en ze was nog helemaal perplex van de klapjes van de borsten tegen haar gezicht.

'Als je wilt, kunnen we blijven,' zei hij.

'Ik heb een veel beter idee.' Ze kuste hem, haar ogen glinsterden nog steeds terwijl de naakte danseres goedkeurend toekeek en haar een knipoog gaf.

Ze verlieten Pinky's en vlogen in het donker terug naar de Vinyard, wat 's avonds veel eenvoudiger was. De landing was gemakkelijker, veel minder verkeer op de weg op dit nachtelijke uur. Met Ava achter het stuur waren ze in twintig minuten thuis.

Toen ze binnen waren, kuste hij haar. Hij hield haar in zijn armen. Hij zei: 'Nou, laat maar eens zien.'

7

Oprijzend uit de duisternis naar het licht, plotseling verblind, begreep Steadman hoe religies vlamvatten, want wat hem onthuld werd was niet alleen de vurige macht die zijn blindheid hem had verleend, maar ook de bedrieglijkheid van het zien. Waar anderen alleen maar ondoorzichtige vlekken zagen, zag hij symmetrische vlammen die het voorbijgaan van de tijd verlichtten als een door toortsen verlicht pad dat zijn geheugen continuïteit en samenhang bood. Geen hallucinaties en fantastische visioenen, maar de onopgesmukte, alles overtuigende realiteit, die hij voor de waarheid hield: een opheldering van zijn leven.

Hij fluisterde tegen Ava: 'Iedereen die ik zie is naakt.'

'Je bent weer aan het opscheppen,' zei Ava. Ze daagde hem uit met ontkenningen en ontwijkende antwoorden omdat hij zulke extravagante uitspraken deed.

'Nee, je begrijpt het niet. Naaktheid is een verhulling van de meest misleidende soort. Het ondermijnt de fantasie.'

Toen hij gisteren in Boston bij Pinky's was, had hij zitten mijmeren dat naaktheid een vorm van rebellie was. De danseressen waren meisjesachtig en verlegen geweest, speels, plagerig, wisten zich beschermd door hun naaktheid. Zelfs de meest naakte vrouw in die club had er afgebladderd en rauw uitgezien, slechts fragiele, verschrikte ledematen, die plichtmatig bewogen, en andere vrouwen leken in zijn ogen meer op varkensvlees. Omdat hij te veel zag, ontbrak er iets belangrijks. Het wezen van de vrouw zat in al dat naakte vlees verborgen.

Hoewel het uitstapje naar Boston vermoeiend was geweest, was het ook de moeite waard geweest vanwege de aanblik van Ava in de club, met haar gezicht naar voren, de grote borsten van de danseres die tegen haar wangen kletsten, haar stralende ogen.

'Je vond het fijn,' zei hij.

Ava zei: 'Dat zag je toch; ik wilde met haar naar huis gaan. Ik ben eerlijk en ik zou willen dat jij dat ook was. De vrouwen die je de laatste tijd opbellen, geven niets om je werk. En als je denkt dat je een bovennatuur-lijke vooruitziendheid hebt, ben je krankjorem.'

Zijn schallende lach verontrustte haar nog meer dan zijn witte blinde ogen.

Om zich een houding te geven, stak ze de draak met hem. 'Je lijkt op het kind dat altijd wint bij ezeltje-prik. Na een poosje vermoedt iedereen dat hij onder zijn blinddoek door kijkt.'

'Ze zullen mijn boek lezen en zien dat mijn krachten echt zijn.'

'Wat gebeurt er als je die kwijtraakt?'

'Zien en blindheid zijn voor mij hetzelfde. Blindheid is een speciale manier van zien.'

'Je kunt niet blijven doen alsof. Vroeg of laat komt iemand erachter en ontmaskert je.'

Hij lachte. Hij voelde zich gestimuleerd door haar uitdagende vragen, het hield hem alert; hij genoot ervan haar aanvallen te pareren. Hij wil-de juist dat ze tegen hem in ging, anders zou er later, als hij haar in zijn armen nam, niets meer over zijn om in te geloven. Hij glimlachte en zei zachtjes dat hij niet bang was, dat het boek hem in het gelijk zou stellen en hem zou verdringen, zoals boeken schenen te doen, zoals *Trespassing* had gedaan.

'Vraag het maar aan dokter Budberg. Ze was verbijsterd. Ik heb haar gezegd dat ik een medisch wonder was.'

'Ach, hou toch op.'

Ava scheen te denken dat al haar tegenwerpingen hem misschien tot nederigheid zouden aanzetten. Ze liet hem niet met rust en beschuldigde hem ervan dat hij overdreven trots was op het feit dat hij heen en weer kon schakelen tussen blindheid en zien. 'Je denkt dat je beter bent dan anderen, niet omdat je blind bent, maar omdat je beide bent, dat je supe-rieur bent omdat je van de ene toestand naar de andere kunt overscha-kelen. Maar je drinkt gewoon een sapje van bloemen uit de jungle. Dat is alles.'

'Bij sommige mensen die ervan drinken gebeurt er niets. Weet je nog van Manfred?'

'Die engerd,' zei ze. 'Je hebt het allemaal aan hem te danken.'

Steadman voelde zich uitverkoren omdat de drug bij hem zo goed werkte, in zijn ogen was het geen kwestie van stom toeval. Hij merkte wel dat Ava minder fel werd, maar hij schepte juist genoegen in haar verzet. Hij had haar twijfel hard nodig: hij wilde geen slaaf, hij wilde een actieve partner; hij had het scepticisme van haar dokter-zijn nodig.

'Trouwens, je overhemd zit vol wijnvlekken,' zei ze op scherpe toon.

'En jij bent ongesteld.'

'Niet waar,' zei ze, en daarna voegde ze er zwakjes aan toe: 'Het is net begonnen.'

'Dat zei ik toch?'

Hij was net een kwelgeest, maar hij schreef tenminste weer; hij leefde helemaal voor zijn nieuwe boek. Alleen hij en Ava wisten dat de meest gewaagde passages in het boek rechtstreeks uit zijn eigen leven kwamen, dat al die bizarre gedachten de naakte waarheid waren.

Het veelzijdige uitstapje naar Boston op die vochtige zomerdag, stuntelig paraderend als een trotse mankepoot en zwaaiend met zijn hagelwitte stok, het feit dat hij zo goed de weg had geweten, dat hij alarm had geslagen toen de jongen dreigde te verdrinken, het verdriet van de dokter had aangevoeld, zijn inzicht in de implicaties van naaktheid – dat alles had hem nieuwe levenslust gegeven en maakte hem hongerig naar meer. Vroeger was hij in het bijzijn van vreemden altijd ongeduldig en op zijn hoede geweest, maar zijn blindheid gaf hem nu nieuwe inspiratie en omhulde iedereen die hij zag in een blauw aura van openbaring.

'Borges heeft gelijk. Blindheid is een geschenk.'

Ava bood nog steeds weerstand en zei: 'Mijn lastigste patiënten zijn altijd degenen die proberen te bewijzen dat ze niet ziek zijn.'

'Ik bén verdomme je patiënt niet!'

Ze haalde haar schouders op, zette de cassetterecorder aan en trof voorbereidingen om aantekeningen te maken. Hij maakte zichzelf blind en ging op vloeiende toon verder met zijn boek, de verhalenverteller die achteroverleunt op zijn sofa. Hij zag nu dat de tocht naar Boston een onderbreking was geweest die nodig was om de schijn op te houden dat hij voor zijn aandoening een specialist had bezocht, maar ook een verstoring van de routine op het eiland die hij zo bevredigend en productief had gevonden.

Er belden nog steeds onbekende vrouwen die zichzelf aanboden. 'Ik weet hoe je je moet voelen. Ik weet zeker dat ik je kan helpen.' Ava lachte geforceerd om die anonieme telefoontjes, die vooral kwamen als het donker was.

Steadman preste haar om met hem de *Titanic* te gaan zien in een bioscoop in Oak Bluffs, en in het donker maakte hij zich blind door zijn drankje als een verslaafde heimelijk naar binnen te klokken. Ava vond het een bespottelijke film, maar Steadman zat met open mond naar het scherm te staren en vond hem zowel drakerig als schokkend. Onder het kijken was hij zich ervan bewust dat het water in de haven aan de overkant van de straat hoog stond door het tij, en de kinderstemmetjes in de verte, die met het geluid van de zee werden meegedragen stemden hem droevig.

Na afloop, toen ze in de avondlucht door de straten van Oak Bluffs liepen, voelde hij zich nog beroerder als blinde temidden van de rusteloze jongeren, van wie vele zwart waren. Hij mompelde: 'Ze hangen hier maar wat rond. Ze hebben helemaal niets te doen. Al die loerende types die rondjes lopen en op zoek zijn naar gevaar.' Hun lome gespierdheid joeg hem de stuipen op het lijf en hun waakzaamheid maakte hem gespannen. Ze waren zo hongerig. Hij zei: 'Je hebt geen idee hoe ze gloeien.'

'Je bent toch geen racist aan het worden?'

'Sommigen van die jongeren hebben meer woede in zich dan je denkt.'

'Volgens mij hebben ze alleen maar lol.'

'Je hebt geen idee.'

Hij zei dat wat Ava voor hun pesterige stemming hield, in feite woede, afgunst en rivaliteit was. Ze waren te ongrijpbaar om dat op de normale manier te kunnen zien, maar hij zag hun essentie met zijn derde oog. Hun honger en energie waren voor hem geuren die hij kon duiden. Als hij jongens zag in wijde broeken met hun pet achterstevoren op en meisjes met korte strakke broeken, zag hij een worsteling van mensen die een plaats voor zichzelf opeisten.

Een andere keer gingen ze naar South Beach, en grepen zijn afnemende blindheid (was de dosis te klein geweest?) aan als excuus om de middag vrij te nemen. Maar het schelle vertekenende daglicht deed pijn aan zijn ogen, en toen hij zich in de wind waagde die vol striemende zandkorrels zat, maakte hij zichzelf weer blind. Maar hij schrok zo van het veel intensere licht dat hij halsoverkop door de duinen rende en de branding in sprong. In zijn blindheid bleef hij veel beter drijven, en hij liet zich een hele tijd door de golven meedragen en werd toen in het natte zand bij de waterlijn neergesmeten.

'Alles goed met u, meneer Steadman?'

Een jonge vrouw met een hete huid en een geur van glibberig zeewier op haar zachte dijen stond over hem heen gebogen als een druipende zeemeermin met nat, gevlochten haar en visachtige lippen.

'Hij leert onder water zijn adem in te houden,' zei Ava, en de jonge vrouw gleed glinsterend de zee in en danste over een golf.

'Ze bood zichzelf aan,' zei Steadman.

Hij ging blind boodschappen doen, hij zeilde blind in zijn bootje met het emmerzeil, reed blind naar Squibnocket. Hij verloor zijn zelfvertrouwen geen moment, aarzelde nooit. Maar ondanks zijn trefzekere gebaren liet hij soms klunzig een lijn schieten of liet dingen vallen; en hoewel hij zelf nooit aarzelde, bracht hij anderen wel aan het aarzelen. Vooral Ava werd keer op keer door hem op het verkeerde been gezet.

Het nachtelijke ritje naar Squibnocket was een schertsvertoning, en veel korter dan Steadman besefte of wilde toegeven. Ava meende het toen ze hem een compliment maakte, maar ze was overdreven oprecht en ging er iets te lang op door, alsof ze een dronkeman of een gek naar de mond praatte.

Op straat blaften honden naar hem en als kinderen hem aanstaarden, gilde hij: 'Ik ben een vleermuis!'

Op de dag van het zeiltochtje had hij de boot helemaal in de hand gehad, maar hij had niet gemerkt dat het tij was gekeerd en zich naar het westen terugtrok waardoor de stroom zijn kleine bootje door de haven naar de vuurtoren sleurde tot hij trekkend aan de hoofdschoot tot de ontdekking kwam dat hij in de deining van de troggen van West Chop terecht was gekomen. Ava nam de helmstok en loodste hen de haven in naar Tashmoo Pond, omdat ze bij Vineyard Haven niet tegen het uitgaande tij in konden zeilen.

'Jij hebt het lastigste stuk gezeild,' zei Ava.

Steadman wist dat ze hem paternalistisch behandelde, maar het kon hem niet schelen, want zíj tastte in het duister, niet hij. Hij was dwangmatig, hij had het nodig blind te zijn, het voelde als een bevrijding voor hem.

Dit was zijn jaar van verblindend licht. Hij hoopte dat er nog vele zouden volgen, lichtjaren lang. Hij had zijn leven een andere wending gegeven. Hij was weer aan het schrijven. Hij had een hekel aan het woord 'blind'. Blind betekende dat je invalide en hulpeloos was, en hij was juist verheven en geïnspireerd geraakt. Hij had zelf de beslissing genomen, hij droeg het geheim met zich mee: datura was geen blindheid maar een masker in een toneelstuk van openbaringen. Hij zette het graag op maar deed het niet graag af, en als hij dat deed, was het een bewuste daad, alsof hij zijn hoofd naar achteren gooide en zijn ogen met naalden doorboorde.

De ironie van het beeld met de naalden ontging hem niet, want hij was als een verslaafde die de visioenen nodig had die tot hem kwamen in de duisternis die hij over zichzelf afriep. Datura was een paradox die hem blinddoekte en hem tegelijkertijd inzicht verschafte. Tot dan toe had hij alleen een eendimensionale wereld gezien, armzalig en onbelangrijk in zijn oppervlakkigheid. Als hij deze wereld verliet, gedragen door de datura, besefte hij dat hij zijn hele leven eigenlijk blind was geweest en alleen één vlak, één oppervlak had gezien.

Door de datura kon hij ook 's nachts zien, hij bezat het superieure zicht en de gevoelige zintuigen van een nachtdier, van grote katten met gele ogen die overdag dommelen en 's nachts op jacht gaan. Hij zag zichzelf als de katachtige profeet van een nieuwe religie en zijn schrijven als een openbaring.

Wat Nestor *la benda de tigre* had genoemd, de blinddoek van de tijger, had hem toegang verschaft tot een wereld van visioenen: het gaasachtige licht, de oplichtende vormen, de wonderlijke fosforescentie overal om hem heen, de manier waarop zwart licht actief was, en vooral de geuren, het gevoel, de smaak van de duisternis. Maar het was tegelijk een intens fysieke ervaring. Niets prikkelde zijn seksualiteit zo sterk als deze tastbare duisternis.

Dokter Budberg schreef hem een kort, bot briefje waarin ze zijn blindheid bevestigde. De oorzaak ervan was onbekend. Ze adviseerde hem een andere specialist te raadplegen en te overwegen meer onderzoeken te ondergaan.

Ava zei: 'Het was beter geweest als ze een oorzaak had genoemd. Dan hadden we een of andere omschrijving van je blindheid gehad.'

Steadman zei: 'Zíj is de blinde!' en was nog steeds nijdig over het feit dat ze nog nooit van hem had gehoord, of in elk geval deed alsof ze zijn naam niet kende. Maar ze zat zelf in de problemen, haar verdriet was als een ziekte die haar deed opzwellen en haar traag en zuur maakte.

'Ze staat goed aangeschreven. Af en toe komt ze op het eiland.'

Op de bladzijde met 'Verdere opmerkingen' stonden nog wat met de hand geschreven aantekeningen waarin ze zei dat hij geen aantoonbaar gezichtsvermogen had, dat hij door geen enkel onderzoek heen was gekomen, dat er geen uitslagen te noteren waren, dat hadden de meetinstrumenten uitgewezen. Hij was een mysterie, een probleem, zijn gezichtsvermogen was nul en ze kon hem geen hoop of remedie bieden, alleen een verwijzing.

Het rapport klonk alsof Steadmans ogen waren uitgestoken en de oogkassen waren dichtgenaaid. Niemand was blinder dan hij, dat was het verhaal. Maar zijn vrolijkheid en geestigheid, zijn herrijzenis uit de eenzaamheid, hadden hem beroemd gemaakt op het eiland, een eiland dat in verbinding stond met de wereld daarbuiten. De mensen op de Vineyard die hem kenden, bewonderden hem; ze benijdden hem eerder dan dat ze medelijden met hem hadden. In de praatjes die voortdurend rondgingen op het eiland werd hij de held van de handicap.

Niemand behalve Ava kende de waarheid, dat zijn blindheid zijn eigen keuze was en dat die omkeerbaar was. Het effect van het middel nam na zes of zeven uur af en liet een hunkering achter, een verlangen naar wat zojuist was afgelopen, een herinnering aan licht, aan een indrukwekkende gave.

Hij stelde zich geen vragen meer over de datura maar was alleen dankbaar dat het middel deel uitmaakte van zijn leven. Hij kon helderder zien dan ooit, en ook zijn gevoel was veel intenser en scherper geworden: zijn huid, zijn spieren, zijn zenuwen waren hypergevoelig. De seks bevredigde hem zelden; het maakte hem alleen nog maar gulziger. Het was iets tastbaars dat hem deed verkrampen, maar meer dan ooit een schitterend schouwspel, iets genadeloos en plotselings, zelfs wanneer je het voelde aankomen.

'Want seks is de waarheid.'

De zomer trok voorbij. Elke dag dicteerde hij een deel van het boek aan Ava. Zijn dictaat, dat eerst werd opgenomen en daarna werd uitgeschreven, behelsde vaak een dramatische episode, een serie instructies voor een seksuele ontmoeting met haar in haar nachtelijke rol van verleidster, dokter Katsina. Zomerdagen, zomernachten, hij schreef en beleefde de erotische vertelling die zijn boek was. Verblindend licht, intense hitte.

Er werden nog meer feesten gegeven, en hoewel Ava haar afkeuring liet blijken, was Steadman vaak het middelpunt van de aandacht. Als iemand hem vroeg wat er met zijn ogen was gebeurd, legde hij uit dat hij op zo'n eenvoudige manier blind was geworden dat hij verbaasd was dat het niet veel vaker gebeurde. Waarom waren er niet meer mensen blind? Ogen waren maar klodders gelei, als een stel lillende oesters, de zachtste, meest kwetsbare lichaamsdelen. Er was hem niets vreselijks overkomen, zei hij, alleen maar een reeks fouten die voorkomen had kunnen worden.

Hij was op reis geweest, waarbij hij wat van het kapitaal had uitgegeven dat hij had verdiend aan de merchandising en licenties van *Trespassing*, en hij was op Hawaï geweest. Hij had daar een woonadres gehad en voor de winter een strandhuis gehuurd. In een opwelling had hij een rijbewijs aangevraagd, maar toen hij voor het oogonderzoek zijn kin op de metalen steun had gelegd, had hij naar de leeskaart gekeken en alleen maar een felle schittering en vage letters gezien. Hij kon geen enkele regel lezen, zelfs niet met de bril die hij af en toe gebruikte, en werd afgewezen door de verontschuldigend kijkende medewerker die zei: 'Misschien heeft u een nieuwe bril nodig.'

Nadat een oogarts een heleboel combinaties van lenzen op hem had uitgeprobeerd, had die met een lamp in zijn ogen geschenen en gezegd dat hij een ernstige vorm van grauwe staar had. Hij moest onmiddellijk worden geopereerd.

'Ik was verbijsterd. Ik zei dat het onmogelijk was. Ik was amper vijftig.'

Maar het was niet ongewoon, zo zei men hem, vooral gezien het feit dat hij veel reisde. Staar was soms erfelijk, maar hij was in de jaren die hij in de openlucht had doorgebracht ook aan ultraviolette straling blootgesteld geweest. Zijn vader had dikke brillenglazen gehad, de oude maar ontoereikende remedie.

'Het is een eenvoudige operatie,' had de dokter gezegd. 'Een fluitje van een cent.'

Dat zei iedereen, hoewel Steadman vond dat de uitdrukking 'een fluitje van een cent' voor hem een onvermijdelijke mislukking inhield. En zo leek het ook, want Steadman liet zich met een tussenpoos van zes weken aan beide ogen opereren. Geen lasertechniek, legde hij uit, maar een methode die onder een fel licht werd uitgevoerd, het gemompel van de chirurg en zijn assistent, het schrapende geluid van het mesje in zijn oog, en zó'n kleine incisie dat er geen hechtingen nodig waren.

Gedurende een korte periode had er geen geel waas meer over zijn ogen gelegen, maar zag hij met de helderheid van een Hawaïaanse lagune, indrukwekkend in zijn peilloze helderheid. Maar wat hij zag was een ander soort blauw, en in die korte tijd ervoer hij het allesdoorborende zicht van een kristalheldere voorstellingswereld.

Hij volgde alle postoperatieve instructies op. Hij gebruikte de druppels, nam de antibiotica, raakte zijn ogen niet met zijn vingers aan, maar toch – kwam het door het snorkelen? Het zeewater? Het zwemmen? –

raakten de kleine incisies ontstoken. Hij kreeg sterkere antibiotica, waar hij allergisch voor was, en op de dagen dat hij die niet nam, kreeg de infectie greep op hem. Hij ging terug naar de dokter en kreeg te horen dat zijn hoornvliezen afstotingsverschijnselen vertoonden.

Hij bleef in Hawaï, zei hij, en wachtte met zijn ogen in het verband op een hoornvliestransplantatie. Geblinddoekt in al dat zonlicht! De transplantatie werd uitgevoerd en hij vloog terug naar Boston, waar hij hoorde dat de operatie was mislukt.

'De dokter kijkt naar me en zegt: "U lijdt aan decompensatie van uw hoornvliezen."'

Ze probeerden het opnieuw, dit keer met een medisch team van wereldklasse: het wachten, de spanning, de uitputting door de operatie. En ook deze hoornvliezen werden afgestoten.

'Ik heb de toestand geaccepteerd. Misschien krijg ik op een goede dag een transplantatie die wél aanslaat, en zie je me weer lezen op het strand. Maar dat heb ik niet in de hand. Ik wil niet met valse hoop leven.'

Dat was zijn verhaal. Behalve het snorkelen op Hawaï was er niets van waar. Maar dat gaf niet, want met de datura was hij echt blind. Met zijn stok en zijn vastberaden tred was hij uit zijn afzondering te voorschijn gekomen om uit te groeien tot een opvallende, bekende figuur in het feestcircuit van de Vineyard. Er was sprake van een hernieuwde belangstelling voor zijn leven en werk. En op een of andere manier wisten mensen dat hij na jaren van stilte weer aan een boek werkte.

Het verhaal dat hij blind was geraakt door een ontsteking en dat zijn hoornvliestransplantatie was mislukt, werd voor zoete koek geslikt. Medische fouten waren zo gewoon, dat wist iedereen. Veel mensen vertelden op hun beurt over een medische blunder die ze zelf hadden meegemaakt: een foute diagnose, verkeerde medicijnen, onverwachte bijwerkingen. 'Hij ging voor tonsillitis naar het ziekenhuis en ze gaven hem een vasectomie.'

Mensen waren het met hem eens als hij zei: 'Dokters maken je ziek.' En hij was verbaasd dat zijn verklaring zo gemakkelijk werd geaccepteerd en was blij dat hij niet over zijn leugens hoefde uit te weiden. En het deed zijn verhaal geen kwaad dat Ava toegaf dat zijn artsen ondeskundig waren geweest.

Hij wist dat niets moeilijker uit te leggen zou zijn geweest dan hoe hij toevallig met de drug in aanraking was gekomen in een dorp aan de rivier de Aguarico in de provincie Oriente in Ecuador, waar hij op zoek was naar ayahuasca en via Manfred had kennisgemaakt met die zeldzame datura, de gerafelde en spitsere kloon van de doornappel. Hoe het verblindende licht hem in staat had gesteld zichzelf te overstijgen in een nieuw leven, met een totaal nieuwe vocabulaire van het zien.

'Fosfenen,' zei Ava.

Het woord dat de wetenschap te bieden had was niet toereikend voor de visioenen die nu de zijne waren.

Ooit had hij plezier beleefd aan het schrijven, had hij ervan genoten een pagina te vullen, om vervolgens de helft weer te schrappen, opnieuw te beginnen, verbeteringen en alternatieven in de kantlijn toe te voegen, een nette versie te maken, als een monnik die op een vel perkament zwoegt. Maar nu hij in zijn blindheid vooruitziend was, leek het opschrijven van de woorden veel minder belangrijk dan het oproepen van een reeks beelden in zijn hoofd. Waarom schrijven als die visioenen zo intens waren? En feit was dat die visioenen, juist door ze op te schrijven, minder intens schenen te worden.

En als het moment daar was, wilde hij absoluut geen pen gebruiken, en een toetsenbord vond hij niet nodig. Hij had een cassetterecorder nodig, een vrouw om hem te stimuleren, niet zomaar iemand, maar een vrouw die hij begeerde, en nu was er maar één vrouw. Hij was zo verrukt, zo vervuld van zijn visioen en sprak zo vloeiend, dat hij zijn boek moest inspreken en dat Ava het moest opnemen en opschrijven. Zijn boek was een jubeltoon, een intens erotisch gebed; dat Ava het opschreef was geen onderdanigheid maar een vorm van ondervraging. Het feit dat hij haar dicteerde, en haar gemompel en 'Ja, ja' of 'Wacht even' hadden ook een seksuele lading, want zij was een essentiële en actieve partner in het boek, net zo geobsedeerd als hij.

Ava was soms Ava en soms dokter Katsina, afhankelijk van het uur van de dag, en hun nachtelijke relatie was des te hartstochtelijker vanwege hun afstandelijkheid overdag. Omdat hij haar zo nodig had om aan zijn boek te werken, was hij dankbaar dat ze er was, maar hij was tegelijkertijd ook zo afhankelijk van haar dat hij af en toe wrokkig was; niet zozeer tegenover haar, als wel tegenover het hele scheppende proces. Hij wilde een baken zijn, een profeet. En een feit was dat hij zonder haar slechts een onschuldige paranoïde zonderling zou zijn, die denkt dat hij een koning is, een impotente kluizenaar die zijn frivole fantasieën aan een zoemende machine prijsgeeft.

Drie

Het boek der Openbaring

1

Eens, nog niet zo lang geleden, was Ava gewoon een gezicht en lichaam geweest, gewoon een vrouw, maar liefdevol, begeerlijk en slim. Nu was ze de levende verpersoonlijking van zijn ideale vrouw geworden: een trooster, een partner, een beschermster, een helpster, een genezeres, een vriendin; en ze was hongeriger dan hij. Hij vond het een heerlijke gedachte dat ze nooit nee zei, dat ze zelfs het initiatief nam tot seks. *Ik wacht op je. Kom.*

Ze was zijn bestaan, zijn beste vriendin geworden, en zijn behoefte aan haar ging dieper dan liefde. Ze was zijn metgezel, ze was zijn minnares, ze speelde de baas over hem, ze zorgde voor hem, ze was tegelijkertijd zijn sussende onderdanige verpleegster en zijn bazige dokter. Voor alles was hij van haar afhankelijk. Ze nam bevelen van hem aan en door hem te dienen werd ze zijn gids, ging ze deel uitmaken van zijn dagen en nachten. Hoewel ze had gezegd dat ze dat nooit zou doen, had ze haar huis in Vineyard Haven opgegeven en was ze bij hem ingetrokken. Nu was het hele landgoed zowel van haar als van hem. Ze was zijn secretaresse, moedigde hem aan bij het dicteren en bediende de cassetterecorder. Ze was alles voor hem, behalve zijn ogen; hij had zijn eigen ogen nog. Maar ze zat in zijn werk, hielp hem het te doorleven, hielp hem het te schrijven. Ze was de helft van zijn boek, ze was zoals ze zelf zei de minnares van de blinde.

Ze maakte nog steeds ruzie met hem, betichtte hem van pretentie, maar het bewijs dat hij een enorme verandering had ondergaan, was duidelijk zichtbaar in zijn werk. Hij erkende tegenover haar dat het moment waarop hij zich het meest bevrijd had gevoeld door zijn blindheid het moment was waarop hij haar het meest nodig had, zich realiseerde dat hij niet zonder haar kon leven. Hij zette geen vraagtekens bij die paradox. Hij kon die twee tegenstrijdigheden niet van elkaar scheiden. In zijn duisternis stak hij tastend zijn gretige hand uit en zij greep hem met haar onzekere hand vast en leidde hem voort.

'Ik voel me verantwoordelijk voor jouw blindheid.'
'Nou ben jíj degene die pretentieus is.'
'Ben je niet vreselijk geschrokken?'
'Nee, ik ben een nieuw mens geworden.'

Een jaar geleden was zij op het idee gekomen om naar Ecuador te gaan en het drugsreisje naar de jungle te maken. De blindheid die daarvan het gevolg was, zei Steadman, was zijn grote geluk geweest. Hij was op zoek geweest naar een idee, iets om over te schrijven; hij had nooit gedacht dat hij nog een tweede kans zou krijgen, nog een boek zou schrijven, een echt leven zou hebben. Geconfronteerd met Steadmans duidelijk irrationele houding wilde Ava de schuld op zich nemen. Maar er was geen sprake van schuld. Hij had in haar hart gekeken, hij had haar nodig, hij was alleen maar dankbaar.

'Je hebt me het leven geschonken,' zei hij.

'Míjn leven, jammer genoeg; ik werk niet, ik heb al maanden geen medische handelingen meer verricht en ik krijg steeds telefoontjes van het ziekenhuis dat ze mensen te kort komen,' zei ze. 'Maar misschien is dat wel liefde, een soort van egoïstische opoffering. De illusie dat je iemand je leven schenkt.'

'Noem het geen liefde,' zei hij en hij verwoordde het nog bloemrijker: 'Je bent een herderin, een sjamaan, een priesteres.'

Ze zei: 'Vraag me alleen niet met je te trouwen.'

Hij begon verrast en opgelucht te lachen.

'Want ik wil jou nooit zoveel macht over mij geven. En zelf wil ik die macht ook niet.'

'Wat wil je dan wel?'

'Hetzelfde als jij: prettige verrassingen. Ga naar de bibliotheek en wacht daar op me.'

Hij gehoorzaamde en zag dat de glas-in-loodramen die hij had laten zetten om zijn boeken tegen de zon te beschermen, donkerder werden in het sombere namiddaglicht, de kleuren in ieder ruitje waren als aparte aroma's die geleidelijk afnamen. Daar stond hij, zonder te weten wat hem te wachten stond, maar hij verheugde zich al op hetgeen waarvan hij wist dat het aangenaam zou zijn. Kijkend naar de wazige kleuren van de raampjes, hoorde hij de deur van de bibliotheek open- en dichtgaan.

Ze had zich omgekleed: ze droeg een witte blouse, een kort rokje en hoge hakken. Ze liep naar de leren sofa in de hoek en ging toen op het uiterste puntje zitten, in de schaduw.

'Raak me aan.'

Hij kwam dichterbij en probeerde zijn gretigheid te onderdrukken, knielde voor haar neer, liet zijn hand tussen haar dijen glijden en plukte aan haar slipje.

'Je bent nat.'

'Nog niet nat genoeg.' Ze leidde zijn hand tot hij in haar weg leek te zinken, en ze zuchtte toen hij haar begon te strelen.

Toen leunde ze voorover, maakte de knoopjes van haar blouse los en rukte zijn hoofd naar zich toe zoals de danseres in Boston bij haar had gedaan. Ze kletste haar borsten tegen zijn gezicht, hield ze vast, een in iedere hand, en wreef over haar tepels.

'Raak me nog eens aan.'

Met zijn gezicht in de warmte van haar borsten geklemd, raakte hij haar aan en voelde dat ze nu natter was, zoet van het vocht, haar slipje plakte tegen haar aan, zwaarder. Hij tilde haar rokje op, deed haar benen uit elkaar en wilde haar bestijgen.

'Nee,' zei ze, en toen hij overeind kwam, greep ze snel zijn pik vast en vouwde haar borsten eromheen en wreef zijn harde, dikke lid tussen hun zachtheid, en toen hij begon te hijgen duwde ze haar borsten omhoog om zijn lid in haar mond te nemen en maakte hem klaar door hem langzaam in haar keel te pijpen.

En dat alles zonder zich uit te kleden. Ze streek met haar vingers over haar glibberige lippen, slikte nog eens, en zei: 'Dat bedoel ik nou.'

Ze kende hem door en door en kon dat op zo'n theatrale manier zeggen dat ze hem opgeilde met haar inzicht. Ze kon aantonen, zoals met dat intermezzo in de bibliotheek, dat hij haar nodig had. Hij voelde zich veilig bij haar. Hij had zich nog nooit eerder zo voldaan gevoeld, zo gestimuleerd, zo verlangend naar meer. Hij kon zich op haar verlaten, kon al zijn geheimen met haar delen.

Destijds, de tweede keer dat ze elkaar ontmoetten en ze net in het ziekenhuis op de Vineyard was begonnen met baby's ter wereld helpen, gebroken botten zetten, blindedarmoperaties uitvoeren en slangetjes inbrengen, zei hij: 'Zoals iedereen ben ik al eerder getrouwd geweest.'

Met haar glimlach, haar zorgeloze blik, maakte ze een sterke indruk, waardoor zijn gelaatsuitdrukking zich ontspande. Ze antwoordde: 'Het is handig om te generaliseren. Het laat zien dat je ongeduldig bent en geen muggenzifter.'

'Bedoel je omdat ik zei dat iedereen al eens getrouwd is geweest? Maar dat is ook zo. Het is net als je rijbewijs halen. En later verbaas je je erover dat je bent geslaagd en dat je niet veel meer ongelukken hebt veroorzaakt.'

'Sommige mensen kunnen maar beter ongetrouwd blijven,' zei ze met een zelfvertrouwen dat erop duidde dat ze niet getrouwd was. 'En sommige mensen kunnen maar beter lekker burgerlijk trouwen.'

Hij deed of hij even moest nadenken, zodat de korte pauze, de stilte, haar zou helpen om het zich weer te herinneren. Toen keek hij haar aan en zei: 'En sommige mensen komen er al doende achter.'

Steadmans huwelijk had niet lang geduurd en was vanaf het begin verbijsterend geweest. De bruiloft – belachelijk, duur, een karikatuur – was alleen maar verwarrend geweest, als een pretentieus ritueel voor een bloedige veldslag; en later, toen ze allebei afgemat en daas waren van het geruzie en ze eigenlijk geen duidelijke redenen meer hadden om op elkaar te vitten, nam hij zijn toevlucht tot een wanhopige stilte. De stilte tussen hem en zijn vrouw herinnerde hij zich als een volslagen duisternis.

Het huwelijk kwam hem voor als een plotselinge eenzaamheid in het bijzijn van een vertrouwde persoon – misschien ging dat altijd wel zo –, iemand die steeds meer in een vreemde veranderde. Kort nadat hij was teruggekeerd van zijn twee jaar durende reis over verboden terrein hadden ze elkaar op een feestje ontmoet. Ze heette Charlotte, 'maar noem me alsjeblieft Charlie, dat doet iedereen'. En daarop had hij gezegd: 'Dan noem ik je Charlotte.' Ze vertelde dat ze in de marketing zat, accountmanager was. Hij had geen flauw idee wat dat was. De eerste weken van hun vriendschap had ze een intense, levendige indruk gemaakt. De seks maakte haar begeerlijk omdat ze op een plagerige manier ongrijpbaar was en zijn verliefdheid vertroebelde het beeld dat hij van haar had nog meer. Hij moest en zou haar krijgen. Hij zei dat hij van haar hield, hij beloofde haar alles. Ja, ik wil met je trouwen! Haar opgewondenheid maakte haar mooi, ze zei dat ze alles zou doen om hem gelukkig te maken en hij beloofde haar hetzelfde. Maar het huwelijk veranderde hen eerst in vreemden, daarna in ruziezoekers en uiteindelijk in vijanden.

Het verwarrende voor hem was dat hun seksleven opbloeide doordat hij haar eigenlijk niet kende. Het groeiende besef dat hij haar nauwelijks kende, dat ze niet dezelfde taal spraken, maakte haar juist begeerlijk. Hij wist nooit hoe hij moest beginnen, dus als zij het voorstelde – bijna altijd op een botte manier: 'Ik ben zo geil,' ja, dat begreep hij wel – dan raakte hij onmiddellijk opgewonden, alsof de onbekende vrouw naar wie hij op een feest had staan staren op hem af liep en, alsof ze zijn gedachten kon lezen, zei: 'Kom,' en met hem een slaapkamer in schoot en de deur achter zich dichtschopte.

Charlottes haast, haar honger en haar anonimiteit verschaften hem een vorm van genot – misschien wel het enige genot – want in bed gedroeg ze zich nog meer als een vreemde dan waar ook. 'Bed' was een eufemisme voor de vele verschillende plaatsen waar ze vreeën: op de achterbank van de auto, in de badkamer, het verborgen inhammetje op het strand onder de vuurtoren van West Chop. Hij wilde geen seks als geschenk; hij wilde het op commando – en dan om beurten bevelen geven. Charlotte leerde hem dat of hielp hem in ieder geval beseffen wat hij wilde. Omdat ze een vreemde was, kende ze geen remmingen; ze durfde alles van hem te verlangen; en hij kon alles tegen haar zeggen, ze mochten onverantwoordelijk en roekeloos zijn. Zij gebruikte hem, hij gebruikte haar – dat waren hun gelukkigste dagen. Hij vond het heerlijk dat ze seksueel moeilijk te bevredigen was, zich altijd misdroeg als een egoïst die misbruik maakt van iemand die niets vermoedt.

Vanaf het begin had ze hem wenken gegeven. 'Moet je dat zien,' zei ze dan van een jurk met een laag uitgesneden kanten decolleté, 'dat ziet er echt hoerig uit.' En van een paar hoge naaldhakken: 'Ik wil ook zo'n paar van die geile stelten.'

Gewoonlijk had ze niet zoveel gespreksstof, maar als ze zin had in seks was ze net een kat, veeleisend, en wreef ze zich tegen hem aan; of eigenlijk geen kat maar een roofdier, een heroïnehoer in een achterafstraatje die om seks smeekte. Steadman vond het heerlijk als ze hem beetpakte en dwingend zei: 'Ik wil gebeft worden. Ja, zo,' terwijl ze zijn hoofd met beide handen vasthield. 'Steek je vinger naar binnen. Ja, zo, harder, dieper, doorgaan, maak me klaar.'

En nadat ze luidruchtig was klaargekomen, waarbij ze helemaal verkrampte, en haar lichaam schokkend op en neer ging, werd ze zelfs nog gretiger, nog veeleisender maar dan op een smekende en onderdanige manier, en wilde ze hem plezieren. 'Pak me ruw aan. Zeg vuile teef tegen me. Toe dan, zeg dat ik je moet pijpen.' Als Steadman dan aarzelde – waar moet ik beginnen? – zei ze: 'Ruwer, geef me een pak op mijn donder, dwing me,' en als ze dan tegenstribbelde en hij haar op haar kleine, harde billen sloeg, grauwde ze met zijn pik in haar mond en raakte luidruchtig in extase, en maakte een hinnikend geluid terwijl ze hem leegdronk.

Verder, eigenlijk altijd, en zeker in het openbaar, was ze een preutse en passieve vrouw.

Ze kocht kleren, liet eens per week haar nagels doen en las de *Wall Street Journal*. Ze ging helemaal op in haar werk. 'Ik heb een marketingbijeenkomst in Cambridge met de mensen van Verkoop en ik heb de voorstellen niet eens geredigeerd en de spreadsheets ook nog niet bekeken.' Waar héb je het in godsnaam over? Haar werk was een mysterie voor hem.

Maar dat onbekende, dat onverwachte maakte haar ook fel, en vaak vroeg hij zich af: Wie bén jij eigenlijk? Uiteindelijk kon het Steadman allemaal niks meer schelen. Hij werkte aan zijn boek en ging er zo in op dat hij haar uiteindelijk niet leerde kennen. Het had geen zin ruzie met haar te maken. Hun huis maakte een lege indruk als ze er allebei waren. Hij wilde eigenlijk dat ze wegging, maar hij was zo uitgeput dat als hij het opperde, zijn stem loom en onverschillig klonk; zo gelaten en weinig kordaat dat het hem ook eigenlijk nauwelijks iets kon schelen.

'Ik denk dat het voorbij is, Charlie.'

Een jaar eerder, toen ze net iets met elkaar hadden, was ze zenuwachtig geworden van al zijn gevraag, en had ze tegen hem gezegd: 'Je krijgt wat je ziet,' alsof ze daarmee haar eenvoud wilde benadrukken, bijna trots was op haar oppervlakkigheid: primaire kleuren in één dimensie, een knipplaatje, een poppetje. Haar schertsende waarschuwing om vooral niet dieper te kijken werd haar mantra: ze bezat geen verfijning, geen innerlijke verdieping. 'Ik zit in de verkoop en de marketing! Dat zegt toch al genoeg?'

Als hij dan zei dat hij dat betwijfelde: 'Je doet jezelf geen recht. Er is altijd meer,' klaagde ze op een zogenaamd zielig verongelijkt toontje dat ze niets voor hem verborgen hield en dat hij de meest gecompliceerde man was die ze ooit in haar leven had ontmoet. Hij was niet praktisch, had geen spaargeld op de bank, geen echt inkomen, geen beleggingen gedaan. Hij had al zijn geld uitgegeven aan een twee jaar durende wereldreis. Hoe kon je nou een schrijver en reiziger tegelijk zijn? Schrijvers bleven thuis en maakten mensen hoorndol; reizigers bleven niet lang genoeg op één plek om te schrijven. Maar hij deed allebei en daar begreep ze helemaal niets van.

'Ik moet toch eens een boek van jou lezen,' zei ze kort nadat ze elkaar hadden ontmoet.

Hij had haar niet verteld dat er maar één boek was, dat het nog niet af was en dat hij geen geld meer over had van zijn voorschot.

Dat gebeurde allemaal in de laatste maanden dat hij bezig was *Trespassing* af te maken, en het manuscript op zijn bureau lag. Hij was zo moe van de lichamelijke inspanning om het boek te typen en het tegelijkertijd te bedenken, dat hij niet verder kon kijken dan de publicatie. Hij had nooit het waanzinnige succes kunnen bevroeden, de wonderbaarlijke transformatie die het teweeg zou brengen: de roem, de rijkdom, en daarna de befaamde afzondering die hem beroemd en gewild maakte.

Maar dat was pas later na zijn probeersel met Charlotte, toen hij nog geloofde dat ze hem alleen maar kon begrijpen als ze had gelezen wat hij had geschreven.

'Ik wil het echt graag lezen,' zei ze.

De stapel papier, het manuscript van *Trespassing*, was bijna twintig centimeter hoog. Hij had het eigenhandig op een typmachine getypt, met gekromde, klauwachtige vingers op het toetsenbord zitten hameren, gezien hoe stijve insectenpootjes omhoogvlogen uit de vettige typekorf en letters op het papier kwakten en het gehavende typelint onrustig heen en weer fladderde. Het boek vorderde gestaag, de ene letter na de andere sprong op het papier. Hij was tijdens het typen misselijk geworden van het sigaretten roken, uit zijn poriën sijpelde teer, zijn keel deed zeer, hij voelde zich vergiftigd; en daarmee was er een eind gekomen aan het sigaretten roken.

Ze liet zich niet afschrikken door de omvang van het manuscript. Ze herhaalde nog eens dat ze het graag wilde lezen. 'Jouw boek, moet je zien,' zei ze op een overdreven geduldig, kritiekloos toontje en ze glimlachte er ietwat gemaakt bij alsof ze het over een jong hondje had.

'Er staan heel veel plaatsnamen in,' zei hij. 'Maar ik heb een stel kaarten, dan raak je niet verdwaald.'

Hij moest nog vaak terugdenken aan zijn onschuld en zelfmisleiding in die dagen, toen hij nog twee mensen zag die rustig zaten te praten met tussen hen in de stapels papier van het manuscript in kartonnen dozen, hoopvol en gelukkig, alsof ze in een paradijs zaten, voordat de hele wereld het wist en zich begon op te dringen.

Zij was de eerste die het boek las. Ze begroef zichzelf in het boek. Maar ze had de gekmakende gewoonte om het manuscript te lezen met de tv aan, waarbij ze zo nu en dan opkeek van de bladzijden om een komische serie te volgen, te glimlachen om wat ze op het scherm zag en haar wenkbrauwen te fronsen als ze weer begon te lezen. Uiteindelijk zei ze: 'Ik vind het goed.' Hij wilde meer van haar horen: meer lof, meer details, een uitgebreid lyrisch commentaar waarin ze de passages noemde die ze het beste vond. Hoewel hij na al die jaren van onverschilligheid snakte naar lof, wist hij dat op een tactvolle zachte toon duidelijk te maken, of ieder geval op zo'n toon dat het geen smeekbede leek.

'Maar ik vond alles mooi,' zei ze op protesterende toon, verbaasd dat hij kennelijk nog meer wilde horen.

'Het manuscript is bijna zevenhonderd bladzijden dik. Heb je het uitgelezen?'

'Ik heb praktisch alles gelezen. Wat wil je nou dat ik zeg?'

Hij haalde zijn schouders op. Hij realiseerde zich dat hij te veel van haar vroeg. Per slot van rekening was hij zelf ook niet eens in staat om een marketingplan van zo'n twintig bladzijden te beoordelen dat zij hem weleens voorlegde, hoewel hij wel haar spel- en grammaticafouten kon corrigeren.

Na haar simpele oordeel over het boek had ze op verdedigende toon gezegd: 'Wat je ziet is wat je krijgt,' en ze had er nog nooit zo beeldschoon uitgezien, heldere ogen, mooie lippen, volle borsten, mooie, kleine handen.

Niet verder kijken want dan raak je teleurgesteld, zei ze daarmee. Ik ben nu eenmaal oppervlakkig.

Dat was een volstrekte leugen, bleek later. Misschien doelbewust, misschien een oprecht misverstand, maar het was een leugen waarmee hij niet langer kon leven. 'Gelul,' riep Steadman woest. 'Geouwehoer!' Want later, toen ze eenmaal zijn vrouw was geworden, werd er iedere dag wel een nieuw ergerlijk trekje van Charlotte onthuld, dat hem altijd weer schokte omdat ze van tevoren zo nadrukkelijk had gezegd dat er verder niets meer te weten viel. Fout: er viel nog van alles te weten!

Ze huilde snel, ze was heel snel gekwetst, ze was onzeker. Ze reageerde hysterisch op een losse opmerking of een verkeerde vraag; ze beschouwde vragen als een soort aanval. 'Ik weet het antwoord niet! Ik zal wel gewoon stom zijn!' Ze tartte hem met haar leugens. Telkens als hij een boek noemde, zei ze altijd nonchalant: 'Ik heb het al zo lang geleden gelezen dat ik niet meer weet waar het over ging.' Hij hield maar op met over boeken praten om haar niet in het nauw te drijven. Ze had nog nooit iets gelezen behalve boeken over verkopen en marketing.

Zij, de zakenvrouw, die zei: 'Zodra je kwaad wordt heb je de discussie verloren,' die nooit haar stem tegen hem had verheven, die de kalmte zelve had geleken, bleek een viswijf te zijn. Haar gezwollen aderen stonden als blauwe, gekronkelde koorden in haar hals als ze tegen hem tekeerging. En als ze klaar was met tieren en schreeuwen, ging ze zitten mokken en zei ze niets meer. Ze kon dagenlang chagrijnig zijn en gaf daarbij blijk van een koppigheid die hem normaal gesproken zou imponeren omdat ze zich zo standvastig toonde, ware het niet dat ze hem daarmee tot het uiterste dreef.

'Zeg toch iets,' zei hij op die momenten tegen haar en probeerde haar tot praten te bewegen. Het eindigde ermee dat hij op zijn beurt ook tegen haar begon te schreeuwen, en zijn frustratie leek haar voldoening te schenken, want daarmee had hij bewezen dat hij een bruut was.

'Zie je wel, je verheft je stem,' zei ze op een triomfantelijke toon nadat ze hem razend had gemaakt. 'Je schreeuwt tegen me. Je vloekt.'

Wat hij had gezien was niet wat hij had gekregen: hij was met een evenwichtige, inschikkelijke vrouw getrouwd en hij had een felle, onvoorspelbare vrouw gekregen die hij het nooit naar de zin kon maken. Het was alsof hij de eenvoudige, rustige wijzerplaat van een nieuwe klok voor de klok zelf had aangezien. Hij had niet doorgehad dat het binnenwerk zo complex en onvoorspelbaar zou zijn, met al die radertjes, springveren en tandwielen die de klok lawaaierig in beweging hielden, en soms was het gewoon weer een wijzerplaat, een fraaie voorkant met onbetrouwbare wijzers die stilstonden.

'Het ligt aan jou,' zei ze en ze gaf hem de schuld, want híj was moeilijk. Een schrijver, een reiziger, twee egoïstische beroepen verenigd in een ver doorgedreven vorm van egotisme.

Wat moest hij daarop zeggen? Zijn boek was wel af maar nog niet gepubliceerd.

Charlottes kritiek op zijn gedrag was precies de kritiek die hij ook op haar had. En zo waren ze gelijkwaardige tegenstanders geworden. Maar ze vreeën nog steeds en door hun onderhuidse vijandschap kreeg de seks onverwacht iets boosaardigs; zolang ze nog seks hadden was het bevredigend, juist omdat het iets wreeds had. Een tijdlang raakten ze als ze ergens ruzie over maakten allebei in de greep van een passie die al snel een seksuele lading kreeg, en eindigden ze op de grond of op de sofa, zij met gescheurde en scheef zittende kleren, hij met zijn broek op zijn enkels, terwijl ze naar hem klauwde en met hem worstelde en zijn lichaam woeste, smakkende geluiden tegen het hare maakte. Na afloop, als ze daar roerloos lagen, met de vissige lucht van seks op hun huid, door het zweet tegen elkaar geplakt, was al hun woede opgebrand en kreeg de patstelling weer de overhand.

Op het laatst drong het tot hem door dat hij haar alleen maar irriteerde en dat hun relatie niet opgelapt kon worden, want ze was ongelukkig en ze was al ongelukkig geweest voor ze hem leerde kennen. Hij kon haar niet datgene bieden waar zij behoefte aan had.

'Het ligt aan jou maar het is niet jouw schuld.'

'Je hoeft niet zo'n bevoogdend toontje tegen me aan te slaan.'

'Goed, ik zal het niet meer doen. Je hebt een borderline-stoornis.'

'En hoe zit het met jou?'

'Ik natuurlijk ook. Zit dat niet in de mens?'

Hij had haar heel ongelukkig gemaakt. Haar droefheid was van een totaal andere orde dan haar woede. Haar droefheid was zwaar en zwijgend en nam zijn begeerte weg. Het kwam niet meer in hem op om nog de liefde met haar te bedrijven, zelfs niet op die kwijlende hondse manier waarop hij het een week geleden nog had gedaan. Ze was somber gestemd en hij liet haar maar alleen in haar droefgeestigheid. Het was dat of erin meegaan.

Hoewel ze nog steeds passief en neerslachtig was, beweerde ze dat ze woedend was, dat ze zich in de steek gelaten voelde.

'Je bent dezelfde persoon,' zei hij. Hij bedoelde: ik ken jou niet; je bent een vreemde die uit het lichaam is gekropen van een vriendin met wie ik vertrouwd was en die ik mooi vond. Dat lichaam kon ik wel neuken maar de persoon die erin zat niet.

'Je bent een klootzak.'

Een betekenisloze beschimping; hij kon hetzelfde van haar zeggen. Het was het zoveelste stadium in het verval.

Maar hij kreeg de indruk dat ze hem verantwoordelijk wilde stellen. Het leek er bijna op alsof ze op zoek was gegaan naar een echtgenoot, iemand had willen vinden die de last wilde dragen van al haar innerlijke pijn, waarmee ze al sinds haar kinderjaren rondliep.

Vrouwen! had hij weleens willen verzuchten, zoals zij zo vaak *Mannen!* had geschreeuwd. Maar dat sloeg nergens op. 'We zijn toch zeker geen beesten,' had hij op een keer tegen haar gezegd. Het was niet eerlijk haar alleen als vrouw te zien, want ze was anders dan alle vrouwen die hij ooit had gekend. Ze was Charlotte en soms Charlie. Ze hadden het geprobeerd. Ze hadden gefaald.

Het hielp niet als hij haar probeerde te analyseren. Daardoor kwam hij op een hypocriete manier sympathiek over en het zadelde hem met een verplichting op. Ze praatte over haar ouders en het klonk als een akelige parabel over verdorven en wrede mensen: een feeks van een moeder, een beul van een vader en een bruut van een broer, die alles met haar hadden gedaan behalve van haar houden. Hij vond het vreselijk om ernaar te luisteren want steeds als ze het over die mensen had, zag hij de beschadiging. Het ergste was nog dat ze niet van zichzelf hield, dus hoe kon ze dan van anderen houden?

Ze had wel vrienden, alleen maar vrouwen, die hij geen van allen goed kende, omdat ze ze voor zichzelf hield en, vermoedde hij, in het geniep over hem klaagde. Aan de manier waarop ze tegen hem deden – afstandelijk, koel, soms spottend, soms overduidelijk geringschattend – merkte hij dat ze aan haar kant stonden.

Haar beste vriendin heette Vickie. Toen Charlotte weer eens een periode van neerslachtigheid doormaakte, kwam Vickie een weekje bij hen logeren. Hij vermoedde al dat een week te lang zou zijn, dat hij erdoor van slag zou raken, maar hij deed toch zijn best om gezellig te doen.

'Ben je al eens eerder op Martha's Vineyard geweest?'

'Jaren geleden.'

'Wanneer was dat?'

Vickie kon het zich niet meer herinneren. Het was vast een leugen. Hij vroeg haar wat voor werk ze deed.

'Wisselt van dag tot dag.'

Ze deed vaag. Hij wist dat Vickie een marketingmanager was en uit Los Angeles kwam. Dat had Charlotte verteld. Ze werkten samen aan een ondernemingsplan dat nog in de maak was. Vickie had een vaste relatie met een man uit New York. Steadman stelde vragen over hem. 'Hij is verrukkelijk excentriek.' Charlotte had hem verteld dat de man steenrijk was en dat Vickie ook rijk was, maar Steadman zag alleen maar een ouder wordende vrouw met scherpe gelaatstrekken en haar dementerende vriend, die met lege handen aan was komen zetten en hem in bijna alles tegensprak.

'Prachtig,' zei ze van een kleine *santo* op een piëdestal, waarvan het verguldsel was afgebladderd, 'ik was van plan er een in Mexico te kopen.'

'Deze komt uit de Filippijnen.'

'Mexicanen maken ze precies hetzelfde,' zei ze. 'Je loopt mank.'

'Jicht,' zei hij.

'Jicht is verschrikkelijk. Soms kun je niet eens uit bed komen. Je kunt in ieder gewricht jicht krijgen.'

'Nee, dat is niet zo. Heb je weleens jicht gehad?'

'Nee, maar ik weet er vrij veel van.'

Steadman vroeg zich af waarom hij eigenlijk al die moeite deed, maar begon uit te leggen dat je niet in alle gewrichten jicht krijgt. Tijdens zijn reis had hij erg veel vocht verloren en was hij op een dag in Assam flauwgevallen, vlak voor hij illegaal de grens met Bangladesh zou oversteken. De daaruit voortvloeiende nierbeschadiging had de jicht bij hem veroorzaakt. Jicht beperkte zich bijna altijd tot één gewricht, voornamelijk de podagra of grote teen.

'Het is net zoiets als een gebroken teen.'

'O ja, is dat alles?' zei Vickie en ze wendde zich tot Charlotte. 'Ik heb ooit een teen gebroken toen ik nog danste. Maar dat deed helemaal geen pijn.'

'Dit doet wel pijn.'

'Als je toen meer water had gedronken,' zei Vickie, 'dan was je niet uitgedroogd geraakt.'

Steadman glimlachte maar inwendig was hij razend.

'Het was in India.'

'In India heerst hongersnood,' zei Vickie.

'Ben je weleens in India geweest?'

Ze wendde haar blik af. 'Jaren geleden.'

Ze logeerde in het gastenverblijf; ze fluisterde met Charlotte, die ze Charlie noemde; ze gingen in de stad winkelen. Steadman zag ze alleen bij het eten. Hoewel ze snobistisch deed over eten – 'je wordt heel dik van avocado's', 'er zit alleen maar suiker in vruchtensap', 'hebben jullie geen sojamelk?' – kookte ze nooit. Vickie wilde niet in zijn zwembad zwemmen – ze haatte zwembaden, met al die chemicaliën. Als hij haar een schaal met bosbessen voorhield zei ze dat ze bosbessen afschuwelijk vond, waarop hij met frambozen kwam aanzetten en ze een gilletje slaakte en zei dat ze die nog erger vond. 'Ze zijn zo harig.' Ze vertelde dat ze haar baan wilde opgeven en masseuse wilde worden. Onder het praten masseerde ze vaak Charlottes nek. 'Je voelt hard aan. Waarom ben je zo gespannen, Charlie? Voel je die knopen? Die zal ik eens aanpakken.' Steadman vroeg zich af waarom hij nooit op het idee was gekomen om de nek van zijn vrouw te masseren. Vickie vertelde dat ze ervan droomde om in een luxehotel te wonen, het liefst in Europa, in Wenen of zo. Ze was daar een keer geweest en het was er zo schoon, veel schoner dan in Italië, waar ze overal afval neersmeten.

'Het narcisme van de kleine verschillen,' zei Steadman.

Hij raakte gefascineerd door haar twistzieke meningen en domme uitvluchten. Ze dacht van zichzelf dat ze verrukkelijk excentriek was, net als haar New Yorkse vriend, maar in wezen was ze alleen maar ergerlijk. Hij realiseerde zich dat het een opluchting voor Charlotte moest zijn om te zien hoe iemand anders met hem in de clinch lag. Maar zag ze dan niet hoe zielig die vrouw eigenlijk was?

Ze keek op, haar handen nog steeds om Charlottes nek geklemd.

'Freud,' zei Steadman, 'die is in Wenen geboren.'

'Dat weet iedereen.'

'En het citaat komt uit *Het onbehagen in de cultuur*.'

'Weet ik.'

'Heb je het gelezen?'

Met een wuivende beweging van haar hand: 'Heel lang geleden.'

Onschadelijke dikdoenerij, kleine leugentjes; en als ze zich altijd omringde met mensen als Charlotte, zou ze nooit door de mand vallen. Wat ernstiger was, was haar voortdurende geroddel. Ze was dikke maatjes geworden met een wederzijdse vriend, iemand die Steadman een paar keer had ontmoet maar die meer bevriend was met Charlotte; hij was een collega van haar en ze had hem aan Vickie voorgesteld. En Vickie, de klaploper, de scharrelaar, was nu ook met deze man bevriend geraakt. Hij zag haar regelmatig en nam haar in vertrouwen.

'Ik mag dit eigenlijk niet vertellen, Charlie,' zei Vickie giechelend, om vervolgens hun de geheimen te onthullen die de man haar had toevertrouwd: over het verleden van zijn vrouw, de problemen met zijn kinderen, zijn financiële zorgen, zijn zwakke kanten als zakenman; zwakheden, zo liet ze doorschemeren, die zij en Charlotte goed konden uitbuiten.

Ze sprak op de toon van iemand die een hogelijk gewaardeerde vriend iets heel speciaals cadeau doet, door haar geheimen te onthullen en haar deelgenoot te maken van informatie die haar ook macht zou geven. De vertrouwelijkheden gingen veel verder dan gewone roddel: ze degradeerden de man, castreerden hem en wekten de illusie, zoals dat met sommige vormen van verraad gaat, dat ze de toehoorder sterker maakten.

Charlotte was verrukt en luisterde geboeid naar Vickie, die nog meer geheimen prijsgaf.

'Het geheim van zijn huwelijk? Hij is met zijn moeder getrouwd. Zij neemt alle beslissingen. Je gaat je wel afvragen hoe het met hun seksleven is gesteld.'

Steadman merkte dat het hem meer interesseerde dan hij wilde toegeven. Maar toen hij dieper nadacht over wat hier allemaal werd onthuld, werd hij ook behoedzaam, want deze indiscrete vrouw bevond zich nu wel in zijn eigen huis en was een vertrouwelinge van zijn eigen geheimzinnig doenerige, misnoegde vrouw. Ooit zou er op die manier ook over hem worden gepraat. *Je gaat je wel afvragen...*

Nu hij Charlotte met deze vriendin samen zag, bespeurde hij kanten aan haar persoonlijkheid die tot dan toe voor hem verborgen waren gebleven. Ze moest altijd heel hard lachen om Vickies ranzige terloopse opmerkingen. Ze genoot van haar confidenties, haar verraad, haar roddels; ze wilde nog meer horen. Vickie bracht een arrogant, kleinburgerlijk trekje in Charlotte te voorschijn, dat ook iets leugenachtigs had. Ze was onoprecht omdat ze snobistisch, agressief, prestatiegericht en platvloers was.

Steadman merkte dat hij de helft van de tijd genegeerd of gekleineerd werd door deze vrouw, tegen wie hij net zo'n aversie begon te koesteren als tegen de zwakke kanten van Charlottes karakter die Vickie in haar naar boven haalde.

De dagen van Vickies bezoek gingen langzaam voorbij, maar Steadman kreeg zo een heel andere Charlotte te zien, die hem verbijsterde: ze was hartelijker, inschikkelijker, meer op haar gemak bij deze vrouw dan ze ooit met hem was geweest, ze was een vrouw van wie hij nooit zou kunnen houden en tegelijkertijd iemand die veel onafhankelijker overkwam dan hij vroeger had gedacht. Nu hij haar samen met haar vriendin had gezien, was hij er zeker van dat hun huwelijk voorbij was; zekerder nog dan wanneer Vickie een man was geweest die een week lang overspel met zijn vrouw had gepleegd. Het kwam wel goed met Charlotte; voor haar zou de scheiding pijnloos worden.

Hij voelde zich gekwetst, vernederd door de mislukking, hij voelde zich verraden, maar wist tegelijkertijd dat hijzelf net zoveel schuld had aan die mislukking als zij. Hij was gekwetst in zijn trots; hij wist dat hij daarmee de aandacht trok, als een soort idioot, iemand met wie de mensen medelijden hadden of die ze liever meden.

Het huwelijk was een simpele aankondiging geweest, een contract, het bindende gedeelte van de ceremonie had slechts een paar minuten geduurd, was een eenvoudige bekrachtiging geweest. De scheiding was een langdurige kwelling die zich over vele maanden had uitgesponnen, een reeks van juridische vragen zonder duidelijke antwoorden, een taaie en pijnlijke ontwarring die deed denken aan een zware operatie na een auto-ongeluk, een slordige amputatie.

Tijdens de eerste bittere maanden na zijn scheiding, een harde tijd van persoonlijk gevoelde pijn, werd *Trespassing* gepubliceerd, waarbij de opdracht voor in het boek ('Voor mijn vrouw') was weggehaald. Het boek bevatte geen dankwoord, hoewel hij vlak voor de publicatie vaak had zitten fantaseren over het schrijven van een tekst in een klein lettertype die aan het eind van het boek onder het kopje 'Geen dank' zou komen te staan.

Aan mijn ex-vrouw Charlotte, die het te druk had om mijn kladversie uit te lezen, lik me reet! Aan de vele stichtingen die mijn verzoeken om financiële steun hebben afgewezen, krijg de klere! Aan de MacArthur Foundation die mij niet als genie beschouwde, maar wel genoeg genialiteit ontwaarde in talloze middelmatige, zelfingenomen types om hun langdradige verhalen met absurde geldbedragen te honoreren, jullie kunnen allemaal verrekken! Een dikke voor mijn redacteur die nooit op mijn telefoontjes reageerde. Aan mijn bank, die mij in een kritiek stadium tijdens het schrijven van mijn boek een lening weigerde: Opgesodemieterd! Aan alle mensen die zeiden dat ik niet op reis moest gaan, of die het nut van dit boek niet inzagen, die afgaven op de titel of zeiden dat de tekst te lang was, jullie kunnen allemaal doodvallen!...

Hij had geen enkele hulp gekregen en was alleen maar tegen obstakels en stompzinnigheid aan gelopen. 'Wees voorzichtig,' zei men toen hij vertrok. Bestonden er woorden die nog minder behulpzaam of antagonistisch klonken? De moeite die het hem kostte om het boek te schrijven, vormde een weerslag van de moeilijkheden die hij tijdens de lange, gevaarlijke reis had ondervonden. Soms hielp het opstellen van zo'n 'Geen dank'-lijst hem 's avonds laat in slaap te komen in zijn lege bed.

De recensies waren goed, positief en talrijk. 'Een nieuw soort reisverhaal,' en omdat het weer eens iets heel anders was in een markt die naarstig op zoek was naar nieuwigheden, liep het boek als een trein, was er veel belangstelling voor de film- en tv-rechten en werd er zwaar op geboden, terwijl het boek zelf steeds meer bekendheid kreeg. Zijn idee om illegaal en zonder paspoort van het ene land naar het andere te reizen vormde de basis voor een 'grote speelfilm', een bordspel, een door een ghostwriter geschreven vervolg, een met zijn toestemming uitgegeven boek van een andere auteur, geschreven vanuit het perspectief van een vrouw, en een populaire tv-serie die de hele merchandising op gang bracht. De kledinglijn van Trespassing kreeg nog meer bekendheid dan The North Face en Patagonia omdat de TOG-lijn van luxeartikelen ook in de catalogus te koop werd aangeboden. Het echte geld werd verdiend met die dure merkartikelen – titanium zonnebrillen, horloges en messen. De messen alleen al vormden een hele afdeling op zichzelf in het bedrijf en besloegen zeven bladzijden in de catalogus – vouwmessen, overlevingsmessen, bowiemessen, soms met een heft van hertshoorn of parelmoer of mastodont-ivoor (slechts enkele ontwerpen en met het bijschrift 'Beperkte oplage van 50 exemplaren'), en in de holte van de greep het Trespassing-logo in reliëf gestanst. Mensen die zijn boek nooit hadden gelezen en zijn naam niet eens kenden, waren verzot op de zonnebrillen, horloges en messen. En de onverwachte winsten die daarmee werden behaald, die zelfs zijn steenrijke vrienden op de Vineyard fabelachtig voorkwamen, stelden hem in staat het huis op het eiland te kopen en te verbouwen waardoor het de omvang en het aanzien van een kasteel kreeg, volledig ommuurd met boomgaarden en beelden in de tuinen.

Hoewel hij er zorg voor had gedragen om haar vooral niet te noemen, werd Charlotte toch met het boek geassocieerd, en veel mensen dachten dat zij er een aandeel in had gehad. Het feit dat zij ook wat eer kreeg toebedeeld, maakte Steadman ontzettend kwaad want hij had het boek in zijn eentje bedacht en geschreven. Ze had hem er alleen maar bij gehinderd; hij had zich daar overheen weten te zetten en haar laatdunkende commentaar naast zich neergelegd. Het succes van het boek was een opluchting voor hem en had hem blij gemaakt. Hij maakte zichzelf wijs – en een tijdlang geloofde hij het ook echt – dat als hij nooit meer een ander boek zou schrijven, hij het best vond om slechts een eendagsvlieg te blijven. Het was een goed boek, dik en compact, dat een nieuwe generatie van avontuurlijk ingestelde reizigers inspireerde.

Nadat Charlotte was vertrokken, de scheiding was uitgesproken, hun bezittingen waren verdeeld, en hij de eerste successen van zijn boek achter de rug had en zich op een afgelegen deel van het eiland had gevestigd, had ze hem een brief geschreven. In de brief klonk ze verontschuldigend en nederig: ze was blij voor hem, ze wenste hem veel geluk. Ze maakte hem een compliment en schreef dat het haar speet dat ze hem zo weinig had bijgestaan. Ze vertelde dat ze nu in New York woonde en dat het allemaal veel duurder was dan ze had gedacht, en 'ik denk dat je wel weet wat er nu gaat komen'.

Hij ging ermee akkoord om Charlotte het bedrag toe te kennen waar ze om gevraagd had. Als enige voorwaarde stelde Steadman dat ze van tevoren een document moest ondertekenen waarin ze afzag van verdere aanspraken, rechten of verzoeken. Daaraan voldeed ze maar al te graag per ommegaande post, notarieel bekrachtigd en mede ondertekend door een getuige. Toen was hij van haar verlost. Ze pakte het geld aan en was in het begin misschien dolgelukkig voordat ze begon te denken (waarschijnlijk opgejut door Vickie): Ik had toch meer moeten vragen.

Want zijn boek bleef maar succes hebben, er stroomde nog veel meer geld binnen, genoeg om de rest van zijn leven in zijn onderhoud te voorzien. Het bedrag dat zij had geëist en dat toen zoveel geld leek, was een aalmoes vergeleken bij wat hem later nog allemaal toekwam. Toen zijn advocaat hem complimenteerde met zijn handige zet, was hij daar niet blij mee – het was kleinzielig om rancune en triomf te voelen. Hij zag in dat de Geen dank-bladzijde die hij in gedachten had geschreven, kleinzielig was en absoluut niet geestig.

Wanneer hij later terugdacht aan Charlotte als zijn ex-vrouw en voormalige minnares, voelde hij wroeging. Hij kon nauwelijks geloven dat hij ooit had gezworen haar lief te hebben en levenslang te beschermen; hij stond versteld dat hij haar ooit had begeerd, was beschaamd dat hij een in het openbaar gedane plechtige belofte verbroken had. Hij kon zich de kleur van haar ogen of de vorm van haar gezicht niet meer herinneren. Maar de prachtige ronding van haar billen als ze op haar buik lag te schreeuwen dat ze genomen wilde worden; de lijn van haar dijen; de bruine geboortevlek in de vorm van Madagascar op haar onderrug; de manier waarop ze als een knaagdier snuffelde en met haar ogen knipperde als ze onrustig was, die beelden kon hij naar believen oproepen.

Waarschijnlijk haatte ze hem nu, maar waarom eigenlijk? Omdat hun huwelijk was mislukt? Maar zij had ook beloften gedaan, niet dat het huwelijk gemakkelijk zou worden, maar de afschuwelijke leugen dat ze simpel was, niet meer was dan ze leek. Nu wist hij dat dat voor niemand gold. Misschien geloofden mensen in hun eigen woorden, maar het kon je duur komen te staan als jij er ook in geloofde. Hij wantrouwde haar niet, net zomin als de vrouwen die hij daarna tegenkwam. Maar hij wantrouwde zichzelf omdat hij had geloofd dat Charlotte gelukkig zou kunnen zijn als zijn partner en hij haatte zichzelf omdat hij had gedacht dat dat genoeg voor hem zou zijn, terwijl hij eigenlijk van haar had verwacht dat ze het huishouden zou doen, adrem zou zijn, hem met zijn boek zou helpen, en van hem zou houden omdat hij intelligent was, hard werkte en een held was.

Absurde verwachtingen; alleen was hij beter af. Hij zei: 'Nooit meer.'

2

Geen enkele vrouw kon hem troosten in zijn wantrouwen, voelde hij. De vrouw die hij begeerde, bestond niet, want hij wilde een vrouw die een helende hand op hem legde, die een bloeddrukmeter om zijn bovenarm bond en die stevig aantrok, die zijn voorhoofd aanraakte, zijn temperatuur opnam, zijn rug beklopte met haar vingertoppen, in zijn keel tuurde, zijn hartslag controleerde, die eigenlijk een teder lichamelijk onderzoek verrichtte, om het zo maar te zeggen. Waar haalde je zo'n vrouw vandaan?

De jaren verstreken, de vriendinnen kwamen en gingen. Hijzelf begon te krimpen terwijl zijn roem toenam, de beroemde auteur van *Trespassing* begon steeds minder op hem te lijken. In plaats van de boerderij te verlaten, bleef hij maar uitbreiden tot het een heus landgoed werd, dat zo uitgestrekt was, zo productief, zo winstgevend, dat hij nooit meer weg hoefde.

Het land was vruchtbaar. Een groot gedeelte van het voedsel dat hij at verbouwde hij zelf. De lichamelijke inspanning vermoeide hem en nam de plaats in van de uren dat hij schreef. Hij begon aan verhalen, hij werkte aan concepten voor romans, voor toneelstukken, voor een opera. De uitgevers wilden een nieuwe *Trespassing* maar dat boek was al geschreven en af, en dat zei hij ook: er zou geen vergelijkbaar boek komen. Hij troostte zich met de gedachte dat diegenen onder zijn zomervrienden die maar één ding goed hadden gedaan – een boek, een film een toneelstuk, een schilderij – één unieke creatie waarmee ze beroemd waren geworden, vaak het best in hun vel zaten.

Bloemen kweken en groenten telen gaf hem troost en matte hem zo af dat hij de tijd gemakkelijker doorkwam. Als hij op een willekeurige ochtend begon te schrijven en een beetje zat te pielen achter zijn bureau, hield hij er al weer snel mee op en ging in de tuin graven. En als hij niet aan het schoffelen of sproeien was, zat hij op het gietijzeren tweezitsbankje aan de rand van de tuin naar de planten te kijken en verlustigde zich in hun omvang, en beeldde zich in dat hij ze kon zien groeien. Hij liet een broeikas neerzetten, een enorme tentvormige oranjerie, zodat hij het hele jaar door kon tuinieren.

Het zware tuinierswerk was een zegen. Dagenlang liep hij met zware zakken mest te sjouwen voor zijn aardappelveld, kromde zijn rug en richtte zich weer op en smeet ze over de hoge omheining die de herten en de konijnen buiten moest houden. Als het werk gedaan was, lag hij roerloos in zijn bad en liet hij zijn pijnlijke botten en spieren weken. Maar toen hij op een dag in de spiegel keek, zag hij dat het wit van zijn linkeroog rood was: het oog zat vol bloed, ondoorzichtig en beangstigend.

Het verbaasde hem dat het bloederige oog geen pijn deed. Maar hij schrok er zo van dat hij zijn afkeer van ziekenhuizen overwon. Hij reed zelf met zijn rechteroog dichtgeknepen naar het ziekenhuis op de Vineyard, en keek met zijn bloederige linkeroog waarmee hij blijkbaar toch nog iets kon zien. Hij vulde een formulier in en moest vervolgens wachten; het was een donderdagavond in mei en er was bijna niemand. Hij vond ergens een spiegel en stond verwonderd naar zijn bloederige oog te staren.

Er verscheen een vrouw in het wit. 'Meneer Steadman, deze kant op alstublieft.'

Hij deed vriendelijk tegen de vrouw en vroeg zich af of zij de dokter was. Ze was klein, compact en efficiënt, op van die geruisloze witte schoenen. Ze vroeg hem of hij medicijnen nam en of hij allergisch was voor antibiotica en wat zijn klachten precies waren. Nadat de vrouw zijn antwoorden had opgeschreven, glimlachte ze tegen hem en vroeg of hij even wilde wachten. Zij was de verpleegkundige.

Er kwam een andere vrouw binnen, ouder, groter en in het wit. Ze nam zijn temperatuur op, bond een bloeddrukmeter om zijn arm en noteerde de getallen. Ze bracht hem naar een kamertje en ging weer weg. Het ging dus in fasen, je kwam steeds een stapje verder, hier even wachten, dan daar even wachten, de vragen werden verfijnd, en via een reeks mysterieuze voorvertrekken rukte je langzaam op naar de laatste kamer.

'Ja?'

Weer een verpleegkundige, weer even wachten, nog meer vragen, maar ze zei: 'Ik ben dokter Katsina,' en ze gaf hem een hand.

Hij was aanvankelijk gespannen en voelde daarna een onbeschrijflijke opluchting, want ze was aantrekkelijk: lange benen, smal gezicht, sluik lang haar, volle lippen, en ze bleef hem aankijken met haar mooie, nieuwsgierige, intelligente blauwgrijze ogen. Hij schatte dat ze achter in de dertig was, sportief, energiek, met gespierde fietskuiten en sterke handen van het knijpen in de handremmen en het vastpakken van het stuur.

Terwijl ze haar handen waste, zei ze: 'U hebt zwaar werk gedaan.'

Steadman keek naar zijn handen en vroeg zich af waaraan ze dat kon zien.

'Wat hebt u opgetild?'

Hij vond haar fantastisch omdat ze onmiddellijk ter zake kwam, snelle conclusies trok en het meteen samenvatte.

Ze glimlachte en bracht haar mooie, schoongeboende gezicht dicht bij het zijne. Ze was warm en schoon en haar nabijheid was als een balsem voor het verlangen in hem. Ze legde haar duim onder zijn linkeroog en haar andere vingers om zijn achterhoofd, duwde zijn hoofd lichtjes naar achter, keek in zijn oog alsof ze door een sleutelgat keek, en pakte toen een instrument om nauwkeurig te kijken.

'Doet het pijn?'

'Nee.'

'Het is niets ernstigs.'

'Wat is het dan?'

'Een subconjunctivale bloeding. Een gesprongen haarvaatje. Dat is echt bloed. U hebt gebukt en iets heel zwaars opgetild.'

Hij moest glimlachen om haar juiste diagnose. 'Moet ik er iets voor nemen?'

Dokter Katsina schudde haar hoofd en terwijl ze haar handen weer waste zei ze: 'Het ziet er eng uit, maar het is niet erg. Binnen een week moet het zijn weggetrokken. Als dat niet het geval is, moet u even terug-komen. Was er verder nog iets?'

Steadman was zo opgelucht dat hij zich opgewonden, dankbaar, weer helemaal gezond voelde. Hij wilde haar omhelzen. Hij zei: 'Wat kan ik voor ú doen?'

'Met mij is alles goed,' zei ze, ze vond het wel grappig.

Steadman, die een zweem van ongemak bij haar bespeurde omdat hij haar met zijn bloederige oog begerig stond aan te kijken, zei: 'Zullen we iets gaan drinken?'

'Dat is tegen de ziekenhuisregels; en het is onprofessioneel. Ik ben arts. U bent mijn patiënt. Bovendien heb ik een bevalling. De vrouw kan elk ogenblik bevallen, maar ik heb zo'n idee dat het weleens twee uur vannacht kan worden. Zo gaat het altijd.'

Dokter Katsina maakte een machteloos gebaar en maakte aanstalten om weg te lopen, wat tegelijkertijd betekende dat hij ook moest gaan: tijd om op te stappen.

'Wat doe je dan als iemand aan het bevallen is?'

'Dan wacht ik tot ik word opgeroepen.'

'Misschien kunnen we dan samen wachten.'

Ze maakte een vaag gebaar met haar schouders. Het leek op een ja, maar ze zei: 'Vandaag niet.'

Hij drong niet verder aan omdat hij voelde dat ze wel meewerkte, en nu hij eenmaal wist hoe ze heette, wist hij zeker dat hij haar weer wilde ontmoeten. In plaats van te bellen schreef hij haar een briefje waarin hij vroeg wanneer ze vrij was. Ze reageerde niet. Hij hield zichzelf voor dat dokters het altijd druk hebben. Hij probeerde het nog eens en gaf zijn telefoonnummer.

Een paar dagen later belde ze hem op en zei: 'Met Ava Katsina,' en het duurde even voor hij zich weer herinnerde wie ze was, want ze had niet 'dokter Katsina' gezegd.

Hij zei: 'Ik wil je heel graag zien.'

'Goed,' antwoordde ze, 'maar dat betekent wel dat ik je niet meer kan behandelen.'

'Ik ga overal mee akkoord.'

Haar lach stelde hem gerust. Ze zei dat ze de volgende dag vrij had. Volkomen op zijn gemak stond hij bij de ingang van de eerste hulp op haar te wachten, en door het raam zag hij hoe haar jurk tegen haar lichaam plakte toen ze zich over de balie heen boog om zich af te melden.

'Ik moet mijn pieper aan laten staan,' zei ze toen ze in de auto stapte. 'Ik heb weer een bevalling. Ik kan niet al te ver weg.'

Hij reed naar Oak Bluffs, waar hij bij de Dockside Inn parkeerde, en ze gingen naar een bar op een eerste verdieping met uitzicht over de binnenhaven. Hij ergerde zich onmiddellijk aan de ruige sfeer, de zurige lucht van gemorst bier en de luide muziek. Het café was iets te druk voor de meimaand, misschien omdat er zo weinig andere cafés open waren, en de klanten waren geen vakantiegangers maar eilanders, een van hun werk komende groep schreeuwende maten. Buiten op de veranda was het vochtig, onbehaaglijk en lawaaierig en toen de zon onderging bleef er niet genoeg licht over om het menu te kunnen lezen. De bediening was traag en het was er niet alleen onaangenaam en lawaaierig, maar ook kil.

Het was zo'n dag in het vochtige, dralende voorjaar waarop mensen riepen: 'Het is nog lang geen zomer!' en de Vineyard, geïsoleerd en duister, meer een afgelegen eiland leek: de kaap ging schuil achter laaghangende wolken, de noordenwind geselde het water en vormde witgekuifde golven op het lage tij en stuwde rimpels schuim voort over de baai.

Steadman werd er zo door afgeleid – hij had gehoopt een rustige gelegenheid te vinden – dat hij zich van dokter Ava Katsina had afgewend. Hij keek haar weer aan en wilde zich verontschuldigen, een grapje maken over die vreselijke tent en tegen haar glimlachen.

Ze huilde. Ze zag hoe ongerust hij opeens keek, geschrokken, en zei: 'Het spijt me. Ik kan er niets aan doen.'

Hij werd altijd geraakt door tranen, het deed er niet toe van wie, en het gesnik van een vrouw bracht hem van zijn stuk. Hij had geen antwoord klaar, hij stond machteloos. Hou alsjeblieft op, wilde hij zeggen.

'Het komt omdat ik het gewoon niet kan geloven.' En ze bleef zachtjes snuffen en slikken, depte haar ogen met de rafelige prop van een papieren zakdoekje. 'Ik ben zo blij.'

Hij glimlachte weer in de hoop haar ook een glimlach te ontlokken.

'Jij bent die schrijver,' zei ze. '*Trespassing.*'

Steadman knikte, hij klonk met haar en nam een slok, niet wetend wat hij moest zeggen.

'Ik vroeg me al af of we elkaar ooit zouden ontmoeten. Ik wist dat je hier woonde.'

'Iedereen woont hier.'

'In de zomer,' zei ze. Door haar tranen leek ze jong en onervaren en had ze helemaal niets weg van een dokter. Ze snoot haar neus en veegde hem af waardoor er een rood randje om haar neusvleugels verscheen en ze er gewoner, onschuldiger, bijna jongensachtig uitzag. Ze snufte nog eens. 'Het spijt me zo.'

Steadman pakte haar hand en voelde haar zachte vingers; ze liet zich door hem troosten. Hij zag dat ze van streek was maar ook blij, haar tranen waren glinsterende tranen van vervoering. Hij hield van de manier waarop haar geëmotioneerdheid haar gezicht veranderde, haar jonger deed lijken met tranen op haar wangen. Hij was de dokter, zij de patiënt die gerustgesteld moest worden, die emotioneel was, alsof ze snikte van opluchting.

'Doe maar even rustig aan.'

'Nee, ik ben blij. Echt waar.'

Hij zag dat ze blij was, zelfs met haar betraande ogen en de druppel aan haar natte neus.

Hij wilde haar net omhelzen toen haar pieper ging – een belangrijk klinkende, doffe, repeterende toon die om aandacht vroeg – en snel viste ze het geval uit haar leren tas en bekeek de boodschap. Op heldere, efficiënte toon, ontdaan van tranen, zei ze: 'Ik moet nu onmiddellijk weg om die bevalling te begeleiden.'

Zomaar, van de ene seconde op de andere; en nu was hij degene die onder de indruk was en niet wist wat hij moest zeggen.

De serveerster maakte haar opwachting: jong, fris, met een mooie glimlach en een dikke bos blond haar dat ze in bedwang hield door steeds met haar hoofd te schudden. Ze had een pen en een bloknoot in haar hand en zei: 'Willen jullie nog iets drinken?'

'We willen alleen de rekening,' zei dokter Katsina.

Steadman keek de serveerster na die zich door de stampvolle bar heen wrong en zei toen: 'Ik kan wel zien dat je een heel goede arts bent.'

'Meestal weet ik heel goed waar ik mee bezig ben. En ik kan ook jouw arts blijven, maar dat is het dan,' zei ze.

'En het alternatief?'

'Zoek een andere dokter. Dan word ik je vriendin. Ik ben een goede vriendin. Je hoeft nooit afspraken te maken.'

De intensiteit waarmee ze dat zei moest iets te maken hebben met haar solitaire bestaan, haar harde werken. Een sociabel mens zou dat nooit op die manier gezegd hebben. Hij probeerde haar hand te pakken maar ze zat al in haar tas naar haar autosleutels te wroeten.

De avond daarop herkende hij haar amper. Ze hadden afgesproken in een restaurant aan de haven van Edgartown, maar toen hij naar het tafeltje werd gebracht dat hij op zijn naam had gereserveerd, zag hij haar niet. Op de plaats van dokter Katsina zat een blondine in een rode blouse die bezig was haar lippen te stiften. Kennelijk zag ze Steadman in het spiegeltje van haar poederdoos aankomen, klapte hem dicht en keek friemelend aan haar krulletjes naar hem op met een strakke blik alsof ze werd gestoord.

'Je bent het tóch,' zei hij en hij ging zitten.

Toen glimlachte ze. 'Ik zag je gisteravond naar die serveerster kijken en dacht: Waarom niet? Ik ben arts en artsen doen dat soort dingen niet, en daarom heb ik het juist gedaan. Het is een pruik. Wil je dat ik hem afzet?'

Geamuseerd en gefascineerd zei hij: 'Niet nu.'

Het was alweer een koude avond maar het restaurant was rustiger, en ze vertelde hem hoe ze de baby ter wereld had geholpen, een gewone bevalling, een meisje – gelukkige moeder, nerveuze vader – alsof het de gewoonste zaak van de wereld was, had ze zomaar een gaaf kind de wereld ingeschoven, druipend en krijsend, en het natte hoofdje afgeveegd. Vanwege haar lippenstift en de blonde pruik klonken de klinische details van het bevallingsverhaal heel wonderbaarlijk en een tikje onwaarschijnlijk.

'Vanavond mag ik drinken,' zei ze. 'Mijn pieper staat uit.'

Ze was sterk, ze was zelfverzekerd, ze maakte zonder zich te verontschuldigen toespelingen op vroegere vriendjes. ('Die jongen met wie ik vroeger was heeft me enthousiast gemaakt voor jouw boek.') Ze vertelde hem verhalen over de operatiezaal en Steadman was gefascineerd door haar zelfingenomenheid, die enerzijds iets ondoorgrondelijks en mysterieus had, en anderzijds stoelde op een uitstekende anatomische kennis – een keizersnede verrichten, een blindedarm wegsnijden, iemand van een ziek orgaan ontdoen, een gebroken bot zetten, een zieke van de rand van de afgrond wegtrekken. Een patiënt die met afgrijzen de dood in keek, wist zij weer gezond te maken. Ze wist alles over de chemische samenstelling van geneesmiddelen, ze was bevoegd om ze voor te schrijven, ze sneed vlees open, ze naaide het weer dicht met hechtingen en bracht een genezende naad aan in de huid. Het sloeg een stevige deuk in zijn overtuiging dat artsen mensen alleen maar ziek maakten.

Hij was zich erg bewust van zijn scepticisme en zei: 'Je lijkt wel een sjamaan.'

Ze moest lachen om die overdrijving en ontkende het maar ze klonk niet erg oprecht – het zelfvertrouwen van de arts, de arrogantie van de chirurg: ze kende haar macht. Zij was het meest autonome individu dat hij ooit had ontmoet.

'Fijn dat je dat vindt.'

Maar alsof ze het allemaal wilde relativeren, vertelde ze hem ook hoe ze – zij en een vriendje van haar – tijdens hun studie medicijnen met een lijk hadden gedold om over hun angst heen te komen. Of dat ze tijdens een langdurige operatie die ze samen met dezelfde man uitvoerde, het zwijgen alleen verbraken om seksuele toespelingen te maken, in de wetenschap dat als het achter de rug was en de patiënt werd weggereden, zij samen snel naar zijn huis gingen; dat was in Boston geweest.

'De adrenalinestoot die je van een succesvol verlopen operatie krijgt, begrijp je? Het samenwerken, de spanning, de efficiency, het lichaam dat daar tussen ons in op tafel ligt,' zei ze. 'Als het allemaal voorbij was, gingen we liggen neuken.'

'Het privé-leven van een sjamaan,' zei hij, maar hij was geschokt door haar openhartigheid. 'Jammer dat je mijn dokter niet kan zijn.'

'Ik kan andere dingen zijn.'

'Mijn vriendin.'

Wat ze daarna zei bleef hem zo bij dat hij het voor zichzelf hield als een schandalig geheim en als hij het zich later voor de geest haalde zag hij daar altijd het rood van haar lippen en tong bij, de argeloos glimlachende yankee in zijn witte overhemd met zijn bierpul en zijn achterlijke kapsel op het reclamebord van Sam Adams-bier, het schuin invallende licht, de houten schroefdraad op de tap van een decoratief wijnvat, het zoutvatmodel van de bolle, plompe vuurtoren van Edgartown Harbor, het aflopende tij dat tegen de huid van de On Time Ferry schuurde, die aan de kant van Chappaquiddick een donkere voor door de stroming ploegde, een vrouw die over het strand liep met een sigaret in haar mond en een sjaal om haar hoofd gewikkeld – dat alles stond samen met haar plompverloren opmerking in zijn geheugen gegrift.

'Statistisch gezien ervaart slechts zes procent van de vrouwen die een man pijpen daar zelf enig genot bij,' zei ze.

Steadman had al een droge mond; de woorden die hij had proberen uit te brengen waren al verschrompeld en verschroeid op zijn lippen. Hij keek hulpeloos naar haar lippenstiftmond, haar vochtige, gezwollen lippen.

Hij wist al wat ze daarna ging zeggen en zijn oren tuitten al, des te meer omdat hij zag dat ze er niet bij glimlachte maar slechts een feit verkondigde. Toch was hij geschokt. Het was de meest schaamteloze zin die hij een vrouw ooit had horen zeggen; een spottende, plagerige, beloftevolle zin, de ultieme versierzin die als een statistisch gegeven werd gepresenteerd. Ze leek door te hebben wat voor effect het op hem had en begeerde hem omdat hij gechoqueerd kon worden, net zoals hij haar begeerde omdat zij hem wist te choqueren, Slade Steadman, de teruggetrokken auteur van het bekende boek vol verrassingen, *Trespassing*.

'Ik behoor tot die zes procent.'

Behalve zijn grappig bedoelde antwoord waarbij hij een schorre, wanhopige toon aansloeg – 'En wat schiet ik daarmee op?' – kon hij zich van de rest van de maaltijd niets meer herinneren, behalve dat hij zo snel mogelijk klaar wilde zijn met eten en naar huis wilde, en dat zij net zoveel haast leek te hebben als hij.

Dat was het begin van een zomer van hete nachten in zijn ommuurde landgoed – nachten waarin ze geen dienst had, nachten die zo volledig aan hun passie waren gewijd dat ze elkaar vaak in het donker ontmoetten en iets dronken, elkaar aanraakten, vastgrepen en rukkend en sjorrend aan elkaars kleren en lichaam alleen maar zuchtten. Ze hield hem tegen en zei: 'Laat me, laat me, ik wil het zo graag' – en hield hem vast, bemoederde hem, pijpte hem – tot hij het niet meer uithield, en naarmate het donkerder werd, gloeiden hun lichamen op. Hij vond het heerlijk omdat het hen tot onschuldige dieren maakte, apen die voor de lol paren, en ze schepte er genoegen in hem geil te maken. En als ze merkte dat hij steeds sneller begon te hijgen, op het punt stond om klaar te komen, wurmde ze zich onder hem uit, nam hem in haar mond en trok hem met haar hand af tot hij grommend klaarkwam en zij kreetjes slaakte en het van haar lippen likte, waarbij ze met haar ogen rolde en blind werd, en alleen het wit van haar ogen zichtbaar was in haar extase.

'Vind je het lekker?'

'Ik vind het heerlijk,' zei hij.

'Nu moet je doen wat ik zeg.'

Nadat zij hem genot had bezorgd, zijn lichaam tot in de intiemste details had verkend, stond ze erop dat hij haar genot schonk – en het maakte hem onverwacht blij als er kreunende geluiden uit haar keel kwamen, als ze zijn hand leidde of haar benen uit elkaar deed, zijn hoofd met al haar vingers vastpakte en tegen zich aan duwde, zijn gezicht met haar passie besmeurde.

Hij genoot van zijn nachten met haar, omdat ze veeleisend was, omdat ze zo eerlijk was, en omdat ze hem ook aanmoedigde in zíjn eisen. Gretige nachten waarin niets werd gezegd, waarin losse woorden werden gemompeld in een duisternis waarin hun handen spraken en alles was toegestaan, alles werd geëist. Of het tegenovergestelde: de hele nacht praten, dicht tegen elkaar aan gedrukt, elkaar kussen, elkaar de meest gedetailleerde fantasieën vertellen. Door de intensiteit van hun doelbewuste begeerte bleven ze vreemden voor elkaar die op de laagste golflengte met elkaar communiceerden, langdurig stilstonden bij wat hun bevrediging schonk, genoten van wat zij deelden en elkaar nodig hadden voor hun geheimen.

Hun geheimen waren veilig: in het begin verbond hun wederzijdse vertrouwen hen met elkaar en ze werden steeds openhartiger over hun verlangens. Maar tegelijkertijd bleef Ava al die tijd een vrouw in het wit, de bekwaamste arts van het ziekenhuis; en hij kreeg meer zelfvertrouwen en werkte met hernieuwde fantasie, de ontoegankelijke schrijver in zijn afgelegen huis op het eiland, die weer glimlachte. Toch bleven ze vreemden voor elkaar. Ze leidden gescheiden levens, alleen de seks bracht hen bij elkaar, ze kenden elkaar in het duister maar nergens anders. Ze geloofden niet in een toekomst samen en waren er zeker van dat alle hartstocht, hoe hevig die ook leek, hoe brandend die ook mocht zijn, uiteindelijk haar einde zou vinden in as die afkoelde en zich als stof zou verspreiden.

Steadman vond het heerlijk dat hij haar had omdat hij verder zo weinig meemaakte in zijn leven. Charlotte was weg. Hij was niet kwaad over de scheiding maar zette wel vraagtekens bij zijn eigen beoordelingsvermogen: hoe had hij zich zo in haar kunnen vergissen? De vriendinnen waren ook weg. Aanvankelijk had hij alles in het werk gesteld om met rust te worden gelaten op de Vineyard, hij reageerde kortaf, hield zich afzijdig, wenste nergens aan mee te werken, en daardoor was hij er daadwerkelijk in geslaagd de mensen uit zijn leven te houden – en uiteindelijk, na zijn eerste jaren van afzondering waarin hij de pers en de journalisten op afstand hield, verloren ze helemaal hun belangstelling. Hij kwam niet met een nieuw boek. Hij gleed onder de oppervlakte van de actualiteit en leek daar weg te zinken. Behalve de zomergasten die hem op hun feestjes uitnodigden en beleefd naar zijn werk vroegen maar hun vragen vaag hielden, was er niemand meer. Toch waren de zomergasten zijn vrienden, sterker nog; gedurende het seizoen waren zij zijn wereld. Als ze begin september op Labor Day weer vertrokken, bleef hij alleen achter op de Vineyard en vroeg zich af wat hij met zichzelf moest aanvangen. Nu wist hij het. Hij had Ava.

Natuurlijk praatte iedereen erover op het eiland: zowel de zomergasten als de vaste bewoners gaven op die typische Vineyard-manier blijk van een passieve nieuwsgierigheid, ze hielden alles scherp in de gaten en deden tegelijkertijd alsof het ze niets kon schelen, maar hielden hun oren open voor roddels. Ze stonden bekend om hun aandacht voor details en om hun meedogenloze ver teruggaande geheugen. Ze wisten dat hij een verhouding had; ze wisten ook met wie. Zijn auto, haar auto, de boodschappen, waar hij heen ging, zelfs zijn stemmingen, dat hij gelukkig was; het werd allemaal geregistreerd en opgemerkt en er werd over gefluisterd. De mensen waren blij voor hem, voor haar ook, want hoewel ze er nog maar net was komen wonen en men haar nauwelijks kende, werd ze als bekwame arts gerespecteerd. De eilandbewoners schepten er een onschuldig genoegen in opmerkingen te maken over hoe verschillend ze waren, de rijke avontuurlijke schrijver die hier zijn wortels had en de bescheiden arts die van buiten kwam. Steadman wist dat die geruchten de ronde deden en dacht: Ze zouden eens moeten weten hoe woest en gretig ze is, hoe verdorven en veeleisend, hoe grenzeloos ze is in bed, hoe ze een gelukkige slaaf van hem maakte.

'Begeer me,' zei ze. Ze was tevreden, ze neuriede de woorden haast. 'Je hoeft niet van me te houden. Liefde is een last. Het doet pijn. Je wordt er ongelukkig van. Wees alleen mijn vriend.'

Hij kende de bedrieglijkheid van de liefde en haar betekenisloze taal. Hij zei tegen haar dat liefde ook een begoocheling was. Het kwam, het ging, en het maakte je gek. Het ging er alleen maar om iemand te bezitten. Seks was iets anders: het beloofde niets, het had geen toekomst, het was magie die volledig in het heden werd opgevoerd. Ze dachten niet dat de verhouding lang zou standhouden. Overdag zagen ze elkaar nauwelijks, ze maakten bijna nooit plannen en Steadman vermoedde dat de as van hun passie, het nutteloze restant en overblijfsel van het einde ervan, niet veraf was.

Zij wist dat zonder dat hij het had gezegd; ze leek altijd te weten wat hij dacht en als hij in gedachten was verzonken, wist ze wat er in hem omging.

'Als ik ooit nog eens iets schrijf,' zei hij, 'dan zal het hierover zijn – over ons – het gevoel van het vlees, van wij tweeën op ons aapachtigst. Hoe de waarheid in seksueel genot kan worden gevonden. In de wetenschap dat we zullen sterven. Als het maar niet over liefde hoeft te gaan.'

Ze raakte ontroerd door de manier waarop hij de illusie van de hoop, het zelfbedrog van toekomstplannen en de schijn van romantiek verwierp. Ze zei: 'Ik ben blij dat we elkaar gevonden hebben. Ik wil je vriendin zijn. Het is zuiverder. Het is veel beter. Vriendschap vraagt niets, geeft alles, en vriendschap gecombineerd met begeerte is het paradijs.'

'Dat vind ik ook. Liefde maakt je niet beter. Liefde sluit de hele wereld uit. Gedurende een korte periode heb je een bewonderende partner en later een vijand. Liefde is als een gruwelijk verwrongen religie in de manier waarop het je verandert. En na afloop, als er een einde aan de liefde komt, ben je verloren.'

'Trouw alsjeblieft niet met me,' zei ze op een dag voor het ziekenhuis, met de geur van ontsmettingsmiddelen nog om zich heen. Ze lachte zelfverzekerd: de woorden hadden op hen allebei de uitwerking van een afrodisiacum.

'Ik beloof het. Ik zal nooit met je trouwen,' zei hij en hij omhelsde haar, kuste haar en voelde onder haar losse kleren en haar doktersjas de meisjesachtigheid van haar gretige lichaam.

'Laten we vrienden zijn.'

'Ja, ja.'

'We hebben geen toekomst,' zei ze.

'Geen enkele toekomst.'

Door zijn huwelijk met Charlotte had hij de liefde leren kennen, en je kon de liefde niet kennen zonder haar tegenhanger. Hij herinnerde zich hoe zijn huwelijk was geëindigd, hoe de liefde was verzuurd en hij was losgesneden; net als die zwijgende en beschadigde mannen die na een jarenlange gevangenisstraf worden vrijgelaten om tot de ontdekking te komen dat ze niet kunnen functioneren in de drukke wereld van fatsoenlijke mensen en opnieuw tot misdaad vervallen en dan weer in de cel worden gezet om daar te gaan zitten chagrijnen. Zo gevaarlijk vond hij de liefde. Liefde stond voor onvoorspelbaarheid, zwakheid en mislukking.

'Vriendschap is zoveel beter,' zei Ava. 'Je geliefde moet je liefhebben, maar tegen je vriend kun je eerlijk zijn. Liefde is niet blind: het is een ziekte, het is overgave.'

Die overdreven manier van praten was de gekunstelde geruststelling van twee mensen die hartstochtelijk aan elkaar verslingerd waren en verschrikkelijk graag aardig wilden zijn voor elkaar, die snakten naar het einde van iedere werkdag, naar het invallen van de avond zodat ze samen konden zijn.

Zij, de sterkere, die zekerder was van zichzelf, gaf hem meer kracht. De manier waarop zij hem wist op te peppen, maakte dat hij haar begeerde.

'Vanavond wil ik dat je dit met me doet,' zei ze bijvoorbeeld, meestal in het openbaar, in een bar of restaurant, in de supermarkt, op een neutrale plaats waar ze alleen elkaars hand vasthielden, verder niets. En dan beschreef ze tot in de details waar ze aangeraakt wilde worden en hoe, en wat ze zou dragen en wat hij moest aantrekken. Het was haar scenario voor de avond, maar het was pas helemaal af als ze zei: 'En dan wil ik dat je dit doet.'

Tijdens zulke koortsachtige dialogen, waarbij ze de nadruk legde op de juiste volgorde en het ritueel, de verschillende stadia van hun liefdesspel besprak, klonk ze bijna klinisch, alsof ze de verschillende fasen doornam van een schitterende maar gevaarlijke operatie, die tot doel had haar op te winden en haar tot een orgasme te brengen. Maar als het dan zover was, ging het er allesbehalve keurig aan toe, en had het meer weg van een zwarte mis dan van een operatie.

'Er zitten meer ziektekiemen in je mond dan in je kont, wist je dat?' zei ze, als ze hem omdraaide en hem begon te tongen. En als ze klaar was, zei ze: 'Nu ben ik aan de beurt voor een zwarte kus.'

Ze daagde hem uit om nog verder te gaan. 'Dieper, dieper, nog dieper,' zei ze. Hij was nog nooit een vrouw tegengekomen die hem zo expliciet uitdaagde. Hun verhouding leek in geen enkel opzicht op het soort liefdesrelatie waarin je geleidelijk aan elkaars vertrouwen wint en plannen gaat maken voor een gezamenlijke toekomst. Volgende maand, volgend jaar, een vakantie, kinderen, een hypotheek – niets van dat alles. Ze hadden geen toekomst; vannacht was voldoende. Ze sloopten elkaar maar de volgende dag kwamen ze weer samen, als onverzadigbare samenzweerders, voor nog meer.

Ze kon hem verrassen zoals geen enkele andere vrouw ooit had gekund. Op een avond zei ze: 'Ik heb iets voor je,' en hij verwachtte exotische lingerie of foto's, zoals in het verleden. Maar als ze iets nieuws beloofde, was het iets oorspronkelijks, helemaal haar idee, en zeker nieuw voor hem. Ze stelde hem niet teleur.

Toen ze die avond in de Dockside Inn aankwam, droeg ze een donker gedistingeerd pak, een brede stropdas en een vilten gleufhoed. Hij glimlachte – hij had haar nog nooit in dit pak gezien. Ze zag eruit als een decadente schooljongen. Op weg naar huis zei ze dat hij de auto in een zijweg moest parkeren. 'Ik wil met je vrijen,' zei ze en ze kuste hem, liet zich door hem betasten, liet hem aan haar borsten voelen, en toen deed ze haar knieën van elkaar en legde zijn hand tegen haar aan. Hij voelde iets hards, net een rubber knuppel, tussen haar benen zitten.

'Een dildo,' zei ze, 'voor ons allebei.'

En toen ze weer wegreden voelde Steadman zich zweterig, zenuwachtig, gretig en bang worden toen ze beschreef hoe ze de dildo op hem ging gebruiken. Maar thuis wilde ze niet naar de slaapkamer. Ze ging lui op zijn bank liggen en trok het ding te voorschijn, speelde ermee en weigerde haar kleren uit te trekken. 'Op je knieën,' zei ze, 'ik moet in de stemming komen,' en ze duwde zijn hoofd omlaag. Hij zag hoe gelukkig hij haar maakte – ze krijste van genot terwijl ze het ding in zijn mond propte – en hij raakte opgewonden door de onstuimigheid van haar wellustige lach.

Keer op keer moest hij zichzelf voorhouden dat ze een arts was, gerespecteerd in het ziekenhuis en op het eiland. Maar hoe was het toch mogelijk dat zij die de meest delicate operaties kon uitvoeren en alles van anatomie wist – de namen van alle weefsels, alle spieren, alle organen – zichzelf kon verliezen in de duisternis van het lichaam waarin niets een naam had? Een arts was erin getraind het lichaam als iets coherents te zien, benoembaar, ontleedbaar, als een symmetrisch kabinet van vlees en bloed. Maar dat was haar bezigheid overdag; 's nachts kleedde ze hem uit en opereerde hem met haar mond en vingers, verslond hem, naamloos stukje voor naamloos stukje, alsof ze eigenlijk geen mensen waren.

'Jij bent mijn vlees,' zei ze.

De zomer gleed voorbij. De mensen zagen hen samen, de schrijver en de arts, maar omdat Steadman en Ava altijd een ongebonden, afstandelijke indruk maakten, alsof ze vrienden waren, geen stel, hadden de mensen die hen observeerden daar verder geen fantasieën over. Ze waren blij dat Steadman zich eindelijk aan zijn zelfgekozen gevangenschap had ontworsteld. Zijn goede humeur leek erop te wijzen dat hij die al die jaren niets had gepubliceerd, zich misschien van zijn afzondering had losgemaakt door het schrijven van een nieuw boek dat binnenkort zou verschijnen.

Er was geen boek, maar nu ervoer hij zijn ledigheid als een zegen, want hij was met Ava en ging helemaal op in haar tegenstrijdigheden: de arts die een liederlijke genotzuchtige vrouw was. De zomer ging over in de herfst en de herfst maakte plaats voor de winter en het koude weer maakte dat ze nog vaker in elkaars gezelschap verkeerden en het donkere, legere eiland in bezit konden nemen. De winter was volmaakt, hun eenzaamheid totaal. De Vineyard leek hun toe te behoren. Het was minder druk in het ziekenhuis, er waren geen feesten, nauwelijks recepties, geen 'Wanneer ga je weer op reis?' geen 'Hoe gaat het met je boek?'

En er was niets opwindender voor hem dan Ava die hem 's middags opbelde: 'Vanavond – bezoek aan huis,' en dan *klik*, en hij keek uit naar haar komst in het vroeg invallende duister van de winter, het gras glinsterend van de vorst, wachtend op de nadering van haar auto, de dikke banden op het grindpad die haar aankondigden, en dan haar kus, haar warme adem, haar open mond: 'Ik wil je.' Ze trok haar operatieschort uit en bleek daaronder een mooie jurk of lingerie te dragen. In de grote kamer in zijn huis was het zo warm dat ze gewoon halfnaakt op de bank konden liggen; het kaarslicht, de spiegels, haar zuchten die in luide kreten van genot overgingen. Hier kon ze in de winter schreeuwen – en soms deed ze dat ook, sloeg schunnige taal uit, vervuld van onbeheerste passie, en schokte hem met mannenwoorden, en niemand hoorde hen want ze zaten midden op een donker, door ijs ingesloten eiland.

Na afloop, doordrenkt van het zweet, nog nahijgend, lagen ze in elkaars armen.

'Ik had niet gedacht dat je zou bellen.'

'Ik moest je zien,' zei ze dan. 'Vandaag hebben we iemand verloren, een aardige oude man. Ik had behoefte aan iets wat bevestigde dat ik zelf nog leefde.'

Hij glimlachte, hield haar vast.

'Iets menselijks. Iets pervers.'

Maar soms staarde hij voor zich uit en zag alleen maar het bejaarde, doodsbleke gezicht van een patiënt op een kussen, gelig, met open mond alsof hij al schreeuwend was doodgegaan.

'Nu ben ik weer beter. Jij hebt me genezen. Ik moet gaan.' Abrupt, zakelijk, als iemand die nog een missie heeft, snelde ze de deur uit en stapte in haar auto, en was uiteindelijk nog maar twee steeds kleiner wordende rode achterlichten.

De lente brak aan, vol veranderlijke winden en lage temperaturen, aarzelende beloftes, narcissen in april, motregen en modder in mei, herinneringen aan de vorige lente en hun eerste ontmoeting, waardoor het op een of andere manier leek alsof hun dagen en weken zich begonnen te herhalen. Ze waren nu een vol jaar samen. De tweede zomer had Ava het drukker in het ziekenhuis, werd er vaker een beroep op haar gedaan, en was hij degene die moest wachten. Wachten viel hem zwaar omdat hij geen werk had. Hij vroeg zich af of er iemand anders was; hij kon het niet vragen – dat was de afspraak die ze hadden gemaakt, op haar voorstel. 'Als we samen zijn, moeten we elkaar bezitten. Als we alleen zijn mogen we geen rechten op elkaar doen gelden.' Steadman had dat een uitstekend, verlicht idee gevonden, maar naarmate de zomer verstreek en hij haar steeds minder zag, werd hij onzeker, achterdochtig, jaloers.

'Ik denk dat ik een rivaal heb,' zei hij op een dag en hij haatte zichzelf omdat hij het onderwerp ter sprake bracht.

'Twee rivalen,' zei ze. 'Een man met longemfyseem, die aan de beademing ligt en longontsteking heeft, en wiens familie de stekker eruit wil trekken. En een man die constant pijn lijdt en met zijn hoofd en nek in een brace zit. Hij is van het dak gevallen dat hij aan het repareren was en heeft drie halswervels gebroken, en hij heeft zo'n zwak hart dat we niet kunnen opereren. Hij wil alleen maar dood.'

Zij was de sterkste van hen beiden en dat besef maakte dat hij zich schaamde. Hij voelde zich eerder een van haar patiënten dan haar minnaar, maar dan wel een boze en lastige patiënt die om haar aandacht zeurde. Soms wenste hij dat hem echt iets scheelde zodat hij er recht op had haar vaker te zien. Ze had een druk leven dat beheerst werd door het urgente karakter van de medische handelingen. Soms zat ze zo mijmerend voor zich uit te kijken dat ze stilviel als ze bij hem was en dan wist hij dat ze aan een kritiek geval zat te denken, aan iemand in het ziekenhuis.

Haar werk was vervuld van leven en dood – redding en genezing, echt vlees, echt bloed. Wat had hij op zijn beurt te bieden? Lege bladzijden en klachten, de krachteloze fictie van iemand die was vergeten hoe hij moest schrijven, die misschien niets had om over te schrijven. Tegen het eind van de zomer gedroeg ze zich beleefd maar afwezig, en hoewel ze nog steeds sekspartners waren – die botte, ietwat koele term kwam van haar; vaak beschreef ze voormalige minnaars in die termen – was de passie verdwenen en daarmee ook de seksuele vernieuwing. Ze was een goede arts: hij voelde zich niet door haar in de steek gelaten maar besefte dat het van haar kant alleen maar zorgzaamheid was.

'Je bent me nog steeds erg dierbaar,' zei ze en hij lachte dan omdat er geen passie uit die woorden sprak. Het klonk als een soort afscheid nemen.

Hij wist dat het voorbij was. Het woord 'dierbaar,' zei hem al genoeg. 'Dierbaar' was het tegenovergestelde van haar tanden en lippen, haar gescheurde panty, haar priemende vinger, zijn pik waarmee hij haar tikjes in haar besmeurde gezicht gaf terwijl zij hem tergde met haar tong.

Op een avond besloten ze hun polaroidfoto's ceremonieel te verbranden. Tijdens dat plechtige moment werden ze zo gechoqueerd door wat ze zagen, dat ze hun eigen lichaam nauwelijks herkenden. Ze bespraken een manier om de verhouding te beëindigen, formeel af te sluiten.

Toen ze nog geliefden waren, hadden ze het er weleens over gehad om een reis naar Zuid-Amerika te maken. Misschien moesten ze dat idee maar doorzetten en lag daar het antwoord. Ava had de Equador-reis op internet gevonden toen ze de sites over etnobotanie afzocht, vooral de sites die overduidelijk drugstripjes aanboden onder het mom van culturele reizen. Het was helemaal haar idee geweest – het reisje over de rivier, de yajé, het dorp van de Secoya – een reis die Steadman misschien een onderwerp zou verschaffen om over te schrijven. Het bezat alle ingrediënten: indianen, regenwoud, drugs, moeilijke omstandigheden, exotisme. Ze had contact gezocht met Nestor en de tickets gekocht omdat ze er zeker van was dat het hun laatste reis zou worden, een vernieuwende manier van afscheid nemen, 'een afscheidsceremonie', noemde ze het, zoals de *despedida*, een woord dat ze later pas zou leren. Hij stemde ermee in. Maanden daarvoor waren ze al gestopt met vrijen. Dat was tegelijk het moment geweest dat hij ophield met schrijven, alsof zijn schrijversblokkade ook een vorm van impotentie was. Geen van beiden kon bevroeden dat die reis hun relatie in stand zou houden – hem blind zou maken, hem zou inspireren zoals Burroughs was geïnspireerd, hem een idee voor een boek zou opleveren.

Hoe konden ze weten dat het afscheid in het tegenovergestelde zou resulteren: in de weg naar huis, in het vinden van de waarheid, in een vernieuwing die een soort verbintenis inhield? Nu zagen ze pas in dat de reis naar Equador een openbaring was geweest, want vanaf het moment dat hij door blindheid werd overweldigd en vreesde dat hij gedoemd was, had Ava het heft in handen genomen. Toen de duisternis haar intrede deed, gaf zij hem licht en behoedde hem voor de ondergang, zodat hij nauwelijks de verschrikking van het blind zijn ervoer, of, preciezer gezegd (want hij wilde precies zijn) wat hij daarvan wist, het invallen van de duisternis had hem zo beangstigd dat hij niet eens besefte hoe lang het duurde. Gedurende die schijnbaar eindeloze cirkelbeweging in het wazige tijdsbestek van een droom, vlak voordat hij uit zijn daturatrance ontwaakte en zij zijn hand vasthield, begreep hij dat het helemaal geen duisternis was geweest maar een verblinding, het verblindende licht van een openbaring, meer dan hij zelf kon verdragen.

Ava beloofde hem niet te verlaten. In plaats daarvan ging ze bij het ziekenhuis weg. Ze vroeg verlof aan. 'Ik heb vakantie nodig. Ik word getiranniseerd door mijn pieper.'

Ze trok bij hem in en hij begon aan zijn boek. Het schrijven nam nu zijn hele dag in beslag. Hij praatte, zij nam het op, ze maakte aantekeningen; ze speelde de woorden voor hem af. Ze deed een hoop suggesties; hij had haar aanmoediging en goedkeuring nodig. En zijn proza klonk altijd beter, alsof iemand anders het kernachtig herschreven had, als zij het voor hem herhaalde.

Hij leefde op de grens, betrad weer verboden terrein, en vond het heerlijk in het grensgebied te vertoeven. Het schemerduister verschafte hem altijd een heldere visie op de wereld. Dat had Ava bevestigd. De man in het boek was hijzelf. De vrouwen waren Ava, stuk voor stuk.

Ze bleef maar zeggen dat het innemen van de verblindende datura een verwennerij was – ijdelheid, arrogantie – maar tegelijkertijd gaf ze wel toe hoe welsprekend en opmerkzaam hij werd in zijn blindheid.

Ze zei: 'Kom, dan ronden we af,' en prees hem vervolgens omdat hij bepaalde details opmerkte, omdat hij zich zoveel kon herinneren.

Hij had als sensualist alle kamers verkend, hun geuren als riekende schimmen, elke beschadiging in de plafonds; de achtergrondgeluiden van vogelgezang, flarden muziek, gemompelde woorden, verre stemmen; dat en nog veel meer. Een heel hoofdstuk bestond bijvoorbeeld alleen maar uit achtergrond, geen voorgrond, hoewel die wel impliciet aanwezig was, een liefdesscène om precies te zijn. De man op de grond, de vrouw die schrijlings op hem zit met haar gezicht naar zijn voeten gekeerd – dat werd gesuggereerd door de beweging in de spiegel, het kleed waaraan getrokken werd, het uitzinnige getjilp van de vogel in zijn kooi, de schaduwen die zij op de muren wierpen, als Javaanse wajangpoppen – maar subtieler omdat ze langgerekt waren – en hoe het allemaal klonk voor een dertienjarig meisje dat Flora heette en dat op straat voorbijliep om haar hond uit te laten. De hond merkte het als eerste op en begon vrolijk te kwispelen bij het horen van de haast onhoorbare geluiden. Toen keek het meisje op naar de dansende schaduwen en het flakkerende kaarslicht en ze bleef staan kijken om zich een tafereel in haar hoofd te prenten dat nog jarenlang onbegrijpelijk voor haar zou blijven.

'En wat zei Flora toen?'

'Flora keek alleen maar.'

Flora keek alleen maar, schreef ze, en ze zei: 'Maar Flora stond in zichzelf te mompelen alsof ze in een troebel aquarium keek.'

'Zij weet niet waar ze naar kijkt, maar wij wel. En wij kijken dus door haar ogen en begrijpen het, hoewel zij het zelf niet begrijpt.'

'Dat vind ik wel mooi. Details graag.'

Zijn beschrijving bevatte alle details behalve het beeld van de twee mensen op de grond, de man die de vrouw bij haar enkels vasthield terwijl hij haar penetreerde, maar zoals Steadman het dicteerde leek de hele kamer doortrokken van de seksuele handeling, het lamplicht, het behang, de bloemen, de weerspiegeling in de wijnglazen, het nauwelijks hoorbare gemompel dat door de meubels werd gedempt, de muren die van buitenaf slechts deels zichtbaar waren, voornamelijk een spel van warm, schuin vallend licht op het plafond dat de fantasie van het jonge meisje op straat op hol doet slaan.

Toen hij klaar was, zei hij tegen Ava dat hij het zo heerlijk vond met haar alleen te zijn en samen met haar zijn verhaal te verzinnen.

'Je verzint niets,' zei ze. 'Je herinnert het je.'

Hij stond verbaasd over haar stelligheid. Hij zag het allemaal zo duidelijk als hij bij zichzelf naar binnen keek, hij herinnerde zich zijn leven zo scherp dat het er voor hem niet toe deed of het echt was of verzonnen. Hij kon glashelder terugblikken op zijn vroege jeugd, herinnerde zich de hunkering en de ontdekking, de bevrediging van zijn half ontloken begeerte, toen in zijn jongensachtige lustbeleving seks alles was, in het afgelegen land van de vleselijkheid.

'Ik wil dat je naar me kijkt alsof ik een stuk vlees ben,' zei Ava, lachend, en hij zag dat ze het meende. 'Het water moet je in de mond lopen en dan moet je me nemen. Ik wil zien hoe je me opeet.'

In zijn blindheid was hij zich ervan bewust dat Ava hem observeerde, zijn reacties onthield en die gebruikte om hem te bevredigen. Lang geleden had ze hem naar het blonde haar van de serveerster zien kijken, en dat had haar geïnspireerd om de blonde pruik op te zetten; gewoon een pruik, maar op haar sluike haar en haar serieuze doktersgezicht hield hij een woeste belofte in. In de eerste roes van verliefdheid tijdens zijn verhouding met Charlotte had zij dat ook gedaan – hem bestudeerd om hem te kunnen plezieren. Als een andere vrouw met hem flirtte en hij daarop reageerde, werd Charlotte niet kwaad maar ging ook met hem flirten en wist hem daarmee op te winden. Het had niet lang geduurd. Hij was het vergeten tot de herinneringen in zijn blindheid allemaal weer terugkwamen. Zijn blindheid stelde Ava in staat zijn nieuwsgierigheid te onderzoeken, waardoor zij toegang kreeg tot de hongerige man in hem die nauwelijks woorden had voor wat hij wilde, maar geobsedeerd werd door beelden.

Een keer op een zomerdag wilde hij blind autorijden, blind wandelen, blind winkelen en blind geld pinnen, in de buurt van de veerboot met

zijn stok zachtjes op de grond tikken en genoegen scheppen in het uit-
eendrijven van een menigte door er met zijn stok doorheen te maaien als
een profeet die haast heeft. Mensen reageerden bezorgd en hulpeloos als
ze hem zagen: vrouwen bleven staan om te kijken en wilden hem aanraken. Hoe zou het toch komen dat vrouwen opgewonden raakten van zijn
blindheid en dat het beschermende, moederlijke, kalmerende en tegelijkertijd seksuele gevoelens bij hen opriep? Het leek wel alsof ze bereid waren om alles voor hem te doen.

Hij zocht tastend en tikkend met zijn stok zijn weg naar een reform-
winkel in een zijstraat van Vineyard Haven. Hij snuffelde rond en vond
alleen afgaand op de geur een doosje kruidenthee en een pot honing en
een zak croutons met knoflooksmaak en een pakje zongedroogde tomaten, die hij in een mandje legde dat Ava droeg. De winkel had verschillende afdelingen die allemaal logisch waren ingedeeld naar hun verrukkelijke geuren. Maar dat waren herinneringen. Hij was er al veel vaker
geweest. De jarenlange eenzaamheid had hem in een obsessieve voed-
selfanaat veranderd. Een van de gevolgen van isolement was de fixatie op
gezondheid en het lichaam. Of het tegenovergestelde, minachting hebben voor gezondheid en regelmaat, jezelf schade toebrengen. Er was niets
tussenin. Het was ofwel jezelf niets willen toestaan of jezelf helemaal laten gaan. Eenzame mensen waren ofwel gezondheidsfreaks of kettingro-
kers. Dat had hij tegen Ava gezegd. Hij vertelde Ava alles. Hij zei het nog
eens die dag toen ze de winkel uit gingen.

Ava zei: 'Nu weet ik waarom je schrijver bent, omdat je zo zeker van
jezelf bent, zelfs als je het bij het verkeerde eind hebt. Voorál als je het bij
het verkeerde eind hebt.'

'En ik weet wie jou geholpen heeft,' zei hij.

'Je ruikt die vrouwen.'

'Die in ieder geval wel,' zei hij, 'in haar witte truitje en haar warrige
krullenbos. Ze is misschien net twintig. Verleden jaar vond ik haar leuk,
toen ze nog blond was. Nu heeft ze donker haar.'

Hij wist dat Ava hem aanstaarde toen ze over het parkeerterrein naar
zijn auto liepen.

'Afgeknipte spijkerbroek en dat haltertruitje zonder bh en die lange
benen.' Hij ging al pratend naast de bestuurdersplaats zitten en gaf Ava
de sleuteltjes. 'Wat ik vooral zo leuk vond was dat ze er hoge naaldhakken bij droeg. Ik vond het heerlijk om haar heen en weer te horen lopen en dat ze zich moest uitrekken om bij de hoogste plank te komen

om dingen voor jou te pakken.'

'Dat klopt allemaal. Wat herinner je je nog meer?'

'De schoenen zijn rood. Ze klinken plagerig.'

'Wat nog meer?'

'Ze is Daisy Mae,' zei Steadman.

Thuis voelde hij de behoefte om rustig te gaan zitten genieten van dat beeld; hij wilde alleen maar zitten, niets eten, niet praten. Hij werd geobsedeerd door de gedachte aan het druk heen en weer lopende meisje in haar gerafelde spijkerbroek en krappe topje: haar borsten, billen, haar mooie haren en lippen, haar slanke benen, een stadsmeisje dat voor buitenmeisje speelde, Daisy Mae, zonder misschien het onschuldige, oorspronkelijke, simpel getekende stripfiguurtje te kennen dat hij als jongen zo opwindend had gevonden.

Steadman was zo in gedachten verzonken dat hij zich niet afvroeg waar Ava uithing. Hij had die ochtend een goede dicteersessie achter de rug en het ritje naar Vineyard Haven had het grootste gedeelte van de middag in beslag genomen.

En toen, het onmiskenbare geluid van de schoenen, het geklik van de hakken – het rondlopen in huis, niet naar hem toe maar heen en weer, om hem te prikkelen. Hij luisterde. Ze liepen weer weg. Ze kwamen weer terug, met snelle tikken. Hij zat op de veranda in de hitte, en toen stond ze bij hem, liep rakelings langs hem heen, ruimde de koffietafel af of, wat waarschijnlijker was, ze deed alsof. Ze liep weer langs hem heen en van hem vandaan, en hij stak zijn hand uit en raakte haar broek aan, gleed met zijn handen over haar heen, voelde de zachtheid, de sierspijkers, de afgeknipte rand en haar warme dij, en hij trok haar dichter tegen zich aan, liet zijn handen naar haar topje glijden, haar schouders, haar krullen. Ze stond met haar rug naar hem toe. Hij begon haar te kussen, raakte haar huid aan, haar kleren, haar schoenen.

'Zeg eens wat.'

Maar de stem kwam van de andere kant van de veranda, Ava's stem: 'Ze wordt niet betaald om te praten.'

De vrouw die hij vasthield begon te lachen en daardoor ontspande ze zich en draaide zich om en wilde hem kussen, maar hij voelde zich overrompeld – geschrokken dat de vrouw die hem omhelsde, hem vastgreep, niet Ava was, geschokt dat hij het niet door had gehad; haar borsten met zijn blinde vingers had aangeraakt. Hij liet haar los, maar ze gaf hem nog snel een likje over zijn gezicht.

'Je kunt nu gaan, moppie,' zei Ava. 'Ik had je toch gezegd dat hij blind is?'

En toen liet het meisje hem los en lachte verlegen, en toen ze haar auto over het grindpad weg hoorden rijden, leidde Ava hem het huis binnen, en zei: 'En nu ben je helemaal van mij.'

3

'Bepaalde vrouwelijke kledingstukken wisten onveranderlijk zijn lust op te wekken,' zei Steadman op dicteertoon met een intonatie die hem hielp de verhaallijn vast te houden. 'De zachtheid van een zijden lap, opengewerkt kant, het uitrekken van een elastieken bandje, de keurige scherpe plooien in een kort rokje, satijn dat zacht en romig over de huid ligt, en vooral loszittende kleren, opgewarmd door een lichaam. Veel meer nog dan de naaktheid van een vrouw, waren haar kleren krachtige afrodisiaca. Het waren sluiers van verleiding.'

'Naaktheid', zei Ava al schrijvend en op dezelfde toon als hij om hem te laten weten waar ze zat in de zin.

'Omdat een naakte vrouw van alles was ontdaan,' zei Steadman toen ze opkeek. 'En hij had nog nooit een naakte vrouw van zijn eigen leeftijd gezien, alleen oudere vrouwen of foto's van oudere vrouwen die zozeer op vlees leken dat het hem niets deed.'

Snel schrijvend, de balpen met haar duim sturend, mompelde Ava: 'Dat zijn abstracties.'

'In zijn doodsbange gedachten,' zei hij, 'leken zulke vrouwen onbereikbaar en onwaarschijnlijk. En hij was nog zo jong dat de wijd openstaande directheid van naaktheid iets ruws en veeleisends leek te hebben: onverhulde onbeschaamdheid, louter vlees en haar. En waar waren de naakte meisjes? Hij was op zoek naar jonge meisjes, maar hij zag ze nooit.'

'Zeg nog eens wat over zijn reactie op hun naaktheid.'

'Een naakte vrouw was als rauw varkensvlees,' zei Steadman en hij praatte over haar gemompel heen. 'Toen hij nog klein was, zei hij altijd "in je blote ballen" in plaats van "naakt". Dat sloeg niet op meisjes; die hadden geen ballen maar jongens wel. "In je blote ballen zwemmen". Hij had geen woord voor "naakt meisje" en kon zich ook eigenlijk niet voorstellen hoe een mager meisje er zonder kleren uitzag. Maar hij zag wel overal aangeklede meisjes.'

'Ga verder,' moedigde Ava hem aan.

Hij draaide zich naar haar om en vroeg op scherpe toon: 'Waarom deed je dat eigenlijk gisteren, met dat jonge meisje?'

'Gewoon, voor de lol,' antwoordde ze.

Daar had hij geen antwoord op omdat het enige waar hij tegenwoordig zelf nog plezier aan beleefde, het schrijven van zijn boek was. Hij zei: 'Het was vreemd. Ik had het niet door. Die kleren zetten me op een dwaalspoor.'

'Kleren,' zei ze, 'daar hebben we het vandaag ook over.'

Hij ging verder met dicteren en zei: 'Verschillende kleren, subtiele stijlverschillen, die ieder een bepaald jaar of een seizoen in zijn herinnering opriepen. Hij vond het heerlijk om het lichaam van een vrouw aan de hand van haar kleren te raden.'

'Fetisjisme?' vroeg Ava. 'Rollenspel?'

'Semiotiek.'

'Alsjeblieft, zeg.'

'Schrijf dat maar niet op. Schrijf maar: rode lippen, strakke truitjes, strakke spijkerbroek, blote voeten in hoge hakken. Toen hij vijftien was, waren broeken van het merk Capri heel populair. Strakke korte broeken die de billen zó boetseerden dat ze zelfgenoegzaam leken te glimlachen. Hij zag zoveel uitdrukkingskracht om zich heen waar hij opgewonden van raakte: het gezicht in het kruis, de manier waarop de billen van een meisje leken te schommelen in hotpants van zilverlamé: pyrogenese tussen haar billen onder het lopen.'

'Laat "pyrogenese" alsjeblieft weg.'

'Oké, "vonken" dan. Er was meer zichtbaar van het lichaam omdat het in kleren was gehuld en het lonkte naar hem omdat het zo glansde.' Hij zweeg even en zei toen: 'Eén meisje kon hij zich nog goed herinneren.'

Ava lachte nu monkelend en moedigde hem aan, maar Steadman staarde strak voor zich uit, zijn stem klonk schor en zijn keel was droog van begeerte.

'Het was waanzin. Hij observeerde haar en dacht: je lippen zijn een kut. Het gootje tussen je borsten is een kut. Je hals. Je kont. Je gretige handen zijn om te neuken. Hij wilde klaarkomen over haar vingers en kijken hoe ze ze aflikte. Het was de waanzin ten top.'

Hij zat voorover, rechtop, zag in zijn blindheid ieder detail dat hij beschreef, sprak op een verhitte, fluisterende toon en hoorde dat ze net zo snel schreef als de cassetterecorder liep. Het schrijfblok lag op haar

282

schoot en haar inspanning was duidelijk hoorbaar, niet alleen door het ritselen van het papier maar ook haar stoelpoten maakten een eigenaardig zuchtend geluid dat op een of andere manier klaaglijk klonk, droevig zelfs, leken zich even te ontspannen en kraakten dan weer, als de klacht van een vastzittend knokkelgewricht. Het had haar lichaam kunnen zijn, maar het was steeds haar stoel.

'Hij genoot ervan. Hij wilde nog meer.'

Hij had van de datura gedronken en was meteen verblind geraakt. Hij zag het gezicht van een vrouw en nog andere, afzonderlijke details aan de rand van zijn gezichtsveld – schoenen, gelakte nagels, volle borsten, omhoog geduwd door het bovenlijf van een avondjapon, een glimp van kant, een bh-bandje dat net zichtbaar was, een wijde rok die tegen zachte billen aan drukte, een zwarte sluier voor haar starende ogen – foto's uit oude tijdschriften, fragmenten van tekeningen, herinneringen aan vrouwen die hij ooit had gezien en nooit was vergeten, de schitterende omslagen van oude paperbacks, de titels ook: *The Revolt of Mamie Stover* en *The Wayward Bus*, *Nana* en *I, the Jury*, waarop roekeloze vrouwen stonden afgebeeld, schaars maar verleidelijk gekleed. Zij waren de iconen in zijn jeugd geweest.

'"Verleidelijk gekleed" wond hem toen veel meer op dan het woord "helemaal uitgekleed"', zei Steadman. 'Hij was gek op het spel eromheen: de voorbereidingen, de kleren, het kostuum. Hij werd geobsedeerd door woorden als "meisje", "slipje", "bh".'

Hij keek langs Ava naar een jong meisje in een lange jurk, omlijst door een deuropening, van achteren verlicht door een felle lamp in een huis op een warme avond, opgestoken haar – ze wist dat ze mooi was, begeerd werd.

'Hoe ver gaan we nu terug?'

'Heel ver,' zei Steadman en hij ging verder. 'Seks was het verleden, diep in hem weggestopt, smeulend. Begeerte was voornamelijk een herinnering.'

De beste seks was een tweede kans op iets waar hij vroeger naar had verlangd, maar waaraan hij nooit was ontgroeid – de datura had hem dat helpen inzien. Seks was voor hem niet de snelle bevrediging. Het was het herkennen en opnieuw oproepen van een moment van intens verlangen uit het verleden en dat dan opnieuw te beleven, te gebruiken, in vervulling te laten gaan. En het mooiste was dat het verlangen daarna nog steeds genot verschafte.

'Hij was zo blij en geil als een jongen,' zei Steadman. 'Het was prachtig, maar hij wilde meer. Hij brandde van verlangen, wilde het weer opnieuw beleven. Hij verloochende God ervoor, hij keerde de verlossing de rug toe en als er een hel was, zou hij die graag riskeren in ruil voor de weelde van de hunkerende omhelzing door een vrouw. Wat verschaft ons in het leven het meeste genot?'

Ava was aan het schrijven en vroeg zich af of haar nu gevraagd werd met een antwoord te komen.

'Het zuiverste genot is op middelbare leeftijd een jeugdfantasie in vervulling te zien gaan. Freud op zijn best. Nu krijgen wat je toen wilde. Eindelijk kon de blinde man het verleden weer opzoeken en zich toe-eigenen wat hij zag.'

'En wat zag hij dan?'

'Hij zag alles en hij kon het allemaal krijgen, iedere verovering, ieder moment. Zijn bijzondere inzicht verleende hem toegang tot het verleden.' Steadman hief zijn hand op om duidelijk te maken dat hij een opmerking terzijde wilde maken. 'Ik wil dat je begrijpt hoe serieus ik het meen als ik zeg dat het verleden onvolledig is, onaf. Bepaalde situaties.'

Ava was opgehouden met schrijven, zat doodstil. 'Het altijd bruikbare cliché "je bent nooit te oud om een gelukkige jeugd gehad te hebben,"' zei ze, en toen was alleen nog haar ademhaling hoorbaar, als een nauwelijks merkbare luchtvlaag. 'Noem eens een situatie.'

'Het eindexamenfeest,' zei hij. Hij dicteerde niet meer. Hij was gespannen van begeerte. 'Verschrikkelijk opwindend.'

'Je hebt het voor het uitkiezen en jij kiest de koningin van het bal.'

'Geen koningin. Een magere lat!'

'Was het eindexamenfeest voor de meeste jonge mensen van jouw generatie niet een vreselijke afknapper?'

'Zeker. Daarom is dat gevoel ook nooit meer weggegaan.'

Hij leunde voorover. Hij zei: 'Het was een belangrijk moment dat eindigde in frustratie. Het gaf hem zo'n opwindend gevoel om een hunkering uit het verleden bloot te kunnen leggen, een hevig seksueel verlangen, en het op te pakken en nu te verwezenlijken.'

Ze begon weer snel te schrijven om hem bij te houden, vol aandacht, en rukte bij het omslaan aan de bladzijden van haar bloknoot.

'Hij wilde nu wat hem toen onthouden was. Hij begeerde alleen maar wat hij toen niet had kunnen krijgen. Wat toen niet werd ingewilligd, daar hunkerde hij nu naar.'

Hij hoorde Ava's stoel onder het schrijven op haar lichaam reageren, en de stoel klonk alsof ze hem bereed.

'Hij wilde Rosemarie Fredella in een blauwe avondjurk met een laag uitgesneden halslijn: blote schouders, blote hals, haar borsten samenge-perst en het haar prachtig opgestoken zoals hij het nog nooit eerder had gezien. En witte naaldhakken en een parelsnoer.'

'Strak om haar hals zittend.'

'Ja. En oorhangers. Roze lippen, roze nagels. Mascara. Een nieuw ge-zicht. Hij had haar nog nooit eerder zo gezien. Ze had heel veel moeite gedaan om van een leuk glimlachend meisje in een verleidelijke jonge vrouw te veranderen. En nu begreep hij, door zijn blindheid, door zijn reiservaringen, dat dit eigenlijk een soort primitief erotisch ritueel was waarin de mooiste maagden van het dorp werden uitgedost in schitte-rende kostuums, en hun hele wezen nog mooier werd gemaakt, met als enig doel de begeerte van potentiële minnaars op te wekken. Een soort initiatie in de liefde.'

Het meisje in haar prachtige jurk, gloeiend van gretigheid, zijn meis-je voor de avond, dat hem stond op te wachten in de deuropening, fris, gewillig, haar glimlach en haar hele lichaamshouding die zeiden: 'Ik ben klaar, ik ben de jouwe. Neem me.'

Ava's stoelpoten maakten zachte geluidjes, waardoor hij wist dat ze nog aan het schrijven was. Hij zei niets meer, ook niet toen ze al klaar was. Hij wist dat ze hem over de bladzijde aankeek en probeerde te ra-den wat hij nu van haar verwachtte. Zijn verhaal bevatte altijd een aan-wijzing, een impliciete instructie. Ze was blij. Hij had haar nodig. Zon-der haar was hij alleen. Door haar kon zijn fantasie werkelijkheid wor-den. Zijn blindheid had geen zin als hij zijn fantasieën niet kon naspelen. Eerst moesten ze beleefd worden en daarna beschreven. In het uitleven van de fantasie school juist de openbaring.

Hij kon erop vertrouwen dat ze loyaal bleef, maar ze kon hem ook sar-ren. Ze had gisteren een geintje met hem uitgehaald, maar wel op een speelse manier, om te bewijzen dat hij niet zo sterk of alwetend was als hij dacht. Maar hij had de aanraking van het onbekende meisje heerlijk gevonden en ook Ava's list, hoe ze de plaats van het meisje had ingeno-men, met dezelfde kleren aan als zij. Hij hield van haar omdat zij dit spel ook heerlijk vond.

Nu zei Ava: 'Ik heb wat tijd nodig.'

'Ga dan maar.'

'Beloof me dat je niet blind gaat autorijden.'

'Maak je maar geen zorgen. Het effect begint al af te nemen.'

Ze liep de kamer uit en verliet het huis, hij hoorde haar auto op het grindpad. Hij wist dat ze zou bellen en hij hoopte dat het gauw was. Ze was serieus en altijd begeerlijker in formele situaties, wellicht kwam dat door haar medische achtergrond; haar gevoel voor ordelijkheid? Hoewel ze zich er soms tegen verzette, had ze er moeite mee om nonchalant te zijn, was ze trots op de voorbereidingen die ze trof en legde ze zelden uit waarmee ze bezig was. Ze nam het voortouw, weer zo'n dokterstrekje.

Hij zocht de juiste kleren uit, de smoking die hij zelden droeg, de zwarte schoenen, het gesteven overhemd. Hij legde ze klaar, hing de smoking over een stoel, poetste zijn schoenen en ging lopen ijsberen.

Zonder dat hij het zich aanvankelijk bewust was, want er waren bijna twee uur verstreken en hij had nog niets van Ava gehoord, was hij ongeduldig. Toen wist hij zeker dat hij opzettelijk aan het lijntje werd gehouden. *De dokter heeft het druk.* Hij kon helemaal niets doen behalve wachten: hij kon niet lezen of schrijven of zichzelf op een andere manier afleiden, en hij kon ook niet te ver van de telefoon af gaan zitten.

Het was zo'n oud kwellend gevoel, de ongeduldigheid die hij ook als jongen had gevoeld, toen hij zo verschrikkelijk graag op eigen houtje wilde handelen en het haatte dat hij toestemming nodig had, dat hij ontboden moest worden. Dat waren de hevigste pijnen in zijn jeugd geweest, de ongeduldigheid en het uitstellen, en die hadden dat verlangen in hem doen ontstaan: zijn passie om te verdwijnen, die hij reizen noemde.

Dat kwam allemaal weer bij hem boven zonder dat hij het zo gepland had. En hoe kon zij geweten hebben dat het zo belangrijk voor hem was, dat het uitstel zelf zijn begeerte alleen maar deed toenemen en tot een wellustig hoogtepunt bracht? Er waren bijna vijf uur verstreken.

Zijn blindheid was afgenomen tot een soort schemering die dezelfde nuance had als de echte schemering bij het raam, want hij had blind door het huis lopen ijsberen zonder de lichten aan te doen.

Toen de telefoon ging, was zijn blindheid al bijna verdwenen en toen de telefoon voor de tweede keer overging zag hij het toestel ook echt bij het raam staan in het tanende daglicht, om een uur of acht op deze augustusavond.

'Met mij.'

'Met wie?'

'Rosemarie, je afspraakje voor het feest,' zei ze en ze gaf hem het adres.

Hij verkleedde zich snel en overwoog even om een slok van de datura te nemen. Maar hoewel hij het jammer vond dat zijn blindheid – zijn helderheid – volledig weg was en hij met zijn ogen in het verwarrende schelle lamplicht knipperde, zou dat betekenen dat hij zich niet aan zijn belofte zou kunnen houden om niet blind te rijden. Hij nam wat van de drank mee in een heupflesje waarin hij vroeger zijn whisky deed.

Het adres dat ze hem gegeven had, was een vakantiehuis dat hij niet kende, in een zijstraat van Franklin Street – wellicht het huis van een vriend – maar toen hij daar aankwam, zag hij dat het perfect was: een houten huis met een open veranda waar licht brandde, en een lantaarnpaal naast het geplaveide pad dat naar het huis leidde.

Toen hij bijna bij het huis was, ging de voordeur open en stapte ze naar buiten in een blauwe avondjurk, met opgestoken haar, witte naaldhakken en witte handschoenen en hij stond er perplex van hoe vindingrijk ze het had aangepakt. Ze had oog gehad voor meer details dan hij in zijn beschrijving had aangegeven: alles wat hij zich kon heugen en nog veel meer, van de half begraven herinneringen aan zijn jongensachtige begeerte.

'Je ziet er fantastisch uit.'

'Dank je,' zei ze met een klein stemmetje en ze maakte eerder een onzekere indruk dan dat ze verlegen leek.

In de auto zei ze: 'Gaan we dansen?'

Hij antwoordde niet. Daar had hij niet aan gedacht. Het enige dat hij wilde was met haar alleen zijn en haar vasthouden.

'Ik weet wel wat,' zei hij.

Ze reden over onverharde stille weggetjes naar het strand tot bij Lake Tashmoo waar ze de auto parkeerden, verborgen tussen hoge rozenstruiken, met de voorkant naar de baai gekeerd. Vergenoegd dat ze daar alleen waren, haalde Steadman zijn heupflesje te voorschijn en nam twee grote teugen. Toen ging hij rustig zitten en voelde de drug door zijn bloed stromen en naar zijn hoofd stijgen en zijn hersenen verwarmen.

'Het doet werkelijk ongelooflijke dingen met je hartslag,' zei Ava met haar vingers op zijn pols.

Hij glimlachte, hij was blind, hij stapte uit de auto en liep om naar haar kant en trok haar schoenen uit. Ze hoorden muziek komen uit een onzichtbaar huis in de bossen en begonnen langzaam op het zand te dansen. Hij hield haar dicht tegen zich aan, voelde de strookjes op haar jurk en de zijde daaronder, al die lagen tegen hem aan, en ook haar lichaam, lenig bewegend onder zijn handen. Hij kon het nauwelijks verdragen.

Hij raakte haar aan, liet zijn vingers naar haar billen glijden en hield ze stevig vast. Ava murmelde iets maar zei verder niets. Hij tastte naar haar borsten in die knisperende stof. Het leek even alsof ze zich terugtrok, uit zedigheid, maar toch liet ze hem begaan.

Ze begonnen elkaar te kussen. Zij kuste zijn oor, zijn nek, en hij bedacht dat de manier waarop hij haar vasthield en kuste eigenlijk ook een soort dansen was.

'Niet hier.'

Ze liepen terug naar de auto die naar haar parfum rook, er school iets sensueels in de bedompte warmte, met alle raampjes potdicht. Hij ging met haar op de achterbank zitten en begon haar weer te kussen, sabbelde aan haar lippen, greep het bovenlijfje van haar jurk vast en tastte naar haar borsten en stopte zijn gezicht ertussen en beroerde haar decolleté met zijn lippen.

'Lang geleden werd er dan altijd "Stop alsjeblieft" gezegd.'

Ava zei: 'Niet stoppen alsjeblieft.'

Ze zuchtte toen hij zijn hand onder haar jurk liet glijden, onder al die lagen, met zijn vingers bleef haken in haar petticoat en toen haar slipje vond. Hij spreidde zijn vingers om het kanten randje te strelen en glipte onder het strakke elastiek naar de gladde haartjes en de zachte lippen, en toen hij zijn middelvinger naar binnen stak, kneep ze haar benen samen en klemde zijn hand tussen haar dijen en begon hem zachtjes kreunend te berijden.

Toen deed ze haar benen weer van elkaar en graaide naar het kruis van haar slipje waar zijn hand in gevangenzat; met haar andere hand greep ze het bovenlijfje van haar jurk en duwde het naar beneden om haar borsten te ontbloten. Toen pakte ze zijn achterhoofd stevig vast en duwde zijn mond naar haar tepel.

Haar adem tegen zijn oor was heet toen ze hem daar likte, hijgend, kronkelend tegen zijn hand en zei: 'Ik wil dat je aan mijn tepel zuigt, erin bijt, me harder vingert,' en ze pakte zijn hand weer vast alsof het een object was en bewoog hem snel op en neer tegen zichzelf, gebruikte hem als een bezetene.

Hij liet toe dat ze zijn hand vasthield. Hij genoot van het hete zijdezachte gevoel van haar schaamlippen die rozig gloeiend pulseerden onder het kanten schemerduister van haar kleren, de rijpe geur die eruit opsteeg en zich vermengde met het aroma van bloemen, zodat hij geen onderscheid meer kon maken tussen haar parfum en de geur van haar geslacht, tussen haar satijnen huid en de zijdezachtheid van haar lingerie. Al die zware geuren verzadigden zijn ogen en wekten zijn honger op en maakten hem gek van begeerte.

'Talloze keren,' zei ze langzaam, 'raak ik mezelf daar aan en droom ik van jou,' en ze kwam iets omhoog van de zitting om zijn hand meer de ruimte te geven.

Haar vulva aanraken was als het vastpakken van druipende perzikschijven waardoor er lauwe siroop over zijn vingers liep, en onder haar stijve petticoat voelde haar huid warm aan. Haar zachte borsten die in het brokaat van haar jurk waren gepropt, leken ook net vruchten die tegen zijn gezicht aan drukten terwijl hij op de zachte steeltjes sabbelde.

'We hebben de hele nacht, schatje,' zei ze toen ze hem kirrend tegen haar borsten aan hield. 'En als je klaar bent met mij, dan ga ik dit hier pakken' – ze tastte naar de bobbel in zijn broek, ging er met haar vingers overheen en kneep even.

Opeens hapte ze naar adem en liet hem los, ze schoot van hem weg en greep ondertussen haar jurk vast, want op datzelfde moment werd de lucht door een paar koplampen gespleten. Boven hun hoofd flitste het felblauwe geleiachtige licht op het dak van een politieauto als een ruimteschip dat zojuist op aarde was geland.

Achter een fel schijnende zaklantaarn met een zoekende stralenbundel klonk een waakzame stem.

'Jullie mogen niet parkeren in de duinen, jongens.'

De stralenbundel gleed over Ava's gezicht – de uitgelopen lippenstift, de loshangende plukken haar – en toen heel even over dat van Steadman. Hun kleren zaten scheef maar ze waren wel aangekleed, en zagen er allebei heel chic uit. In een vloeiende beweging gleed de straal naar de lege voorbank.

'Bent u de eigenaar van dit voertuig, meneer?'

Steadman hield zijn hoofd omlaag en verborg zijn handen en zei dat de auto inderdaad van hem was.

'Goed. Zou u nu even langzaam uit willen stappen en mij uw rijbewijs en papieren willen laten zien?'

'Waarom?' vroeg Ava.

'Doet u nou maar wat ik zeg.'

Steadman ging er niet tegenin. Hij klapte zijn portefeuille open en voelde zijn rijbewijs in een plastic hoesje zitten, maar toen hij het portier openzwaaide en uitstapte, struikelde hij en met een geoefende reflex-beweging sprong de politieagent achteruit en greep de kolf van zijn pi-stool vast en richtte zijn zaklamp op Steadmans gezicht en zijn wijdopen nietsziende ogen.

'Hij is blind, agent.'

Steadmans dode ogen keken hem beschuldigend aan en de agent leek opeens onzeker en zo van zijn stuk gebracht dat hij het rijbewijs niet in-keek. Hij draaide zijn zaklamp van Steadmans gezicht naar dat van Ava.

'Alles goed met u, mevrouw?'

'Dit is een speciaal geval, agent.' Ze maakte gebruik van de verwarring van de politieagent om snel haar jurk recht te trekken en haar haar glad te strijken, hoewel ze daardoor alleen maar nog meer weghad van een schoolmeisje, verkreukeld en preuts.

'U komt me bekend voor. Ik heb u eerder gezien.'

'In het ziekenhuis.'

'Klopt. Eerste hulp. U bent die dokter.' Na iedere zin werd hij beleef-der. 'En u bent die schrijver. Ik heb over u gehoord.'

Steadman keek strak voor zich uit en zag eruit als een zombie.

De agent deed zijn zaklamp uit, alweer een teken van respect, en zei: 'Sorry, mensen, ik dacht dat jullie vakantiegangers waren.'

Toen hij weg was, zei Ava: 'Dat was perfect. Nu gaan we naar huis.'

'Nee,' zei Steadman en hij raakte haar aan en ving bij die aanraking een aroma op.

Hij liet zijn ene hand onder de zoom van haar jurk glijden, drukte haar tegen zich aan en duwde zijn gezicht in haar bovenlijfje terwijl hij haar borst met zijn vingers streelde, en haar zuchten van aanmoediging zeiden hem wat ze wilde. En toen hij haar warme, klamme slipje voelde, schoof hij de stof opzij en streelde de vochtige plooien, liefkoosde de lip-pen, en kuste haar gezicht voortdurend en prevelde zachtjes tegen haar mond.

'Ja,' zei ze en ze leidde zijn vingers, bracht ze naar de juiste plek en be-gon ertegenaan te rijen. Door haar opeengeklemde tanden heen sprak ze verhit tegen zijn lippen: 'Maak me klaar, maak me klaar,' en binnen in haar jurk maakte ze beukende bewegingen en hield ondertussen zijn hand stevig vast. Het geritsel van haar kleren wond hem net zozeer op als haar stem.

Een geschraap op het metaal van de auto, de stijve bladeren en door-nen van een rozenstruik die zachtjes in beweging werd gebracht door de avondwind, klonk merkwaardig ritmisch – misschien bonkte de auto precies tegen de rozenstruik aan? Het geluid had iets weg van het gekras van kattenpootjes. Toen was het voorbij, opgelost in het gesmoorde geluid dat Ava voortbracht, toen ze grommend en naar adem happend klaarkwam, alsof ze het orgasme ter wereld bracht, het uit haar lichaam perste.

Ze bleven even ademloos liggen. Opnieuw hoorden ze het gekras van kattenpootjes op het portier. Steadman richtte zich even op en keek door het raampje om zich ervan te vergewissen dat het echt alleen maar een rozenstruik was. In het fluorescerende licht van de maan leken de bloemen blauwig.

Ava was ook lichtgevend. Ze lag daar alsof ze verkracht was, blauwwit als een lijk in haar zijdezachte jurk, haar in de war, lippenstift over haar mond uitgesmeerd, jurk naar beneden gerukt, een borst die uit de cup van haar bh puilde en door zijn gewicht een beetje opzij hing, mooi en mollig.

Hij zat nog steeds naar haar te kijken, toen ze weer tot leven kwam en haar borst weer in haar bh stopte, het lijfje van haar jurk omhoogtrok om zich te bedekken en haar rok naar beneden sjorde. Toen leunde ze naar voren om het binnenlichtje aan te doen en bestudeerde haar gezicht, raakte haar haar aan en glimlachte bij de herinnering.

'Ik zie eruit alsof ik geneukt ben.'

Nog steeds glimlachend en aandachtig kijkend in het spiegeltje van haar poederdoos veegde ze de uitgelopen lippenstift van haar gezicht, deed wat aan haar ogen en kamde haar haar. En net toen Steadman dacht dat ze klaar was pakte ze een make-uptasje en begon mascara op te doen en maakte haar wimpers dikker – langzaam, zonder aandacht te besteden aan Steadman, die gefascineerd toekeek hoe ze zich mooi maakte. Ze bracht rouge aan op haar wangen, werkte haar lippen bij met een penseeltje en lipgloss en gaf zichzelf een nieuw gezicht, een masker van begeerte.

Pas toen ze helemaal klaar was en zich weer had opgeknapt, en er weer uitzag zoals ze er in de deuropening had uitgezien, knipte ze de poederdoos dicht en bleef even talmen in het licht voordat ze het uitdeed. Ze keek hem aan. Het stoffige maanlicht verdiepte de textuur van haar make-up en verzachtte de vorm van haar gezicht en wat eerst een onschuldige vragende glimlach in het spiegeltje had geleken zag er nu uit als maanverlichte lust.

Ze boog zich voorover naar Steadman en liet haar arm zakken waarbij ze haar jurk kreukelde en gleed met haar hand langs zijn dijbeen. Ze raakte zijn pik aan en kuste hem, duwde haar tong in zijn mond en bewoog haar vingers, speelde met hem door de stof van zijn broek heen. Ze maakte zijn rits open en gleed met haar hand naar binnen, en haar warme hand omklemde hem, alsof ze het heft van een mes vasthad, tot hij nog meer opzwol. Toen begon ze krachtige pompende bewegingen te maken, in de richting van zijn onderbuik, steeds maar weer, ze maakte harde stotende bewegingen alsof ze een dolk had die ze tegen hem gebruikte. En ze had hem nog steeds vast in een omhelzing, hield hem dicht tegen zich aan, kuste zijn lippen en zijn gezicht en hield niet op, aarzelde zelfs geen seconde. Ze had zich opgericht en hing zo dwingend over hem heen dat het leek alsof ze hem wilde aanranden, bezit van hem wilde nemen, en trok hem in een moordend ritme af.

Het geluid van zijn genot kwam van diep in zijn longen omhoog en leek een echo van een zachter zuchten in haar keel. Hij had haar borsten in zijn hand, zijn duimen beroerden haar tepels. Haar greep was zeker en ze voelde hem zo goed aan dat ze in zijn bonkende pik de spasmen van zijn stijzende sap voelde, eerder wist dan hijzelf dat hij op het punt stond klaar te komen. En het volgende moment wist hij het ook, zijn lichaam begon te schokken en hij riep 'Nee' – omdat ze hem had losgelaten – maar ze duwde hem achterover op de achterbank, slokte zijn pik op in haar mond en krulde haar tong eromheen, en het gebeurde zo plotseling, haar tong die zich om hem heen kronkelde, haar lippen die hem omklemden, de hete greep van haar mond, dat hij onmiddellijk een orgasme kreeg, dat geen sap voortbracht maar een demonische aal die in zijn lendenen heen en weer zwiepte en razendsnel langs zijn pik omhoog zwom, een wezen van levend slijm dat zich een weg omhoog baande door zijn stijfheid, naar buiten stulpte en in haar mond sprong.

Ze hield hem met een hand vast en verslond hem en was hem nog steeds aan het opslokken toen hij al slap werd en uit haar mond gleed. Toen ze naar hem opkeek met haar besmeurde gezicht en doorgelopen mascara, likte ze nog steeds gretig de druppels van haar glanzende lippen.

Het was warm in de auto en het rook zurig naar een mengeling van parfum en zweet en de vislijm van zijn sperma. Ava zweeg. De wereld was oud. De maan zag er broos uit en leek begroeid met eendenmossels, en in de baai onder hen zwoegde een vierkante veerboot door de glibberige golven. Hij besefte dat zijn blindheid was uitgewerkt.

4

In het vale ochtendlicht van de groenige zeemist kon hij niet uitmaken of hij blind was of kon zien. De onzekerheid daarover maakte dat hij ernaar verlangde om weer verder te gaan met zijn boek. Hij was alleen wakker geworden, met een helder hoofd, volledig geobsedeerd door de gedachte dat schrijven en seks verdwijntrucs waren. Ook voelde hij zich helemaal gemangeld, alsof hij in de extase van een erotisch ritueel een arm of een been was kwijtgeraakt.

Seks was een vorm van overlijden, een hartstochtelijk afscheidsoffer en zelfs het schrijven had deze dagen iets weg van een zelfmoordbrief waarmee alles definitief werd afgesloten. Zo! dacht hij met wreed genoegen. Hij wilde alles opschrijven zodat er niets meer te zeggen viel en niets meer te herinneren, hij wilde zichzelf opbranden zodat hij kon verdwijnen.

Hij trok de lade van zijn dossierkast open en glimlachte bij het zien van de grote glazen pot met de donkere daturathee. Hij schudde hem zachtjes heen en weer, af en toe wachtend om te kijken of het residu al goed was opgelost, en die mechanische bewegingen hielpen hem bij het nadenken over het werk van die ochtend.

Hij moest hardop op dicteertoon nadenken omdat hij met een tegenstrijdigheid kampte die hij niet goed begreep. Seks die zo zorgvuldig was voorbereid als iets wat een doel op zichzelf was, leek een vervolg te suggereren, leek je aan te moedigen, je te helpen een daarmee samenhangende begeerte bloot te leggen, iets anders, een bepaald beeld: gisteravond was dat de kanten jarretel op de maanverlichte huid van haar dij, en haar jurk die haastig omhoog was gehesen. Die versiering was een uitnodiging: bepaalde kledingstukken leken te lonken. En hij die zich had verbeeld dat vrijen met Rosemarie Fredella op het eindexamenfeest zijn eerste seksuele verlangen was geweest, dat dat de oorsprong van zijn begeerte was, zag nu iets wat veel dieper zat. Dit minieme stukje kantwerk prikkelde hem alsof het een fetisj-object was en hij vroeg zich af wat het was en waar het heen leidde.

Er waren nog twee andere details die hem ook onverwacht hadden opgewonden. Hij dacht dat hij aan alles had gedacht, maar dat was niet zo. De politieagent die hen had gestoord – de verrassing, het drama, het spannende maanlicht toen hij weer weg was – was het ene detail. En daarna, zonder dat haar iets verteld was, de manier waarop Ava hem had gekweld door een pauze in te lassen, het lampje in de auto aan te doen en zich van hem af te wenden met de kokette hooghartigheid van een schoolmeisje. Ze had hem gedwongen toe te kijken en te wachten tot ze klaar was met haar make-up. Hij had hunkerend zitten wachten, blij dat hij de kans kreeg te zien hoe haar gezicht veranderde. Hij raakte in de ban van haar levende masker, de perfecte symmetrie van haar lippen en wangen, geaccentueerd door de vochtige, glanzende rode en groene schaduwaccenten op haar ogen. Alsof ze, in het besef van wat ze in zijn onderbuik teweeg kon brengen, tegen zijn weerspiegeling zei: *Ik maak mijn gezicht op zodat je me wilt neuken.*

Dat kwam vandaag in het boek te staan, zodra Ava er was en hij zich in hogere sferen kon begeven met een dosis datura en met dicteren kon beginnen. Zijn boek zou het laatste woord worden, iets voor mensen die intens hadden geleefd, geen boek voor beginnelingen, zelfs geen boek voor hen die *Trespassing* hadden geprezen, geen boek voor kinderen of scholen, niet een boek om te bestuderen maar om te doorleven. Het boek ging over blindheid en wellust, het bevatte geen moraal, niets, behalve de wonderlijke realiteit van een man die grenzen had overschreden, de weg terug, als een soort boetedoening voor het lange stilzwijgen.

Hij had een bloedhekel aan de boeken die mensen zo geweldig vonden en hem aanraadden. Door zijn blindheid had hij ingezien dat het allemaal bedrog was. Zijn blindheid had hem de dwaasheid van al die loftuitingen doen inzien. Door zijn blindheid hoorde hij de nonsens die de mensen uitkraamden. Zijn blindheid had hem van zijn geloof en zijn sentimentaliteit bevrijd en had hem hierheen geleid om zijn seksuele geschiedenis te overpeinzen. En zijn blindheid had hem de kracht gegeven zijn seksualiteit opnieuw te beleven, voor het schrijven van zijn boek. Er konden geen andere boeken bestaan.

'Waarom zou ik braille leren?' had hij tegen een goed bedoelende vrouw gezegd. 'Wat zou ik in godsnaam willen lezen?'

Hij herinnerde zich alles wat hij ooit gelezen had. Het was te veel. Een groot deel ervan wenste hij te vergeten. Hij hield de pot met de modderkleurige vloeistof omhoog en zag een laagje korrelige daturadroesem op de bodem liggen, en schudde nog eens.

'Kijk eens aan, we zijn weer helemaal wakker,' zei Ava toen ze de kamer binnenkwam. Ze gedroeg zich afstandelijk en ging nonchalant maar toch efficiënt gekleed in een korte broek en een T-shirt. Ze was op blote voeten en had in de ene hand een beker koffie en in de andere hand haar dokterstas. Ze had haar gezicht schoongeboend, waar zijn stoppels haar wang hadden geschuurd zat nog een rood plekje en op haar bovenlip zat een gezwollen sneetje waar hij haar misschien gebeten had; hij vond het een prettige gedachte dat op dat plekje misschien de afdruk van zijn tand zichtbaar was.

Verder leek Ava in geen enkel opzicht op de persoon van de avond daarvoor, op het meisje met wie hij een afspraakje had gehad, een volmaakte herinnering aan een verlangen dat was vervuld – voldoening. Als ze nog steeds dezelfde vrouw was geweest, dan zou hij het moeilijk hebben gevonden zijn boek aan haar te dicteren. Toch voelde hij zich ongemakkelijk, wist hij niet zeker hoe hij haar moest begroeten.

'Er is een brief voor je gekomen,' zei ze. Ze gaf hem een dikke zakenenvelop.

De brief was via zijn uitgever aan hem geadresseerd en naar zijn postbus doorgestuurd. Steadman keek naar de afzender en zag de naam *Manfred Steiger* gekrabbeld boven de vetgedrukte naam van een Duits bedrijf. Steadman gebruikte al zijn kracht om de envelop doormidden te scheuren en smeet hem onder Ava's ogen in de prullenbak. Ze glimlachte maar keek hem vragend aan.

'Geen enkele brief die zo lang is, kan interessant zijn,' zei hij.

'Misschien is het wel geen brief. Misschien is het een manuscript.'

'Dat is nog erger,' zei hij en toen vroeg hij: 'Waar is dat voor?'

Ava had haar beker neergezet en haar stethoscoop uit de tas gehaald. 'Ik vraag me af wat dat middel met je doet,' zei ze. 'Heb je je dosis vandaag al genomen?'

'Nog niet.'

Hij lichtte zijn hemd op en liet haar luisteren. Toen bond ze de zwarte manchet stevig om zijn arm, kneep in het rubber balletje en las zijn bloeddruk af, en hield de meter ondertussen nauwlettend in de gaten.

'Hoe ziet het eruit?'

'Iets boven normaal maar verder goed. Drink nu dat spul eens. En laat dat ding om je arm zitten.'

'Een ogenblik,' zei hij, en terwijl Ava een slok koffie nam, schroefde hij het deksel van de pot en goot de helft van het mengsel in een groot glas. Hij nam het glas in beide handen, en bewust eerbiedig, als een priester voor het altaar, tilde hij het op en dronk de vloeistof langzaam en plechtig op. Hij glimlachte en struikelde even toen hij naar de bank liep, want er verscheen al een waas voor zijn ogen. Toen hij ging zitten, brak er een nieuwe dag voor hem aan, met nieuwe kleuren en geluiden die veel subtieler waren, meer vogels, scherpere geuren, zijn geest alert. Ava rook naar zeep en talkpoeder, haar haar had een fruitige geur van de shampoo en hij rook een zweem van vers gemaaid gras; groene sprietjes op haar schoenen die donkerder zagen door de dauwdruppels en een veeg modder.

'Ben je buiten geweest?' vroeg hij dromerig.

'Niet ver. Ik heb een wandeling in de tuin gemaakt.'

Ze zat geknield en kneep in het rubber balletje om de manchet op te pompen. Daarna liet ze hem met tussenpozen leeglopen en las zijn bloeddruk af.

'Het is een wonderbaarlijk middel. Je hebt een ontzettend lage bloeddruk. Beter dan gemiddeld; je hebt het hart van een jonge man.' Ze haalde een lampje in de vorm van een pen te voorschijn. 'Kijk me eens aan,' zei ze en ze scheen met het licht in zijn ogen en tuurde aandachtig.

'Zie je iets?'

'Niets.'

'Ik ook niet,' zei ze. 'Je pupillen blijven verwijd.'

In plaats van het lichtschijnsel of andere objecten, zag hij haar ernst, en hij glimlachte, en voelde zich superieur omdat hij een raadsel voor haar vormde. Hoewel hij zich gerustgesteld voelde door Ava's bezorgdheid, bewondering had voor haar medische kennis, haar vaardigheid in het hanteren van de instrumenten en voor de manier waarop ze hem onderzocht, genoot hij eigenlijk nog meer van haar onzekerheid, van het feit dat een arts zei: *Ik weet het niet*. Hij genoot van haar verwarring. Van dat ene onderwerp, de werking van de datura, wist ze in ieder geval niets. Dus het was nog steeds zijn geheim.

Ze had haar instrumenten opgeborgen en was gaan zitten, had haar klembord en bloknoot gepakt en had haar balpen al in de aanslag.

'Gisteravond,' zei hij. 'Het ging helemaal zoals ik het me wenste.'

Maar hoewel hij haar uitbundig prees, werd hij ook bekropen door twijfel. Hij wilde eigenlijk dat ze zou ontkennen wat hij zei of met een ander inzicht kwam. Misschien vermoedde zij ook een onvolledigheid.

'En je hebt echt alles van jezelf gegeven,' zei hij.

'Ik ben dan wel jonger dan jij, maar ik heb ook op de middelbare school gezeten,' zei ze. 'Ik had ook een afspraakje voor mijn eindexamenfeest.'

'Met wie?'

'Een zekere Jeff Ziebert.' Ze glimlachte toen ze die naam noemde die eigenlijk niet ter zake deed.

'En heb je na afloop met hem in de auto gezeten?'

'Hé, dit is jouw boek, niet het mijne.'

'Dus terwijl ik op Rosie geilde,' hield hij aan, 'zat jij over hem te fantaseren.'

Ze zei: 'Ik werd getroffen door iets wat je zei over passie die ergens in het verleden ligt. Ik wilde weten of dat bij mij ook zou werken. Ik heb ook diep in mijn eigen verleden gekeken.'

'En daar vond je Jeff.'

Ze streek met haar handpalm over het bloknoot alsof ze de vraag wilde wegvegen.

Steadman dacht even na over deze denkbeeldige rivaal en besloot dat hij het niet erg vond. Het gaf hem een bevrijdend gevoel dat hij niet in Ava's fantasieën voorkwam. Het was beter dat zij hem net zo gebruikte als hij haar. Hij wilde dat ze zich vrij zou voelen om te fantaseren wat ze wilde, om een optimale bevrediging te vinden. Anders was het alleen maar zelfbedrog.

'We kunnen beter elkaar bedriegen dan onszelf,' zei hij.

Met die gedachte begon hij het verhaal te dicteren: het afspraakje voor het feest, aan haar zitten in de auto, de plotselinge verschijning van de politieagent, de frutsels aan de jurk en de bandjes en het stiksel van haar ondergoed, de make-up, de laatste details. Ava hielp hem als hij aarzelde en ze reikte hem de juiste woorden aan voor de make-upspullen.

Maar hij zei: 'Ik wil niet te veel details. Geen merknamen. Niet van die belachelijke lippenstifttinten.'

En toen hij zijn orgasme beschreef en zei: '... geen sap maar een demonische aal die in zijn lendenen heen en weer zwiepte en razendsnel langs zijn pik omhoog zwom, een wezen van levend slijm,' fronste ze haar wenkbrauwen en onderbrak hem.

'Wil je weten hoe het voor mij voelde?'

'Ga je gang.'

'Dat ik het leven uit je wegzoog en dat je levenloos werd doordat ik je opdronk. Dat ik de baas was, dat ik je kracht uit je wegzoog en die doorslikte om zelf sterk te worden.'

Hij dacht na over haar precieze bewoordingen en haar zelfverzekerde houding. Het trof hem weer hoezeer hij haar nodig had en dat zij de helft van de passie vormde die hij opnieuw beleefde, en dus behoorde de helft van zijn boek aan haar toe.

'Sorry als ik je daarmee gechoqueerd heb,' zei ze. Ze ging verzitten, sloeg haar knieën weer over elkaar en zei op aanmoedigende toon: 'Goed, de tijd verstreek dus.'

'Nee, wacht.' De ervaring van de avond daarvoor had een vroegere herinnering blootgelegd. Dat was de tegenstrijdigheid. 'Er was nog iets anders.'

'Een andere vrouw?'

'Een andere ik. Een jongere ik.'

Hij staarde blind uit het raam en nog verder weg, naar de optrekkende zeemist en de slanke druipende eikenbomen en de grijze naalden van de pijnbomen, in het verleden, en herinnerde zich van alles.

'Ik ben opgegroeid in het tijdperk dat nog niet iedereen een wasdroger had,' zei hij. 'Jij had er waarschijnlijk wel een.'

Ava luisterde alleen maar.

'Even kijken,' zei hij. 'Dit is belangrijk. Overal waar ik keek, zag ik waslijnen; damesondergoed aan waslijnen, omhoog waaiend en zo mooi fladderend in de wind, in mijn ogen zeker zo mooi als een naakte vrouw. Die geheime kledingstukken waren net vrouwen voor mij en door de manier waarop ze in de wind opbolden, staarde ik er met open mond naar.'

Hij zat nu openlijk te staren en ging er helemaal in op, volledig in beslag genomen door zijn visioen van zijdezachte witte stof, als het wit van een lichaam. En Ava schreef razendsnel terwijl hij dicteerde; ze had zelf geen soortgelijke herinnering en het verbaasde haar een beetje hoe ver deze herinnering afstond van zijn beschrijving van de begeerte van gisteravond; het afspraakje, de kussen en de liefkozingen op de achterbank van de auto, de ervaring van een puber die opnieuw werd beleefd.

'Ik zie waslijnen waar geheimen aan hangen: slipjes, onderjurken en bh's. Waarom zoveel? Hadden de vrouwen toen meer ondergoed nodig? Het leek wel alsof er toen meer ondergoed was, of dat het er opwindender uitzag, dat de vrouwen hun zedige buitenkant compenseerden met het dragen van verleidelijk ondergoed.'

'Soms zag je ook ergens een randje ondergoed onderuit steken,' zei Ava.

'Ja.'

Ondergoed was nooit helemaal verborgen; dat was juist het opwindende en het verleidelijke ervan. De zweem van een bh door een doorzichtige blouse, de duidelijk afgetekende ronding van een slipje onder een strakke broek, de vage bandjes en lintjes, kantwerk dat door een rok zichtbaar was – altijd mooi – het idee van de schoonheid, de gedachte aan de roze strikjes die onder de kleren van een vrouw verborgen liggen.

'Ondergoed had dus duidelijk iets suggestiefs, het was een soort naaktheid. Een vrouw in een slipje of een onderjurk was toen net zo'n lustobject als een naakte vrouw tegenwoordig.' Steadman drukte zijn vingertoppen tegen zijn slapen. 'Maar ik ben alleen geïnteresseerd in het verleden. Ondergoed was een uitnodiging, en vormde een grotere verleiding dan naaktheid. Dat zie ik duidelijk.'

Alsof hij van bovenaf keek, langs daken en telefoonpalen, zag hij zichzelf als jongen haastig via de achtertuinen naar het huis van Carol Lumley rennen. De jongen passeerde waslijnen en dook eronderdoor, en hij herkende het damesondergoed uit de catalogus van Sears en uit de zondagskrant. De dochter van de familie Cronin was verpleegster, maar zelfs haar witte verpleegstersuniform had iets weg van ondergoed, net als een mannenzwembroek.

Het was een en al fladderend wit op deze warme dag in het begin van de zomer. De wind die het ondergoed deed opwaaien en ook de forsythia, de seringen, en de irissen in beweging bracht en de tweekleurige bladeren van de tulpenbomen die trilden in de wind: de was hing in de volle zon, blauwwit tegen het diepe groen.

Hij rende onder de waslijnen door en voelde de ragfijne zijden niemendalletjes tegen zijn gezicht fladderen, de warmte, de tere schoonheid ervan. Hij werd gefascineerd door al die variëteiten, de vormen en de afmetingen, sommige roze of afgezet met kant, de zachte elastische naden, het stikwerk op bh's en hoe perfect ze soms bij elkaar pasten, zijden of satijnen setjes die naast elkaar waren opgehangen: al die onthullingen in de achtertuinen van zijn jeugd.

Hij had moed moeten verzamelen, en hoewel hij verder niets te doen had gehad – de zomervakantie was begonnen – had hij tot laat in de middag gewacht. Carol had gezegd: 'Als je zin hebt om bij mij op de veranda te komen zitten dan ben ik waarschijnlijk wel thuis. Mijn ouders moeten misschien weg.'

De terloopse manier waarop ze dat had gezegd vormde een grotere prikkeling dan als ze hem formeel had uitgenodigd. Het waren voorzichtige, aarzelende woorden maar ieder woord hield een belofte in. Het gevaar was dat hoe preciezer je je uitdrukte, hoe meer verantwoordelijkheid je droeg en des te erger de zonde werd. Zolang het vaag bleef klonk het onschuldig en hoewel hij zich tot Carol Lumley voelde aangetrokken had hij geen flauw idee wat er achter die aantrekkingskracht lag. Hij wilde haar kussen, hij wilde haar aanraken, hij wilde dat ze hem zijn gang liet gang en dat zij het heerlijk vond. Hij was veertien jaar.

Hij sloop voort, in elkaar gedoken en alert als een inbreker, van de ene achtertuin naar de andere – van de familie Cronin, Hall, Fasullo, Flaherty – op deze hete, winderige dag waarvan zijn moeder zei dat het een goede wasdag was. Mevrouw Fasullo stond haar gigantische onderbroeken in de achtertuin op te hangen, mevrouw Finn haalde haar onderjurken van de lijn, en in de andere tuinen wapperde het ondergoed als een vlag of bolde op in de wind, alsof de rondingen van een vrouw erin zaten.

Hij liep gebukt door de laatste achtertuin en kwam in die van de familie Lumley uit, waar hij bleef stilstaan, maar dat was niet vanwege Carols ondergoed – hoewel hij het wel aan de lijn zag hangen naast het ondergoed van de rest van de familie, variërend van de onderbroeken van haar moeder en de boxershorts van haar vader tot haar piepkleine bh's, de kleine slipjes, onderrokken en onderjurken – wat was ze toch klein. Zijn oog viel namelijk op haar blauwe nachthemd, zo'n ding dat een babydoll werd genoemd, en hij bleef er even aandachtig naar staan kijken.

Het prachtige kledingstuk was afgezet met kantwerk en roze strikjes en de schouderbandjes werden omhooggehouden door houten knijpers, en het hing daar te zwaaien alsof Carol het net had uitgetrokken. Hij raakte het aan en hield het tegen zijn gezicht, het blauwe satijn was warm geworden door de middagzon. En daarnaast, waar hij net niet bij kon, hing het bijpassende blauwe broekje. Bij de schouders waren witte satijnen lintjes door de stof geregen en de brede rand kant aan de zoom was afgezet met strikjes. In zijn ogen had het zowel iets van een nachthemd als van ondergoed, maar het was bedoeld om in bed te dragen en wat hij nog veel belangrijker vond was dat het was bedoeld om door iemand bewonderd te worden.

'Wat sta jij daar nou te doen?'

Hij was zo geschrokken dat hij niets kon uitbrengen, en zelfs toen hij Carol lachend voor het raam zag staan, kon hij zich niet ontspannen. Hij keek van haar weg. Hij had het gevoel dat hij zichzelf bloot had gegeven. Zou ze hebben gezien dat hij de babydoll had vastgepakt en tegen zijn gezicht had gehouden? Maar dan nog, hij rekende erop dat ze er niets van zou begrijpen omdat het zo absurd was.

Ze was trouwens van het raam weggelopen toen hij weer opkeek en toen ze een ogenblik later de voordeur opendeed, zei ze alleen maar: 'Wat heb je voor me meegebracht?'

'Niks.'

'Maar je wilt zeker wel limonade en van alles erbij.'

Hij haalde zijn schouders op en glimlachte, en Carol trok een afkeurend gezicht, dat hij altijd als een typisch vrouwelijke gelaatsuitdrukking had beschouwd. Ze droeg een roze blouse en een witte korte broek, en hoewel ze even oud was als hij leek ze veel jonger. Ze was slank en frêle, had kleine borsten, smalle polsen en dunne vingers, en een jongensachtig tenger lijf met stevige ronde billen en dunne benen. Maar ze had blauwe ogen, volle lippen en licht krullend haar; een engelengezicht.

'Je mag daar wel gaan zitten, hoor,' zei ze en ze wees naar de schommelbank op de veranda en verdween weer naar binnen. Ze bleef een paar minuten weg en hij begreep waarom toen ze terugkwam met de glazen limonade en rodere lippen.

'Je hebt lippenstift opgedaan.'

'Nou en?' zei ze en ze perste haar lippen op elkaar alsof ze de kleur nog beter wilde laten uitkomen.

Ze zaten een eindje van elkaar, op het randje van de schommelbank. Ze hielden hun glas vast en het enige geluid was het getinkel van de ijsblokjes als ze een slok van de limonade namen.

'Zeg, moet je horen, mijn ouders zijn net de deur uitgegaan.'

Hij was blij dat ze dat zei en nam weer een slok, en keek vanaf de veranda naar het huis aan de overkant, waar de familie Martello woonde, om de lucht boven het dak te bestuderen. Hij wilde dat de schemering zou invallen, hij wilde schaduwen, hij wilde zelf onzichtbaar worden, kleiner en minder waarneembaar zijn in het duister, zijn gezicht in de schaduw gehuld, zijn ogen verborgen.

'Heb je gezegd dat ik zou komen?'

'Ik ben het vergeten.'

Hij moest een beetje lachen en zag dat ze dat merkte en woest werd.

'Maar ik ga het ze heus wel vertellen,' zei ze, 'en zeggen dat je me hier kwam lastig vallen.'

Hij schrok omdat het waar was wat ze zei en stootte per ongeluk met zijn voortanden tegen het glas.

'Heb jij tegen je ouders gezegd waar je heen ging?'

'Naar het park. Naar een softbalwedstrijd kijken.'

Het park was daar niet ver vandaan, twee straten verder achter een hoge schutting, de wedstrijd was al begonnen en hoorbaar: geschreeuw, gejuich, zo nu en dan het doffe geluid van een bal en een slaghout die elkaar vol raakten. Hun onthullingen klonken samenzweerderig, alsof ze wisten dat ze iets deden dat niet mocht en er blij om waren. Maar omdat hij de geluiden van de softbalwedstrijd kon horen, leek het toch ook weer niet echt een leugen dat hij hier met Carol op de veranda zat.

'En als ze er nou achter komen waar je eigenlijk zit?'

'Kan me niet schelen,' zei hij. 'Ik zou daar toch zijn weggegaan.'

Dat leek ze wel leuk te vinden. Ze ging achteroverzitten tegen het kussen aan en zei: 'En waarom probeerde je mijn kleren van de waslijn te pikken?'

Hij ging verzitten en zei: 'Ik keek er niet eens naar.'

Ze kneep haar blauwe ogen tot spleetjes en keek hem aan. Hij kon niet zien wat ze dacht want de onderkant van haar gezicht was in schaduw gehuld. Zolang er schaduw was kon het hem niet schelen wat ze dacht. En hij vond dat giechelende plagerige stemmetje en ook die zogenaamde kwaadheid trouwens wel leuk, en zelfs haar dreigementen, het betekende dat ze hem wel aardig vond en wilde dat hij nog even bleef.

'Jij wilt vast nog wel een glas limonade.'

'Maakt me niet uit,' zei hij, hoewel het hem eigenlijk heel veel uitmaakte. Maar zijn keel zat dicht van begeerte en verwarring en hij wist niet wat hij anders moest zeggen.

Ze ging weer limonade halen en dit keer bleef ze nog langer weg, en toen ze terugkwam rook hij onmiddellijk het parfum, dat sterker rook in de grijzige schemering op de veranda. Hij vond het een heerlijke geur; hij had nog nooit zoveel bloemen geroken; de lucht deed zijn ogen prikken.

Hij bedankte haar voor de limonade. Ze wierp haar krullenbos naar achteren. Ze zaten wat heen en weer te wiegen op de schommelbank.

Na een tijdje zei ze: 'Mijn vader zegt dat jij slim bent.'

Hij draaide zich naar haar om. Aan de andere kant van de schommelbank zat ze nu bijna helemaal in de schaduw, op haar spierwitte korte broek na, die zo strak om haar lichaam sloot.

'Maar ik vind je een stiekemerd,' zei ze.

'Nee, echt?'

'Ja, echt. Vertel eens op, waarom kom je hier stiekem op mijn veranda limonade zitten drinken?' vroeg ze. Ze was voorover gaan zitten en had haar voeten op de grond gezet zodat ze de schommelbank iedere keer dat ze zich afzette en hem beschuldigde, meer vaart gaf. 'Je wist dat mijn ouders er niet zijn.'

Hij voelde zich schuldig omdat het waar was, hij had dit zo beraamd. Zijn stilzwijgen maakte haar nog furieuzer.

'Anders zou je hier niet zijn,' zei ze. Ze zette zich weer af en haar rubberzool gleed met een piepend geluid over de vloer. 'En je hing ook bij de waslijn rond.'

Dat was ook waar en de beschuldiging klopte zo volkomen dat hij zei: 'Helemaal niet. Wat kan mij dat ouwe wasgoed schelen? Ik nam gewoon een kortere weg.'

In plaats van antwoord te geven leunde ze voorover zodat hij haar glimlach kon zien. Ze zette zich weer hard af tegen de vloer en liet de schommelbank naar achteren zwaaien en hij voelde haar vasthoudendheid in die beweging.

'Niks tegen ze zeggen, hoor.'

'Echt wel,' zei ze en het klonk als *egwel*. 'Ik ga lekker alles vertellen.'

Nu wilde hij weggaan, maar hij kon niet opstaan van de heen en weer zwaaiende schommelbank en toen hij eindelijk de leuning kon vastgrijpen en zich omhoog probeerde te hijsen, begon ze weer op datzelfde plagerige toontje te praten.

'Je durft vast niet bij mij binnen te komen.'

'Nee,' zei hij met overslaande stem, waardoor dat ene kleine woordje er snerpend uitkwam. Hij wilde weg. De schemering was ingevallen, maar hij had het tot nu toe nog niet opgemerkt.

'O, en waarom ben je dan helemaal hier naartoe gekomen?' Toen ze zag dat hij zenuwachtig was en niets wist te zeggen, begon ze zachtjes te lachen.

In het park waren de lampen aangegaan zodat de boomtoppen werden verlicht, en hij hoorde nog steeds de geluiden van de softbalwedstrijd, de kreten van de toeschouwers, de spelers die elkaar toeschreeuwden; ze vielen gemakkelijk uit elkaar te houden. Hij dacht aan al die geestdrift en al dat lawaai, gewoon vanwege een onschuldige wedstrijd, een eerlijk balspel dat in het lamplicht werd gespeeld. En hij wist dat hij iets verkeerds deed, een geheim in de schaduw opvoerde dat hij nooit zou kunnen verklaren of rechtvaardigen.

'En waarom heb je nou niks voor me meegebracht?'

Hij zweeg. Er werd weer een bal geraakt, en weer ging er een gejuich op: de spelers waren onschuldig en gelukkig en hij was slecht.

'Want ik heb wel iets voor jou. Wil je het zien?' Ze wachtte zijn antwoord niet af. 'Blijf hier zitten.'

Ze liep naar binnen en deed de deuren dicht, de hordeur en de buitendeur, en hij hoorde de grendel dichtklikken. Hij bleef daar zitten en vroeg zich af of iemand hem kon zien. Hij had het gevoel dat hij opviel en werd ongeduldig, en zijn instinct zei hem dat hij naar huis moest gaan. Na een paar minuten belde hij aan om tegen Carol te zeggen dat hij wegging. De bel klonk hard maar toch werd er niet gereageerd, hij hoorde zelfs geen voetstappen. Hij wachtte nog even, voelde zich gevangen door de stilte. Binnen ging opeens een licht uit, als een ademtocht, een uitademing.

En toen klonk het metalige terugtrekkende geluid van de grendel en was er een beweging bij de binnenste deur. Hij kon niets zien door de hordeur, hij zag alleen de deuropening en de duisternis binnen. Hij trok de hordeur open en zag alleen maar de flauw verlichte gang.

'Ga hier maar naar binnen,' zei ze vanachter de deur. Hij zag alleen haar blote arm naar de zitkamer wijzen. 'Daar moet je even wachten. En daarna moet je me gaan zoeken.'

Zodra hij zich had omgedraaid, rende ze weg. Hij deed wat hem was opgedragen en liep door naar de zitkamer, met een kloppend hart omdat hij het allemaal heel spannend vond. Het was donker in de zitkamer, die alleen verlicht werd door de straatlantaarns. Hij ging zitten en voelde om zich heen, ging toen weer staan en luisterde, trillend, met klamme handen.

Haar gedempte stem klonk van ergens boven in het huis. 'Ik ben klaar.'

Hij liep naar de trap en luisterde, en toen hij niets meer hoorde ging hij naar boven en keek eerst in de ene kamer en toen in de andere, ze waren allemaal in duisternis gehuld, maar hij ontwaarde wel de vorm van stoelen, de plompe contouren van bedden, de glinstering van spiegels.

Hij ging een kamer aan de voorkant van het huis binnen en hoewel hier meer licht van de straatlantaarns naar binnen scheen, zag hij Carol eerst niet staan omdat ze doodstil stond, kaarsrecht, bijna alsof ze poseerde. Maar hij zag wel wat ze aanhad: een korte blauwe babydoll en pluizige slippers aan haar voeten. Ze droeg haar haar in twee hoge op en neer dansende staarten die net penselen leken, haar schouders waren naakt en haar huid zag bijna spookachtig wit. De doorschijnende blauwe stof glom in het schemerige, schuin binnenvallende licht.

'Vind je het mooi?' vroeg ze. 'Dat heb ik speciaal voor jou gedaan. Maar dat kan jou natuurlijk geen barst schelen.'

Ze maakte een pirouette voor hem waardoor de babydoll in beweging kwam, en kwam toen naar hem toe, pakte zijn hand en trok hem tegen zich aan, zo dicht dat hij haar wel kon voelen maar nauwelijks kon zien, alsof ze verlegen was en niet wilde dat hij naar haar keek. Hij vond de duisternis wel prettig en greep haar beet, voelde de zijdeachtige stof onder zijn vingers, de warmte van haar lichaam, hij rook de merkwaardige warme zilte geur van haar vochtige huid, die de belofte van seks inhield, en het parfum op haar huid. Ze begon hem te kussen op een manier die nieuw voor hem was, door op zijn lippen te sabbelen.

Ze liet zijn mond even los en zei: 'Je mag het tegen niemand zeggen.'

En voordat hij iets kon zeggen, kuste ze hem weer, kussen die een belofte inhielden. En terwijl hij haar kussen beantwoordde, deed hij zijn ogen open en kon de kamer achter haar nu duidelijker zien: de stoel, het kleine bed, de keurige rij aangeklede poppen op het ladekastje. Hij leidde haar met een paar stappen naar het bed, duwde een lappenpop opzij en ging zitten, bleef haar vasthouden en kussen, proefde het zout in haar vochtige hals, de limonade in haar speeksel.

'Ga eens liggen.'

'Nee,' zei ze op behoedzame, bijna angstige toon.

Maar ze ging door met kussen en een paar seconden later, toen hij haar vrije hand pakte en tegen zijn onderlijf drukte en haar vingers leidde, liet ze hem begaan. Daarna nam ze helemaal het initiatief en raakte hem aan, streelde hem met haar kleine hand en ritste vervolgens zijn broek open en greep hem vast, omklemde hem met haar hele hand en maakte pompende bewegingen. Hij bedacht dat ze al heel veel wist en niet bang was.

Ze wist in ieder geval meer dan hij, dat merkte hij aan haar greep, haar zelfverzekerde vingers die zich om zijn stijve pik vouwden. En haar andere hand ook. Hij was gechoqueerd door haar schaamteloosheid want hij had haar op zijn beurt nauwelijks aangeraakt. Hij voelde iets van angst en wist dat hij een grens overschreed. Hij had een nieuw land betreden, dat vreemd, donker, zondig en aangenaam was, vol schaduwen en verrukkingen, en hij was hier voorgoed, hij was bezeten, veranderd en zou nooit meer terugkeren. Het feit dat hij hier was met Carol, de citroensmaak op haar lippen kuste, behekst werd door haar benige handen, was geen keuze, want er was geen alternatief. Hij genoot ervan en wist dat hij verdoemd was.

Ze zuchtte toen hij haar aanraakte, zijn hand naar haar dij liet glijden en met het kantwerk van haar babydoll speelde, die deel uit leek te maken van haar naaktheid. Ze zuchtte weer en hij begreep dat die zucht een ja betekende. Ze deed haar benen van elkaar en liet toe dat hij omhoog gleed met zijn hand. Het tasten, het voelen in het donker voelde voor hem als het ontdekken van een geheim wezen, een andere persoon, een verborgen vrouw, haar hoofd en wangen, haar lippen, haar mond – alleen geen ogen – en toen zijn vingers de kleine mond in het vochtige gezicht van dit wezen voelden en even aarzelden, spreidde ze haar benen wijder.

'Stop je vinger erin,' zei ze en ze kuste hem. Hij liet een vinger naar binnen glijden, en ze zei: 'Nog een vinger.'

Zelfs zonder iets te zien, voelde hij de lipvormige plooien glinsteren toen hij zijn vingers in de mondopening van vlees naar binnen stak. Ze gleed dichter naar hem toe, perste haar nachthemd tegen hem aan en kuste hem nog harder, ze stak haar tong in zijn mond en deed het hem voor tot hij hetzelfde deed bij haar.

Ze leidde hem, leerde hem. Hij gebruikte zijn tong en streelde haar ondertussen met zijn hand, in hetzelfde tempo als waarmee zij hem streelde. Ze wiegde heen en weer, hielp zijn hand, en in dat woeste, wellustige ritme voelde hij haar kleine klamme lichaam onder het satijn kronkelen, als een gevangen zittend diertje, een miauwende kat die in zijde verstrikt zit. In het licht van de straat leek de stof te gloeien. De slaapkamer, die nu niet meer zo donker was, rook naar haar parfum en haar poppen.

Hij keek naar een barbiepop die op de ladekast zat met haar lange benen voor zich gestrekt, iets uit elkaar om haar rechtop te houden, terwijl Carol hem aftrok en daarbij nauwelijks ademhaalde. Opeens greep ze hem stevig vast en leek ze te voelen dat zijn hele lijf strak gespannen kwam te staan, alsof hij zich diep concentreerde. Toen voelde hij een zoete wond in hem opzwellen en plotseling openbarsten, en toen hij verkrampte en zichzelf vastgreep, greep hij ook haar plakkerige, zoekende handen.

'Ik kan het voelen,' zei ze en ze klonk meisjesachtig, nieuwsgierig en bijna juichend.

Hij gromde want hij had zich snel geleegd en was nu alleen nog maar leegte waar eerst hitte en weefsel had gezeten.

'Laat eens zien,' zei ze.

'Nee.' Hij zat voorovergebogen, doormidden gehakt, gereduceerd tot een ineengedoken schuldige jongen.

'Het zit op mijn vingers, mijn hele nachthemd is vies,' zei ze. 'Kijk nou eens wat je hebt gedaan.'

Hij voelde zich ellendig, beschaamd, uitgeput, haast koortsig, en hij zag versuft hoe ze wat opveegde met haar vingers, eraan rook, het met het puntje van haar tong proefde en toen haar tong naar hem uitstak. Toen ze zag dat hij gechoqueerd was, werd ze wat overmoediger en wist hem nog meer te choqueren door de natste vinger van zijn hand te pakken en daarop te zuigen. Ze ging achteroverliggen en hield hem in haar ban met haar lach.

Carol Lumleys stem haperde heel even omdat ze zo graag wilde en ze fluisterde: 'Raak me daar nog eens aan.'

Raak me daar nog eens aan, zei Ava, in een wolk van blauwe zijde en lintjes en kantwerk. *Nog eens.*

5

Door de jengelende muziek die hij hoorde toen hij over het wit bestof-te zomerse pad aan kwam lopen, leek de afgelegen blokhut nog eenza-mer, en tegelijkertijd vervuld van leven. Het was een kleine uit ruwe hou-ten planken opgetrokken bungalow en vanaf de veranda aan de zijkant klonk muziek. Zou Toms moeder de radio aan hebben laten staan en zijn weggegaan? Hij kon zich niet voorstellen dat ze binnen was en naar zulke harde muziek luisterde, naar zulke extatische, uitzinnige muziek die de klamme lucht als gloeiend heet metaal doorkliefde. Onder het luisteren leek het alsof het zonlicht op verblindend zilver glinsterde en hij begon sneller te lopen, in de richting van de muziek. Die leek de blokhut ook een gezicht te geven, ramen als ogen, een veranda als neus, een deur als mond.

'We gaan met Kenny op stap,' had Tom bij het meer gezegd met zijn zusje Nita aan de hand.

Kenny was een visser, Kenny had een boot, Kenny was de oudere vriend van Tom Bronster. Tom had het de hele tijd over hem. 'Kenny heeft een geweer. Ik mag er van hem mee schieten.' Tom liet vandaag doorscheme-ren dat Slade niet welkom was of op zijn minst in de weg zou lopen. Ken-ny had een kleine boot met een buitenboordmotor.

Nita was kwaad: zij wilde bij Slade blijven maar Tom moest op haar passen. Die ochtend had ze op het strand tegen Slade gezegd: 'Ik zou best jouw vriendin kunnen zijn.' Zij was tien, hij dertien. Slade was blij dat hij van haar af was.

'Geeft niks, ik blijf hier wel rondhangen,' zei Slade, maar dat was een leugen.

Zodra Kenny's bootje over het meer wegschoot, omhoogkwam in het water en wit schuim opzij duwde, draaide Slade zich om en liep terug door de pijnbomen en over het stoffige pad langs het weiland waar soms een koe langs het hek met hen meeliep. Toen hij dicht bij de blokhut was, hoorde hij de muziek en was blij dat hij in zijn eentje was. Tom was zijn vriend, maar met Tom samen was Slade altijd verstrooid. Slade was een dromer, hij wilde liever alleen zijn met zijn mijmeringen, waar hij meer genoegen aan beleefde dan aan luidruchtige spelletjes. Tom was een praatzieke, actieve jongen met een vermoeiende, schrille stem.

Dat hij erin had toegestemd om samen met Tom en zijn familie een week aan het meer door te brengen, betekende dat hij, de gast, ieder moment van de dag met Tom samen was. Daarom was hij blij daar op het pad, blij even verlost te zijn van deze luidruchtige jongen die altijd achter zijn hond aan rende of Slade uitdaagde wie het hardst kon fietsen of over Kenny zat op te scheppen.

Door het zijraam van de blokhut zag Slade een witte flits, Toms moeder in haar bh, haar dikke haar in een vlecht die met een lintje bij elkaar werd gehouden. De gedachte kwam bij hem op dat er niets witters bestond dan het witte ondergoed van een vrouw. Ze speelde op een steelguitar, een instrument dat iets weghad van een strijkplank met snaren, waarop ze tokkelde en aan de andere kant een houten klos heen en weer bewoog om een vibrerend geluid te creëren, een zoet smachtend geluid zoals Hawaïaanse muziek. Hunkerende melodieën belaagden het gaas van de versterker, een vierkante zwarte koffer met een gat aan een kant.

Toms moeder die zich 's avonds altijd mooi aankleedde, zag er in Slades ogen op dit moment naakt uit. Hij werd gefascineerd door wat ze aanhad: een bh waardoor haar borsten net twee witte kegels op een harnas leken, een loszittende korte broek – hij kon haar navel op haar bleke, platte buik zien zitten – schoenen met sleehakken en nepkersjes op de bandjes, gelakte teennagels, en de dikke vlecht die op haar rug heen en weer schoof; ze leek heel groot en was volledig geconcentreerd op haar vingers die het instrument bespeelden.

Als ze geen muziek had gemaakt, had ze Slade zien staan. Zo schaars gekleed, met haar heen en weer zwaaiende vlecht, leek ze speels, jonger, een heel groot meisje. Steadman bleef bij het raam staan en keek naar haar blote benen en haar witte fraai gevormde borsten. Ze stond half van hem weggedraaid, maar ze zag er zo mooi uit dat hij bleef staren. Hij was duizelig, had het onbegrijpelijk warm en geen gevoel in zijn vingers. Hij genoot van het kijken, maar na verloop van tijd werd ze steeds minder Toms moeder en steeds meer iemand die hij vaag kende en nog nooit zo had gezien.

Hij stelde zich voor dat hij haar aanraakte en werd daar rustiger van. Ze had een bleke huid en groene ogen. In gedachten legde hij zijn handen over de cups van haar borsten en streelde ze langzaam. Hij werd zo geobsedeerd door die gedachte dat hij een stap achteruit deed, onder het raam wegdook en terugliep naar het meer waar hij wachtte tot Tom en Nita terug waren van het vistochtje. Maar zelfs toen hij op de met gras begroeide oever zat met zijn voeten tegen de blootliggende wortels van een boom, verborgen in de struiken, voelde hij zich nog steeds schuldig en opgewonden.

'Die had jij ook kunnen vangen!' riep Tom vanuit de boot toen hij Slade op de oever zag zitten. Tom hield een druipende vis van wel dertig centimeter omhoog.

Die avond droeg Toms moeder een roze jurk met een plooirok en korte mouwen, en witte sandalen. Ze had de vlecht losgemaakt en haar haar geborsteld zodat het haar nek bedekte. Ze had iedere avond iets anders aan. Hij vond haar kleren prachtig, de kleuren en al die verschillende details, en hij zag aan het plezier dat ze erin schepte om zich mooi aan te kleden, hoe aantrekkelijk ze was. Hij vond het een heerlijke gedachte dat hij haar die middag in haar bh en korte broek had gezien. Ze deed aardig tegen Slade. Ze zat naar hem te kijken onder het eten en maakte hem een compliment over zijn goede manieren.

'En je hebt ook zo'n goede eetlust.' Tegen Tom zei ze: 'Ik zou willen dat jij zo goed at als Slade.'

'U kookt lekker,' zei Slade en hij zag het effect van zijn loftuiting aan de manier waarop ze glimlachte, vooroverleunde en vroeg of hij nog meer wilde. Hij wendde zijn ogen af van haar halslijn maar ving toch een glimp van haar bh op.

Nita fluisterde iets tegen haar en sloeg toen haar hand voor haar mond.

'En je hebt ook een stille aanbidster,' zei Toms moeder.

Die avond in het stapelbed deed de gedachte aan de vrouw hem bijna pijn, en hij wilde verschrikkelijk graag over haar praten. In het duister fluisterde Slade vanuit het bovenste bed: 'Tom, ben je nog wakker?'

'Hmm.'

'Je moeder is aardig.'

'Gelul.'

'Nee, echt waar.'

Slade wilde praten over Toms moeder, wilde meer over haar te weten komen of op zijn minst over haar praten om zichzelf te troosten.

'Ze is een vreselijk mens. Een ontzettende zeurpiet. En ik moet altijd op Nita passen.'

Tom had geen zin om nog meer te zeggen. Vlak daarop viel hij in slaap en Slade besefte hoe egoïstisch en onvolwassen Tom eigenlijk was, geen prettige gesprekspartner, een teleurstelling die als vriend alleen maar een last was.

Iedere dag verliep hetzelfde. Om zeven uur opstaan en na het ontbijt naar het meer. Tussen de middag hotdogs en melk in de blokhut, dan een eindje fietsen of 's middags terug naar het meer. Om zes uur was het avondeten, de maaltijd waar Slade altijd naar uitkeek want dan kleedde Toms moeder zich mooi aan. Ze speelden op het veld tot de muggen kwamen opzetten. Daarna gingen ze naar bed. Het huis rook naar de grenen vloeren en pas gezaagd hout en 's avonds stond altijd de radio aan en zat Toms moeder in haar eentje beneden in een tijdschrift te bladeren, in *Collier's* of de *Saturday Evening Post*.

De volgende middag liet Slade Tom op het strand achter.

'Ik moet naar de wc.'

Hij liep terug naar de blokhut en was verrukt toen hij de vertrouwde muziek hoorde. Hij kroop naar het huis, met zijn hoofd omlaag, en nam zijn plaats in bij het raam. Hij zat daar nog maar net toen Nita aan de zijkant van de veranda opdook. Ze was hem blijkbaar gevolgd vanaf het meer.

Slade voelde zich betrapt, was bang dat zijn geheime belangstelling onthuld zou worden en maakte aanstalten om weg te lopen.

Nita zei op fluistertoon: 'Jij zit mijn moeder te bespioneren.'

'Niet waar.'

'Ik geloof er niks van.' Ze keek hem met tot spleetjes geknepen ogen aan, glimlachte en zei op een vleierig toontje: 'Wil je mijn huisje zien?'

'Graag,' zei hij om haar een plezier te doen en verdere vragen te voorkomen, en op het moment dat hij dat zei, bedacht hij dat Nita net een aapje leek.

Nita bukte zich en glipte onder de veranda en kroop als een waggelende eend de kruipruimte onder het huis in. Slade kroop achter haar aan en hoorde haar moeders muziek, als fel licht dat door de kieren in de houten vloer scheen. Het was koel in de kruipruimte en het rook er zurig en stoffig en naar kattenpoep; in de schaduwen hingen ondoordringbare spinnenwebben. Aan de andere kant was een brede baan zonlicht zichtbaar omdat het huis op blokken stond, het had geen kelder, alleen de kruipruimte en de splinterige houten onderkant. Slade raakte gedesoriënteerd toen hij onder het huis kroop en de muziek van boven hoorde

311

komen, en ook door het meisje dat drammerig naar hem gebaarde temidden van al die schaduwen en geuren. Hij was duizelig en voelde heel
duidelijk dat hij iets verkeerds aan het doen was.

'Dit is mijn keuken. Ik kan eten voor je koken. En dit is mijn zitkamer.'
Ze had een hese, schorre stem. 'Daar is de slaapkamer.'

De kamers die ze opnoemde waren gewoon door de zon gestreepte
stukken aarde vol stof en kattenpoep, bezaaid met stenen en weggewaai-
de bladeren, een omgekeerde emmer diende als stoel.

'En dit is mijn wc,' zei ze.

Slade zat half geknield omdat hij veel langer was dan zij en omdat het
er zo laag was.

'Die kun je wel gebruiken als je wilt,' zei ze.

'Hoezo gebruiken?'

'Ja, wat denk je, slimmerik.'

Ze liet haar onderbroek zakken en hurkte, daagde hem uit met haar
moeders groene ogen en leek haar adem in te houden terwijl hij toekeek
en luisterde. Hij keek naar haar, naar die kleine aap met haar tartende
blik die in haar blote kont in het stof hurkte, maar hij hoorde alleen haar
moeders muziek door de vloer boven hun hoofd dreunen.

Ook al zat hij op zijn hurken, toch zag Slade niet veel meer van Nita dan
haar knokige kleine meisjesknieën, want ze hield ze bij elkaar zo lang ze
daar gehurkt zat. Maar toen ze weer opstond met diezelfde tartende blik
in haar ogen en haar broekje op haar enkels liet liggen, zag hij een streepje
zon tussen haar benen door schijnen maar verder niets, het had iets mysterieus. Wat hield ze daar verborgen? Toen hij wat dichterbij kwam zag hij
het tere, iets openstaande mondje in een gezichtje dat nog niet af leek te
zijn en verborgen werd gehouden, een fronsend maskertje in haar kruis.
Pas toen hees ze haar broekje op, alsof ze er toen pas aan dacht.

'Nu ben jij aan de beurt,' zei ze en ze trok haar broekje strak omhoog.

Hij kon eerst geen woord uitbrengen. Hij wilde wel wat antwoorden
maar kon niets uitbrengen omdat hij gebiologeerd werd door de spleet-
vormige plooi onder haar buik die door haar broekje heen scheen. Uiteindelijk zei hij: 'Je hebt niets gedaan.'

'Maar ik heb het wel geprobeerd.' Ze klonk geïrriteerd. 'Kom op, schijt-
erd, niemand kijkt.'

Haar scherpe bevelende toon wond hem op en maakte hem tegelijkertijd bang. Hij probeerde het nog wat uit te stellen, wilde eerst meer van
haar zien. Alleen zijn in de schaduwen van een zomerhuisje met een ge-

willig, stout meisje was als een droom. Maar ze was mager en nog niet volgroeid, ze was te klein, ze was onbesuisd. Haar onbesuisdheid was gevaarlijk: hij vond het aan de ene kant spannend maar aan de andere kant ook heel eng, en secondenlang kon hij alleen maar trillen van paniek. Stel je voor dat iemand hen zag of hoorde? Hij bukte zich en probeerde zo snel mogelijk onder de kruipruimte vandaan te komen, maar hij hield zijn hoofd niet laag genoeg en stootte zich tegen een lage balk onder de vloer van het huis en het volgende moment zat hij met een bonzend hoofd op zijn handen en knieën in de zon.

Het gevoel dat de klap op zijn hoofd hem doof had gemaakt werd nog eens versterkt door iets anders dat niet klopte: de muziek was opgehouden. Op het moment dat hij zich dat realiseerde, en nog steeds een beetje duizelig was, zag hij een paar sandalen aan komen lopen. Ze waren afgezet met nepkersjes. Hij krabbelde overeind en stond recht tegenover Toms moeder die zich een beetje bukte – ze was langer dan hij.

'Wat is hier aan de hand?' vroeg ze en in de bevelende stem van de moeder klonk de vittende stem van de dochter door.

'Niks,' zei Slade, maar hij keek snel achter zich en zag Nita onder de veranda vandaan kruipen.

'Je zou toch naar het meer gaan?'

Maar Toms moeder had het niet tegen hem; ze had het tegen de kleine meid die een pruilend gezicht trok en wegliep. Toen Slade achter haar aan wilde gaan, zei Toms moeder: 'Jij niet. Jij blijft waar je bent zodat ik je in de gaten kan houden.'

Slade werd knalrood van schaamte; hij durfde haar niet aan te kijken en keek naar haar schoenen, de sandalen met de sleehakken. De nepkersjes op de bandjes begonnen al een beetje te schilferen maar haar roze gelakte tenen zagen er prachtig uit.

'Wat zou je moeder ervan zeggen als ze wist dat jij je misdraagt?'

'Weet ik niet,' zei Slade op een ongelukkige toon. Hij slaagde er niet in de schuldbewustheid uit zijn stem te weren. 'Ik deed toch niks.'

'Je zat onder het huis met Nita,' zei ze. 'Volgens mij zat je met haar te donderjagen.'

Slade was doodsbang. Hij wist dat hij niets kon inbrengen tegen wat Toms moeder zei. Hij kon haar niet tegenspreken en hij haatte dat kleine aapmeisje omdat ze hem in de verleiding had gebracht.

'Ga maar naar binnen,' zei Toms moeder en ze deed een stap opzij. 'Hoor je wat ik zeg?'

'Ja, mevrouw Bronster.'

Pas toen zag Slade dat Toms moeder net zo gekleed was als de dag daarvoor, in een witte bh en een korte broek, met hetzelfde blauwe lintje in haar vlecht, haar knipogende navel in de bleke huid van haar blote middenrif. De steelguitar stond nog net zo opgesteld, met de versterker die op een gehavende koffer leek en de bladmuziek op een metalen standaard.

'Ik moet je in de gaten houden,' zei ze. 'Ik kan jou niet vertrouwen.'

'U kunt me wel vertrouwen,' zei hij op smekende toon. 'Ik heb niets gedaan.'

Op haar sandalen met de sleehakken torende ze dreigend boven hem uit, en ze zei op scherpe toon tegen hem: 'Je knieën zijn smerig. En kijk eens naar je handen. Jij moet nodig onder de douche. Kom eens mee.'

Ze gebaarde dat hij mee moest komen naar de achterkant van het huis waar een douchecabine op een houten vlonder stond – een plastic gordijn, een pijp en een douchekop. Ze zette de douche aan en het water begon op de houten vlonder te spetteren.

'Vooruit.'

Slade wilde haar wel ter wille zijn maar toch aarzelde hij, met zijn handen op zijn korte broek.

'Je denkt zeker dat ik nog nooit een naakte man heb gezien?'

Toen ze het woord 'man' zei, dacht Slade niet aan zichzelf. Hij dacht aan Toms vader, die er nooit was.

'Nou, opschieten.'

Hij draaide zich om, trok zijn T-shirt uit en liet zijn broek zakken. Hij ging onder de waterstraal staan, verborg zichzelf in het stromende water met zijn rug naar het douchegordijn gekeerd.

Maar aan de manier waarop het water spetterde wist hij dat Toms moeder stond te kijken, dat ze in de opening van de douchecabine stond. Toen deed ze een stap achteruit en viel het water rechter naar beneden. Slade zeepte zichzelf in, nog steeds om haar ter wille te zijn, en nadat hij zich had afgespoeld, zag hij haar bij de deur staan met een handdoek in haar hand.

'Alsjeblieft,' zei ze en ze hield hem aan een vinger omhoog, maar toen hij naakt op haar toe liep, bleef ze de handdoek bij de punt vasthouden terwijl hij zich afdroogde.

'Jij gaat die vuile kleren niet meer aantrekken,' zei ze en ze schopte zijn korte broek weg toen hij die wilde pakken. Ze gaf hem een handvol zachte zijde.

'Trek die maar aan.'

Hij was onzeker, bijna bang.

'Doe wat ik zeg.'

Hij trok het zwarte kanten broekje aan, blij dat hij zijn naaktheid kon bedekken, maar had tegelijkertijd het gevoel dat hij voor gek liep. Hij voelde zich echter gesterkt door haar serieuze manier van doen. Ze was zakelijk; ze had hem ermee kunnen plagen maar dat deed ze niet.

'Ik wil dat ik je kan vertrouwen,' zei ze.

Slade wist niet wat hij moest zeggen maar hij dacht: Probeer me uit, ik zal alles doen om jouw vertrouwen te winnen. Het broekje dat hij droeg was zo dun dat hij zich verbeeldde dat ze er dwars doorheen kon kijken, maar toen hij naar beneden keek, zag hij dat alles bedekt was.

'Het is van mij. Het is van zijde,' zei ze. 'Soms moet je improviseren. Het doen met de dingen die je hebt.'

Hij wist niet of ze glimlachte maar haar stem klonk wel vriendelijker dan daarnet.

'Daar kom je nog wel achter als je ouder wordt,' zei ze. 'Waar kijk je naar?'

Ze raakte haar eigen korte broek opzij aan waarvan de rits een beetje openstond en waarachter de roze zwelling van een slipje zichtbaar werd.

'Wil je hem even dichtritsen?'

Hij wilde graag iets voor haar doen en gebruikte beide handen, de ene om de rits bij elkaar te houden en de andere om het lipje omhoog te trekken om het gat te dichten, waarbij Toms moeder zijn handen aanraakte en er een klopje op gaf. Toen hij klaar was, streek ze de naad weer glad.

'Dat doe je goed.'

Hij zei niets.

'Maak hem nu maar weer los.'

Hij was zich bewust van zijn blote voeten en het klamme slipje, van zijn haar dat nog steeds nat was van de douche en van deze vrouw op sandalen die veel groter was dan hij. Maar hij gehoorzaamde en trok de rits open, en daarna friemelde de vrouw aan een knoopje en zag hij iets roze opbollen. Ze gaf een rukje aan haar broek zodat hij op haar enkels viel, en stapte eruit.

Hij geneerde zich een beetje en keek van de vrouw weg naar de voordeur van het huis, waar het verblindende middaglicht door de vierkante raampjes naar binnen viel, toen ze opeens achter hem kwam staan. Aan de stof die hij op zijn schouder voelde, leek het alsof ze een sjaal om hem heen sloeg.

'Ik denk dat je dit nodig hebt.'

Ze bracht de zachte lap stof omhoog en bond die als een blinddoek om zijn hoofd. En toen ze de knoop strak trok, voelde hij dat ze heel even haar handen en armen aanspande en ving hij de geur van haar lichaam op en tegelijkertijd, in tegenspraak daarmee, de geur van haar parfum op de zijden zachtheid tegen zijn gezicht.

'Kun je iets zien?'

Hij schudde zijn hoofd en durfde nauwelijks adem te halen. Maar nadat ze hem geblinddoekt had, deed ze liever en zelfs onderdaniger.

'Niets.'

'Je hoeft niet bang te zijn,' zei ze.

Ze had waarschijnlijk gemerkt dat zijn stem hees klonk van angst want op dat moment raakte ze hem aan, hield hem vast als een baby en leidde hem langzaam over de gladde vloer van het huis naar haar slaapkamer. Hij schuifelde met zijn voeten over de vloer en tilde ze nauwelijks op, geblinddoekt en door haar geleid. Hij wist meteen dat hij in haar slaapkamer stond, door de zoete lucht die daar hing en door de zachtheid van de kussens. Toen lag hij alleen op het bed en voelde hij zich weer bang worden, maar ze was alleen even van hem weggelopen om de deur dicht te doen, en een seconde later hield ze hem weer vast.

'Baby, baby van me,' zei ze en ze raakte hem aan. 'Is het zo beter?'

Hij lag een beetje angstig ineengedoken en wist niet wat hij moest zeggen.

'Ik ben zo eenzaam, baby.' Ze zuchtte en klonk heel jong.

Hij was het huis binnengegaan zonder ook maar iets te weten, maar hij leerde snel bij, genoot van deze vreemde situatie, en nu begreep hij ook dat 'baby' iets anders betekende, iemand die sterk was, een man. Haar mond lag tegen zijn oor, die warm en nat werd van haar ademhaling.

'Jij zou mijn vriendje kunnen worden,' zei ze. 'Weet je wat vriendjes doen?'

Hij had geen flauw idee. Hij kon niets zien, hij kon niets zeggen. Hij dacht: Ik ben blind.

'Ik zal het je laten zien,' zei ze en toen ze daar hem aanraakte waar hij heel zacht aanvoelde, trok hij zich terug. 'Nee, nee. Laat me, laat me alsjeblieft.'

Ze raakte hem aan met haar hand, maar de hitte die hem werkelijk in vuur en vlam zette was als het gevoel van blootliggend vlees nadat de huid is afgestroopt, de warmte van bloed en ook een bonkend gevoel. Toen hij zijn handen liet zakken om zich te beschermen, vonden ze haar hoofd en raakten ze verstrikt in het haar van haar losgewoelde vlecht omdat ze haar verhitte gezicht tegen hem aan duwde, haar tong om hem heen krulde, hem niet verslond, hem niet opslokte, maar hoorbaar in extase raakte en verrukt van hem proefde.

'O,' zei ze met een klein stemmetje toen het voorbij was.

Ze murmelde weer wat liefs maar klonk teleurgesteld, hoewel ze hem daar bleef liefkozen. Ze hield hem een hele tijd stevig vast, slaakte toen een zucht en deed zijn blinddoek af.

'Wat heb je gezien?'

'Niets,' zei hij.

'Mooi. Neem wat kleren van Tom en ga maar gauw weg,' zei ze. 'Dit wordt ons geheimpje.'

Hij staarde haar aan. Haar gezicht zag er verhit uit, haar haar zat in de war en haar wangen zagen rood alsof ze ze geschaafd had, maar ze droeg nog steeds haar witte bh en haar roze slipje en lag daar alsof ze net uit haar middagslaapje was ontwaakt. Ze glimlachte tegen hem.

'Toen ik je voor het eerst zag, dacht ik al: Deze jongen is dol op geheimen. Ik geef hem een geheim dat hij helemaal voor zichzelf moet houden. En als hij het geheim goed bewaart, dan geef ik hem nog meer geheimen.'

Ava legde haar pen neer, leunde achterover en rekte zich uit. Toen vroeg ze: 'Is Tom er ooit achtergekomen?'

'Het interesseerde hem niet. Hij had trouwens die oudere vriend. Die Kenny met zijn boot.'

'Maar zijn moeder nam wel een risico.'

'Zijn moeder, dat begrijp ik nu pas, was een mooie, sensuele vrouw die aandacht te kort kwam. Al lang daarvoor kleedde ze zich al mooi aan voor ons. In die simpele blokhut trok ze iedere avond voor het eten mooie kleren aan. Ik weet nog steeds niet hoe die kledingstukken allemaal werden genoemd.'

Ava zei: 'Jouw pubertijd viel samen met de tijd waarin vrouwen zich nog zorgvuldig kleedden, het was de laatste stuiptrekking van die extravagante mode. Witte handschoenen. Dophoedjes. Voiles. Korsetten. Jarretels. Angoratruien. Plooirokken. De vrouwen deden nog echt moeite om er...'

'Mooi uit te zien?'

'Ik wilde eigenlijk zeggen, eetbaar uit te zien.'

'Misschien is dat de reden waarom naaktheid mij niets doet.'

'Misschien ben jij wel de droom van iedere vrouw. Wij zijn altijd zo onzeker over ons lichaam.'

'Ik voelde me zo gevleid dat Toms moeder mij begeerde.'

Ava staarde hem aan en ze zag er nu net zo verhit uit als Toms moeder.

'Wat wilde ze nog meer?'

In plaats van die vraag te beantwoorden, zei Slade: 'In het leven gaat het niet alleen om de dingen die je tot stand hebt gebracht, maar ook om de dingen waar je naar hebt verlangd, de dromen die je hebt gehad, wat in je hoofd zat. Al die geheimen.'

'Waarom glimlach je?'

'Omdat ik me nu realiseer' – hij had al die tijd zitten nippen van een wijnglas dat tot de rand gevuld was met de modderkleurige vloeistof van het opgeloste middel – 'dat ik het me allemaal wil herinneren.'

Ava vroeg: 'Was er dan nog meer?'

'Veel meer.'

6

De geheime verhouding tussen hem en Toms moeder, mevrouw Bronster (hij was te verlegen om haar voornaam uit te spreken, ze heette Lily), was zo ongemakkelijk, zo vol geheimen, onzekerheid en misverstanden, de hunkering van het wachten, de angst om betrapt te worden, die ellendige onzekerheid, het gefluister, de obstakels, het feit dat ze nauwelijks privacy hadden, Tom die kakelde: 'Waar was je nou?' en Nita die hem zat te sarren, en die slappe smoes dat hij een gast was en zij de aardige moeder van zijn zanikende vriend, zoveel last en gedoe, zoveel verwarring en verstoord genot, dat hij wist dat het onmogelijk liefde kon zijn. Hij was dertien jaar. Pas nu hij het voor het schrijven van zijn verhaal met Ava allemaal opnieuw beleefde, en het in de heldere roes van zijn drug zag, begreep Slade dat al die pijn en al dat genot het absolute bewijs vormden dat het wel degelijk liefde was.

Slade verblindde zichzelf om het zich te herinneren, verblindde zichzelf om te kunnen schrijven en verblindde zichzelf om te kunnen begeren; het grootste deel van de dag verkeerde hij in de ban van de verblindende werking van het middel. De dagen in de blokhut aan het meer waren bepalend en inspirerend geweest voor zijn leven als minnaar.

'Omdat alles wat ik moet weten in mijn eigen hoofd zit,' zei hij een paar dagen later tijdens een dicteersessie en hij keek Ava met zijn blinde ogen aan.

'Ze wilde me iedere dag,' zei Slade. 'En ik wilde haar net zo graag. Ik genoot van die dagelijkse routine die een verrukkelijk ritueel werd. Ik verlangde ernaar dat ze me zou blinddoeken. Ik raakte al opgewonden als ik haar hakken op de vloer van de blokhut naar me toe hoorde lopen nadat ze de deuren had dichtgedaan.'

Het volgende ogenblik stond ze naast hem en hoorde hij haar zuchten, rook hij haar parfum, voelde hij haar lichaam langs hem heen strijken, de rijpere, losser zittende huid van haar arm of buik tegen hem aan wrijven.

'Niet bewegen,' zei ze dan. 'Laat je armen langs je zij hangen.'

Hij stond daar als een soldaatje, gehoorzaam en geblinddoekt in het midden van de houten vloer van ruw gezaagde planken, nog zo nieuw dat je de scherpe lucht van het zaagblad rook. Zelfs geblinddoekt wist hij dat Toms moeder daar in haar korte broek en bh stond en hij zag haar lange benen in haar wijde broek verdwijnen. Haar gezicht werd omlijst door vochtige plukjes haar en zag er door de hitte blozend uit. Met zachte handen en vol aandacht kleedde ze hem uit, hielp hem in zijn slipje, herinnerde hem eraan dat het haar mooiste en duurste slipje was, dat hij maar geluk had, en aaide ondertussen met haar vingers over de zachte zijde.

Zijn mond zat dichtgeplakt van paniek en genot, want ze waren slechts met zijn tweeën in het huis en hij wist dat hij deel uitmaakte van iets wat eigenlijk niet mocht – zijn duidelijke begeerte vormde daarvan het bewijs. In de beeldspraak van het pistool, dat hij met begeerte associeerde, voelde hij dat de haan boven het slaghoedje van zijn libido gespannen stond op die hete middagen met Toms moeder.

'Ik moet me verkleden,' zei ze. 'Ik moet me klaar maken. Je kunt me helpen. Dan kom je tenminste niet in de problemen, hè?'

Aan haar stem hoorde hij dat ze zich bukte. Hij hoorde haar schoenen op de grond vallen en daarna de zachte plof van haar korte broek en het schurende geluid van haar slipje dat ze langs haar lange benen naar beneden schoof, en het zachte lispelende geluid waarmee haar bh loskwam; hoe haar stem veranderde en verdraaide als ze naar achteren reikte om haar bh los te haken.

'Ik wil even douchen,' zei ze, en hij hoorde haar blote voeten op de planken toen ze langs hem heen liep naar de douchecabine. Hij luisterde naar het water dat over haar lichaam stroomde. Een moment later stond ze weer in de kamer en begon zich af te drogen met een handdoek waarbij ze een beetje hijgde van de inspanning, en hij hoorde de handdoek over haar huid schuren.

'Help me eens,' zei ze en ze duwde de vochtige handdoek in zijn handen.

Zijn hoofd tolde toen hij de handdoek tegen haar gladde huid aan drukte, voelde hoe haar rondingen meegaven, een nieuw gevoel voor hem, het zachte vlees. En al die geuren – de parfum van haar zeep, de gezaagde planken, de geur in haar slaapkamer, de vochtige lucht die nog steeds het aroma van de hotdogs en de mosterd van het middageten vasthield, vermengd met geschreeuw van kinderen in de verte.

'Vind je het fijn om dit doen?'

Niet in staat om te antwoorden, concentreerde hij zich in de duister-nis van zijn blinddoek en depte zachtjes met de handdoek, genietend van haar warme huid.

'Want je doet het zo goed, dat je het vast al eens eerder hebt gedaan.'

'Nee,' fluisterde Slade en hij veegde blindweg over de huid van de vrouw.

'Je leert snel,' zei ze. 'Kun je me zien?'

Slade maakte een bezwerend geluid van ontkenning door zijn neus dat negatiever klonk dan het woord 'nee'.

'En ook niet stiekem kijken. Stiekem kijken is tegen de regels.'

Haar stem klonk wat verder weg. Ze was van hem vandaan gelopen en hij bleef doodstil staan met de klamme handdoek in zijn hand en luister-de aandachtig. Aan de geluiden te horen, die elke keer hetzelfde klonken, dacht hij dat ze zich vooroverboog, laden opentrok, kleerhangers opzij schoof, en hij vermoedde dat ze in de ladekast en in de kleerkast aan het kijken was, en kleren uitzocht.

'Kom eens hier.'

Hij kwam blij aanlopen, voor zijn eigen plezier, voor haar plezier, maar hij struikelde en verfrommelde de handdoek, alsof hij zijn even-wicht zocht.

'Voorzichtig,' zei Toms moeder, 'hier ben ik.'

Elke keer hetzelfde spelletje, waar hij dol op was. Ze liep heen en weer, er lag een lach in haar stem en hij hoorde haar begeerte in die lach.

'Je kunt me toch niet vinden.'

Ze sloeg zo'n plagerig toontje aan dat hij ook lachte en zich opge-wonden voelde. Hij ontspande zich en in die heerlijke stemming leek hij Toms moeder als een grote rechtopstaande gloeiende vorm te zien die vanaf de andere kant van de kamer hitte uitstraalde. Hij liep naar voren met zijn armen recht voor zich uitgestrekt, volgde de flarden van haar parfum, het kraken van de plankenvloer, en ontdekte dat iedere geur zijn eigen hitte afgaf.

'Je bent niet goed in verstoppertje spelen.'

'Echt wel,' zei hij alsof hij het tegen een vriendje had, hoewel hij een tikkeltje kortademig was van verlegenheid. 'Ik ben er hartstikke goed in.'

'Zoek me dan,' zei ze.

'Waarom zou ik?' zei hij, zodat hij haar stem weer kon horen.

Ze antwoordde: 'Als je me vindt, mag je me aankleden.'

Hij genoot met zijn hele lichaam van dit spelletje. De blinddoek voor zijn ogen was zijdezacht, rook naar parfum, droeg de geur van haar huid. Hij genoot van de duisternis op zijn gezicht, de zachte gewichtloosheid van haar slipje dat zijn pik aaide – dat alles, en de zonneschijn en de intieme hitte van die zomermiddag in de kleine slaapkamer van de blokhut, de warme scherpe lucht van de houten planken, een vleug naakte huid en parfum, de plagerige meisjesachtige stem. Het voelde allemaal warm aan op zijn huid, en het bloed in zijn hoofd leek hem te verstikken van de hitte.

Hij glimlachte en realiseerde zich dat de blinddoek hem hielp dit alles te weten: hij kon alles in de kamer zien, horen en ruiken. In een stilte die rijk was aan geuren, draaide hij zijn hoofd om en stak zijn vingers uit. Ze had hem bevrijd en hem van iedere blaam gezuiverd door hem te blinddoeken.

Hij voelde warme gladde zijde en bewoog zijn handen naar de rand en gleed met zijn vingers over het gestikte elastieken bandje dat strak tegen haar huid lag. Hij volgde met zijn vingertoppen het smalle kanten strookje dat erlangs liep, streelde het gaas, de gerimpelde textuur, het randje van elastiek, de soepele zijde. Hij voelde verder en vond haar heup waar haar slipje strak om haar heen sloot. Ze zuchtte en kantelde haar lichaam en duwde zichzelf tegen zijn vingers aan, bood hem een handvol van die zachte zijde aan en haar warme lichaam daaronder.

'Een kanten slipje,' zei ze zachtjes en ze hield de woorden in haar mond waar ze ze savoureerde tot ze stroperig werden.

Haar slipje voelde warmer en gladder aan dan haar huid en toen hij haar met zijn andere hand aanraakte begreep hij het kleine wonder dat ieder deel van haar lichaam een andere temperatuur had. Als hij geen blinddoek had gedragen had hij het niet geweten. En hij ontdekte nog iets anders in zijn duisternis: dat ze zwaarder ademhaalde dan hij kon horen – hij voelde het kloppen van bloed en lucht in de kleinste spiertjes onder haar huid.

'Dus je hebt me gevonden,' zei ze.

Aangemoedigd door de glimlach in haar stem gleed hij met zijn vingers over het bandje van haar bh naar de sluiting, speelde daar even mee en vond toen haar borsten. Hij legde zijn handen eromheen zoals hij dat al in gedachten had gedaan toen hij ze voor het eerst zag en tilde ze lichtjes op, voelde hun gewicht in het stevige omhulsel van de stiksels en het ribbelpatroon tot zijn duimen ontdekten dat ze zacht en mollig aanvoelden waar ze uit de cup puilden.

Zijn gezicht was dicht bij haar naakte buik, haar adem een regelmatig terugkerende zoete, zachte druk tegen zijn wang en toen ze sprak, trilden de woorden zachtjes in haar lichaam.

'Wil je me nu helpen aankleden?'

Slade knikte, zijn neus liefkoosde haar huid.

'Eerst moeten we kousen aantrekken.'

Alleen al bij het horen van de woorden 'slipje' en 'kousen', voelde hij een begeerte in zich opwellen om haar kleren te proeven en in zijn mond te nemen, maar dat was zo'n waanzinnige fantasie dat hij dat niet durfde te zeggen. Hij kon zich niet voorstellen dat hij haar ooit aan zich zou kunnen onderwerpen, en hoewel hij opgewonden was kwam het niet bij hem op om haar te penetreren, hij wilde haar alleen maar vasthouden. Hij wilde haar liefkozen, haar lichaam door haar kleren ruiken, aan haar snuffelen en zachtjes aan haar kleren knabbelen met zijn tanden, zo dicht bij hem, zo verrukkelijk in haar ondergoed, leek ze wel eetbaar. Hij likte aan de rand van haar slipje en zoog op de zijden stof.

Ze had maar één woord hoeven zeggen en hij was gestopt. Maar er kwam niets, alleen haar nauwelijks merkbare ademhaling, haar gespannen spieren, haar aanmoedigende zuchten en haar vingers in zijn haar. Hij knielde als een misdienaar voor een decadente priesteres, blind, met zijn mond tegen haar aan.

Ze hield de kousen tegen zijn wang en duwde zijn gezicht zachtjes weg.

'Dit is een jarretelgordel,' zei ze. Ze deed hem om en haakte hem vast. 'Nu moet je mijn kousen vastzetten.'

Haar ademhaling stokte even toen ze zich bukte en toen klonk het zachte geruis van zijde tegen haar been terwijl ze eerst de ene kous aantrok en toen de andere. Ze deed hem voor hoe hij de kousen in de jarretels moest haken, en hield zijn handen vast. Hij vond het heerlijk om aan haar dijen te zitten friemelen, met zijn knokkels langs de stof te schuren en de verschillen in temperatuur te voelen, alsof hij een geliefde uit huid, elastiek en zijde creëerde.

'Strakker,' zei ze. 'Ja, zo is het goed.'

Hij zat nog steeds met zijn gezicht tegen haar aan, geknield, halfnaakt in haar slipje, in een aanbiddende houding. Hij vond het opwindend dat zij veel langer was dan hij en dat zijn gezicht, toen hij klaar was met het vastzetten van haar kousen en opstond, op gelijke hoogte met haar borsten was.

'Wat zullen we aantrekken?'

Ze bracht hem naar de andere kant van de kamer en deed een kastdeur open. Hij tastte wat om zich heen tot ze zijn hand pakte en hem met zijn vingers tussen de jurken liet zoeken.

'Chiffon,' zei ze. 'En dat is moiré-zijde. Tafzijde. Voel eens – voelt het niet verrukkelijk aan? Je kunt beter kiezen als je geblinddoekt bent.'

Zijn onderzoekende vingers gleden door de kast. Hij aarzelde even en begon toen heel langzaam een hangend kledingstuk te strelen.

'Deze,' zei hij.

'Dat is een plooirokje,' zei ze weifelend. 'Maar goed, als jij het mooi vindt dan draag ik het voor je.'

Ze haalde de kleerhanger ratelend van de roede, schudde de rok even uit en haalde de hanger uit de rokband. Ze trok het rokje over haar hoofd aan, zat even klem en schoof het toen naar beneden en trok het glad.

'Nu mag je het dichtritsen,'

Hij gebruikte zijn beide handen om de ritssluiting bij elkaar te houden, pakte het lipje vast en trok het omhoog. Hij voelde dat de rok perfect om haar heen sloot en gleed met zijn vingers door de diepe plooien.

'Mooi zo. Dat heb je zo goed gedaan dat je me nu mag helpen met het uitkiezen van een blouse.'

Hij zat alweer aan haar kleren te voelen, trok zachtjes aan mouwen en probeerde te raden welke van blouses waren. Er gleed een soepele stof over zijn handen, zo koel en glad dat hij als vloeistof in zijn vingers aanvoelde. Hij bracht de stof naar zijn gezicht en snoof de geur op, en zei: 'Deze.'

'Dit is mijn lievelingsblouse,' zei ze en ze haalde hem van de hanger. Aan haar stem, die een tikje gespannen klonk, kon hij afleiden dat ze bezig was om de blouse aan te trekken. 'Maar hij heeft wel heel kleine knoopjes.'

Hij raakte ze aan. Ze waren klein en dicht op de blouse genaaid. Ze voelden ook koel aan.

'Zaadparels.' Ze draaide van hem weg en ging op haar knieën zitten zodat hij over haar heen leunde. 'Maak ze maar vast.'

Zijn blinddoek vormde geen belemmering; daardoor genoot hij juist nog meer van het spel. Hij legde de rand van haar open blouse tegen de holte in haar ruggengraat aan en werkte vervolgens vanaf haar nek naar beneden, en zette de knoopjes een voor een vast. De zaadparels waren piepklein maar zijn vingers waren bedreven – heel bedreven, ze wisten wat ze deden, namen voor ieder knoopje geduldig de tijd. Deze sensuele beproeving, het hele ritueel, bracht hem in vervoering. Hij had het al heerlijk gevonden om zijn kleine handen om haar borsten te leggen en hij had genoten van zijn gezicht dat tegen haar slipje aan drukte zodat hij nauwelijks kon ademhalen. Maar de zijden blouse dichtknopen, ieder pareltje vastpakken en in een gaatje proppen, had hij toch wel als zijn meest verrukkelijke taak ervaren, met haar haren die over zijn vingers vielen, de geur van haar nek, de warmte van haar schouders onder zijn handpalmen, de manier waarop de knoopjes met haar mooie rugwervels correspondeerden.

'Je bent een schatje,' zei ze. 'Wist je dat?'

Hij glimlachte. En daarna zocht hij schoenen voor haar uit, koos ze op hun spitse hakken, en toen ze erin stapte werd ze zelfs nog langer, een warme reuzin, haar stem vervormde een beetje door haar lengte. Hij stond nog steeds dicht tegen haar plooien en zijde aan.

'Zal ik de blinddoek afdoen?'

Hij schudde zijn hoofd. Hij kon niet zeggen waarom hij hem op wilde houden; misschien om de intensiteit van haar geuren langer vast te houden, om de stof beter te kunnen voelen of om zich onschuldig te kunnen voelen, want hij voelde geen schaamte in deze extatische half dromende, half wakende toestand waarin de duisternis zoveel onthulde.

'Leuk is dit, hè?'

Leuk was voor hem niet het juiste woord; voor hem was het onbegrijpelijke extase. Dat hij al die tijd kreeg om haar aan te raken en haar aandacht te geven, dat hij haar mocht bedienen. Maar hij kon het niet verwoorden en de enige manier die hij kende om haar te bedanken was zich nog bereidwilliger op te stellen. Door middel van zijn gehoorzaamheid wilde hij haar duidelijk maken: ik zal alles doen wat je vraagt.

'Ga maar zitten, lieverd,' zei ze vriendelijk en ze leidde hem de goede kant op.

Maar het was geen stoel. Het voelde veel zachter aan dan een zetel en veerkrachtiger. Het was de rand van het bed, vermoedde hij, maar voor hij het zeker wist, had ze haar armen om hem geslagen, had de zachte witte reuzin hem omvat, lag haar lichaam tegen het zijne. Hij lag daar stijf, blind, passief en tegelijkertijd dolgelukkig omdat hij haar kleren tegen zich aan voelde kreukelen, de blouse die hij had uitgekozen, de plooirok, de bandjes en de zachtheid van haar ondergoed, en haar huid die vochtig aanvoelde waar zijn vingers haar vastgrepen.

'Baby,' zei ze, 'baby.'

Hij liet zich gaan en werd bij haar omhelzing bijna gesmoord in al die verschillende weefsels.

'Hou me vast, baby.'

Hij hield haar vast, in het begin heel losjes alsof hij haar uittestte, en daarna steviger, vuriger.

Hij voelde haar hongerige mond en zachte lippen op zijn gezicht. Hij had zich nooit kunnen voorstellen dat iemand hem zo zou kussen, hartstochtelijk zou likken, haar naar bloemen ruikende speeksel op zijn lippen en tong, de warmte van haar neusgaten op zijn wang toen ze ademhaalde en hem weer kuste. Haar loszittende blouse gleed langs haar welvingen. Hij kon haar huid onder de stof voelen, haar strak zittende bh en de stijve cups die haar borsten omsloten. Hij kende nu ieder stukje van haar, de plooirok, de kousen, de jarretels die hij had vastgemaakt, het kanten strookje dat hij met zijn vingers had verkend.

Ze pakte zijn hand en schoof hem tussen haar dijen, leidde hem naar de hitte onder die wirwar van plooien, de zalig ruwe textuur van het kantwerk, de bandjes en klemmetjes. Alles wat hij aanraakte, hoorde bij haar lichaam, al die kledingstukken, de zijdeachtige haartjes, tot hij diep in haar kwam, intens genietend van het gevoel ook al deed zijn pols pijn omdat hij hem in een rare hoek moest buigen, en wist dat hij haar geheime ik had gevonden. Dit deel van haar lichaam was helemaal niet donker maar felgekleurd, bloedrood en glanzend, een weke buidel van kant en vlees, met daarbinnen iets wat warm en vochtig en levend was, alsof dat het geheim van het leven bevatte.

Ze begon te huilen, het klonk in ieder geval alsof ze snikte, toen ze haar lichaam tegen zijn gezicht aan duwde, zijn blinddoek verfrommelde zodat hij de zijde en de stiksels tegen zijn lippen voelde. Hij herinnerde zich – niet in woorden maar als een verlangen – hoe hij op haar mooie kleren had willen sabbelen, en werd bijna bang bij de gedachte hoe verschrikkelijk graag hij haar had willen opeten.

'Laat mij het maar doen,' zei ze.

Hij begreep niet wat ze bedoelde tot hij het slipje van zich af voelde glijden en zij het met haar lange armen langs zijn benen naar beneden schoof.

Toen was hij naakt, geblinddoekt, en toen zij zich achterover op bed liet vallen, ging hij boven op haar liggen. Ze trok hem naar zich toe, hield hem in evenwicht en deed eindelijk haar benen voor hem van elkaar, en rukkend aan haar wanordelijke kleren om hem te ontvangen, verbaasde het hem hoe perfect zijn lichaam op het hare aansloot.

Hij was geen groentje meer. Haar koele vingers hadden hem omvat en hij ervoer de nog koelere sensatie van haar zijden ondergoed terwijl ze hem streelde en vastpakte om hem dieper naar binnen te duwen, naar het heetste plekje van haar lichaam. Ze spande haar spieren om hem heen tot hij het niet meer uithield en alleen nog maar kon jammeren, alsof hij omsloten door de lippen, de zijde en het vlees een bloem penetreerde en dieproze bloemblaadjes in het rond strooide. En toen het voorbij was en het laatste bloemblaadje was gevallen en hij rilde en naar adem snakte en helemaal koud werd, krijste zij in zijn oor om meer.

Hij viel even in slaap en werd kwijlend wakker op haar borst. Zijn blinddoek was afgegaan maar het was donker in de kamer. Hij kon niets zien, hij had geen idee waar hij was en hij wist niet hoe hij heette. Het lichaam van de vrouw was een eiland waar hij was aangespoeld, door een woeste golf aan land geworpen en gered.

Hij bleef doodstil liggen, probeerde het zich te herinneren, bang om te spreken.

Ze zei: 'Spelen is niet verkeerd.'

Haar vriendelijke toon maakte hem gelukkig.

Ze zei: 'Dit kunnen we iedere dag doen.'

Hij wilde ja zeggen maar durfde niets te zeggen, bang voor hoe zijn stem zou klinken, want ze had hem binnenstebuiten gekeerd, en hij was nu naakter dan naakt.

'Dit is ons geheim,' zei ze. 'Je mag me aankleden. Je gaat het toch tegen niemand vertellen, hè?'

'Nee,' zei hij gehoorzaam, want hij hoorde een dringende klank in haar stem die maakte dat hij ja moest zeggen.

'Mag ik je gelukkig maken?' vroeg ze.

Hij zei ja met zijn lichaam en ze vroeg het hem nog eens.

'Ja, mevrouw Bronster.'

Toen liet ze hem los. Ze vroeg hem dwingend, en leek hem met heel haar onstuimige lichaam te smeken: 'Als je het tegen iemand vertelt, dan doe ik je wat.'

Hij wendde zich van haar af en tastte naar zijn blinddoek maar toen het eenmaal stil was geworden in de kamer, was de blinddoek niet meer nodig. Ze was weg.

Bij het avondeten droeg ze nog steeds de kleren die hij had uitgekozen. Hij vond het fantastisch om met de kakelende Tom en de chagrijnige Nita aan tafel te zitten en over van alles te praten behalve over dat ene. De kleren zeiden alles; dat hij haar bezat, dat zij hem bezat: dat was hun geheim. Zij had een blinde, gewillige minnaar van hem gemaakt. Ze had een man van hem gemaakt.

'Mijn eerste liefde,' zei hij op fluistertoon tegen Ava en ze deed zijn zijden blinddoek af.

Alles wat hij in zijn geestesoog had gezien, alles wat de datura mogelijk had gemaakt, alles wat hij zich van zijn verborgen leven, van zijn seksuele geschiedenis, had herinnerd en opnieuw had beleefd, dat alles en nog veel meer had hij aan Ava gedicteerd. Er viel zoveel te vertellen, want hij had het grootste deel van zijn leven met geheimen geleefd. Hij werd aangenaam getroffen door de symmetrie ervan, de realiteit ervan, het onalledaagse ervan, en hij bedacht dat in films en boeken, waarin onthoofdingen, verkrachtingen en geweld schering en inslag waren, het eigenlijk zo zelden voorkwam dat twee geliefden gewoon lekker lagen te neuken.

In zijn innerlijke verhaal had hij een langere en moeilijkere weg genomen dan de weg die hij in *Trespassing* had beschreven. Hier was hij geconfronteerd met zwakheid, onvermogen, schaamte en gevaar. Toch had hij zich nog nooit zo oppermachtig gevoeld als op die avonden en dagen dat hij blind zijn verleden herbeleefde. Dat gevoel van macht versterkte zijn geloof in de kroniek van herkansingen die hij met Ava opnieuw had beleefd, als de verzameling van alle passie die hij ooit had ervaren.

Lang geleden, als eenzelvige jongen, had hij de betekenis van zijn lustgevoelens niet begrepen. Nu hij ze opnieuw beleefde in het verblindende licht van de drug, werden ze voor hem pas begrijpelijk. Het vervulde verlangen uit zijn jeugd was de enige hartstocht die ertoe deed. Hij hield zichzelf voor dat zijn fantasie ook werkelijkheid was. Wat hij had gewild en nooit had gekregen, had hem gemaakt tot wie hij was; wat in zijn herinnering begraven had gelegen was uit de duisternis getrokken en tot leven gewekt. En niets was zo sensueel als de verboden kijkjes in zijn verleden, niets was zo waarachtig als zijn fantasieën. Hij noemde het fictie omdat ieder geschreven woord fictie was.

Zijn werk zat er dus op. Het verleden had betekenis gekregen. Hij had eindelijk zijn roman *Het Boek der Openbaring*, en hij kon de wereld weer in de ogen kijken.

Deel vier

Boekentournee

1

Hij voelde zich euforisch omdat zijn boek af was, bevrijd van een last die hij als een geduldige pakezel zo lang met zich had meegedragen dat die hem had verwond en verzwakt. Al die onzekerheid, die onaffe probeersels, de fragmenten van een belofte die in een stapel aantekeningen en geluidsbanden werden bewaard, hadden hem het gevoel gegeven dat hij incompleet was. Er was niets glorieus aan het verpletterende gevoel dat hij gewond was geraakt en weer genezen moest, het had niets van die innerlijke worsteling die de oorsprong van alle kunst scheen te zijn. Door de doffe pijn had hij zich een lagere diersoort gevoeld waarbij uit een afgebroken stomp heel langzaam weer een lichaamsdeel aangroeide. Nu hij zijn boek af had, voelde hij zich weer energiek, geheeld en gelukkig.

Op wat redigeerwerk na – de laatste transcripties en correcties – had Steadman nu zijn boek. Deze beloning voor al die jaren van stilte, iets wat eindelijk helemaal van hemzelf was, was een seksuele biecht in de vorm van een roman. In het begin voelde hij zich zo licht in zijn hoofd dat hij de daturathee die hij iedere werkdag had gedronken om de draad van zijn verhaal op te kunnen pikken niet miste. Hij was in de wolken dat de intense beleving van zijn verleden onthuld was en door hem begrepen werd.

Gedurende het jaar dat hij aan het schrijven was, had hij zijn redacteur niet hoeven melden dat hij weer aan het werk was. Dat gerucht had New York al veel eerder bereikt. De redacteur heette Ron Axelrod. Als nieuwe jonge redacteur had hij Steadman geërfd nadat diens eerste redacteur was overleden. Maar die redacteur had net als Axelrod in al die jaren nooit een nieuw boek van Steadman gezien en had alleen maar wat met contracten zitten schuiven en de nieuwe goedkope edities van *Trespassing* begeleid.

Steadman belde met Axelrod om hem het nieuws te vertellen. Hij vertelde dat hij al een schijfje met het eerste deel van het manuscript op de post had gedaan. 'Ik doe weer mee,' zei hij.

'Ik weet niet of je je ervan bewust bent,' zei Axelrod nadat hij de eerste hoofdstukken had gelezen, 'maar je boek heeft een mystiek tintje.'

'Als het maar bij de voorjaarsaanbieding zit.'

'Ik denk dat we wel genoeg productietijd hebben. Als je het hele manuscript binnenkort inlevert, dan kunnen we dat proberen.'

Het zag er niet naar uit dat er nog iets kon gebeuren waardoor zijn stemming er nog beter op werd. Toen werd er weer gebeld. Ava was aan het werk; de dag nadat hij klaar was met dicteren en de laatste bandopnames voor de transcriptie waren opgestuurd, was ze teruggegaan naar het ziekenhuis. Op een zaterdagochtend lag hij lui in bed, met een paar kussens in zijn rug ontspannen tv te kijken. In het begin was Steadman nog te slaperig om de *Teletubbies* weg te zappen, toen pakte hij de afstandbediening en drukte op een knop zodat er een nieuw programma op het scherm verscheen. Het was een grimmige tekenfilm in felle kleuren: een gemeen kijkende man met een groene ooglap en een haakneus die onder een stormachtige lucht tikkend met zijn stok over een kasseien straat zijn weg zocht. Boven zijn uitgemergelde gezicht zwaaide een uithangbord heen en weer aan de gevel van een groot oud huis, *The Admiral Benbow Inn*. Hij droeg een zwarte mantel met een capuchon waardoor hij eruitzag als een paraderende, boosaardige torenkraai.

'Is er een vriendelijk mens die een arme blinde man die zijn gezichtsvermogen heeft verloren bij het verdedigen van zijn vaderland, Engeland – en God zegene koning George – kan zeggen waar of in welk deel van het land hij zich bevindt?'

Een jonge jongen die Steadman herkende als Jim Hawkins, maar die met een bleek gezicht was getekend dat er zachtmoedig en meisjesachtig uitzag, stapte uit de schaduw met een flakkerende lantaarn met oranje glas.

'U staat voor de Admiral Benbow.'

De blinde man draaide zich razendsnel om, pakte Jims hand beet en draaide de magere arm van het joch op zijn rug.

'Zo jochie, breng me maar naar de kapitein.'

'Sir, op mijn erewoord, dat durf ik niet.'

'Breng me onmiddellijk naar hem toe, of ik breek je arm.'

Steadman zag hoe Blind Pew het joch intimideerde en de stuipen op het lijf joeg. Op het moment dat Blind Pew de kroeg binnenstapte, ging bij Steadmans de telefoon.

'U spreekt met het Witte Huis, de zetel van de president. Wij zouden meneer Steadman graag willen spreken.'

Hij hield zijn duim op de afstandsbediening en zette de tv zacht. Zodra Blind Pew de Zwarte Vloek uitsprak, kwam er gelazer – oude grijzende matrozen die de kamers overhoopgooiden en zeemanskisten leeghaalden.

'Daar spreekt u mee.'

Blind Pew stond weer buiten, tastte om zich heen en was verdwaald. Steadman keek vol genoegen toe, voelde minachting voor deze kwaadaardige en struikelende blinde man, die opeens door de anderen in de steek was gelaten.

'De president wil graag weten of u op 10 november in het Witte Huis kunt komen dineren ter gelegenheid van het bezoek van de Duitse kanselier.'

Terwijl Blind Pew geluidloos over de lege, donkere weg voortstrompelde en om hulp riep, legde de vrouw aan de telefoon uit dat ze alleen maar belde om te weten of hij daarbij aanwezig kon zijn. Als het antwoord ja was, zouden ze een uitnodiging sturen.

'Heel graag. Geldt de uitnodiging ook voor mijn partner, dokter Ava Katsina?'

'Vanzelfsprekend.'

Steadman spelde Ava's naam en de secretaresse van het Witte Huis nam de details even door ('het wordt avondkleding'), en op dat moment viel Blind Pew in een greppel. Hij klom er als een krab uit en toen hij weer op de weg stond werd hij doodgetrapt door vijf galopperende paarden.

Ava was in haar nopjes met het nieuws. Ze bewoog zich lichtvoetig, gelukkig en rusteloos van blijdschap, nog steeds gehuld in haar groene operatieschort. 'Dit is fantastisch.' Ze keek Steadman van opzij aan en glimlachte onzeker, omdat het leek alsof er nog meer was, dat hij niet wilde verklappen. Toen ze de kikkerachtige uitdrukking op zijn gezicht zag, met zijn zware oogleden, zijn halfgeloken ogen en zijn op elkaar geperste lippen, zei ze: 'Vertel op, wat is er?'

Hij zei niets, hij kneep zijn ogen tot spleetjes en had zo nog meer weg van een kikker, hij liep een beetje heen en weer. Op zijn gezicht stond te lezen: *Dit is volmaakt.*

Ava volgde hem op de voet en toen draaide hij zich om en zei: 'Ze vroegen nog of ik...' hij hief zijn handen en maakte met zijn gekromde vingers een paar aanhalingstekens in de lucht, '... hulpbehoevend was.'

Er verscheen een zorgelijke trek op Ava's gezicht.

'En wat heb je toen gezegd...?'

Steadman begon te lachen, veel te hard, een luide zelfverzekerde snaterende lach.

Ava hield hem vast en keek hem smekend aan. Ze zei: 'Als je mysterieus probeert te doen, dan kun je toch zo'n lul zijn.'

'Dat ik zelfs in het donker kan zien,' zei hij.

Ze krijste, protesteerde luidkeels en begon daarna zachtjes te huilen van pijn en verraad.

'Dat kun je niet maken.'

Hij wist zeker dat hij dat wel kon, maar hij besefte vanaf dat moment dat hij haar daar nooit van zou kunnen overtuigen.

'Het is een leugen.'

Zachtjes, haast fluisterend, maar op een verhitte toon, zei Ava: 'Ik kom net terug van het ziekenhuis. Daar hebben we met echt zieke mensen te maken. Met "hulpbehoevende mensen" en zo. We hebben zieke kinderen. We hebben te maken met mensen die in de war zijn en overstuur omdat ze net te horen hebben gekregen dat ze macula-degeneratie hebben, waar geen genezing voor bestaat. Het is schandalig om dan net te doen alsof je blind bent.'

'Ik doe niet alsof,' zei hij.

Ze schreeuwde 'Nee!' en liep de kamer uit. Maar hij wist dat hij er nog meer over te horen zou krijgen tijdens het eten, en dat gebeurde ook. Ze zei dat ze zich eerst schuldig had gevoeld omdat ze zo snel na het voltooien van zijn boek weer aan het werk was gegaan, en hem zo plotseling alleen had gelaten. Maar nu was ze er blij om, zei ze. Ze wilde dat ze veel eerder was gegaan.

Toen hij geen antwoord gaf, zei ze: 'Ik kan dat zelfvoldane smoel van jou niet aanzien.'

De dagen daarna voelde hij zich zo lui en bevrijd dat hij de datura weer innam en hij merkte dat het hallucinogene effect ervan heel krachtig was. Zelfs zijn stem onderging een verandering, klonk declamerend, en kreeg een stamelend vibrato. De datura was zijn vriend. Als hij blind was, kon hij zijn wereld reconstrueren en zijn ware plaats erin vinden.

'Opgestaan uit de doden,' zei hij.

De hele dag lag voor hem, zonder de verplichting terug te gaan in zijn herinnering en zijn verleden opnieuw te bezoeken; hij hoefde niets te voltooien. Hij had zijn boek geschreven.

Die dag belde Axelrod met het nieuws dat *Het Boek der Openbaring* in de voorjaarsaanbieding zou komen.

'Maar je moet me wel helpen met de aanbiedingstekst.'

'Kom maar op.'

'Vertel eens waar het over gaat.'

'Over de fysieke kant van de scheppingsdaad.'

'Ja?'

'De oorsprong van de kunst.'

'Kun je iets specifieker zijn?'

'Luister, het gaat over zichzelf.'

Hij zei dat dit boek meer over overtredingen en verboden terreinen ging dan *Trespassing* zelf. Het was een reis door het innerlijk. Hij vertelde er niet bij dat hij die reis met behulp van de datura had gemaakt, die naam die klonk als een elegant, dartel vehikel dat hem de hele weg had begeleid, heen en terug.

De daaropvolgende dagen zat Ava te mokken, kwaad omdat hij met alle geweld blind naar het diner in het Witte Huis wilde, dat hij gehandicapt in het openbaar wilde verschijnen als de gast van de president, als iemand die gefotografeerd zou worden en over wie geschreven zou worden. Als hij praatte, deed Ava een stap opzij om hem de ruimte te geven omdat hij haar op de huid leek te zitten, langs haar heen leek te kijken, alsof hij een redevoering hield voor een mensenmenigte, zich tot de wijde wereld richtte, met grote gebaren sprak, als iemand die de hoofdrol speelt in zijn eigen film. Hij leek zich ervan bewust te zijn dat er van alles gaande was op de Vineyard, hoe men zich verbaasde over zijn helderziendheid, de mompelende getuigen van zijn hernieuwde faam, de triomfantelijke tweede akte van zijn leven, dramatischer, zichtbaarder en oorspronkelijker dan de eerste.

Hij stelde zich zijn gezicht voor op het boekomslag: ogen die onder invloed van de drug ondoorzichtig waren, maar toch choquerend, met een gepijnigde, scherpe starende blik die alles zag, want dit nieuwe boek was als het oudste boek ter wereld, een belijdenis die zowel een profetie als een openbaring was.

Hij had ervan gedroomd een dergelijk boek te kunnen schrijven. Hij had ernaar verlangd het te kunnen creëren maar was onzeker en aarzelend geweest, had niet geweten hoe hij moest beginnen. Het boek dat hij in gedachten had was bedoeld om iedere mogelijke biografie over hem uit te sluiten, zodat alleen al de gedachte aan een biograaf bespottelijk was. Een parasiet, een klaploper, een buitenstaander, een indringer, een hakkelende uitlegger, die met zijn neus tegen een smerige ruit gedrukt door een dik gordijn staarde; wie had zo iemand nodig? Voor iemand die de waarheid uitputtend en zonder enige terughoudendheid opschreef, de ultieme bekentenis aflegde, was een biografie overbodig. Waarom zou iemand die moeite doen? Er viel niets te schrijven, niets nieuws, niets van enige waarde. Met het boek dat hij zijn roman noemde, had hij dus het werk van alle toekomstige biografen overgenomen.

'Ik heb ze werkloos gemaakt,' zei hij op luide toon alsof hij het tegen de wereld had.

Axelrod zei: 'We kunnen het nu al in de prospectus opnemen. Als je het manuscript voor het eind van de maand digitaal aanlevert, kunnen we het boek in het voorjaar publiceren. Zullen we zeggen dat het een reisverhaal wordt?'

'Het is een reisverhaal, het is een autobiografie, het is alles. Maar het is vooral fictie.'

'Fantastische titel.'

Toen de redacteur weer over de aanbiedingstekst begon, zei Steadman: 'Het is eigenlijk veel beter om géén tekst te hebben.' En toen de redacteur een beetje bedenkelijk keek, zei Steadman: 'Alleen de titel.'

Iedereen hechtte zijn goedkeuring aan de tweeduizend jaar oude titel: *Het Boek der Openbaring.*

Tijdens een vochtige oktobermaand waarin de wind de golven in de haven geselde en verkleurde en verdorde bladeren over het eiland joeg, had de Vineyard zich bijna ontdaan van zijn bezoekers en werd het eiland weer teruggegeven aan de vaste bewoners. Na maandenlang van gestaag werken gaf het Steadman een vreemd gevoel om zo weinig omhanden te hebben afgezien van het redigeren van het manuscript. Tijdens het dicteren, dat bijna een jaar had geduurd – ze waren in november van het vorige jaar teruggekeerd uit Ecuador – had een vrouw uit Edgartown die een secretariaatsbureau runde de bandopnames die hij met Ava had gemaakt, getranscribeerd. De vrouw had gezegd dat ze niet gauw gechoqueerd raakte. 'Als moeder van drie jongens en een meisje, en een echtgenoot bij de kustwacht, heb ik zo ongeveer alles al gezien.' In het begin stuurde ze de bladzijden met een koeriersdienst op. Daarna, misschien om geld uit te sparen, kwam ze ze persoonlijk brengen. Ze was gelijk opgegaan met de dictaten, de bandopnames en de aantekeningen, en niet lang nadat Steadman klaar was, overhandigde ze hem de rest van de eerste versie van de roman, met de verbeten glimlach van iemand die tot het uiterste was beproefd, alsof ze haar afkeuring niet wilde laten blijken.

Het boek was af, op wat kleine correcties en wijzigingen na. Het deed hem genoegen het hele boek voor zich te hebben. Maar hij werkte nu wel zonder de drug en wat leken de gedrukte woorden nu verschrikkelijk kaal vergeleken bij de stippelgravure van glinsterende pixels in zijn visioenen onder invloed van de drug.

Hij haalde fouten weg, streepte met een marker bepaalde woorden en zinsdelen aan, schrapte alles wat gekunsteld klonk ('uitzinnige, oculaire golven' werd 'een woeste met ogen bespikkelde deining'; hij schrapte de woorden 'sacraal', 'onnoembaar' en 'chiastisch'). Nu zijn dagen slechts gevuld waren met het prutsen aan zijn manuscript, raakte hij gedesoriënteerd. Hij was blij dat hij verlost was van de stress van het schuldbewuste eenzijdige leven van een schrijver met een onaf boek, maar hij miste de dagvullende routine van het dicteren, de opwinding van de sensuele nachten, het uitkijken naar het moment dat hij de drug 's morgens kon innemen. De muziek was opgehouden, de herrie in zijn hoofd was weg, het huis was voorspelbaar geworden, kleurloos, was niet langer een hallucinatie. De ene dag leek op de andere, de lege uren van stille ochtenden en veel te lange middagen en droomloze nachten zonder doel, zelfs zonder de belofte van Ava. Ze was altijd moe: haar werk, haar leven, speelde zich ergens anders af. Hij werd herinnerd aan zijn leven vóór Ecuador, toen hij niets te doen had gehad, niets wist te schrijven; toen hij zich cynisch en impotent had gevoeld. Hij was nu niet meer impotent maar toch voelde hij zijn begeerte afnemen, die oude ongehoorzaamheid, alsof het vlees hardhorend was.

Hij merkte dat hij niet meer zo gemakkelijk kon lezen; hij was gewend aan gloeiende vormen en kleuren en daardoor waren zijn ogen de strenge kleine letters ontwend. De letters sprongen heen en weer en liepen door elkaar als hij met zijn ogen knipperde, waardoor hij zich dyslectisch voelde. Daarom zette hij maar een koptelefoon op en luisterde naar geluidsbanden. Die ochtend toen hij Blind Pew heel even op televisie had gezien was zijn interesse gewekt. In zijn huidige rusteloze gemoedsstemming had hij een doos met banden, klassiekers van Stevenson, met een taxi uit Vineyard Haven laten komen. Hij sloot de wereld buiten door Stevenson dicht tegen zijn oren te klemmen. Van sommige passages stond hij versteld, maar de beste stemden hem ook droevig door hun nauwkeurigheid en gaven hem een eenzaam gevoel. Dat gevoel had hij vaak als hij ontroerd raakte door de waarheid in fictie.

Hij miste de datura, hij miste de genoegens ervan, hij miste de welwillende leiding van het middel, hoe het hem had geholpen nieuwe wegen in te slaan; hij miste de manier waarop de datura hem naar boven had geleid naar een uitkijkpunt waar hij zichzelf zo duidelijk zag dat hij zich op zijn hele wezen kon concentreren, als een man die voor een spiegel staat en zijn zelfportret tekent. Hij miste de kleurcomplexiteit, de manier waarop een kleur zich als verschillende lagen manifesteerde, als bladeren van onschuldig licht die pas betekenis kregen als ze bij elkaar werden gelegd. De drug had hem daar toegang toe verleend en nu was hij alleen nog maar een gewone buitenstaander.

Dankzij de drug had hij zich door tijd en ruimte kunnen bewegen, ervaringen van zijn lichaam en geest kunnen afpellen; zonder de drug was hij kleiner en oppervlakkiger, en ervoer hij een onbegrijpelijk gevoel van verlies: als iemand die kapot is van de dood van een geliefde, leed hij nog meer omdat hij zo van slag was door het verlies dat hij zich de naam of het gezicht van de geliefde niet voor de geest kon halen. Onder invloed van de drug was de toekomst ooit vol beloften en zinspelingen geweest, maar nu was die onleesbaar geworden. Het verleden lag ver weg en was ontoegankelijk. Hij was een figuurtje op de borstwering van het heden en voelde nauwelijks iets behalve de onmiskenbare en intense aandrang om ervan af te springen.

Hij kon nu zien, was teruggekeerd naar het grauwe daglicht en de misleidende buitenkant van de zichtbare wereld.

Omdat er niets was wat haar nog thuis hield en alsof ze boete wilde doen voor al die tijd dat ze niet had gewerkt, maakte Ava nu lange dagen, werkte ze op rare uren, beulde zich af in het ziekenhuis. Ze was net een missionarisdokter op een afgelegen derdewereldeiland, waar iedereen een voorkeursbehandeling verwachtte, waar elke patiënt wanhopig was, ieder geval een spoedgeval was en voortdurend dingen misgingen. Ava kende alle families op de Vineyard. 'Ik moet het wel doen. Als ik het niet doe, wie moet het dan doen?' Dat soort overwegingen had Steadman ook in oorden als Nieuw-Guinea en Haïti meegemaakt. Soms werkte Ava vierentwintig uur achter elkaar zonder te slapen; vaak moest ze de hele nacht beschikbaar zijn. Steadman vervloekte de pieper, vreesde de telefoon, de spoedgevallen om drie uur 's nachts, de bevallingen midden in de nacht, en hij dacht weleens terug aan de begindagen van hun verhouding. Hij was vergeten dat ze ook nog een eigen leven had.

'Dit is normaal,' zei ze toen hij zich erover beklaagde. 'Hoor eens, we zaten de hele dag te schrijven en lagen de hele nacht te neuken.'

'Wat is daar verkeerd aan?'

'Het is leuk, maar minder gebruikelijk om het zomaar te zeggen,' zei ze. 'Ik ben arts. Ik denk dat ik een roekeloze minnares was omdat het werken als arts me zo zwaar viel. Maar nu ben ik weer aan het werk. Wen er maar aan.'

Ze gebruikte geen make-up meer. Ze droeg kleren die er klinisch en zelfs sjofel uitzagen, zelfs als ze niet in het ziekenhuis was. In huis droeg ze meestal haar groene ziekenhuiskleren.

'Je hebt toch wat je wilde,' zei ze. 'Je boek.'

'Daar ging het me niet alleen om.'

'Goed dan. Je hebt je reputatie terug. Je mannelijkheid.'

Maar hij verzette zich tegen die versimpeling. Hij zei: 'Wil je beweren dat het alleen maar mijn trip was en ontkennen dat jij er ook genot aan beleefde?'

'Het was een waanzinnig jaar, inderdaad. Ja, ik vond het spannend, maar ik ben heel blij dat het achter de rug is.'

Hij staarde haar aan en toen hij zag dat ze onbewogen bleef, zei hij: 'Zie je dan niet wat er op stapel staat?'

'Ik kan heel goed zonder die opwinding. Daar hebben we in het ziekenhuis al genoeg van.' Ze zag dat hij haar nog steeds tartend aankeek. 'Daar gaan mensen dood. Ze krijgen baby's. Ze komen binnen met botsplinters die uit hun vlees steken. Je zou eens een slachtoffer van een motorongeluk moeten zien. Die mensen zijn doodsbang, ze lijden pijn. Sommigen liggen alleen maar te jammeren. En we hebben ook een psychiatrische afdeling. Ze hebben me daar meer nodig dan jij.'

Hij ging met zijn rug naar haar toe staan en zei: 'Het lijkt wel alsof je alles wat we in die tijd hebben gedaan, vergeten bent.'

'Als ik het ga missen, lees ik je boek wel.'

Hij vroeg zich af of hij zich ooit weer zo verloren zou voelen als voordat hij haar was tegengekomen, maar hij hield zichzelf voor dat dat niet zo was, hij had zijn boek, hij vreesde de eenzaamheid niet. Blindheid was de ultieme eenzaamheid, en tegelijkertijd had de blindheid hem onverschrokken gemaakt en hem moed gegeven.

'Moet je horen,' zei hij op een dag toen ze terugkwam van haar werk.

Hij las voor van een vel papier dat hij in zijn eigen handschrift had beschreven, wat maar zelden voorkwam. 'Na het drinken waren martelende pijnen het gevolg; mijn botten kraakten in al hun voegen, ik was dodelijk misselijk en werd bevangen door een afgrijselijke angst, heviger dan bij geboorte of dood. Daarna werden de stuiptrekkingen snel minder en ik kwam bij als na een zware ziekte. Ik had een ongekende gewaarwording, iets onbeschrijflijks, iets nieuws en daardoor een verrukkelijke sensatie. Ik voelde me lichamelijk jonger, lichter en gelukkiger. Ik was me innerlijk bewust van een onstuimige roekeloosheid, een bruisende stroom van ordeloze sensuele beelden danste in mijn fantasie voorbij. Ik was vrij maar niet onschuldig. Er bestonden geen verplichtingen meer.'

'Hoe krijg je die hoogdravende shit toch uit je pen?' zei ze terwijl ze hem onderbrak, en toen hij haar begon uit te lachen, maakte ze een sissend geluid tegen hem.

'Dat heb ík niet geschreven,' zei hij pesterig. 'Dat heeft een dokter geschreven.'

'Een kwakzalver, zeker,' zei ze.

'Dokter Jekyll,' antwoordde hij. 'Hij zou het met je eens zijn geweest!'

Zonder het tegen Ava te zeggen, omdat hij haar het gevoel wilde geven dat ze hem veronachtzaamde, moest hij toegeven dat hij nog steeds een vol leven had. In andere omstandigheden zou hij wel wat luider hebben geprotesteerd, maar rond de tijd dat Ava weer in het ziekenhuis was gaan werken, kwam hij opnieuw in de schijnwerpers te staan. Hij kreeg berichten van tussenpersonen – Axelrod, de pr-afdeling van de uitgeverij, behulpzame vrienden – die hem vertelden dat er allerlei mensen waren die hem graag wilden ontmoeten. Hij kreeg bijna iedere dag wel een paar telefoontjes van mensen die hadden gehoord dat hij weer aan het schrijven was, dat de auteur van *Tresspassing* een nieuw boek had geschreven.

Een van die verzoeken was afkomstig van het televisieprogramma *60 Minutes*. Zou Steadman mee willen werken aan een interview? Hij kon al raden hoe dat zo gekomen was: Mike en Mary Wallace waren destijds op het feestje van Wolfbein geweest. Er zou natuurlijk een pakkende tekst bij worden bedacht: beroemde kluizenaar, met blindheid geslagen, produceert nieuw boek in de hem opgelegde duisternis. De titel van de aflevering zou zoiets als 'Snijvlak van de Nacht' gaan heten.

Axelrod had de boodschap doorgespeeld. 'Ze willen thuis op de Vineyard met je meelopen en een diepte-interview doen.'

Andere berichten, bijna allemaal van tv-programma's en fotografen, smeekten hem terug te bellen om te bespreken wat ze eventueel samen konden doen. Hun verzoeken waren glashelder: de camera wilde een close-up van hem maken, wilde hem thuis en aan het werk gadeslaan; ze brachten het heel vriendelijk. In het begin voelde hij zich gevleid, maar hij snapte maar al te goed dat die hernieuwde belangstelling in feite een opdringerige vorm van journalistiek was, een voyeuristisch verlangen om te filmen hoe hij tegen muren op liep, struikelde, en tegen de pittoreske achtergrond van de Vineyard misschien wel op zijn gezicht zou vallen. Steadman wist dat ze zijn zijwaartse loopje wilden zien, zijn aarzelende gebaren, zijn tastende vingers, zijn grote blinde gelaat en zijn hoofd dat alle kanten op draaide. Fantastische televisie, zag je ze denken – en wat zouden ze verbaasd staan te kijken als ze zagen dat hij trots rondparadeerde met een zwaaiende wandelstok, trefzekere gebaren maakte en een levendige blik in zijn ogen had.

'Geen sprake van,' zei hij tegen Axelrod.

Er belde iemand van de *New York Times* om een afspraak te maken voor een artikel: 'Bij Slade Steadman thuis', en ook bij hen bespeurde hij een gretigheid om te kunnen zien hoe hij zijn hoofd stootte en dingen op de grond liet vallen, kruimels op zijn overhemd had zitten en twee verschillende sokken droeg. Het tijdschrift *People* stelde ook zoiets voor maar eiste een exclusief interview. De *Boston Globe* bracht hem in herinnering dat hij daar was geboren, maar hij werd gebeld door de redacteur van de reisrubriek. Zou Steadman een interview op het zeilschip de Shenandoah willen geven? Freelance-fotografen vroegen hem te poseren voor een portretfoto. Er kwam geen einde aan. En toen de publicatie van het boek in de prospectus van de uitgeverij werd aangekondigd, verveelvoudigden de verzoeken. Boekhandels wilden hem graag op bezoek hebben, universiteiten nodigden hem uit om lezingen te houden, en zou hij ook alsjeblieft een inleiding willen houden op een workshop reisverhalen schrijven 'voor senioren met een handicap'?

Vrijwel ieder verzoek ging gepaard met een zijdelingse verwijzing naar zijn blindheid: een aanbod om hem te helpen, een limousine, een vliegticket, een begeleider, 'alles wat in ons vermogen ligt om dit voor u zo gemakkelijk mogelijk te maken'. 'Er studeren heel wat visueel gehandicapte studenten aan ons instituut,' stond er in een brief. 'Ik heb Borges ook gedaan,' beweerde een fotograaf en hij voegde eraan toe: 'Ik zou u de contactafdrukken wel kunnen laten zien, maar u zult me op mijn woord moeten geloven, vrees ik.' De wat subtielere voorstellen klonken heel bevoogdend: 'Heel veel mensen moeten de kans krijgen uw verhaal te horen.' En één universiteit, die hem veel geld aanbood en een uitstekend publiek beloofde, schreef: 'We beschikken over een breed scala aan toegangsmogelijkheden voor gehandicapten.'

'Ze denken dat ik een invalide ben,' zei hij tegen Axelrod.

Maar Axelrod vond het wel handig als het boek nu al gepromoot werd en stelde een voorpublicatie voor. De *New York Times* had al een verzoek ingediend.

'Ze beloven niet dat je op het omslag komt te staan – dat doen ze nooit – maar daar is wel grote kans op. Denk eens aan de verkoopcijfers.'

De gedachte: *Niemand kent mij*, het gevoel dat hij een geestverschijning was, een spook, een anonieme aanwezigheid, was altijd zijn drijfveer geweest om te schrijven en had hem tevreden gestemd. Maar nu kon Steadman erom lachen, want zijn boek was af en zijn leven en werk, dat altijd zo verborgen was gebleven en waarover zoveel was gespeculeerd, zou binnenkort aan de hele wereld toebehoren. Er viel niets meer te vertellen.

'Ik ben anders valide,' zei hij tegen Axelrod. 'Ze moesten eens weten hoe anders valide ik ben.'

Ze wisten alleen maar dat hij blind was en een nieuw boek had geschreven. Hij vond dat wel prettig, omdat de waarheid over zijn blindheid, over de gaven die het met zich meebracht, te schokkend was. Voor de smekende journalisten en vragenstellers was hij een slachtoffer, een aanschouwelijke les, een rariteit, een parabel, voer voor de boulevardpers; geen schrijver maar een overlever. Ze wilden alles horen over zijn lijden. En hij glimlachte omdat er geen sprake was van lijden, maar alleen van blijdschap; eigenlijk een veel sensationeler verhaal maar een verhaal dat ze niet verwachtten en dat hun misschien ook minder aansprak, want de mensen wilden liever alles over zijn lijden weten.

Nu wist iedereen dus dat hij weer een boek had geschreven. Hij vermoedde dat hij als een mirakel op de markt zou worden gebracht, een overlever die erin geslaagd was zijn verhaal te vertellen, met zijn ene hand door de lucht maaiend en met zijn andere hand een blindenstok rondzwiepend. Blind en raadselachtig, maar ook dapper en meelijwekkend, een erkende zeikerd, die je deed zwijgen en luisteren naar zijn gezwollen taal, en die er tegen alle verwachtingen in altijd weer in slaagde succes te hebben.

Allemaal leugens. Hij was nog nooit eerder zo scherpziend geweest als toen hij zichzelf drogeerde en blind had gemaakt, en de geest en het hart van de kleine hoopvolle dertienjarige jongen binnenging die hij zelf ooit was geweest. Er was niets belangrijker dan dat kind te vinden en hem te belonen. Uit die simpele wens was het boek ontstaan.

'Ik ben geen invalide,' wilde hij tegen de toekomstige interviewers en tv-mensen zeggen. 'Mijn blindheid is juist een zegen geweest. Ik had dit boek anders nooit kunnen voltooien.'

Hij zei het wel tegen Ava, dat de reis naar Ecuador zo waardevol voor hem was geweest omdat hij de datura had leren gebruiken. Zijn blindheid had hem veranderd, het samenleven met haar had hem veranderd, het boek had alles voor hem betekend.

Ze glimlachte toen hij dat zei. Ze hield haar stem in bedwang, hield de emotie opgesloten in haar mond en zei: 'Voor jou wel ja. Maar wat heeft het mij opgeleverd, denk je?'

Steadman keek haar met een fronsende blik aan. Omdat ze zo zelden over zichzelf praatte, leek die vraag irrelevant.

'Ik wil je niet met een schuldgevoel opzadelen,' zei ze, 'maar kun je je voorstellen wat jouw gedrag met mijn geest heeft gedaan?'

Hij keek nog steeds fronsend, alsof hij niet had gehoord wat ze zei. Hij raakte geïrriteerd door het woord 'gedrag'.

'Ik heb namelijk ook een verleden,' zei ze.

'Dat moet je zelf maar uitzoeken,' zei hij op een toon waaruit sprak: *Alsof dat iemand zou interesseren.*

Hij werd nors en onverschillig. Hij wilde zich van haar afkeren, want al die tijd dat hij vol begeerte in haar armen had gelegen, had hij haar beschouwd als iedere vrouw die hij ooit had liefgehad, en als wie had zij hem eigenlijk gezien? Ongetwijfeld als iemand anders.

'Jouw verhaal,' zei ze, 'mag niet worden verward met het mijne.'

Natuurlijk had zich in haar geest een heel ander verhaal ontvouwd dat totaal verschilde van het zijne, een verhaal dat hij niet met haar kon delen.

'Wees jij nou maar een dokter,' zei hij. 'Help me. Genees me. Ik wil niets weten van je medische geschiedenis.'

Toch zat hij te piekeren over het parallelle leven dat ze moest hebben geleid toen ze samen met hem aan het boek werkte. Seksualiteit was zo privé, werd zo beheerst door fantasieën, hing zo samen met het verleden. Hij wist welke rol zij voor hem speelde in de verrukkelijke droombeelden uit zijn jeugd, maar welke rol speelde hij in haar gelijktijdige herinneringen en repetities? Dat kon hij maar beter niet vragen.

'Waar leidt het allemaal toe?' zei ze. 'Dat zullen de mensen zich afvragen.'

'Tot geluk,' zei hij. 'Iedereen die mijn boek leest zal inzien dat alles wat ze hoeven te weten in hun eigen hoofd zit. Dat is mijn boodschap. "Je bent zelf de bron van alle wijsheid. Van alle genot."'

Dus hield hij zichzelf voor dat hij tevreden was. Hij had geen belangstelling voor de vele uitnodigingen en verzoeken, en hij moest steeds maar denken aan die ochtend van het telefoontje waarin hem werd gevraagd die dag in november vrij te houden. De uitnodiging van het Witte Huis kwam met de post, het staatsdiner voor de Duitse kanselier. En daarbij ingesloten een handgeschreven briefje: *De president kijkt ernaar uit u te ontmoeten.*

Op een avond in de eerste week van november zat Steadman achter het schaaktafeltje te wachten tot Ava terugkwam van het ziekenhuis. Ze had er een hekel aan om laat te eten, vond dat het ongezond was; ze was gestopt met alcohol drinken omdat altijd de kans bestond dat ze spoedeisende hulp moest verlenen; ze was de laatste tijd altijd te moe voor seks. Zelfs schaken viel haar zwaar, ze deden soms dagen over een spel, maar ze konden dan tenminste wel een gesprek voeren.

Hij zat daar ontspannen, bestudeerde de schaakstukken met geduld en concentratie. Hij leek net iemand die bijna klaar was met eten en nog een paar etensresten op zijn bord had liggen, een man die daar rustig en alert zat en niet echt veel honger had; misschien bewaarde hij wat van zijn eten voor zijn vriend die zo zou komen.

Ava kwam zwijgend binnen en zei pas iets toen ze was gaan zitten: 'Jouw beurt.'

'Zullen we een partijtje snelschaken doen,' zei hij. 'Ik wil dit vanavond afmaken.'

Toen ze haar zet deed, zei ze: 'Ga je er gedrogeerd heen?' waarmee ze het gesprek van de vorige dag weer oppakte toen ze van het schaaktafeltje waren opgestaan.

'Ik ben op mijn best als ik blind ben.' Hij deed zonder te aarzelen een zet.

'Je bent op bezoek in het Witte Huis. Iedereen zal je zien. Dan zullen ze het weten.'

'Jij bent aan zet.'

Nadat ze een zet had gedaan, pakte hij razendsnel haar toren en zette zijn paard ervoor in de plaats.

'Ik wil dat iedereen het weet.'

Ze slaakte een smartelijke kreet, een gelaten wanhopige uitroep, geen verstaanbare woorden maar een sombere jammerklacht, die Steadman deed gruwen omdat hij zo pijnlijk klonk. Het klonk alsof iemand een mes in haar lijf had gedreven, maar zij was niet het slachtoffer, zij was een getuige die een lange blik op een afschrikwekkende, zekere dood had mogen werpen: zíjn dood. Hij was aan het vervagen terwijl zij hulpeloos toekeek, en uit haar smartelijke reactie bleek wat er door haar heen zou gaan als ze hem zou zien sterven. Hij zag dat hij in haar ogen al wás gestorven.

Vlak daarop ging haar stem over in een snik toen ze met een droog klinkende keel zei: 'Hoe kún je?'

'Ik moet wel.'

'Het is een leugen. Het is een masker,' zei ze met haperende stem.

'Dat boek is door de blinde Steadman geschreven,' zei hij. 'Het zou juist bedrog zijn als ik anders ging.'

'En als ze nou achter de waarheid komen?'

'Dat ís juist de waarheid. Jij bent aan zet.'

Ze deed een zet en keek omhoog alsof ze naar woorden zocht. Ze zei: 'Net doen alsof je een aandoening hebt.'

'Ik heb geen aandoening,' zei hij en hij sloeg weer toe met zijn paard. 'Dat is een van de eerste dingen die de mensen moeten weten.'

'Allemaal gelul,' zei ze.

'Jij bent aan zet.'

Ze gaf een duwtje tegen een loper en raakte die bij de volgende zet kwijt, en begon te huilen. Het klonk net zo jammerend als daarvoor maar zachter, bedroefder, en ze wreef in haar ogen. Met haar natte vingers schoof ze een loper naar voren.

'Ik help zieke mensen,' zei ze. 'En jij doet net of je ziek bent. Op die manier maak je mijn werk belachelijk.'

'Ik ben blind geworden. Ik ben mijn gezichtsvermogen kwijtgeraakt. Dat weet je.'

'Mensen met een hersentumor worden blind. Suikerpatiënten worden blind. Mensen bij wie het netvlies loslaat. Brandwondenslachtoffers. Mensen met een ontstoken hoornvlies. Met ernstig hoofdletsel. Je moest je schamen.'

'Ik heb me nooit als slachtoffer opgesteld. Ik heb nooit zitten klagen.'

'Jij bent nog veel erger. Jij gaat er prat op.'

Hij deed zijn armen over elkaar en wachtte tot ze weer een zet deed. Maar in plaats daarvan deed ze zijn stem na en zei: 'Ik kan in het donker schrijven!'

'Ik kán ook schrijven in het donker. Ik ben blinder dan Borges toen hij zijn essay "Over blindheid" schreef. Ik heb mijn boek in het duister geschreven.' Hij hield tijdens het spreken zijn ogen op het schaakbord gericht. Hij voegde eraan toe: 'Als je niet wilt spelen, moet je het maar zeggen.'

Ava zat een hele tijd naar het bord te staren, deed toen een zet en maakte alweer een fout. Toen Steadman haar schaakstuk pakte, zei Ava: 'Ik ga je niet helpen. Ik wil er niets mee te maken hebben. Ga maar blind naar het Witte Huis als je dat zo nodig wilt. Wat een vertoning, zeg!'

Hij zei: 'Het is de waarheid. Het is wie ik ben. Ik op mijn best.'

Toen deed hij een zet. Ze wierp een blik op het schaakbord en zag de valkuil. Hij zei: 'Schaakmat,' en pas toen sloeg hij zijn ogen op en keek haar aan.

Ze herkende de bloeddoorlopen ogen en de glazige blik die bij zijn blindheid hoorde, terwijl hij triomfantelijk over het schaakbord gebogen zat. Ze legde haar handen in haar schoot en zag er oud, preuts en afstandelijk uit.

Hij wist dat ze nu geen kreet meer zou slaken. Niemand kon dat twee keer doen en er zoveel afgrijzen in leggen. Maar dat hoefde ze ook niet te doen. Hij hoorde haar kreet nog in zich naklinken. Dat smartelijke geluid had iets in hem verstoord – het was niet langer een klank, maar een pijn die zich diep in hem had vastgezet, iets verscheurends, een pijn die al zijn begeerte had verdrongen.

2

Zelfs toen de uitnodiging al op de schoorsteenmantel stond en het besluit om te gaan genomen was, bleef Steadman telefoontjes en faxen ontvangen om bijkomende details te verifiëren: zijn sofinummer en dat van Ava, leeftijd, geboorteplaats, huisadres, en hoewel Steadman uitdrukkelijk had gezegd dat hij geen hulp nodig had, kreeg hij ook een formulier voor 'speciale voorzieningen' dat hij moest invullen en terugfaxen. Op een ander formulier dat bij de uitnodiging zat, werd aangegeven dat ze de nacht niet op het Witte Huis zouden kunnen doorbrengen omdat er geen kamers beschikbaar waren. Er was een lijst van hotels bijgevoegd die speciale prijzen rekenden voor gasten van het Witte Huis, met de parkeermogelijkheden erbij, en er stond ook bij 'toegankelijk voor gehandicapten'.

'"Speciale voorzieningen" is een perfecte omschrijving van mij.'

'Waarom ga je hier nou met alle geweld mee door?'

Hij moest even nadenken voordat hij zich realiseerde dat ze het niet had over zijn besluit om de uitnodiging aan te nemen maar over het feit dat hij blind naar het diner wilde gaan. Maar hij zei niets. Zijn besluit was genomen.

Ze hadden ook nadrukkelijk vermeld dat hij in smoking werd verwacht – op iedere mededeling werd veel nadruk gelegd – en er werd nog eens herhaald dat de kanselier van Duitsland de eregast was. Er werd niets aan het toeval overgelaten.

Op de ochtend van hun vertrek belde Steadman met Wolfbein om hem het nieuws te vertellen en advies te vragen. Wolfbein was een vriend van de president en logeerde vaak op het Witte Huis.

'Jij, smiecht,' zei hij en hij maakte een paar plagerige opmerkingen, deed net of hij beledigd was omdat hij geen uitnodiging had ontvangen. Hij drukte Steadman op het hart om altijd 'Mr. President' te zeggen, geen camera mee te nemen en zich aan het protocol te houden. 'Het is daar *ground zero*. Het is het centrum van de wereld.' Daarna vroeg Wolfbein bezorgd: 'Hoe voel je je?'

'Fantastisch. Ik kan door muren zien en om hoeken kijken.'

Toen hij de telefoon weer neerlegde, voelde hij dat Ava achter hem stond, ze leunde iets van hem weg en uit haar houding sprak afkeuring.

Ze zweeg op weg naar Boston en zweeg in het vliegtuig naar Washington, en pas toen ze op Reagan Airport landden, begon ze te spreken.

'Ik zie de Jordans staan.'

Vernon en Ann Jordan kwamen op ze af om ze te begroeten. Ze waren net uit New York aangekomen en gingen naar hetzelfde diner.

'Hoe gaat het met je?' vroeg Vernon op zijn hartelijke, directe manier en hij glimlachte en keek Steadman recht aan.

'Röntgenogen,' zei Steadman en hij tikte even op zijn donkere brillenglazen.

Dat vond Vernon wel grappig en hij begon luid te lachen, zijn gespierde lichaam straalde licht, gezondheid en humor uit. Hij was iemand die snel glimlachte, maar achter wiens informele manier van doen een scherpe intelligentie en een zorgvuldige discretie schuilgingen. Maar hij was een oprecht vriendelijk mens, en Steadman voelde dat hij zich in de aanwezigheid van een invloedrijke persoon bevond, een glimlachende tovenaar die alles onthield wat hij zag of hoorde.

'Je hebt al kennisgemaakt met mijn vrouw,' zei Vernon en hij draaide zich om naar Ann, maakte een buiginkje en zei speels: 'Hallo, vrouw.'

'Ik ken je van het ziekenhuis,' zei Ann tegen Ava. 'We zijn je allemaal zo dankbaar voor het fantastische werk dat je doet.'

'Kunnen we jullie soms een lift aanbieden?' vroeg Vernon.

Ze aanvaardden de lift dankbaar en voelden zich gered, want ze hadden onderweg niets tegen elkaar gezegd en waren een beetje van slag toen ze in Washington aankwamen. En nadat ze in de limo waren gezet werden ze vergast op Vernons rechtstreekse verslag van de punten die ze onderweg passeerden: het Pentagon, het Jefferson Memorial. Hij bracht het heel tactvol, beschreef de schoonheid ervan, gebruikte zijn enthousiasme voor details om te verhullen dat hij dit speciaal deed voor een blinde.

'En dan zijn we nu bij het Wilard. Tot straks, mensen.'

De afhandeling bij de receptie was kort en efficiënt, er werden vragen gesteld maar die werden genegeerd door Steadman, die met zijn vingertoppen over de wijzerplaat van zijn horloge gleed en zei: 'We moeten opschieten.'

Die ochtend had hij de drug ingenomen. Op de hotelkamer nam hij nog een dosis nadat hij zijn smoking had aangetrokken. In de taxi naar het Witte Huis zat Ava een eindje van hem af; ze gedroeg zich afstandelijk, ze was het er niet mee eens, ze had er spijt van dat ze was meegegaan. Er lag een schaduw van onbehagen op haar gezicht terwijl Steadman juist straalde.

Nadat ze volgens de instructies op de kaart bij de zij-ingang waren afgezet, lieten ze hun identiteitsbewijs zien en werden naar een vertrek begeleid ('Dit is de Oostelijke Kamer') waar de ontvangstrij stond en drankjes werden geserveerd. Steadman werd een glimmend vertrek gewaar met veel glas, vol opgewonden onbekenden.

'Ik sta vlak naast je,' zei Ava.

'Dat weet ik,' zei Steadman. En daarna: 'Dit is echt ongelooflijk.'

De geuren van verse bloemen, boenwas en nieuw schilderwerk verleende het vertrek een eerbiedwaardigheid, de luxe van een oud hotel dat in zijn oude glorie was hersteld. En dat alles contrasteerde met de geur van de parfums en aftershaves en gepoetst leer. Maar wat nog het meest opviel was het onderhuidse verval onder die bezwete gezichten en het geschitter, de corruptie en de leugens, net als de stank van verrotting die onder de houten vloer van het Witte Huis vandaan kwam; Steadman kon het allemaal ruiken.

De onbehaaglijkheid, de ongemakkelijkheid was ook duidelijk voelbaar – botsende schouders, luidruchtige begroetingen, de hyperalertheid van vreemden. Maar hoewel niemand zich hier thuis leek te voelen – de hele glimmende opstelling had iets van een filmset – kregen ze er allemaal een enorme dosis energie van, gewoon door daar te zijn. Ze straalden een intensiteit uit die grensde aan koortsachtige waanzin en in de ogen van Steadman leken ze net logge beesten die in een tegennatuurlijke houding op hun achterpoten waggelden. Ze waren onbeholpen, gretig, ze kletsten en grapten op een manier die hen schichtig en lacherig maakte. Hun aandacht was kortstondig maar intens, glinsterde heel even en schoot dan weer een andere kant op terwijl ze rondliepen, waarbij vooral de mannen zich zwaaiend met hun armen een weg baanden en voortdurend een blik opzij wierpen. Het deed Steadman eerst aan lomp bewegende atleten denken en daarna aan gulzige goedmoedige apen.

Steadman kwam nu in de buurt van de rij waar de gastheer met zijn gezelschap stond, en werd zich bewust van de levendige belangstelling – hun gebaren vielen meer op dan hun gemompel – van mensen die ruimte voor hem maakten. Ze gingen opzij en lieten hem passeren, niemand raakte hem aan tot de grote warme arm van de president op zijn schouder kwam te rusten. In een stevige, hartelijke omhelzing hield de president hem vast.

'Fijn dat u bent gekomen. En u ook, dokter,' zei de president en hij pakte Ava bij haar ellebogen vast. Toen draaide hij zich om en zei: 'Deze man is nou echt een van mijn favoriete schrijvers. En hij is wat je noemt een echte held. Slade Steadman, mag ik je voorstellen aan Zijne Excellentie...'

Maar Steadman werd weer aangeklampt, en de kanselier zei met een licht accent waardoor hij vriendelijk en nauwgezet klonk: 'Ja, in Duitsland ook. Het is me een genoegen kennis met u te maken.'

Hij hoorde het zachte bruisende geluid van flitsende camera's en voelde zijn gezicht warm worden toen er een foto van hem werd genomen. Hij wist dat de anderen glimlachten, hij merkte het aan de spanning in hun stem, maar hijzelf glimlachte niet. Hij probeerde sereen en kalm voor zich uit te kijken, alsof de camera's hem onberoerd lieten, want hij wist dat de foto's de hele wereld over zouden gaan.

'Je bent vast al eens in Duitsland geweest.' De stem was onmiskenbaar die van Vernon Jordan. Steadman werd omarmd en Vernon zei: 'Hoe gaat het nou?'

Hij nam aan dat die krachtige omhelzingen en schertsende opmerkingen reacties op zijn blindheid waren. En ook het feit dat men ruimte voor hem maakte, het zwijgen, het medelijden, de verwarring, de verbijstering, en de gebaren en signalen die met hoofd en handen werden gemaakt. Hij moest glimlachen om het feit dat hij deze reacties bij hen opriep, en vooral de president deed heel vriendelijk.

'Mooie schilderijen,' zei Ava toen ze weer doorliepen.

Zodra de ober een drankje in Steadmans hand had gedrukt, kwam de president bij hem staan en dirigeerde hem naar de andere gasten om hem voor te stellen. Hij betrok Steadman nadrukkelijk bij ieder gesprek – 'de auteur van *Trespassing*' – hield hem vast en leidde hem zachtjes de goede kant op. De president wierp zich op als grote broer, beschermer, uitlegger, weldoener, die hem persoonlijk onder zijn hoede nam.

Tot twee keer toe hoorde Steadman mensen opmerkingen maken in de trant van: 'Ik wou dat mijn moeder nog leefde, dan kon ik haar bellen en vertellen waar ik nu ben. Ze zou zo trots zijn geweest.'

De stemmen klonken zo helder dat de woorden in zijn geheugen werden opgeslagen, de gasten deden hun uiterste best om goed te onthouden wat er allemaal gebeurde. Ze spraken op een onnatuurlijke, zelfbewuste toon, alsof ze nu al oefenden voor wat ze later aan hun vrienden zouden vertellen.

Aan hun woorden, hun specifieke accent, kon hij afleiden hoe ze er ongeveer uitzagen, hun lippen, hun oren en neuzen, hun nerveuze handen en schuifelende voeten, de aardsheid van de gasten in het vertrek, de vlezige wurggreep van hun handdruk, de manier waarop ze hem steeds op zijn schouder sloegen, het geparfumeerde kleurenspel van de vrouwen – was het hun mascara? – de grove gezichten van de mannen, de manier waarop ze onder het praten hun kaken bewogen en zich er voortdurend van bewust waren dat er naar hen gekeken werd. Hun massieve, logge ellebogen waarmee ze om zich heen stootten, de indruk van pezen en vet, hun lange gulzige armen, hun ongedurige voeten in zware schoenen. Hij werd voortdurend herinnerd aan de compactheid van hun vlees, en was zich van hen bewust als rusteloze, wedijverende dieren.

Hoewel ze voor hem opzij gingen als hij eraan kwam, leken ze hem in te sluiten zodra hij bleef stilstaan om te praten, gingen achter hem staan, stonden veel te dicht tegen hem aan, spraken veel te hard, alsof hij niet blind was maar achterlijk.

Zoals ze daar onder elkaar stonden te praten, zonder naar woorden te hoeven zoeken en zeker in hun bewegingen, nam hij de gasten waar als mensen die het verschrikkelijk graag met elkaar eens waren, allemaal aan dezelfde kant stonden, allemaal hetzelfde team toejuichten, allemaal dolblij waren dat ze hier in het Witte Huis stonden. Ze liepen allemaal in de pas, een grote harige, heen en weer bewegende party die zich luidkeels solidair betoonde en dat vooral benadrukte met hun verwonderde blafferige lach.

Steadman wist dat die zogenaamde eensgezindheid een beleefde vorm van bedrog was en hij voelde alleen maar medelijden en minachting voor deze mensen. Hij was blij: trots, stralend, blind. Maar dat instemmende gebrul hinderde hem net zozeer als het zoete parfum dat de stank maskeerde, want hij zag dat het louter theater was, de ijdelheid, de valsheid, de onoprechtheid, de bedrieglijkheid, de leugens. De gasten waren nerveus en onzeker en dankbaar: als de president het had gevraagd, dan zouden ze op alles ja hebben gezegd. Aapachtig, dacht hij, en ze bezaten ook de morele blindheid van primaten.

'We gaan aan tafel,' zei Ava, 'maar ik zit niet naast je.'

Ze gingen naar een ander vertrek voor het diner, Ava dirigeerde hem de goede kant op en hij werd naar zijn plaats gebracht. Hij wist dat er naar hem gekeken werd toen hij een glas wijn kreeg aangereikt en de eerste gang voor hem werd neergezet.

'Consommé,' zei hij en hij snoof de geur op.

'Dat is alvast een tien,' zei de vrouw naast hem.

'Nee,' antwoordde hij en hij had het gevoel dat ze hem bevoogdend toesprak. 'Voor mij is het pas een tien als we sashimi krijgen en ik, alleen afgaand op de geur, kan raden dat het *maguro* is.'

'Liz Barton,' zei de vrouw. Hij wist dat ze klein van stuk was, zeker van zichzelf en heel jong, en ze had een zelfverzekerde gorgelende stem. 'Ik weet wie jij bent. Mijn vader was een grote fan van je.'

Hij slikte een rotopmerking in en zei: 'Wat voor werk doe je, Liz?'

'Ik werk op het kantoor van het ministerie van Justitie. Ik ben verantwoordelijk voor de aanvullende bepalingen op de Wet Voorzieningen Gehandicapten.'

'Dus dan ben ik vast niet je eerste blinde disgenoot,' zei Steadman.

'O nee, helemaal niet. Ik had de eer Stevie Wonder te vergezellen toen president Mandela hier op bezoek kwam.'

'Ik zie hem al voor me, grijnzend van oor tot oor, met een schommelend hoofd en heen en weer schuddende dreadlocks,' zei Steadman en hij wendde zich tot degene die rechts van hem zat en gebaarde naar Liz Barton. 'Deze jongedame wil mij met alle geweld vleien.'

Ondertussen werd de tweede gang op tafel gezet. Steadman zat wat te keuvelen, en realiseerde zich tot zijn afschuw dat dit van hem werd verwacht en hij wilde eigenlijk alweer opstappen. Hij was op komen dagen, had zich aan de president en de gasten als de blinde schrijver voorgesteld, en er waren foto's van hem genomen. Maar hij kon niet weg, nog niet, want het was een officieel diner: er werden toasts uitgebracht, de vriendschappelijke betrekkingen tussen de Verenigde Staten en Duitsland werden benadrukt, er werd herhaaldelijk gerefereerd aan een handelsbeurs in Hannover.

'Ik vind het heel jammer dat mijn vrouw hier niet bij kan zijn. Als first lady brengt zij samen met onze dochter een officieel bezoek aan Afrika, maar ze laat aan iedereen de groeten overbrengen.' Voordat de president weer ging zitten, voegde hij eraan toe: 'Ik wil nog een speciaal dankwoord uitspreken aan mijn goede vriend en een geweldige Amerikaanse schrijver, Slade Steadman.'

Steadman greep naar zijn stok en kwam overeind, en leunend op zijn stok glimlachte hij, toonde aan iedereen zijn donkere brillenglazen en zijn verbeten glimlach en voelde de luchtverplaatsingen en de lichtflitsen van de camera's die op hem gericht werden.

De koffie werd geserveerd en de president stelde voor om de gasten wat meer van het Witte Huis te laten zien: het Truman-balkon dat over de South Lawn uitkeek, de Green Room waar Jefferson dineerde, de intiemere eetkamer voor de familie en nog wat bijzondere voorwerpen, zoals een Gutenberg-bijbel die ter ere van de Duitse kanselier vanuit de nationale bibliotheek was overgebracht.

Het werd wat minder druk, de vrouwen die naast hem hadden gezeten waren weg, en Steadman was alleen. Net toen hij zich afvroeg waar Ava zou kunnen zijn, voelde hij een bekende hand die zijn schouder masseerde en hoorde hij de stem van de president.

'Slade, het doet me zo'n genoegen dat je bent gekomen. Ik hoop echt dat je nog eens terugkomt,' zei hij en daarna, blijkbaar tegen Ava: 'Hallo. Wanneer kom ik je eens tegen op de Vineyard, meisje?'

'Ik hoop bij de Wolfbeins, Mr. President, en niet in het ziekenhuis, waar ik meestal ben,' antwoordde Ava.

'Het is toch zo geweldig om daar als arts te werken. Ik had je hulp goed kunnen gebruiken toen ik mijn knie had verdraaid.' Maar terwijl de president aan het woord was, voelde Steadman dat diens gedachten razendsnel gingen, ergens anders waren, met iets anders bezig waren.

'Ik ken uw naam,' zei een man, alweer een Duits accent.

Ze kregen het over *Trespassing*, en maakten de gebruikelijke opmerkingen – dat het zo gewaagd was, gevaarlijk, oorspronkelijk dat het tot een tv-serie en een kledinglijn had geïnspireerd. Steadman noemde zijn nieuwe boek en hoopte dat *Trespassing* binnenkort vergeten zou zijn en dat men het alleen nog maar over zijn *Boek der Openbaring* zou hebben.

Maar er zat hem nog iets anders dwars, want de hand van de president rustte nog steeds op zijn schouder en Steadman voelde, net als hij afgelopen zomer al had gevoeld, dat de president een gewond mens was. Een zweem van pijn en onoprechtheid, van geforceerde vrolijkheid in zijn stem, een onstuimige manier van doen die op het tegendeel leek te wijzen – zo'n zelfverzekerde houding dat zijn kalmte alleen geveinsd kon zijn, de houding van iemand met een geheim, de charme en vlotheid van iemand die pijn heeft, die niet wil dat anderen het te weten komen, die het verschrikkelijk vond als men medelijden met hem had, die absoluut niet wilde dat zijn zwakheid, of andere geheimen die in zijn hart rond zoemden, bekend zouden worden.

Ondertussen stonden de president en zijn Duitse gast met elkaar te praten over schrijven, over culturele uitwisselingen, over het Amerikaanse Instituut in Berlijn. Steadman hoorde zichzelf zeggen: 'Ja, zeker. Ik zou het heel leuk vinden om op bezoek te komen als mijn boek is verschenen.'

'U bent welkom,' zei de man en hij wendde zich toen van hem af om aan iemand anders te worden voorgesteld.

De president zei tegen Steadman: 'Ik hoop dat je morgen met ons naar de Rozentuin kunt komen voor de gezamenlijke persconferentie. Er zullen een hoop journalisten zijn die jou heel graag willen ontmoeten.'

Hij gaf Steadmans schouder nog een laatste massage, het bemoedigende kneepje van een grote broer, en begaf zich toen onder de opeengepakte massa stralende gasten die in de buurt hadden rondgehangen, in de hoop door hem te worden opgemerkt. Ava bleef naast Steadman staan, met de zijkant van haar lichaam tegen zijn been, en aan deze lichte aanraking voelde Steadman dat ze ongelukkig, stilletjes en somber was.

'Wat is er aan de hand?'

'Ik voel me zo vernederd. Waarom doe je dit toch?'

Hij zei: 'Waarom moet je nou zo nodig een privé-discussie voeren in een openbare ruimte?'

'Ik kan er niets aan doen. Ik voel me rot. Ik had thuis moeten blijven. Ik vind het vreselijk dat ik aan deze poppenkast meedoe.'

'Ik ben blind,' fluisterde hij.

'Dat ben je niet. Het is gewoon een leugen. En je zit hier alleen maar medelijden te wekken. Heb je zo'n behoefte aan een publiek?'

'Ik heb geen keus. Dit is wie ik ben.'

Ava zweeg maar was niet overtuigd en ze liepen naar buiten om op hun taxi te wachten. Hij moest zichzelf eraan herinneren dat hij vanaf de noordelijke zuilengang van het Witte Huis naar de wereld keek. Ava zat mistroostig naast hem; nam haar wanhoop en haar schaamte mee terug naar hun kamer in het Willard-hotel, waar ze blauwig en misnoegd helemaal aan de andere kant van het bed ging liggen. Ze lagen ieder aan een kant en voelden zich ellendig, een ongelukkig stel, de een kwaad, de ander beschaamd. En toen hij daar zo lag, moest hij onwillekeurig aan de president in zijn eigen slaapkamer denken, die ook gekweld werd door zijn eigen leugens, zijn eigen geheimen.

De volgende ochtend dronk Steadman datura bij het ontbijt en zei toen: 'Ik ga naar die gezamenlijke persconferentie.'

Diep gekrenkt, maar onder het voorwendsel dat ze nog moest pakken, zei Ava dat ze in het hotel bleef.

Steadman nam een taxi naar het Witte Huis. Hij liet zijn pasje zien en toen hij naar de Rozentuin werd begeleid, kwam er een man naast hem lopen.

'Ik werk voor de *Post*. Ik zou graag een artikel over u willen maken.'

'Misschien een andere keer.'

Hij hoorde het gemompel van de persdienst in de verte. Zijn begeleider zei: 'We hebben vooraan een plaats voor u gereserveerd.'

Zijn stoel was aan het eind van de eerste rij. Hij ging net zitten toen de president en de Duitse kanselier uit het Witte Huis kwamen. Toen de president hem in het oog kreeg, kwam hij op hem af, sloeg zijn arm om hem heen en zei: 'Geweldig dat je er bent, Slade.'

Steadman hoorde het geluid van camera's, de opschudding die ontstond omdat hij er was uitgepikt. Hij ervoer hun aandacht als een druk op zijn gestel en wist, net als de avond ervoor, dat hij geobserveerd werd, het object van hun nieuwsgierigheid was met zijn witte stok, donkere bril en panamahoed. Dat was nu zijn imago geworden, geen komedie meer maar deel van zijn publieke identiteit.

Hij zat daar over na te denken – ik ben een nieuw mens – toen er een vreemde naast hem op zijn hurken ging zitten. Maar misschien was het wel geen vreemde. Er was iets vertrouwds aan de manier waarop de man knielde, de geuren van zijn huid en zijn ongewassen haar. Steadman herkende mensen door een specifieke herinnering aan wat ze aten, alsof het residu van hun dieet door hun huid sijpelde. Deze man rook naar vertrouwd eten en op deze ongebruikelijk warme novemberdag gaf zijn hemd een zurige geur af.

'Ik ken jou,' zei de man en zijn accent verraadde hem.

'Manfred.'

'En ik ken je geheim.'

Steadman begon weer te spreken en toen keek iedereen naar hem omdat hij tegen de lucht praatte. Manfred was weggekropen. Steadman stak tastend zijn hand uit en zei: 'Wacht.'

'Bent u iets kwijt?' zei een dwingende stem achter hem.

'Nee, het is al goed.'

Maar hij moest toegeven – en dat was een openbaring – dat hoewel hij zich absoluut niet gehandicapt voelde, hij wel een blinde vlek had, en Manfred was daarin verdwenen, was in die spleet opgelost. Steadman concentreerde zich uit alle macht en de hele persconferentie ging aan hem voorbij: tot dat moment was hij het bestaan van Manfred helemaal vergeten.

In de taxi op weg naar het vliegveld vroeg Ava: 'Heb ik iets gemist?'

Hij zei van niet. Hij zweeg over Manfred; hoe zou hij dat moeten uitleggen? Ava had hem nooit gemogen en uit zijn toon – Steadman bleef steeds maar *En ik ken je geheim* voor zichzelf herhalen – had hij niet kunnen opmaken wat de man in de zin had, als het Manfred er tenminste niet alleen om ging hem te sarren.

Steadman voelde zich neerslachtig en beperkt. Hij maakte zich druk om de blinde vlek, alsof het een tot nu toe onopgemerkt gebleven aandoening was. En hij had ook meer verwacht van zijn bezoek aan het Witte Huis. Het was een theaterstuk geweest, met een grote cast, op een enorm podium, maar hij had daar slechts een ondergeschikte rol in gespeeld: gewoon op komen draven en beleefd doen. Maar voor hem, die speciaal was uitgekozen omdat hij blind was, was het juist heel belangrijk geweest, een soort van dramatisch debuut. In zijn gedachten zei de president steeds maar: *Ik wil een speciaal dankwoord uitspreken aan mijn goede vriend en een geweldige Amerikaanse schrijver, Slade Steadman* – en toen hij opstond, leunend op zijn stok, met zijn flikkerende donkere brillenglazen, maakte het luide applaus, aanhoudend onderdanig en lovend, hem duidelijk: *We zien je. We vinden je goed. Je bent dapper.*

Toch was hij teleurgesteld, hij voelde zich niet verzwakt maar onzeker door een zweem van een schaduw, een twijfel, alsof hij aan de periferie van al die loftuitingen een spin naar beneden voelde komen aan een lange dunne draad van zijn eigen grijze speeksel, die voorbereidingen trof om een web te weven.

3

Hij was naar Washington gegaan omdat hij uit zijn kluizenaarsbestaan wilde stappen en zichzelf als een blinde aan de wereld wilde presenteren. De president had zich persoonlijk voor hem ingezet. Toch bleef zijn scherpste herinnering aan het bezoek aan het Witte Huis, het detail dat hem bleef bezighouden, niet de loftuiting van de president maar de stekende beschuldiging die Manfred in zijn oor ademde. *En ik ken jouw geheim.* In de loop van de daaropvolgende weken kreeg die bewering een steeds onheilspellender betekenis. Het zware accent in de stem deed de woorden stunteliger klinken, pijnlijker, alsof iemand hem een steekwond met een primitief mes toebracht waarvoor een waanzinnige kracht nodig was omdat het ding zo bot was. En die paar woorden waren alles wat Steadman had. Hij wilde meer. Hij moest met die man afrekenen.

Hij kreeg thuis geen hulp meer. Het leek wel alsof Ava uit wrok voor onregelmatige diensten in het ziekenhuis had gekozen. Dat was het probleem met artsen: op de momenten dat ze het meest egoïstisch waren konden ze volhouden dat ze onzelfzuchtig waren. Ik moet dit nu eenmaal doen! Mijn patiënten hebben me nodig! Er ligt iemand te bevallen! Uit de weg! Dat gold in ieder geval wel voor dokter Ava Katsina.

'Ik ga,' zei ze dan en ze verliet zonder nog een woord te zeggen het huis, met in haar kielzog het neerdwarrelende stof van zelfvoldane beslistheid, zoals in de dagen vóór Ecuador, toen ze besloten hadden om uit elkaar te gaan. En daar zaten ze dan, met alweer een winter op het eiland in het verschiet.

'Ik heb je nog net zo hard nodig,' zei hij.

'Wie zal mijn pruilende kasteelvrouwe worden?' antwoordde ze spottend. 'Hoor eens, in het ziekenhuis liggen doodzieke patiënten die me veel harder nodig hebben.'

Als ze haar bazige doktersstem opzette, klonk ze heel klinisch en streng, en altijd bevelend, van: *Neem je medicijn in. Geen gemaar.* Waar was de inschikkelijke, toegeeflijke sensuele vrouw van het afgelopen jaar gebleven die hem met zijn boek had geholpen? Daar stond ze in haar slobberige groene ziekenhuiskleren, weer aan het werk, en ze hield een blinde, krijsende baby omhoog, druipend van het baarmoederslijm.

Met haar hulp had hij zijn boek moeiteloos kunnen corrigeren, ze had de drukproeven kunnen voorlezen en hij, de gedrogeerde ziener, had verbeteringen of weglatingen kunnen voorstellen. Maar hij was alleen en niet gedrogeerd, gedegradeerd tot de minne positie van de nuchtere ziende corrector, en hij wist zeker dat hem onder het lezen van alles ontging, mompelend en kribbig met zijn vinger naar de regels priemend.

Toch kon hij in de aanloop naar de publicatie – de voorbereidingen die tot in de details moesten worden uitgewerkt, de wekenlange besprekingen met Axelrod, het kiezen van het boekomslag, de planning van de boekentournee – de woorden maar niet vergeten die hem in de Rozentuin waren toegesist, Manfred Steiger die uit het niets was opgedoken als een afzichtelijke dwerg en hem van bedrog beschuldigde, alsof hij binnenkort de prijs zou noemen die hij verlangde.

Die herinnering knaagde aan Steadman. Gedurende het jaar dat hij aan zijn boek had gewerkt had hij geen moment aan Manfred gedacht, was hij het verband tussen de man en de drug zelfs helemaal vergeten. Hij herinnerde zich de brief die hij had ontvangen; hij was blij dat hij hem had verscheurd. En bij zijn terugkeer in de wereld was hij met Manfred geconfronteerd, alsof die al die tijd op de loer had gelegen: de enige andere mens op de hele wereld die de geheime ervaring met de datura in het Ecuadoriaanse regenwoud met hem had gedeeld. Wat zou hij willen?

Aan het eind van de dag was Steadman geprikkeld en had hij behoefte aan verlichting, en hij nam een dosis van de drug waarmee hij zichzelf verblindde zodat hij met blinde ogen naar Ava kon kijken als ze thuiskwam, en nors tegen haar kon zeggen: 'Je bent kwaad op me. Je hebt een vreselijke dag achter de rug. Je hebt iemand geopereerd. Een acht uur durende invasieve operatie! Zwaar hersenletsel! Beschadiging van de hersenschors!'

'Je hebt jezelf en dat spul in gedachten,' zei ze – hij had de kop waaruit hij de datura had gedronken nog in zijn hand. 'Ik heb een hoofdwond gehecht.'

'Ik ruik bloed.'

'Ik heb anders nergens bloed.'

'Gonzende bloedmoleculen.'

Hij deed zo narrig en beschuldigend tegen haar omdat hij niet wist hoe hij haar over Manfred moest vertellen. Hij vermoedde dat ze zou antwoorden: 'Jouw vriend. Jouw pakkie-an.'

Manfred had er geen geheim van gemaakt dat hij schrijver was. Hij had Steadman verteld dat hij journalist was. Maar wat dan nog? Steadman veronderstelde dat hij in de Verenigde Staten gestationeerd was, misschien in Washington, maar het lag meer voor de hand dat hij in New York zat. Steadman wilde hem spreken, achter zijn bedoelingen zien te komen. *En ik ken jouw geheim.* Waarom had hij dat zo verwoord? De ene keer klonk het bedeesd, de andere keer als een dreigement. Steadman was niet bang; het ergerde hem dat hij zich overrompeld had gevoeld door die fluistering. Hij stelde zich voor dat hij hem opbelde, of nog beter, dat hij oog in oog met Manfred zou staan en zou zeggen wat hij in de Rozentuin had willen zeggen: Blijkbaar is het geen geheim!

Hij belde de persdienst van het Witte Huis en zei wie hij was. De vrouw aan de andere kant herkende zijn naam niet. Vroeger zou hij hebben gezegd: '*Trespassing*? Het boek, die tv-serie, de film? Dat is van mij.'

Maar hij zei: 'Ik was een maand geleden te gast op een diner in het Witte Huis.'

'Weet u wel hoeveel diners wij geven,' merkte ze schamper op.

Wie nam deze mensen toch in dienst? Maar hij wist het wel: kruipers en strebers die te maken hadden met rijke, bemoeizuchtige zakenmensen die een persoonlijke vergoeding eisten voor hun campagnebijdragen.

'Het diner voor de kanselier van Duitsland,' zei Steadman. 'Ik denk niet dat u was uitgenodigd.'

Hij had haar tot zwijgen gebracht, maar hij voelde dat ze razend was.

'Ik heb het adres nodig van een verslaggever die op de persconferentie was.'

'Wij geven geen persoonlijke informatie.'

'Alleen maar de naam van zijn krant. Een Duitse krant.'

'Hebt u al op internet gezocht?'

'Ik ben blind. Ik ben Steadman, de blinde schrijver.'

'Dat spijt me.'

'Het spijt u helemaal niet.'

'Ik zou u graag helpen.'

'Nee, dat wilt u helemaal niet.'

Geen wonder dat sommige blinden zo bitter, boos en zelfzuchtig klonken, omdat ze altijd van die lompe pummels tegenkwamen die dat soort dingen zeiden, die zich heimelijk verkneukelden omdat ze dwars konden liggen of erger nog, dat ze de blinde met hun zelfvoldane medelijden konden overladen.

Ze was maar een hulpje: een blinde verdiende beter. Zijn verontwaardiging was gespeeld maar zijn ergernis over de vrouw was echt. Het was niet zo dat hij er spijt van had dat hij zich als blinde had geafficheerd. Deze vrouw vormde een uitzondering, meestal vond hij het wel amusant dat hij vanwege zijn zogenaamde handicap met aandacht werd overstelpt. Dat nam niet weg dat hij wel degelijk blind was. Maar zijn grootste voldoening was dat hij eigenlijk helemaal niet gehandicapt was, dat hij in elk opzicht superieur was aan al die stukken onbenul, de mensen die aan hem zaten te plukken en de bemoeials die beweerden dat ze hem wilden helpen.

Hij had alleen Manfreds telefoonnummer maar nodig. Maar met het verstrijken van de tijd leek zelfs dat niet meer zo dringend.

Hij begon alleen uit te gaan, ging naar Vineyard Haven om te winkelen, naar Oak Bluffs om iets te drinken in de Dockside Inn waar hij Ava de eerste keer mee naartoe had genomen, en naar restaurants in Edgartown. Na zo lang als een kluizenaar te hebben geleefd, vond hij het heerlijk om zich weer in het openbaar te vertonen, hij genoot van al die aandacht. Een blinde werd overal opgemerkt, als een breekbare vaas die op een smalle plank staat te wiebelen: stel dat hij valt, stel dat hij breekt? De mensen hingen om hem heen en staken hun handen uit alsof ze Steadmans val wilden breken. Om hen nog meer te laten schrikken, ging hij sneller lopen als hij wist dat hij werd gadegeslagen door iemand die heel nerveus was, en hij nam dan grote, uitdagende stappen, heen en weer zwiepend met zijn stok alsof hij naar hoog opgeschoten gras sloeg.

Vooral vrouwen toonden zich erg bezorgd: hij genoot van hun gefluister, hun subtiele zijdelingse blikken, hun hartelijke bezorgdheid, hun onhandige goed bedoelende handen. Tot op zekere hoogte aanvaardde hij hun hulp, alleen maar om hen te kunnen ruiken. Ze roken naar verlangen, waren doordrenkt van emotie, vochtig van begeerte, en beefden van moederschap waarvoor geen uitlaatklep was; ze raakten hem aan omdat ze zelf aangeraakt wilden worden. Hij liet toe dat ze hem aaiden. Hij ging niet verder, hoewel hij hen helemaal had kunnen hebben.

Ava was onder de pannen, ze was druk bezig in het ziekenhuis, maar maakte nog steeds deel uit van zijn leven. Als ze thuiskwam en hij vroeg hoe het die dag was geweest, weigerde ze een beschrijving te geven behalve in vage bewoordingen die klonken als goddelijke beproevingen: 'We hebben vandaag iemand verloren,' of: 'Er moest een vrouw worden overgebracht naar een ziekenhuis in Boston.' Er waren minder patiënten dan in de zomer maar de gevallen waren ernstiger. Ze sloeg de kerstvakantie doelbewust over en werkte ook door op eerste kerstdag en oudejaarsavond, waarbij ze zich als martelaar opwierp: 'Ze hebben me nodig.'

Iedereen op het eiland noemde haar een engel, maar Steadman wist dat ze door zoveel verantwoordelijkheid in het ziekenhuis op zich te nemen, was vrijgesteld van alle andere dingen: ze hoefde geen boodschappen te doen, niet te koken of schoon te maken, geen cadeautjes te geven of gezellig te doen, en Steadman voelde zich aan zijn lot overgelaten. Hij kon zich er niet over beklagen dat hij door een arts was gedumpt. Niemand zou naar hem luisteren, want wiens werk was nu eigenlijk belangrijker? Vanuit hun waardige positie van morele superioriteit hadden dokters altijd het laatste woord.

Het was een vreemde gedachte dat zij ooit zijn roekeloze en sensuele minnares was geweest. Steadman vermoedde dat ze op de periode waarin ze samen aan het boek hadden gewerkt terugkeek als een lichtzinnige tijd. Hij wilde dat ze dat ook zou zeggen zodat hij kon antwoorden: *Je ziet het verkeerd, het was een openbaring. Wat voor openbaring schuilt er in ziekte? De treurige waarheid luidt dat mensen broos zijn en dat ze ziek worden en sterven. Alleen in de vitaliteit van de seks openbaart zich de essentie van de mens.*

Maar ze was kwaad. Hij voerde het gesprek in zijn gedachten. Hij maakte wandelingen. Hij dacht na over wat hij over seksualiteit en gevaar had geschreven, en op een dag werd het nieuws bekendgemaakt: akelig, pijnlijk, eerst als gerucht, toen als een ontkenning waarover getwist werd, dat de president een flirt, misschien wel een verhouding, met een jonge vrouwelijke stagiaire in het Witte Huis had gehad.

Het was een belachelijke veronderstelling. De eenvoudigste lezing klonk al erg genoeg. Steadman herinnerde zich hoe hij maanden geleden de verwarring van de arme man al had aangevoeld.

Ik wil één ding zeggen tegen het Amerikaanse volk. Ik wil dat u naar mij luistert. Ik zeg het nog een keer. Ik heb geen seksuele relatie gehad met die vrouw, Miss Lewinsky. Ik heb nooit iemand gevraagd om te liegen, geen enkele keer. Nooit. Deze aantijgingen zijn vals. Ik heb nooit seks gehad met die vrouw.

De president sprak, zwaaide met zijn vinger door de lucht. Steadman zag het roze, slapeloze gezicht, het vernederde en schuldige masker van de overspelige man en zei: 'Arme jongen.'

Maar Ava reageerde minachtend: 'Hoe kon hij nou zo stom zijn?'

'Hij was smoor op haar,' zei Steadman.

Op Ava's gezicht stond te lezen: Ik snap het niet.

De onthullingen over de overspeligheid van de president plaatste alle andere dingen in de schaduw. Op de Vineyard en op de naar nieuws hongerende aarde werd over niets anders meer gepraat. Dat de president van de Verenigde Staten in de Oval Office was gepijpt door een mollig joods meisje van een jaar of twintig was wereldnieuws.

Steadman volgde aandachtig in het nieuws hoe de ranzige geschiedenis zich ontvouwde. Hij vermoedde dat als Manfred buitenlands correspondent was, hij het verhaal waarschijnlijk voor zijn krant moest verslaan. Het dreef Steadman ertoe iets te doen wat hij tot nu toe vermeden had. Hij typte 'Manfred Steiger' in op zijn computer en kreeg zeventien hits: verhalen in de *Frankfurter Allgemeine Zeitung*, allemaal met een dagtekening in Washington. Maar hij deed geen poging om met Manfred in contact te komen.

De mensen die daarvóór al een hekel aan de president hadden, haatten hem nu en verkneukelden zich. Zijn medestanders stonden voor het dilemma dat ze ofwel een verklaring moesten geven voor zijn gedrag of het zelfs moesten rechtvaardigen. Sinds januari waren de huwelijksperikelen van de meeste mensen onbenullig vergeleken bij die van de president.

Wat zou hij denken? Dat was het enige waar de mensen het nu over hadden, het gezicht van de president waarop zowel minachting als schaamte stond te lezen, hij stond voor gek.

Steadman was er zeker van dat zijn *Boek der Openbaring* meer weerklank zou vinden in een wereld die perplex stond over het feit dat de machtigste man ter wereld zijn reputatie, zijn baan, zijn huwelijk en het respect van zijn vrienden op het spel had gezet voor een opdringerige, geprivilegieerde, dikkige en onaantrekkelijke jonge vrouw, en haar had aangemoedigd hem te pijpen terwijl hij met een glazige blik in zijn ogen geil voor zich uit zat te kijken op zijn kantoor in het Witte Huis.

Het was eigenlijk helemaal niet zo raar, hoewel je het de president nauwelijks kwalijk kon nemen dat hij het toch ontkende. Het vormde de essentie van Steadmans boek, want toen daar veilig in het Witte Huis zijn pik werd afgezogen, was de president heel even een gelukkig jongetje. Met al zijn leugens, uitvluchten en de halve waarheden die hij had opgehangen, voelde de president zich doodongelukkig, en toch klemde hij zich krampachtig vast aan zijn macht. Hij herhaalde dat hij niet zou zwichten, dat hij niet zou aftreden, dat hij door zou gaan, ook al dreef iedereen de spot met hem en kreeg hij nog zoveel haat over zich heen. De haat was niets nieuws, maar het medelijden vond hij verschrikkelijk. Steadman voelde dat de president zich vernederd en verzwakt voelde door dat medelijden en dat hij er niet tegen kon.

Toen hij de man daar aan alle kanten zo omsingeld zag, koos Steadman zijn kant, maar hij wist van tevoren dat de schande van de president hem en Ava weer nieuwe kansen bood om elkaar op de huid te zitten.

'Oké, hij liep achter zijn pik aan. Hij is stom geweest. Maar wat heeft hij nou eigenlijk verkeerd gedaan?'

'Ik zou er onmiddellijk uitvliegen als ik dat deed,' zei Ava. 'Als ik neukend met een verpleger in mijn kantoor zou worden betrapt, zou ik meteen ontslagen worden, zonder meer.'

'Het heeft niemand leed berokkend. En hij moet nu de vreselijkste straf ondergaan – de hele wereld lacht hem uit en voelt zich boven hem verheven. Dat is een regelrechte nachtmerrie.'

'Mijn vader zat vroeger bij de Marine,' zei Ava. Maar er klonk berusting door in haar stem. Geen woede. 'Als hij dat had gedaan was hij eruit geflikkerd of gedegradeerd en naar Diego Garcia overgeplaatst. De president is de opperbevelhebber van de strijdkrachten.'

'Nou en? Dat is een eretitel.'

'Hij doet alsof hij onschuldig is, net zoals jij doet alsof je blind bent.'

'Ik ben blind.'

'Wat is het eigenlijk, een verslaving? Kun je niet tegen stress? Kun je de wereld niet aan? Dus trek je je maar terug. En in plaats van weed of speed is jouw drug de Ecuadoriaanse verblinding. De ultieme ontsnapping.'

'Het is het tegenovergestelde,' zei hij. De datura gaf inzicht, voegde iets toe, het was helemaal geen vlucht, geen ontsnapping uit de wereld maar juist een onderdompeling in de wereld, de diepst mogelijke confrontatie met de werkelijkheid. 'En als dat niet zo is, hoe kan het dan dat ik er na zo lang falen in geslaagd ben mijn boek te schrijven?'

'Dat is heel eenvoudig. Ik heb je erbij geholpen.'

Dat kon hij niet ontkennen. Hij had haar vaak genoeg gezegd dat hij het zonder haar niet had gered.

'En nu heb je allebei. De mensen hebben medelijden met je en toch ben je sterker dan zij.'

Daar had hij geen antwoord op. Hij wist dat het waar was.

'Het is afgelopen tussen ons,' zei ze. 'Ik heb het druk in het ziekenhuis. Ik moet eens een eigen woning gaan zoeken.' Alsof ze hardop dacht, ging ze op zachte toon verder: 'Het enige dat je hebt gedaan is mijn leven ontwrichten.'

'Ga niet weg,' zei hij. Hij slikte moeizaam en met een uiterste wilsinspanning zei hij: 'Alsjeblieft.'

'Jij verdient mij niet.'

Ze was nu zo sterk, fel ondanks haar vermoeidheid en met heldere, koortsachtige ogen van de lange werkdagen in het ziekenhuis. En haar gezicht grondig ontdaan van make-up, bleek en intimiderend.

'Wat wil je dan?'

Met een zachte smekende stem zei hij: 'Ik wil dat je aanvaardt dat ik voorlopig aan dit middel verslaafd blijf.' Hij keek met milde verbazing naar zijn handen alsof hij zich zojuist had gerealiseerd dat ze van iemand anders waren. 'De mand ligt helemaal uit elkaar. Binnenkort kan ik er geen thee meer van trekken. Dan heb ik niet langer de keuze om blind te zijn. Ondertussen...'

'Ondertussen ga ik je niet helpen.'

'Oké,' zei hij en hij hief zijn lege handen op en maakte een verzoenend gebaar. Hij wilde eigenlijk nog meer zeggen maar beschikte niet over de woorden om de droom te beschrijven die daarmee voor hem in vervulling was gegaan: zoals ze daar met zijn tweeën woonden, in het huis, in zijn fantasieën, in zijn boek.

'Ik ga niet met je mee op de boekentournee,' zei ze.

'Daar kan ik me wel in vinden.' Op het moment hij het zei, besloot hij dat het beter was als ze niet meeging in die stemming en haar wrok met zich meezeulde, aanwezig was met haar gevit, en een duistere schaduw over alles wierp, net zoals tijdens het uitstapje naar Washington.

Alsof hij nog steeds aan het onderhandelen was, zei hij: 'Ik heb bijna niets meer over van het middel. Misschien nog voor een maand of voor zes weken.'

'Ga je gang dan maar,' zei ze, 'zet jezelf maar voor gek, net als hij.'

De president was op tv, zoals altijd voor een menigte opgetogen mensen gefilmd. Hij beende met grote passen langs een rij mensen die achter een touw stonden, boog zich voorover en omhelsde een grinnikend meisje met een zwarte baret: de dwaas die zijn fellatrix omhelst.

Ava schudde haar hoofd en aan haar kaarsrechte houding, haar hand, de manier waarop ze even met haar haren schudde, zonder oogcontact te maken, nadenkend, zonder een antwoord te verlangen of tegenspraak te verwachten, zag hij dat ze haar klinische pose weer had aangenomen, met een medische opinie op de proppen kwam.

'God mag weten wat dat spul met je zenuwen doet. Maar ik heb wel zo'n vermoeden. Het zet de neuronen onder druk. Roostert de zenuwknopen. De synapsen slaan door.'

Er verscheen langzaam een flauwe glimlach op zijn gezicht en hij zei: 'Ik vind het gemakkelijker om met je te praten als ik een dosis heb genomen.' Hij keek haar recht aan; zijn ogen waren troebel en uitdrukkingsloos. 'Omdat ik dan echt in je hart kan kijken.'

Ze leek in de war, maar dat kwam niet door wat hij had gezegd, maar omdat ze zich realiseerde dat ze al meer dan een uur thuis was en nu pas zag dat hij gedrogeerd, verzadigd, blind was. Als zijn seksuele partner had ze zich passief en speels op durven stellen maar in haar doktersjas had ze een hekel aan verrassingen en vooral een hekel aan het vernemen van dingen die ze nog niet wist.

Ze wist zich snel te herstellen en zei op scherpe toon: 'Dus je wilt met alle geweld een masker dragen.'

'Wat dan nog?'

'Dat maakt twee verschillende mensen van je. Jijzelf en je masker.'

'Dat is dan mijn probleem. Of misschien mijn speciale gave.'

'Jouw probleem,' zei ze. 'De angst dat je ontmaskerd zult worden. Dat is de angst van iedereen die een masker draagt.'

4

De wijde wereld die Steadman als eenzame blinde man betrad was krankzinnig, binnenstebuiten gekeerd, zich constant uitbreidend met onmiskenbare samenzweerders, zonderlingen die nauwelijks als zodanig her-
kenbaar waren, en het ectoplasma van door de mond ademende vreemden. Ava hielp hem tijdens haar lunchpauze bij het inchecken aan de balie op het vliegveld van Martha's Vineyard. Hij klauwde in de lucht alsof
hij die wilde vastpakken en doorgronden.

'U reist alleen?'

De knabbelende baliemedewerker met zijn muizengezicht, afgebeten
en afgekloven nagels en glimmende laarzen, en een zweterige tas aan zijn
voeten was de eerste van vele mensen die in Steadmans ogen een groteske benadering van de mens waren – erger, maffer dan toen hij met Ava
in D.C. was geweest, en misschien des te fantastischer omdat hij alleen
was.

Ava merkte dat hij zich niet op zijn gemak voelde en zei: 'Je redt je
wel.'

'Er staat in iedere stad een begeleider voor me klaar.'

'Mooi zo,' zei Ava ongeïnteresseerd, haar fronsende gezicht leek net
een beurse vrucht. 'Ik moet ervandoor. Ik heb om twee uur een operatie.
Een blindedarm.'

Het volgende moment was ze weg, de vrouw wier schoonheid hij aan-
beden had, die zijn wildste seksuele fantasieën had geïnspireerd, stoof
weg in een doktersjas en op sportschoenen, een dokter op pad. Tot kijk,
Doc.

Steadman ging aan boord van het vliegtuig naar Boston en voelde zich
onmiddellijk in de trechter van zijn tournee geworpen, tuimelde naar
het zwarte licht, langs de stemmen in de periferie, louter gebabbel. Het
meeste wat hij hoorde sloeg nergens op – 'Ze eten warm tussen de middag' – maar zo nu en dan klonk de openbare emotie die zich in de ver-

trekhal samenbundelde onbeschrijflijk triest: 'Ik was erbij toen hij stierf,' en: 'Doe me dit alsjeblieft niet aan,' en: 'Het kan me geen barst schelen als ik hem nooit meer zie,' en: 'Ricky, heb je je medicijnen wel genomen?'

Hij leek door een vreemd land te reizen waarvan hij de taal vloeiend sprak, een hightechwereld van absurditeiten, grotendeels bewoond door chagrijnig kijkende, snuivende mensachtigen met een harig gezicht en zo nu en dan een betoverende vrouw die een geur van lust met zich meevoerde. Sommige mensen straalden een zwakke gloed uit, andere scheidden een scherpe lucht af of zonden een veelzeggend gefluister uit. Niets was nog zoals hij het ooit had gekend. Hij was weer op verboden terrein. Op Logan Airport belde hij Axelrod.

'Goed nieuws,' meldde zijn uitgever. 'De eerste druk is bijna uitverkocht. Er komt een herdruk. Iedereen wil je interviewen. Hoe gaat het?'

Hij kon het niet zeggen. De onwezenlijke vervormingen die zich bij de vertrekhal verdrongen waren geen obstakels maar eerder openbaringen. Een jongetje met een enorm hoofd en een vissengezicht dat om snoep zeurt, met tanden die veel te groot zijn voor zijn mond. Rondstampende dikke kerels beladen met schoudertassen vol bedrog. Jammerende oude vrouwen als een koor van verschrompelde, seniele bavianen. De man naast hem die van angst en ongeduldigheid een wind laat. Schilferige handen die hem aanraken en een stinkende adem waar hij niets aan heeft. Hij zag de hele wereld anders; hij zat vol met de drug.

'Ik hou van je.' Dat was een wanhopige, onhandige man met zweet in zijn vuisten.

'Ik ook van jou.' Onschuldig, bang, in de val zittend, kwebbelend, alleen maar praten om de leegte te vullen, en overduidelijk niet gemeend.

Hij kon onmiddellijk zien wanneer mensen logen. Hij vormde het middelpunt van alle aandacht met zijn zonnebril, zijn stok, zijn hoed, zijn fraaie schoudertas. Hij deinsde terug voor de mensen die hem aanstaarden.

'Kijk dan, Steve, die man is blind. Ga hem eens helpen.'

'Wegwezen.' Hij maaide ze weg met een zwiepende beweging van zijn stok om ze op een afstand te houden, en nam grote passen terwijl de mensen uiteenweken om ruimte voor hem te maken.

Op de koude vliegtuigtrap zei een verwijfd klinkende man naast hem: 'Nog ietsjes verder, makker, en goed uitkijken waar we onze voeten neerzetten.' De man stonk naar verwelkte lelies en zijn handen klauwden naar Steadmans mouw.

Tijdens de lange vlucht naar Seattle werd hij door een monstrueuze mannelijke kinderjuf betutteld die zei: 'Zal ik u voeren?' Steadman vloekte hem uit en zat lijdzaam in de bedompte lucht. Hij deed zijn koptelefoon op en luisterde naar Philip Glass die hem in slaap suste. Hij voelde de ongemakkelijkheid van de andere passagiers toen hij weer wakker werd en zich tastend een weg zocht naar het toilet. De reis was een ervaring van gierende straalmotoren, voortdurende onderbrekingen en de banale angst van de passagiers.

'Wordt u opgehaald?'

Hij haatte dat babysittertoontje. Hij walgde nu al van de onoprechte bezorgdheid van de omstanders. Hij werd er opstandig van, nadrukkelijk zelfbewust in zijn anders zijn.

Een hand op zijn arm toen hij onder aan de roltrap was aangekomen. 'Dag. Ik ben Pam Fowler, je begeleidster.'

Ze was een trage, magere vrouw die was vergeten waar ze haar auto had geparkeerd. Ze liepen tien minuten over het parkeerterrein te dwalen tot ze hem had gevonden.

'Ik heb net de recensie in de *Post-Intelligencer* gelezen,' zei ze terwijl ze haar veiligheidsgordel omdeed. 'Die was niet erg lovend. Ik moest het woord "satyriasis" opzoeken. Spreek ik het zo goed uit?'

Ze reed slecht, zat voortdurend door haar neus pratend te mopperen en berispte zichzelf om haar onbeholpenheid.

'Maar het boek vliegt de winkels uit. Elliott Bay heeft weer een bestelling gedaan. Ze verwachten je daar vanavond.'

Hij zou die avond in de Elliott Bay-boekhandel lezen, hoewel 'lezen' niet het juiste woord was. In plaats daarvan zou hij het over zijn blindheid hebben.

'Heb je je schema al gezien?'

'Hoe heet je?'

'Pam.'

'Ik ben blind, Pam. Ik heb het schema niet gezien.'

Het was een slag onder de gordel, maar het 'Die was niet erg lovend' stak hem nog steeds.

'Het spijt me heel erg. Ik weet het,' zei ze. 'Alleen lijkt het alsof je helemaal niet blind bent.'

Toen ze haar hoofd omdraaide om hem aan te kijken, lette ze even niet op de weg. Hij voelde hoe de auto naar rechts ging en over de geribbelde streep schoot, het trillen van de banden alsof ze over een wasbord reden, de echo van de auto die door de vangrail werd weerkaatst.

'Pas op!'

Ze trapte op de rem en verontschuldigde zich, ze werd nu nog zenuwachtiger en begon nog slechter te rijden. Als om hem te sussen, probeerde ze een gesprekje te beginnen.

'Mount Rainier is zichtbaar. Jammer dat je hem niet kunt zien.'

'O, maar dat kan ik wel, hoor,' zei hij.

Het hotel was groot, de vloerbedekking stonk en er hing stof in de lucht. Hij werd door een onbeholpen, knorrige piccolo naar zijn kamer gebracht en ging op zijn bed in de gonzende kamer liggen soezen tot hij naar de bijeenkomst in Elliott Bay moest.

Toen hij de boekhandel binnenging, voelde hij aan de verstikkende lucht waar alle zuurstof was uitgezogen dat de zaak stampvol zat. Het was een natte dag geweest. Alleen te overdadig geklede mensen op een regenachtige dag roken onaangenamer dan tweedehands boeken. Zoals altijd deden de mensen een stap opzij voor hem als ze zijn bril en stok zagen, maakten ruimte voor hem, alsof hij breekbaar was, alsof ze bang waren hem aan te raken en omver te duwen. Een paar bange handen grepen hem onhandig bij de arm en probeerden hem de weg te wijzen.

'Zet me maar gewoon in de goede richting.'

Hij vond het nu al vreselijk om door vreemden te worden aangeraakt.

Hij nam plaats achter de lessenaar en zei: 'Ik ga u niet voorlezen. In plaats daarvan zal ik u iets over mijn toestand vertellen. Hoe ik onverwacht blind ben geworden. Hoe iets waarvan ik dacht dat het een nachtmerrie zou worden ook voordelen met zich mee bleek te brengen. Mijn boek gaat niet over blindheid, maar mijn blindheid heeft me wel geholpen om het te bedenken en het te schrijven.'

Hij liet zijn blik langs de gezichten van zijn toehoorders gaan en omdat hij niet aarzelde of naar beneden keek om eventuele aantekeningen te raadplegen, leek het alsof ze van hem schrokken toen hij op felle toon zei: '"Ik heb de gewoonte om mijn ogen gesloten te houden, om de knusheid van het in bed liggen intenser te ervaren. Want geen mens kan ooit zijn eigen ik goed gewaar worden tenzij hij zijn ogen gesloten houdt; alsof de duisternis inderdaad het eigenlijke bestanddeel van ons diepste wezen is." Dat zegt Ismaël in *Moby Dick*.'

Zoals hij daar blind en voor zich uit starend sprak, met opgeheven hoofd, ontstond er een nog grotere stilte en gevoel van ontzag. Hij citeerde Sassoon:

Wat doet het ertoe? – Het verlies van je gezicht?...
Er is zulk mooi werk voor blinden;
En eenieder zal je aardig vinden,
Mijmerend op het terras gezeten
En je gezicht gekeerd naar het licht.

Het publiek luisterde intens geconcentreerd en leek bijna te knisperen van aandacht. Dat kalmeerde hem, zodat hij even een pauze kon inlassen en zich herinnerde wat hij van plan was geweest. In plaats van bij Melville stil te blijven staan, ging hij verder. Hij sprak verachtelijk over *King Lear* omdat hetgeen hij over blindheid zei, een ruwe beschrijving was. '"Turend in de duisternis die ook de blinden zien," is evenmin juist. Shakespeare had het bij het verkeerde eind.' Met uitzondering van de profeet Ahijah, de blinde ziener, is de bijbel zelfs nog misleidender als het over blindheid gaat – slechts een litanie van achterlijke dreigementen en halve waarheden en valse metaforen en de gebruikelijke stuntels, Isäac, Samson, Eli, Zedekiah, Tobit, en de met schuldgevoelens overladen belastingontvanger Saul. Er was bewijs in de bijbel te vinden, zei hij, waarmee aannemelijk kan worden gemaakt dat God blind was.

'Duisternis is het enige dat ik niet zie,' zei hij. 'Borges heeft gelijk. De blinden zien geen zwart. De wereld is voor mij niet zwart. Op zijn vaagst heeft hij een groenige gloed, als de fosforescentie die in dicht tropisch regenwoud voorkomt. Je ziet het op het smalle, zich vertakkende pad, in de rotting onder het hoge bladerdak, precies zoals in het Amazonegebied van Ecuador, waar ik in feite één vorm van zien ben kwijtgeraakt en er een andere voor in de plaats heb gekregen.'

Hij citeerde Milton en nog een ander gedicht van Sassoon. Hij had in gedachten aantekeningen gemaakt. Hij was zich ervan bewust dat hij ditzelfde verhaal in alle steden op zijn tournee zou houden, het voortdurend zou bijschaven, de onderdelen die succes hadden zou gebruiken en de citaten waarvan het publiek rusteloos werd, zou weglaten.

Vanavond, toen hij afsloot met enkele zinnen uit Borges' 'Over blindheid' werd zijn dankwoord aan het publiek overstemd door een luid, gul applaus dat leek te willen zeggen: Je bent dapper, je bent briljant, je bent een held.

Hij ging zitten en zette een soort van handtekening in de boeken die op de titelpagina waren opengelegd. Er werden foto's van hem genomen, hij werd geaaid, mensen bedankten hem op fluisterende toon; iedereen zei iets.

'Moet ik uw boek lezen? Ik weet niet zo zeker of ik het wel goed zal vinden.'

'Mijn vader was dol op uw eerste boek. Hij was een echte klootzak. Hij heeft mijn beste vriendin versierd en toen is hij bij mijn moeder weggegaan, en de laatste keer dat we iets van hem hoorden, zat hij in Alaska.'

En één vrouw fluisterde nadrukkelijk: 'Ik kan je wel naar huis brengen.'

Maar hij werd door Pam Fowler naar het hotel teruggebracht en op zijn kamer lag hij te denken: Dit vind ik leuk.

De volgende ochtend reed ze hem naar de luchthaven voor de vlucht naar Portland. In het vliegtuig werd hij weer vertroeteld, maar deze keer protesteerde hij niet. Dit was beter dan thuiszitten. Er werd niet voortdurend op hem gevit; er werd goed voor hem gezorgd, alsof hij een breekbaar geadoreerd kind was. Toen hij uit het vliegtuig stapte, belde hij Ava. 'Alles is goed met me.' Ze leek verbaasd dat hij belde. Ze wilde verder niets meer weten. Ze zei dat ze het druk had in het ziekenhuis.

In Portland bracht de vrouwelijke begeleidster, Julie, hem meteen naar een radiostation. De interviewer vertelde dat hij ook blind was. Voor het eerst op deze tournee was Steadman zich bewust van een meedogenloze onderzoekende blik, geen nieuwsgierigheid of angst maar een scherpe intelligentie, als een lichtstraal die op hem werd gericht.

'Mijn vrouw heeft uw boek aan me voorgelezen,' zei de blinde interviewer terwijl hij behendig de toetsen van de cassetterecorder bediende. 'Ik wilde u zeggen dat u schrijft zoals alleen een blinde dat kan. Dat is bedoeld als compliment. De werkelijkheid is voor ons een hallucinatie. Ziende mensen weten dat niet. Het is een andere grammatica, een ander vocabulaire, een andere wereld. Het zit binnen de wereld die ziende mensen zien, maar het blijft voor hen verborgen.'

Daarna verliep het interview heel goed. De blinde stelde vragen over het boek – hij zou de enige interviewer zijn die over het boek begon. Alle anderen stelden Steadman alleen maar vragen over zijn blindheid. Ze zaten tegenover elkaar, wezenloze blik tegenover wezenloze blik, en voerden een genoeglijk gesprek. En toen het interview achter de rug was had Steadman het gevoel dat hij voor een belangrijke toets was geslaagd.

Die avond hield hij zijn pr-praatje over blindheid in Powell's Books, met alweer een grote opkomst, geestdriftige en sympathieke lezers die een en al aandacht waren, de zurige lucht van onverkochte boeken op de planken, het aangename aroma van zijn eigen nieuwe boek, met de karakteristieke geur van warme muffins, het nieuwe papier, de pas gesneden bladzijden, het schone gladde omslag, en zo nu en dan een oud muf exemplaar van *Trespassing* dat voor zijn neus werd gehouden om zijn handtekening in te zetten.

'Zeg, wist u dat u een beroerde recensie in *Time Magazine* hebt gekregen?'

'Bedankt voor het signeren van mijn boek, maar het probleem is alleen dat ik uw handschrift niet kan lezen.'

Hij had zich een nieuwe manier aangeleerd om zijn handtekening te zetten, door er met een zwierige krul opzettelijk een elegante toets aan te geven, om de mensen die hem hongerig aanstaarden alsof hij weerloos en eetbaar was, te tarten.

Alweer vroeg een vrouw hem: 'Mag ik je naar je hotel brengen?' Ze had achter zijn tafeltje staan zuchten. Deze keer ging hij erop in. Hij stuurde zijn begeleidster weg, maar toen hij bij de vreemde vrouw in de auto stapte, realiseerde hij zich dat ze zwaar was: de auto schommelde toen ze instapte. Hoe kwam het dat hij dat niet had gemerkt? Misschien had ze wel de hele tijd achter hem gestaan. Ze had een schattig kleinemeisjesstemmetje. De auto was bezaaid met snoeppapiertjes en kattenharen.

'*Trespassing* heeft mijn leven veranderd,' zei ze in de bar van het Heathman Hotel. Ze had hem met alle geweld een drankje willen aanbieden.

Nu kon hij alles zien, niet alleen haar massa en haar sluike haar, maar ook de schedelnaden op haar hoofd.

'Ik kan je naar je kamer brengen als je wilt. Ik doe geen voorstellen. Ik zeg alleen maar dat ik nergens heen hoef.'

Maar ze deed wél een voorstel. Ze had een droevig gezicht en zag er eenzaam uit. Haar halskwabben trilden toen ze door een rietje zuinig van haar daiquiri zoog. Wat ze niet wist was dat andere mensen in de bar zaten te staren, sommige zaten in een stoel en leken net figuren in een altaarstuk dat gevallen zielen en verdoemenis voorstelde.

'Ik heb het gevoel dat ik je iets schuldig ben. Ik geloof dat ik iets terug moet doen.'

Alweer merkte Steadman dat blindheid voor sommige vrouwen niet gewoon een aantrekkingskracht had maar zelfs als een krachtig afrodisiacum werkte. Het stemde hem droevig en hij vertelde haar op vriendelijke toon dat hij de volgende ochtend vroeg een vlucht moest hebben. Hij sloeg haar aanbod hem naar de lift te brengen af, en liet haar de rekening betalen. Boven begon hij wat aan zijn radio te pielen en besloot Ava niet te bellen.

Hij voelde zich lichter en vloog verder naar San Francisco, waar hij weer werd opgehaald en over de snelweg naar de stad werd gereden in de heldere lucht die gegeseld werd door het zonlicht dat in het water van de baai weerkaatste. Nadat hij bij het hotel had ingecheckt, zei zijn begeleider, een wat oudere man: 'We hebben nog wel wat tijd om onverwacht ergens binnen te vallen. Er zijn hier in de buurt een paar winkelketens.'

Hij zei: 'Oké,' en bij de eerste boekhandel: 'Ik kan dit wel alleen af.'

Tijdens het korte eindje van de auto naar de ingang van de winkel deed hij een zwerm naar kruimels pikkende duiven opvliegen, een gefladder van gevleugelde ratten die op omstanders poepten en spetterden bij het wegvliegen in de schurende wind.

Hij bewoog zich aarzelend naar de informatiebalie en liep op de snelle aanslag van computertoetsen af.

'Ik ben hier om mijn boek te signeren.'

'En uw naam is?'

'Slade Steadman.'

'Wordt u verwacht?'

'Ik weet het niet.' Hij tikte met zijn stok op de grond alsof hij daarmee wilde aangeven dat de tijd ondertussen verstreek.

'De bedrijfsleider heeft pauze.'

Nu stonden al zijn zintuigen wijdopen en kon hij de gelaatstrekken van de spreker onderscheiden, een jonge man met een smerige gebreide muts en bleke handen, arrogant zoals alleen een onbenul kon zijn, te dom om zijn eigen arrogantie te begrijpen, die heimelijk minachtend zijn neus ophaalde voor de maalstroom van honderdduizend boeken.

'Hoe heette dat boek ook alweer?'

'*Het Boek der Openbaring.*'

Een vrouw die naast Steadman bij de toonbank stond te wachten, liet zich horen: 'Dat zul je hier niet vinden.'

Ze was zwart en fors, droeg een ruim vallende jurk van zachte stof, had samengeklit haar dat op de achterkant van een tapijt leek, haar zware vlezige armen hadden de kleur van te kort gekookte ham en haar tepels waren net vijgen op haar slappe borsten.

'Zoiets vind je eerder in religieuze boekhandels,' zei ze.

'Ik zou u graag van dienst willen zijn,' zei de jongeman.

Steadman maakte een snerpend geluidje, een soort kreet van pijn waarmee hij de aandacht trok, en sloeg toen met zijn stok om zich heen en maakte de weg vrij naar de straat.

Dat was een verhaal dat hij de journalisten kon vertellen. Die dag waren het er twee, en beide keren ging hij prat op zijn blindheid. De journalisten deden vriendelijk, maar hij wist dat ze de kruimels op zijn overhemd zouden noemen, zijn ongekamde haar, en als zijn sokken niet bij elkaar pasten zouden ze ook dat vermelden.

Die avond, in Corte Madera, een halfuurtje ten noorden van San Francisco, sprak hij in de Book Passage over zijn blindheid. Hij bleef lang uitwijden over Borges en Melville en citeerde uit Shakespeare. Hij voelde zich zo intens geobserveerd dat hij het idee had dat maar weinig mensen echt naar hem luisterden. Een vrouw op de voorste rij leek angstig te glimlachen, waarbij ze haar lippen optrok en haar tanden liet zien, ze hield bang haar vuist tegen haar mond en leek erin te bijten als in een grote sappige vrucht. De meesten keken paniekerig, onbehaaglijk, alsof ze naar een acrobaat zaten te kijken die zonder vangnet heel voorzichtig voortschuifelt over een slap koord.

Na afloop kwamen ze naar hem toe voor zijn handtekening en mompelden van alles tegen hem: vrouwen met rugzakken, mannen met reistassen, hun zakken propvol papier, een jongen die iets weghad van een Inca-slingeraar met omlaag hangende oorflappen aan zijn muts.

'Mijn neef is blind en hij heeft basgitaar leren spelen, en hij kan het nu echt goed.'

'Je zou je moeten aanmelden voor zo'n hond. Zo'n labrador.'

'Ik kan me uw boek niet veroorloven, maar zou u uw handtekening onder deze foto willen zetten die ik uit de krant heb geknipt?'

En toen hij weer wegging, bood een opvallende blondine hem een lift aan en liet een mooie lach horen toen hij haar aanbod beleefd afsloeg.

Toen hij terugkwam in San Francisco, zag hij overal op straat bedelaars rondhangen die geld eisten. Steadman staarde hen onbeschaamd aan, zwaaiend met zijn stok, en toen hij weigerde, zag hij vol verwondering hoe een man een scheet liet, een explosie van zwarte zwaluwen en groen gas.

De volgende ochtend op weg naar de luchthaven vroeg de wat oudere mannelijke begeleider: 'Ik zat me af te vragen: Ben je wel goed verzekerd?'

Steadman vloog naar Denver en werd daar afgehaald door een jonge vrouw die erop stond zijn koffer te dragen. Ze reed efficiënt, praatte tegen hem zonder het over zijn blindheid te hebben en zei toen: 'Merk je niet dat ik een heet wijf ben?' Weer een praatje houden, nog meer interviews, goed nieuws over de verkoopcijfers van zijn boek, een glimp van een jong stel dat elkaar stond te kussen in de parkeergarage van de Tattered Cover-boekhandel, waar een eerbiedige menigte voor hem applaudisseerde en zijn boek kocht om het door hem te laten signeren.

'Kunt u iets schrijven als: "Voor een fabelachtige vrouw, van iemand die het kan weten?"'

'Wanneer verschijnt dit in pocketvorm?'

Die avond een diner op zijn hotelkamer en de volgende ochtend vroeg een vlucht naar Chicago.

De begeleider die hem op O'Hare stond op te wachten was een stevig gebouwde man die Bill heette, die zijn koffer met één hand vasthield en Steadman met zijn andere hand door de hal van de luchthaven loodste. In de auto zei hij: 'Er is een bericht voor je,' en hij belde de publiciteitsagente en gaf de telefoon toen aan Steadman.

'Ik heb er nog een interview in New York bij gedaan,' zei ze. 'Een Duitse krant, maar het interview verschijnt ook in het Engels op internet. Hij zegt dat hij je kent. *Manfred nog wat. Grote fan van je.*'

Tijdens de afspraken in Chicago voelde Steadman zich voortdurend geobserveerd door een uil met gele ogen in een rond raam, als een patrijspoort die in de lucht was uitgesneden. *Manfred nog wat. Grote fan van je.*

'Je kent Bruce Chatwin zeker wel? Dat is een fantastische schrijver, eigenlijk mijn grootste favoriet.'

'Die vent die jou speelt in de tv-serie lijkt helemaal niet op jou. En hij heeft ook nog eens zo'n nepaccent.'

'Ik ken geen braille,' zei hij in de lift van het hotel. 'Kan iemand voor mij op 17 drukken?'

De spiegel in de lift weerspiegelde andere gezichten dan de gezichten die erin staarden.

Niemand had het over zijn boek. Drie kranteninterviews, een interview dat voor de radio werd opgenomen, een fotosessie op Michigan

Avenue: allemaal gericht op zijn blindheid. Hij sliep slecht en moest aan Manfred denken. De volgende ochtend racete Bill hem naar O'Hare en zei alleen maar: 'Dit is de goede richting op dit uur van de ochtend. Op de terugweg kom ik in die vreselijke file terecht.'

In de vertrekhal zat Steadman naast een non met een varkensgezicht in een zwart habijt, net een heksenmantel, die onder het bidden de hele tijd aan haar gerafelde oorlellen zat te trekken.

Vingers raakten zijn hand aan, niet die van de non maar die van een geïrriteerde, huilerig klinkende man die op kribbige toon zei: 'U kunt vast aan boord.'

Steadman werd omstuwd door de wachtende passagiers. 'Terug!' zei hij en hij maaide met zijn stok om zich heen, baande zich een weg langs mannen met koffers op wieltjes en jongeren met vettige rugzakken en schizofrene kinderen die aan de Prozac waren en een man met een stinkende adem.

Dezelfde uil met gele ogen keek door een patrijspoort boven Manhattan op hem neer.

Hij was ondertussen gewend geraakt aan de veelbetekenende stiltes en de gebarentaal: snelle openlijke gebaren van mensen die zich niet realiseerden dat hij zich bewust was van hun doen en laten. Hij was gewend aan het gebrom, het aanstoten, de verbazing, de luidruchtige begroetingen, de neerbuigende hartelijkheid die hij een van de ergste uitingen van medelijden vond. De meeste mensen werden bevangen door een gevoel van medelijden als ze hem zagen. Maar hij duldde het omdat hij zichzelf niet bloot wilde geven door zijn woede. En het was het medelijden van zogenaamde intellectuelen en sukkels.

Domme, goed bedoelende mensen, zoals de taxichauffeur die hem naar zijn eerste interview bracht en hem hoop probeerde te geven.

'Misschien kunnen ze een oogtransplantatie doen.'

'Ik vind mezelf goed zoals ik ben.'

'Maar als je nou een orgaandonor zou kunnen vinden?'

'Rij die jogger maar omver, dan heb je er een.'

'Zag je die vrouw?'

'Nee. Jij zag haar wel en je begon te slingeren.'

New York City leek perfect geschikt voor een blinde: de logica van de straten, de onverschillige voorbijgangers, de onverwachte beleefdheid van de mensen. Tijdens de signeersessies in de boekhandels werden de gebruikelijke vragen gesteld.

'Bent u van plan om Ved Mehta nog op te zoeken als u in de stad bent? Ik zou denken dat hij wel een steun voor u zou kunnen zijn.'

'Wist u dat visueel gehandicapten sommige beeldhouwwerken in het MOMA mogen aanraken? Grijp die kans!'

New Yorkers kondigden zichzelf van tevoren aan, alsof ze van grote afstand schreeuwden. In New York wist Steadman lang voordat ze het vroegen wat de mensen wilden, hij wist welke vragen ze aan het voorbereiden waren, wist wanneer ze naar hem staarden, wanneer ze zich van hem afwendden en deden of ze ergens anders in geïnteresseerd waren. New York was gewend aan vreemde dingen, en alleen echte afwijkingen waren nieuws en daarom vervulde hij gedurende zijn vierdaagse bezoek aan de stad een sterrenrol als de beroemde scherpzinnige reiziger die tegenwoordig een blinde romanschrijver was.

Op de tweede ochtend werd hij naar de *Today*-show gebracht.

'Meneer Steadman, u bent een soort legende in de schrijverswereld en ook in de tv-wereld, doordat u de aanzet hebt gegeven tot die langlopende tv-serie,' zei de vrouwelijke interviewer op vleiende toon. 'Er valt zoveel te bepraten. Ik wilde u vanochtend wat vragen stellen over uw nieuwste boek.'

Ze sprak het uit als *vanoggend*. Ze was klein, had een popperig gezicht en hield een klembord vast, en onder het praten schudde ze met haar strak opzij gekamde haren. Ze leunde voorover en haar stem kwaakte.

'Maar allereerst, wat zal het een tragedie voor u zijn geweest om de dierbare gave van het gezichtsvermogen te moeten verliezen.'

Steadman was blij met haar vulgaire, verkneukelende manier van doen. Omdat ze geen vraag stelde maar een overdreven sentimentele vaststelling deed, kon hij haar op een waardige manier van repliek dienen en haar op haar plaats zetten. Je deed er altijd verkeerd aan om antwoord te geven op een vraag. Niemand herinnerde zich trouwens vragen; je kon veel beter zeggen wat je op je hart had.

'Het verlies van mijn gezichtsvermogen is een zegen geweest,' zei hij. 'Ik had anders nooit geweten wat ik allemaal miste. Ik zie misschien minder maar ik begrijp des te meer.'

'Maar is het niet ongelooflijk pijnlijk te beseffen wat je kwijt bent?'

Hij ergerde zich aan haar vasthoudendheid en hij wist zich bijna niet in te houden toen hij haar antwoord gaf. 'Ik heb geprobeerd mijn blindheid in een voordeel om te zetten. Ik geloof dat mijn boek er daarom beter op is geworden.'

'Vertel me eens iets over de schaduwkanten ervan,' zei ze.

'Wat u nu met mij doet is de schaduwkant ervan,' zei hij met een scherper wordende stem. 'U stelt die vraag zo omdat u zichzelf boven mij verheven voelt, omdat u denkt dat u heel bent en ik op een of andere manier onvolledig.' Hij glimlachte tegen haar en wist door het licht dat op zijn gezicht viel dat de camera zijn boze glimlach had opgevangen. 'Ik kan u verzekeren dat dat niet het geval is. U hebt het mis en u wordt misleid, en ik, Tiresias, de oude man met de gerimpelde borsten, nam het tafereel in ogenschouw en voorspelde hoe het afliep.'

Toen hij 'gerimpelde borsten' zei, raakte de vrouw geagiteerd en brak het gesprek af zodra hij zijn zin had afgemaakt. Ze bedankte hem voor zijn komst en verontschuldigde zich omdat ze niet aan zijn boek was toegekomen. Steadman kreeg de indruk dat hij haar bang had gemaakt en dat ze, opgelucht dat hij wegging, gretig overstapte op het volgende onderwerp: het laatste nieuws over de in ongenade gevallen president.

Terug in het hotel was er een bericht van Ava. Hij belde haar op zijn mobiel. Ze zei dat ze hem daarnet op tv had gezien.

'Je was goed. Je maakte zo'n zelfverzekerde indruk. Je hebt mij niet nodig.'

Met nog een paar uur te gaan experimenteerde hij wat met de stad. Vanuit zijn hotel op Madison Avenue slenterde hij over het trottoir in zuidelijke richting. Het was niet eenvoudig. Voetgangers stormden op hem af, liepen snel, marcheerden stevig door, duwden hem soms opzij, mompelden in zichzelf, sommige zongen vals, heel zacht en wat paniekerig. Maar ze staarden hem in ieder geval niet aan.

Hij nam een stuk op van de *Charlie Rose*-show en was zich ervan bewust dat hij alles kon zeggen wat in hem opkwam omdat Rose, die weliswaar heel opgeblazen deed, zich niet goed had voorbereid.

'Slade Steadman,' begon de man op zwaarwichtige toon terwijl hij het hoofd boog, 'u hebt het beroemdste reisboek van deze tijd geschreven. Vele jaren hebt u feitelijk een kluizenaarsleven geleid en zelden uw huis verlaten...'

Deze descriptieve inleiding bleef maar doorgaan, en toen Rose geen aanstalten maakte om af te sluiten, onderbrak Steadman hem, bracht hem van zijn stuk, en beschreef zijn boek, legde uit waarom hij de biechtvorm had gekozen voor zijn roman over de seksualiteit van een man.

Het gezicht dat hij later op de avond in zijn hotelkamer zag, dat het hele televisiescherm vulde, een groot bezield hoofd, de woeste haardos, de zonnebril, de zelfverzekerde grijns, de barse manier van praten, maakte dat hij aandachtig zat te turen. Hij was blij dat hij alleen was, blij dat het middel was uitgewerkt zodat hij zichzelf kon zien. Hij lette nauwelijks op wat hij zei, maar hij kon zijn ogen niet van zijn gezicht afhouden, dat er verwrongen en ernstig uitzag, gemaskeerd door de bril. Hij stelde zich voor dat een vreemde het gezicht van deze blinde man zou zien en zich geïntimideerd zou voelen van angst en ontzag.

Anders dan Steadman in zijn gekreukelde colbertje en zwarte coltrui, zag Rose er in zijn streepjespak uit om door een ringetje te halen. Hij zag er keurig maar enigszins gepijnigd uit, en leek zelfs overdonderd door de felle persoonlijkheid van Slade Steadman.

Hij hield een praatje in Barnes & Noble op Union Square, en na afloop vroeg een vrouw die zijn handtekening wilde: 'Wat mist u nu het meest?' Voordat hij antwoord kon geven was ze al weg. Hij zat in een panel in het cultureel centrum Y in 92nd Street. Hij werd in de studio van National Public Radio geïnterviewd door Terry Gross van *Fresh Air*. Hij werd gefotografeerd op een bankje in een deel van Central Park dat vlak bij zijn hotel lag.

Al die geuren, al dat doorzichtige gepraat. Zodra hij werd voorgesteld wist hij wat die mensen van hem dachten, van zijn boek, van zijn blindheid. Hij wist altijd wat ze wilden. Hij had de hele tijd het sterke gevoel dat hij van een afstand werd gadegeslagen, gevolgd, dat er voortdurend iemand rondhing, op hem ademde, alsof iemand hem hinderlijk schaduwde.

'Ik ben blij dat u me niet kunt zien,' zei de fotograaf, een jonge vrouw. 'Ik zie er zo vreselijk uit.'

De mensen raakten zo van slag door zijn aanwezigheid dat ze iets wilden zeggen, maar niet wisten wat ze moesten zeggen, en dan vaak het verkeerde zeiden. Maar voor Steadman was het allemaal nog nieuw, en omdat hij zich opgejaagd voelde door zijn anonieme stalker, reageerde hij keihard.

'Ik kan u wel zien. U ziet er niet vreselijk uit. Maar u bent boos, u bent geagiteerd. Ik denk dat u diep in de schulden zit.'

Ze zweeg, staarde hem aan en zei niets meer. Uiteindelijk zei ze: 'Zullen we het nu afsluiten?'

Misschien als reactie op de verdeeld klinkende recensies, prezen de interviewers zijn boek in alle toonaarden. Maar een man, die aan het begin van het interview zijn cassetterecorder aanzette, lachte ongemakkelijk en zei: 'Ik zou willen dat ik kon zeggen dat ik uw boek goed vond.'

'Ik zou willen dat ik kon zeggen dat ik met dit interview instem,' zei Steadman en hij kwam overeind van de sofa in de hotellobby waar ze zojuist koffie hadden besteld. Hij liep weg en zwaaide met zijn stok alsof het een degen was.

Hij was blind, hij was onschuldig, hij kon alles zeggen, hij kon alles schrijven. Zijn choquerende boek werd hem vergeven omdat hij zo overduidelijk verminkt was. In een van de recensies werd dat ook gezegd: 'De extravagantie en openhartigheid in dit boek past bij de toestand van de auteur.'

De recensies die hem werden voorgelezen, verrasten hem niet. Hij wist dat zijn boek expliciet was: zo persoonlijk, zo onthullend, zo dicht op de huid, dat het helemaal niet op een roman leek. Maar hij zei: 'Ach weet je, alles is fictie,' en omdat hij blind was werd hij niet tegengesproken. Zijn blindheid verleende hem autoriteit: zijn blindheid gaf hem gelijk.

'Trek je niets aan van de recensies,' zei Axelrod, wat betekende dat de recensies die hem niet waren voorgelezen misschien nog negatiever waren dan hij had gedacht. 'De verkoop gaat geweldig. Je boekentournee is een enorm succes geweest.'

Toch was hij vertwijfeld en wachtte op het onvermijdelijke.

5

De zelfverzekerde stem aan de telefoon zei met een merkwaardig zangerig accent: 'Ik denk dat wij een afspraak hebben op dit tijdstip, jah?'

Nee, dacht hij. Steadman luisterde aandachtig en verstond de woorden als *iek, wai* en *afschprak.*

'Het staat zo in mijn agenda,' vervolgde de stem.

'Waar ben je?'

'In de lobby. Zojuist aangekomen.'

Sojuist angekommen. Steadman voelde zich belegerd en broos en moe.

'Ik kom naar boven, jah?' Door de buitenlandse intonatie klonk de stem nog lomper en opdringeriger.

'Nee, nee,' zei Steadman en hij vond het vreselijk dat hij met zijn overtrokken reactie zijn zwakte misschien blootgaf. Ga weg, wilde hij zeggen. Maar hij zei: 'Ik kom zo naar beneden.'

Gedurende de boekentournee had hij steeds als zijn concentratie verslapte of als hij slapeloos in een hotelkamer lag, aan Manfred moeten denken, dat de man hem in Washington had herkend en had gezegd: 'Ik ken jouw geheim,' dat hij hem blijkbaar had achtervolgd. Het vooruitzicht om Manfred te ontmoeten, ergerde hem omdat hij vermoedde dat het een confrontatie zou gaan worden; maar verder maakte hij zich er niet echt zorgen over. Manfred was een soort ver familielid dat om een gunst vroeg. Manfred rook een goed verkoopbaar verhaal. Steadman kende die geur wel; hij wist ook hoe hij het moest aanpakken, niet door te vluchten maar door hem recht aan te kijken, hem strak met zijn blinde ogen aan te staren tot hij zijn ogen neersloeg.

Los van al die ergernis zat hij met het treurige feit dat Manfred van vlees en bloed was, een saaie maar sluwe man die te voorschijn kwam uit een gemeenschappelijk beleefde episode in een reëel verleden. Het kwam hem ongelooflijk voor. In Steadmans fantasie was het tripje naar Ecuador een soort fictieve reis naar een betoverde plek geweest, vol gevaren en onverwachte ontdekkingen, met allerlei hachelijke situaties waar de avonturier zich uit moest zien te redden om uiteindelijk de magische formule te kunnen vinden. Deze drank, deze twijgjes van de zeldzame datura, zouden hem van zijn gevoelens van nutteloosheid verlossen en hem in één bonk van creativiteit veranderen, hem weer viriel maken, hem het boek geven dat hij zo graag wilde schrijven, hem inspireren en zijn hersens in vuur en vlam zetten zoals die van de profeet Ahia.

Steadman koesterde de ervaring in Ecuador als een droom die hij zich herinnerde. Hij vergeleek het met een mythische betovering in de wildernis. Het afgelopen jaar had hij de droom mooier gemaakt, en het boren naar aardolie, het verloederde stadje Lago Agrio, de van smeerolie vergeven wegen en lawaaierige boten op de modderige rivier eruit weggelaten. Hij had deze herinneringen vervangen door de vage, dreigende aanwezigheid van de sjamanen en de vegetalistas en de ayahuasqueros. Het reisje had de kleur en gloed van een klassieke queeste, de opwindende ontdekking van onverwachte magie, de wonderlijke en toepasselijke rechtvaardigheid van transformatie. Hij had zichzelf de verzinsels, de hoogtepunten en de weglatingen toegestaan, maar de transformatie was iets wat hij had verdiend en waar hij recht op had. Hij was als een ander mens teruggekeerd.

Die andere reizigers, die gringo's? Die had hij ook weggelaten. Wie zou zich die stemmen willen herinneren, het geklaag, de zogenaamde geestigheden? Eén jammerstem was hij niet vergeten. Die trut met het boek, die ermee had gezwaaid en tegen hem zei: 'Dat is van die legendarische schrijver van wie je nooit meer iets hoort.'

En Manfred had hij ook weggelaten. Hij wilde zich niet herinneren dat de drug Manfreds idee was geweest, Manfreds verleidelijke voorstel; dat hij Manfred ervoor had betaald. Hij wilde blijven geloven dat hij die eenzame reis als dromenjager had ondernomen, op een queeste met Ava, op wie hij opnieuw verliefd was geworden. Hij wenste zich niet te herinneren dat het een drugsreisje was geweest, dat hij zich bevoogdend had laten behandelen door een groezelige Duitser, dat die hem nu weer kwam opzoeken; dat het consequenties had.

Manfred zat in de bar van het hotel op hem te wachten, een zurig ruikende ruimte, dommelend in de middaghitte, bedompt, stoffig, vrijwel leeg en doortrokken van een zware muffe lucht die stonk alsof iemand erop gekauwd had en vervolgens uitgespuugd.

'Zo?' Manfred stond een tikje schuin, en Steadman voelde dat er iemand naast hem stond.

'Wie heb je bij je?' zei Steadman en hij liep langs Manfred en zijn metgezel heen, die hij waarnam als een warme logge aanwezigheid.

'Mijn fotograaf, Arnulf.'

'Zeg dat hij weg moet gaan. Geen foto's.'

Er werd geen woord gewisseld. Manfred haalde zijn schouders op, de fotograaf probeerde door te zetten, gebaarde wat, vertrok zijn gezicht, schudde toen zijn hoofd en zette zijn voeten nog steviger op de grond.

Steadman hoorde het lispelende en zoemende geluid van een sluiter, haalde uit naar de camera en maakte contact. '*Ach!*' Een kreet. Aan de manier waarop de stok terugzwiepte voelde hij dat hij hem goed geraakt had en ook een striem op de pols van de fotograaf had gemaakt. De man deed een stap opzij, stopte zijn camera in een zak en ritste hem dicht, terwijl Steadman erbij bleef staan.

'Je molt bijna mijn camera,' zei de man op norse toon.

'Kijk maar uit dat ik je rotkop niet mol,' zei Steadman. 'Nou wegwezen en ophouden met misbruik maken van een blinde man.'

Pas toen de fotograaf weg was, nam Steadman plaats in een zithoekje. Manfred ging tegenover hem zitten. Hij droeg een dikke, lawaaierige jas: leer, met flapperende revers, veel te zwaar voor deze warme bar. Steadman werd de klamme huid van de man gewaar, zijn bezwete gezicht en glimmende haar, zijn openstaande mond, zijn zware ademhaling in een poging joviaal te doen.

'Let maar niet op Arnulf. Hij is nu eenmaal een fanatieke fotograaf.'

Maar de spanning was van Steadman afgevallen nadat hij naar de man had uitgehaald en het had hem gerustgesteld dat hij het meest alert was als hij het middel had ingenomen: niemand kon hem misleiden als hij blind was.

'Het was echt fantastisch om je daar in Washington tegen te komen,' zei Manfred. 'Ik zei tegen mijn vrienden: "Ik ken die man!" In Ecuador denk ik: Ik zie die man nooit meer terug. Maar hier ben je dan, te gek, man. Fantastisch.'

'Manfred, wat wil je?'

'Een kop koffie. Een beetje praten.'

'Sla de koffie maar over.'

De leren mouwen van Manfreds jasje schuurden over de tafel, de leren ellebogen gleden mee: voor Steadman was de jas nog steeds een dier, het vel dat van levend vlees was getrokken.

'Jij klinkt niet zo vriendelijk.'

'Het beviel me niet wat je in Washington zei.'

Met een snuivend lachje dat niet vrolijk klonk, zei Manfred: 'Ik ben vergeten wat ik heb gezegd.'

'Je zei: "Ik ken jouw geheim."'

'Iedereen heeft geheimen. Zelfs de president.' Hij begon weer te lachen, maar alsof hij zich bewust werd van Steadmans stilzwijgen, voegde hij eraan toe: 'Goed geheugen heb je.'

'Ik vergeet beledigingen nooit.'

'Jah! En ik, ik vergeet ook niet.'

Steadman voelde met zijn hand over de tafel, met zijn knokkels naar voren gericht, en streek langs iets wat op een cassetterecorder leek.

'Mooi apparaat.'

Manfred bedekte de minicassetterecorder met zijn handen alsof hij hem wilde verbergen. Maar toch hoorde Steadman hem nog draaien, het zwakke getik van de timer dat nauwelijks hoorbaar was, meer een temperatuurwisseling leek, een knipperend licht, een flikkerende gloed van steeds wisselende cijfers die zich telkens herhaalden als een trage polsslag.

'Digitaal. Zwitsers. *Teuer.*'

'Is dat een merk?'

'Nee. *Teuer*, duur.'

Steadman greep het apparaat vast, draaide zich toen snel om en zwiepte het ding op de grond. Hij verbrijzelde het met zijn schoen, en voelde hem onder zijn hiel wegsterven.

'Nee,' jammerde Manfred en hij bukte zich.

'Dat is omdat je geen toestemming hebt gevraagd.'

'Jij brengt mij in een slechte situatie.'

Een ober die het lawaai hoorde, kwam op hen af gelopen. Hij vroeg: 'Alles in orde? Wilt u iets drinken?'

Koffie voor Manfred, een glas water voor Steadman, en toen de ober weer weg was, leunde Manfred over de tafel, bracht zijn gezicht dicht bij dat van Steadman en zei met een gekwelde stem: 'Ik heb geen andere recorder.'

'Daar rekende ik ook op.'

Manfred snoof nog steeds van kwaadheid. 'Jij beledigt mij in Ecuador. Jij zegt dat mijn vader een nazi is. Jij noemt mij een dief. En die mensen...'

Steadman moest glimlachen om *fater* en *naadzi* en *menschen*, en zei:

'Ik beschreef wat volgens mij de waarheid was.'

'... en die mensen,' herhaalde Manfred, 'zij zeggen Nestor dat hij de politie moet bellen. Zij maken grote moeilijkheden voor mij. De politie, die schrijft een rapport. Zij bedreigen me. Zij moeten veel smeergeld hebben, dat ik moet betalen.'

'Ik denk dat je je prima gered hebt.'

'Jij probeerde mij te kwetsen met de leugens, ondanks het feit dat ik jou help.'

Dat alles leek al zo lang geleden, in het droomwoud, in het rijzende getij van kleur en licht, dat als vers bloed in zijn hoofd kolkte, het plonzen ervan dat in zijn oren weerklonk, de gedetailleerde cirkelgang van het opslaan en terughalen van herinneringen. Het was zijn eerste ervaring met de logica van de drug, de manier waarop zijn blindheid zoveel voor hem had gerangschikt en teruggehaald, de geordende beelden die hem hadden geholpen grillige fragmenten en afgeluisterde zinnen en toevallig opgevangen glimpen een plaats te geven in naadloze verhalen, zo consistent dat ze absolute waarheden bevatten. De feiten waren zo glashelder dat hij ze hardop had willen uitspreken omdat ze zo eenvoudig waren. Hardop uitgesproken klonken ze als aantijgingen. Hij had zich verwonderd over het effect van de drug, over de kristalheldere waarheden ervan, de zuiverste vertroostingen van blindheid. Met de datura werd alles duidelijk; hij hoopte op meer.

'Mijn baas in Amerika, hij heeft het gehoord van de gringo's. Die mensen op de reis waren belangrijke zakenmensen! Ik verlies mijn baan. Bijna een jaar lang geen salaris. Ik schrijf een beetje over mijn drugsboek. Nu doe ik een paar verhalen voor de krant in Frankfurt. Ben jij je baan kwijt?'

Het noemen van zijn baan deed Steadman glimlachen: Manfreds woede had bijna iets komisch. Het nieuws dat hij was ontslagen had geen enkel effect op Steadman, die banen als een last beschouwde die je uiteindelijk kwijtraakte als je weer verder ging, van afwijzingen werd je alleen maar beter. In Steadmans ogen was de baas altijd de mindere van de werknemer.

In de stilte die Steadman liet ontstaan, zei Manfred: 'Krijg de tering.'

De twee mannen zaten stilletjes broeierig voor zich uit te kijken toen de ober terugkwam met zijn dienblad, het gerammel van de koffiekop en het schoteltje, het getinkel van het glas en de waterkaraf. Steadman was zich bewust van de kortaangebonden manier van doen van de ober, zijn verbolgenheid over hun armzalige bestelling die hij als een soort inbreuk ervoer. Hij was overdreven druk in de weer en liep in zichzelf mekkerend weg.

'Ik besefte nauwelijks wat ik allemaal zei,' zei Steadman en hij haalde zich de scène in de hotelkamer in Quito weer voor de geest. 'Ik herhaalde gewoon wat er in mijn hoofd opkwam.'

Manfred onderzocht de kapotte cassetterecorder, en drukte op knopjes die het niet deden, woog hem op zijn hand alsof het een steen was en fronste zijn wenkbrauwen over het nutteloze gewicht ervan.

'Nu maak je nog meer moeilijkheden voor mij.'

'Het was de waarheid.'

Aan de manier waarop Manfred door de spleetjes in zijn tanden ademde, zag Steadman hoe de man zich van het woord meester maakte, alsof hij het tussen zijn kaken vasthield en heen en weer schudde.

'De waarheid, jah,' zei hij, en zijn speeksel klonk als sap in zijn mond. 'Ik denk datzelfde ding als ik jou in het Witte Huis zie.'

Door zijn ergernis verviel hij in Teutoonse consonanten en begon te haspelen, hij klonk razend en rancuneus en een beetje simpel door zijn gebruik van de tegenwoordige tijd.

'Ik zie jou met de donkere bril en de stok. Ik zie de president met zijn arm om jou heen, en alle journalisten diep onder de indruk. Is dat de waarheid? Ik denk het niet.'

Steadman had al ervaren dat subtiliteit en Manfred niet samengingen: in Ecuador had hij zich drammerig en egocentrisch getoond, hij schepte altijd voor de tweede keer op, was er voortdurend op uit om zichzelf te bevoordelen, stelde een hoop vragen, ging altijd op zoek naar meer; de typische trekjes van een journalist, waarbij vooral zijn arrogantie opviel. Maar deze zelfverzekerde agressieve manier was nieuw voor Steadman en het bracht hem van zijn stuk, want hij was gewend geraakt aan het vriendelijke getut van vreemden die met blindheid werden geconfronteerd, zich hulpeloos voelden en het goed wilden maken met hun hardnekkige: 'Wat kan ik voor u doen?' terwijl ze hem zachtjes naar voren schoven en hem op zijn gemak probeerden te stellen.

Manfred had zijn gezicht dicht bij het zijne gebracht, pisnijdig, en zwaaide met zijn vinger alsof Steadman helemaal niet blind was. Steadman bleef op zijn beurt overdreven kalm om Manfred niet nog kwader te maken.

'Jij zegt dat mijn vader een zelfmoord deed.' Hij beefde helemaal en verstijfde, nog meer vooroverleunend. 'Dit is iets pijnlijks voor mij. En jij zegt: "Is de waarheid, pech gehad."'

'Ik weet niet hoe ik dat wist, maar ik wist het gewoon.' En Steadman dacht: Zoals ik nu weet dat je net gegeten hebt, je bent doortrokken van de zure stank van vlees, mosterd en bier.

'Misschien zeg ik iets als ik de yajé neem. Of misschien in mijn slaap. Misschien hoor jij mij. Oké.' Hij maakte hamerende bewegingen met zijn hoofd in de lucht en ging verder. 'Het is een geheim voor mij. Maar jij vertelt het door aan anderen. Dat kan ik niet begrijpen.'

Steadman wilde zeggen: Het werd hoe dan ook uitgesproken, het moet waar zijn geweest, en wat dan nog? Manfred leek te verslappen van walging en er lag een zweem van hatelijkheid in zijn ademhaling, een soort van klamme hitte die Steadman meer verontruste dan het bonkende hoofd.

'Eén ding vind ik curieus.'

Hij zei *ein*, hij zei *koerios*. Zijn stem klonk schel. Er viel niet te discussiëren met Manfred, die nog veel kwader was geworden. Maar toen hij weer begon te spreken, leek hij te glimlachen, alsof hem zojuist iets was ingevallen, en sprak hij tegen Steadman op de haperende toon van iemand die een ander met een tegenstrijdigheid wil sarren.

'Ik ken wel een paar blinden,' zei hij. 'Er is één ding aan hen. Ze kleden zich altijd op een speciale manier. Met speciale kleren. Baret. Stropdas. Vest. Kleurige sokken, misschien gele schoenen of laarzen. En waarom?'

'Zeg jij het maar.'

'Zodat je naar de kleren kijkt en niet naar de blindheid.'

Steadman vond dat een scherpzinnige observatie, de manier waarop een blinde zich voor een dandy uitgeeft en zijn manier van kleden gebruikt om de aandacht van vreemden van zijn verminkte ogen af te leiden.

'Maar jij niet,' zei Manfred op stangende toon. 'Jij wilt zo graag dat mensen jouw blindheid zien. Je hebt het nodig dat ze jou zien. Je geniet van hun aandacht. Jouw kleren stellen niets voor.'

De waarheid hiervan was als een slag in Steadmans gezicht. En het was nog erger dat hij dit inzicht in een lelijk accent moest aanhoren, alsof de man hem met een roestig mes had gestoken.

'Wat wil je nou, verdomme?' zei Steadman.

'Pardon?' zei Manfred. 'Heb je het tegen mij?'

'Ik heb net een boek gepubliceerd. Ik heb mijn ziel blootgelegd. Ik heb de waarheid over mezelf verteld, ik heb alles verteld. En dan beschuldig jij mij van hypocrisie?'

'Jij vraagt mij wat ik wil,' zei Manfred.

Steadman knikte langzaam en was zich ervan bewust dat Manfred zijn eigen weerspiegeling in zijn donkere brillenglazen zag.

Toen Manfred dichter naar hem toe leunde, spande het leren jack zich om zijn armen en op zijn rug, als een riem die werd aangetrokken en vastgezet. Steadman kon het versleten, afgeschuurde leer ruiken, de klamme ribfluwelen broek, het lange haar. Zijn zuinigheid, de manier waarop hij sluw naar naar Steadmans kleren loerde en hem van opzij aankeek, slinks in Steadmans leven binnendrong; dat alles had ook een bepaalde geur. En Steadman zag hoeveel hij op hem leek, want al die eigenschappen van Manfred typeerden hem als iemand die aan de zijlijn stond, een fanatieke fantast, een solistische luistervink, een eenzaam mens, een schrijver.

Manfred zei: 'Ik wil weten hoe het is gekomen dat je blind bent geworden.'

'Een ongeluk. Een ziekte.'

'Wat is het nou, een ongeluk of een ziekte?'

'Beide. De ziekte was een ongeluk. Ik ben mijn hoornvliezen kwijtgeraakt.' Hij voelde dat Manfred nog steeds dicht naar hem over leunde, door de brillenglazen naar littekens probeerde te zoeken. 'Ze raakten ontstoken nadat ik in het ziekenhuis was opgenomen. De transplantatie is niet gelukt. Ik kreeg afstotingsverschijnselen. Ik heb littekenweefsel. Soms gebeurt dat.'

'Wanneer was dat?'

'Na Ecuador.'

Manfreds triomfantelijke glimlach was als een vouw die over de hele breedte van zijn lichaam liep.

'Ik vind jouw uitleg wel aardig. "Ziekte". "Ziekenhuis". "Transplantatie". Weet je waarom ik het wel aardig vind? Vanwege de woorden. "Hoornvliezen". "Afstotingsverschijnselen". "Littekenweefsel". Die vind ik wel goed: die zijn *scheiss*. Jij zegt tegen mij dat je van de waarheid houdt, dus stel ik jou een vraag en wat doe je? Je liegt tegen me.'

Steadman kon de stelligheid van de ander niet verdragen, hij observeerde hem heel aandachtig en voelde dat Manfred zich honderd procent zeker voelde van zichzelf.

'Net als jullie president. Hij heeft niets verkeerd gedaan. Hij is ook blind.'

Onder het spreken draaide Manfred zich om en Steadman realiseerde zich dat er in de foyer van het hotel een tv aanstond waarop het gezicht van de president blijkbaar was te zien, en een flard van een commentaarstem: 'Bronnen in het Witte Huis bevestigen dat de president hun verzekerd heeft dat er nooit sprake is geweest van een relatie...'

'Je kunt het aan mijn arts vragen.' Terwijl Steadman dat zei verscheen hem het verwrongen beeld van een woedende Ava voor de geest.

Manfred zei: 'Jouw vriendin de arts die ook al slechte dingen over mij zegt.'

Door zijn stuntelige manier van praten klonk zijn beschuldiging op een of andere manier nog erger, en daarom keek Steadman hem maar uitdrukkingsloos aan, in de hoop hem in verwarring te brengen.

'Ik wil dat jij de waarheid zegt,' zei Manfred.

'Ik lieg niet tegen je.'

'Eén woord zeg jij niet.'

Steadman besloot zich niet op stang te laten jagen door de man en staarde strak terug, onverzoenlijk achter zijn donkere bril.

'Het komt door de drug. Zeg dat tegen me. "Het komt door de drug."'

'Dat denk ik niet.' Hij had zijn zin nog niet afgemaakt maar onder het spreken draaide hij zich om en slikte wat hij nog had willen zeggen weer in. Hij keek in de richting van een naderbij komend geluid, geen voetstappen maar het geruis en gefladder van loszittende kleren.

'Meneer Steadman?'

Een vrouw. Alleen al door het uitspreken van zijn naam had hij in één keer een beeld van haar. Ze was tenger, bijna mager, met zoet ruikend haar, parfum in haar hals, geklik van kleine vingergewrichten en iets in haar keel: iets broeierigs, een spanning die hem vertelde dat ze begerig en sensueel was.

'Ze zeiden dat u hier zat. Ik wilde u niet storen, maar zou u mijn boek willen signeren?'

Steadman was zich scherp bewust van Manfreds vijandigheid die ook als een geur uit zijn boze, verkrampte lichaam omhoog steeg.

'Met alle plezier.'

'Heel hartelijk bedankt,' zei ze. Ze pakte zijn pols vast en legde het boek in zijn hand. Haar ene hand bleef op zijn schouder liggen terwijl hij met een zwierig gebaar zijn handtekening zette.

'Misschien zie ik u nog eens,' zei ze. 'Dat is heel aardig van u.' En met een vlakke stem tegen Manfred: 'Neem me niet kwalijk, meneer.'

Op het moment dat de vrouw een stap terug deed, voelde Steadman zijn ogen zwaar worden en ving hij in een opflikkering van zwak licht een glimp van haar op toen ze wegliep. Ja, ze was inderdaad klein, in een ruim zittend broekpak, maar ze was molliger dan hij had gedacht. Ze keek nog even om met een spijtige, verlangende blik, alsof ze liever niet wegging.

En Manfred was ook duidelijk zichtbaar, maar hij was niet de man die Steadman zich in zijn blindheid had voorgesteld. Hij kwam alledaags en droevig over, helemaal niet als een buitenlander maar eerder als een ver familielid. Steadman realiseerde zich hoe anders hij de man had gezien toen hij blind voor zich uit had gestaard, en hij vroeg zich af welke van de twee de echte was.

De hele ervaring van deze korte glimp duurde maar een paar seconden, als een kapotte lamp die even flikkert en het dan begeeft, want zodra hij Manfred had gezien, wiens gelaatstrekken even bestreken werden door een miniem licht, loste hij op in de duisternis en kreeg de drug weer vat op hem, nam bezit van hem, en bedwelmde hem met zijn eigen verblindende licht.

'Wat zei je?'

Maar in die paar seconden had Manfred zijn kapotte cassetterecorder in zijn zak gestopt en was hij weggelopen.

6

De herinnering aan Manfreds beschuldiging bleef aan hem knagen. Hij begon aan het laatste deel van zijn boekentournee met het gevoel een vluchteling te zijn, met spieren die slap waren van besluiteloosheid. Vanwege zijn blindheid werd hij als een beroemdheid behandeld, toch werd zijn plezier vergald door zijn neerslachtigheid, en het hartelijke welkom dat hem ten deel viel – mensen die altijd een tikje te hard praatten, een tikje te nadrukkelijk, en de aandacht op zichzelf vestigden, alsof hij niet blind was maar doof en achterlijk – stemde hem lusteloos en passief. Hij voelde zich beledigd als ze hem aan zijn mouw trokken, kwetsbaar als ze hem aanraakten.

'Ik was zo gelukkig toen ik nog aan mijn boek werkte, zo gelukkig op de Vineyard,' zei hij tegen Ava vanuit een volgende hotelkamer. 'Misschien had ik thuis moeten blijven.'

'Misschien had je met de drug moeten stoppen.'

'Er is bijna niets meer van over.'

Ze zuchtte en zei: 'Hoe kun je die mensen onder ogen komen?'

'Dat maakt deel uit van de straf,' zei hij. 'De anticlimax, dat je je door de buitenwereld geschonden voelt, dat mensen naar je kijken alsof je een misbaksel bent.'

'Daar heb je zelf om gevraagd.' Ze toonde geen enkele sympathie en leek zich te verkneukelen.

'Het punt is, hier ben ik dan met een persoonlijke roman die heel dicht bij de waarheid ligt.'

'Het is een bestseller. Wat klaag je nou?'

'Niemand wil over het boek praten.'

'Kom dan naar huis.'

'Nog een paar dagen en dan kom ik.'

Maar toen hij de keer daarop belde en het over naar huis komen had, zei ze: 'Waarom zou je die moeite doen? Ik wens je in deze stemming niet te zien.'

Ava was koel, afstandelijk, ging helemaal op in haar werk: hij verwachtte allang niet meer dat ze hem zou troosten. Ze begreep niets van zijn behoefte om als blinde verder te gaan.

Hij zei dat hij de drug zou blijven innemen zolang er nog wat van over was. Als het op was, zou hij een manier vinden om zonder de drug door het leven te gaan.

'Dat zeggen alle verslaafden. Sorry, ik word opgepiept.' En ze hing op.

Manfred zag het als zijn geheim. Toch was het nooit bij Steadman opgekomen dat hij een geheim had. Zijn blindheid was iets wat hij had ontdekt als genezing voor zijn stilzwijgen, zijn impotentie, zijn gefrustreerde pogingen om een roman te schrijven. Hij had de toevallige eigenschap van de drug met veel inspanning uitgebuit en was daarvoor beloond, terwijl hem ook pijn, obstructie of nog meer impotentie ten deel had kunnen vallen. De drug was zijn viriliteit, maar door toedoen van Manfred merkte hij dat hij in de verdediging schoot, zich gedroeg als een lafaard met een geheim dat hem dwars bleef zitten en die altijd op zijn hoede was voor suggestieve vragen.

Na New York volgden een dag en een nacht in Washington D.C. Steadman nam de trein en werd op Union Station door zijn begeleider afgehaald, 'iedereen noemt me Jerry,' een pseudo-hoffelijke man die zijn eerbiedige butlerachtige manier van doen gebruikte om de baas te spelen, en er subtiel op aandrong dat het een goed idee zou zijn als Steadman zijn boeken zou signeren in Rockville, Maryland. Toen dat achter de rug was, brachten ze een bezoek aan een radiostation in Chevy Chase waar ze de interviewer leken te verrassen.

'Uw leven zal wel erg veranderd zijn,' zei de interviewer.

Nooit gebruikten ze de woorden 'blind' of 'blindheid'. Waren dat zulke schokkende woorden? Tegelijkertijd was dat het enige waar iedereen over wilde praten.

Stel me vragen over mijn boek, dacht hij. Steadmans reputatie als lastig te interviewen en soms norse man, weerhield hem ervan zich kritisch uit te laten over de toon waarop de vraag werd gesteld. Iedereen deed bevoogdend, niemand vroeg er echt naar. Toch probeerde hij mee te werken; hij wilde sterk overkomen. Hij verbeet zijn woede en ontweek zelfs de meest onbeschofte vragen. Hij kon alleen maar aan Manfred denken, die aan hem twijfelde, die als een wraakzuchtige dwerg in een sprookje was opgedoken om de held te ontmaskeren. *Ik ken jouw geheim.*

Tegen de tijd dat ze bij boekhandel Politics and Prose waren aangekomen, was Steadman hees van vermoeidheid. Breekbaar sprak hij over zijn blindheid, de bijna twintig jaar van stilzwijgen die hij met zijn roman had doorbroken om het seksuele leven van zijn alter ego opnieuw te beleven in *Het Boek der Openbaring*. 'Ik ben een reiziger, toch heb ik ontdekt dat de tegenvoeters in onszelf zitten, in de verre continenten van de geest,' zei hij in een vrije weergave van Aldous Huxleys *The Doors of Perception*. Hij las op zangerige toon een paar regels van Thoreau voor:

Ik, die slechts oren had, kreeg gehoor,
En zicht, die slechts ogen had daarvoor.

Hij hield de aandacht van het publiek vast door de innerlijke reis van zijn roman te beschrijven die zo totaal verschilde van het kunststukje dat *Trespassing* nu leek. En daarna signeerde hij honderd exemplaren van zijn boek.

Na afloop verbrak Jerry de stilte in de auto door te zeggen: 'Ze stellen echt ontzettend goeie vragen.'

Steadman interpreteerde dit als een steek onder water en zweeg een tijdje. Toen vroeg hij: 'Wat vinden de mensen in D.C. van de problemen van de president?'

'Wat ze ervan vinden? Ze maken er grappen over,' zei Jerry. 'Zie je hoe hij het slachtoffer uithangt? Eerst ontkent hij alles en dan spant hij andere mensen voor zijn karretje om de pers aan te vallen. Hij heeft het over zichzelf afgeroepen en nu neemt hij het de mensen kwalijk dat ze interesse tonen. Hal-lo! Zijn jongeheer hangt uit zijn broek en dan is-ie verbaasd dat iedereen naar hem kijkt.'

De man maakte een triomfantelijke indruk, wat zelfs in zijn rijstijl tot uiting kwam, en hield zijn hoofd schuin in een uitdagende houding.

'Macht is een optelsom waarvan de uitkomst altijd nul is,' zei hij toen Steadman geen antwoord gaf. 'Veel mensen zijn blij dat de president verzwakt is door al zijn gehuichel. Dat betekent meer macht voor hen.'

'Hoe kan zijn privé-leven nou een vorm van huichelen zijn?'

'Hij heeft gelogen,' zei Jerry. 'Hij heeft zich voorgedaan als iemand die hij niet is. Zoiets vergeten de mensen niet.' Er lag een spottende trek om zijn lippen en het leek alsof hij er volop van genoot, want hij moest een beetje giechelen en zei: 'Ik wil maar zeggen, jezus, heb je haar weleens gezíen?'

Steadman voelde een golf van vreugde door zich heen gaan. Hij zei: 'Hoe zou ik dat kunnen?'

Het leek zo onlogisch dat Steadman zoiets zei – je zag haar gezicht overal – dat de man even niet op de weg lette en zich naar hem toe keerde om hem aan te kijken.

'Ik ben blind, vriend.'

'Dat vergeet ik steeds,' zei de man, die zich erover opwond in plaats van zich te verontschuldigen. 'Je bent zo adrem.'

De president onderging het soort kruisverhoor dat Steadman deed gruwen bij het vooruitzicht dat hij er vanwege zijn blindheid ook aan onderworpen zou worden. Manfreds vragen leken een voorbode van dit onheil. Onder druk gezet begon de president nu een sluwe en defensieve indruk te maken, zijn ontkenningen klonken hol. Het was overduidelijk dat hij zijn naaste medewerkers eropuit had gestuurd om zijn aanklagers aan te vallen. Ze hadden het over een campagne om de president in diskrediet te brengen, het was een samenzwering van rechts. Toch maakte de president een schuldige, opgejaagde en slapeloze indruk, hij begon steeds meer te lijken op een man die aan een onverbiddelijk onderzoek wordt onderworpen en er bleek en krachteloos uitziet.

De afgelopen dagen en weken had Steadman hem aandachtig geobserveerd, de man die bij hun eerste ontmoeting niet als toonbeeld van beminnelijkheid en macht op hem was overgekomen, maar als een onbeholpen, behoeftige jongen die hunkerde naar toehoorders, dolgraag een grote broer wilde zijn, oude grieven koesterde en zijn geheime leven verborgen hield.

Het geluid van een telefoon wekte Steadman ruw uit zijn gemijmer. Jerry reikte hem een mobiel aan: 'Voor jou.'

Weer Axelrod: 'Ik heb net met de manager van Politics and Prose gesproken. Ze was erg tevreden met de opkomst. Ik heb ook gehoord dat de interviews goed gingen.'

'Ze willen alleen maar over mijn blindheid praten.'

'Het boek verkoopt goed. We laten nog een oplage drukken.'

'Ik word als een gehandicapte behandeld.'

'Ze wekken liever niet de indruk dat ze reclame maken voor je boek.'

'En sommigen doen zelfs alsof ik een wangedrocht ben.'

'Slade, snap je dan niet dat ze een sappig verhaal willen?'

Steadman hing op. Hij was moe en hij werd doodmoe van Jerry met zijn geposeerde manier van doen, die aan hem twijfelde en op de president zat te schimpen. De president was het mikpunt van allerlei grappen geworden en had nu een beschaamde, kruiperige blik in zijn ogen, als iemand die bespot en vernederd is en nog steeds probeert zijn waardigheid op te houden.

'Ik heb met hem te doen,' zei Steadman.

'Ze gokken erop dat hij zal aftreden.'

'Waarom zou hij dat doen?'

'Omdat hij de functie van president te schande heeft gemaakt. Omdat hij op mollige grietjes jaagt. Hoor eens, schat, ik heb in dienst gezeten. Als een meerdere op zoiets betrapt zou zijn, had hij ontslag moeten nemen.'

Steadman zei: 'Zou jij willen dat mensen controleren wat jij in je vrije tijd doet?' en hij voelde dat hij een snaar had geraakt.

Toen reden ze de oprit van het Ritz-Carlton op. Jerry stopte, stapte snel uit en rende naar de passagierskant om Steadman te helpen. Maar Steadman was al uitgestapt, geïrriteerd door de bemoeizieke stelligheid van de man. Hij wenste van hem verlost te worden, zwiepte met zijn stok om zich heen, vond het trottoir en liep door.

'Kan ik u helpen?' Een vreemde stem in zijn gezicht.

'Ja, door uit de weg te gaan.'

Zodra Steadman de hotellobby betrad, voelde hij zich eenzaam, wankel, alsof de vloer schuin liep, want eenzaamheid was ook een treurig getril in zijn binnenoor, een evenwichtsverlies.

Hij liep naar de bar en baande zich een weg door de drinkende mensen die voor hem opzij gingen. Hij voelde naar een kruk ('Hier,' zei iemand) en vond er eentje waar iemand net op gezeten had, de bekleding was nog warm. De onmiddellijke gewaarwording van temperaturen was ook bij zijn blindheid gaan horen.

'Wat zal het zijn?"

Hij bestelde een glas wijn. Het werd hem in de hand geduwd. Hij dronk zorgvuldig zonder te morsen: de mensen keken naar hem.

Hij verwonderde zich over de zachtheid van een warm lichaam naast hem. Hij kende vrouwen aan hun onduidelijke geluiden, van ruisende zijde, strak zittend ondergoed, het gerinkel van armbanden die aan een smalle pols werden geschoven. Het lichaam van deze vrouw sprak, en ook haar adem, die geur. Ze zat naast zijn elleboog en ze dronk ook wijn – dat merkte hij aan haar slokjes en haar zuchten.

Hij dacht: 'Kom dan maar niet naar huis. Ik wens je in deze stemming niet te zien.'

'Hoe heet je?'

'Dewy Fourier.'

'Dat is een interessante naam.'

'Het is een Franse naam. Wil je nog iets drinken?'

Hij probeerde niet te glimlachen. 'Nee, dank je. Ik houd het bij een. Maar je mag me wel helpen om de lift te zoeken.'

'Heel graag.'

Ze pakte hem bij zijn elleboog, stond bijna op zijn tenen en botste tegen hem aan omdat hij wist hoe hij de bar uit moest komen. Bij de lift drukte ze op het knopje voordat hij het zelf kon doen en zei: 'Welke verdieping?' terwijl hij tastend met zijn stok naar binnen ging en naast haar ging staan.

'Zou je op 14 willen drukken?' De deuren zoefden dicht en toen ze alleen waren, zei hij: 'Je hebt maar één knop ingedrukt.'

'Ik ga waar jij gaat.'

Ze gleden in stilte omhoog. Hij snoof een vaag bekend aroma op, een zware geur van verse bloemen, als stroop in de lucht. Toen de lift op de veertiende verdieping stopte, stapte de vrouw met hem naar buiten en had nog steeds zijn arm vast. Haar vingers vertelden hem alles: ze was nerveus, gretig, jong, opgewonden. Haar leren tas was niet groot maar wel zwaar en compact.

'Ik weet de weg.'

Ze liet hem los toen hij al tikkend op de deur van zijn kamer af liep. Ze kwam achter hem aan gedrenteld.

Hij stak zijn plastic sleutelkaart in de gleuf van het deurslot, maar duwde de deur niet verder open toen die zoemde. De vrouw was een warme ademende vorm van geparfumeerd vlees naast hem. Hij hoorde het strak zittende riempje op haar schoen. Haar lange lichaam was duidelijk zichtbaar voor hem als een heldere schaduw, onderdanig onder haar denkbeeldige jurk.

'Ja?'

'Ik vroeg me af of ik nog iets voor je kan doen.'

'Ik ben aan het denken,' zei hij.

Ze aarzelde. Ze leunde naar hem toe alsof ze hem wilde kussen. Ze stonden bij zijn deur in een lege gang op een hoogpolig tapijt, een eind verder werd een eetwagentje ratelend uit een dienstlift gereden.

'Ik ben erg oraal ingesteld.'

Nu aarzelde hij. Ze keek van hem weg, niet uit verlegenheid maar om zich ervan te vergewissen dat niemand hem zou storen, de nervositeit van een vos in de buurt van vlees.

'Goed. Dan kun je me voorlezen.' Hij duwde de zware deur open.

Hij voelde haar hele lichaam opgelucht reageren toen ze langs hem heen liep, nog steeds warmte uitstralend, en naar binnen ging. Hij kwam achter haar aan en schopte de deur dicht.

Hij zette zijn stok neer, trok zijn jasje uit en gooide het op de bank. Hij vond een fles mineraalwater en schonk zichzelf een glas in. Hij gaf een ruk aan de gordijnen en trok ze dicht. Toen excuseerde hij zich, ging naar de badkamer, poetste zijn tanden en liep weer terug naar de zitkamer van de suite waar de vrouw in het midden was blijven staan, ongemakkelijk en onzeker, met haar handen samengebald. Ze had haar zware tas naast de bank gezet.

'Dewy?'

'Ik sta hier.'

'Dat weet ik. Wat vind je van mijn suite?'

'Ik zie niets.'

Pas toen realiseerde hij zich dat hij het licht niet had aangedaan. Hij begon te lachen en knipte een lamp naast de bank aan. Hij ging zitten en strekte zijn benen.

'Het is schitterend ingericht. Heel comfortabel. Zeer smaakvol.'

Bij het horen van die woorden keek hij bedenkelijk en hij had met haar te doen, maar ondertussen hoorde hij dat ze naar de deur was gelopen en de deurketting erop had geschoven. En toen ze langs de slaapkamer liep had ze even een blik naar binnen geworpen.

Hij liep op haar af. Hij pakte haar arm en hield haar hand vast en raakte haar gezicht aan. Ze was niet lang, en hoewel ze hitte uitstraalde was ze toch vlezig, stevig zelfs. Door met zijn vingers over haar gezicht te gaan, wist hij dat ze knap was, en toen hij haar aanraakte verzette ze zich niet. Ze ontspande zich, deed een halve stap dichter naar hem toe en glimlachte. Tot nu toe waren de enige vrouwen die zich tijdens de vreemde wendingen in deze boekentournee hadden aangeboden, zwaar en traag en weinig subtiel geweest, niet nieuwsgierig naar zijn manier van leven. Maar deze, Dewy, was intelligent en aantrekkelijk en – hij vroeg zich af waarom – heel nieuwsgierig. Vanaf het moment dat hij de lamp had aangedaan, had ze voortdurend om zich heen staan kijken.

'Ik kan in het donker zien.'

'Ongelooflijk.'

'Ik ken jou ergens van.'

Ze legde haar hand op haar mond om haar reactie te verhullen.

'Ik heb een boek voor je gesigneerd.'

'Als jij dat zegt.'

'Ik probeer me te herinneren waar dat was. In New York, misschien? Wat doe jij hier? Je bent zeker schrijfster?'

'Ik schrijf een beetje.'

'Je volgt me. Je zat in de bar op me te wachten.'

Het 'ja' was een voelbare verkramping in haar lichaam.

'Wat wil je?'

Haar stilzwijgen zei hem alles en ze keek nog steeds rond in de kamer, alsof ze naar aanwijzingen zocht.

'Niets,' zei ze.

Hij begon te lachen omdat hij haar zo verlegen had gemaakt en in de verdediging had gedrongen. Hij zei: 'Je zei dat je me zou voorlezen. Wat had je in gedachten?'

'Iets uit je boek.'

'Het is al een beetje laat.'

Ze voelde naar hem en haar vingertoppen streelden zijn dijbeen. 'Ik heb de hele nacht.'

Hij glimlachte tegen haar, en ze leek niet te merken dat hij wist dat ze onder het strelen alle hoeken van de kamer afzocht, even stopte om de voorwerpen op de tafels te bekijken, de kleren die in zijn openstaande koffer lagen, en weer naar zijn gezicht keek en aandachtig zijn ogen bestudeerde.

'Iets uit mijn boek.' Dat verraste hem. Hoewel hij haar wantrouwde, voelde hij zich gevleid door haar voorstel. Hij liep van haar vandaan, ging op de bank zitten en tastte naar een exemplaar dat hij op een bijzettafeltje had laten liggen.

Ze kwam naast hem zitten en zei: 'Vind je het goed als ik wat gemakkelijker ga zitten?'

Ze deed haar schoenen uit en trok haar benen onder zich op en vanwaar ze zat bleef ze nog steeds de kamer rondkijken.

'Ik vind die scène goed waarin je in de auto zit te vrijen,' zei ze, 'en je vriendinnetje je pijpt.'

'Mij niet. De hoofdpersoon.'

'Hij heeft geen naam, hoe had ik dat nou kunnen weten?' zei ze en ze pakte het boek van hem aan en begon de bladzijden om te slaan. 'Goed, de achterbank van de auto. Een hete avond. Dat vond ik opwindend. Hier staat het.'

Ze begon te lezen. *'Ik zie eruit alsof ik geneukt ben.*

Nog steeds glimlachend en aandachtig kijkend in het spiegeltje van haar poederdoos, veegde ze de uitgelopen lippenstift van haar gezicht, deed wat aan haar ogen en kamde haar haar. En net toen Steadman dacht dat ze klaar was pakte ze een make-uptasje en begon mascara op te doen en maakte haar wimpers dikker – langzaam, zonder aandacht te besteden aan Steadman, die gefascineerd toekeek hoe ze zich mooi maakte. Ze bracht rouge aan op haar wangen, werkte haar lippen bij met een penseeltje en lipgloss en gaf zichzelf een nieuw gezicht, een masker van begeerte.'

'Dat vind ik fantastisch,' zei ze. 'Het gaat nog verder.'

'Ze keek hem aan. Het stoffige maanlicht verdiepte de textuur van haar make-up en verzachtte de vorm van haar gezicht en wat eerst een onschuldige vragende glimlach in het spiegeltje had geleken zag er nu uit als maanverlichte lust.

Ze boog zich naar hem voorover en liet haar arm zakken waarbij ze haar jurk kreukelde en gleed met haar hand langs zijn dijbeen.'

Tijdens het lezen ging haar stem hees en kroelend klinken, en ze liet haar ene hand op Steadmans dij rusten. Hoewel haar vingers over zijn dijbeen kropen, was hij zich daar nauwelijks van bewust. Hij luisterde aandachtig, raakte niet opgewonden van haar lezen maar twijfelde aan de interpunctie en aan bepaalde woorden. 'Maanverlichte lust' leek bombastisch en krachteloos. Ze las snel verder, met veel nadruk.

'Het geluid van zijn genot kwam van diep in zijn longen omhoog en leek een echo van een zachter zuchten in haar keel. Hij had haar borsten in zijn hand, zijn duimen beroerden haar tepels. Haar greep was zeker en ze voelde hem zo goed aan dat ze in zijn bonkende pik de spasmen van zijn stijgende sap voelde, eerder wist dan hijzelf dat hij op het punt stond klaar te komen. En het volgende moment wist hij het ook, zijn lichaam begon te schokken en hij riep "Nee" – omdat ze hem had losgelaten – maar ze duwde hem achterover op de achterbank, slokte zijn pik op in haar mond en krulde haar tong eromheen, en het gebeurde zo plotseling, haar tong die zich om hem heen kronkelde, haar lippen die hem omklemden, de hete greep van haar mond, dat hij onmiddellijk een orgasme kreeg, dat geen sap voortbracht maar een demonische aal die in zijn lendenen heen en weer zwiepte en razendsnel langs zijn pik omhoog zwom, een wezen van levend slijm dat zich een weg omhoog baande door zijn stijfheid, naar buiten stulpte en in haar mond sprong.

Ze hield hem met één hand vast en verslond hem en was hem nog steeds aan het opslokken toen hij al slap werd en uit haar mond gleed. Toen ze naar hem opkeek met haar besmeurde gezicht en doorgelopen mascara, likte ze nog steeds gretig de druppels van haar glanzende lippen.'

Ze legde het boek neer en bewoog haar hand tussen zijn benen en toen kuste hij haar. Even daarvoor had hij nog warmte gevoeld, een gloed van lust, maar hij voelde er niets van terug op haar lippen. Ze was van klei gemaakt, deed alsof – hij kon haar onverschilligheid proeven, een andere, lagere temperatuur. Haar handen en armen voelden koud aan, haar greep was routinematig alsof ze een weerspannige hefboom manoeuvreerde. Ze was totaal onbewogen; haar lichaam was niet dorstig.

Maar ze zei: 'Dat voelt heerlijk.'

Hij glimlachte om haar leugen. Hij voelde haar berekening moeiteloos aan, een ander soort aandacht, als de steelse blik van een passagier die tegenover hem in de trein met zijn hoofd zat te schommelen en hem ondertussen van top tot teen opnam. Als blinde was hij gewend geraakt aan de blikken van vreemden: mensen die in het openbaar naar hem staarden. Maar in zijn eigen kamer alarmeerde het hem. Ze snoof terwijl ze rondkeek, haar hand had hem nog steeds vast.

Toen stond ze op en gleed uit haar jurk, en zodra ze weer ging zitten en naakt was, voelde hij dat hij haar door en door kende. Hij reikte achter haar langs en deed de lamp uit.

'Waarom ben je hier gekomen?'

Ze liet hem los. Haar hele lichaam trok zich samen alsof ze de onuitgesproken suggestie achter deze vraag wilde ontkennen.

'Ik heb het gevoel dat je door iemand bent gestuurd.'

Haar reactie, die niet hoorbaar was, niet zichtbaar, geen geur was, niets behalve een vermoeden van woest bewegende moleculen, het feit dat ze verstijfde en een fractie kleiner leek te worden, vertelde hem dat het waar was.

'Je probeert erachter te komen of ik echt blind ben.'

Weer die kolkende moleculen, een doorslikken van lucht, haar knieën tegen elkaar aan, haar verrassing. Hij ervoer dit alles in het duister als een vloeibaar worden dat langzaam langs hem heen gleed.

'Er is geen verhaal,' zei hij. 'Trek je kleren aan. Je hoort hier niet.'

Ze zei protesterend: 'Je schrijft een geil boek en ik wil je pijpen en dan gooi je me je hotelkamer uit? En dat noem je geen verhaal.'

Maar ze begon zich aan te kleden en probeerde rustig te blijven, als iemand die is wakker geschrokken door een rooklucht en aanstalten maakt om een gevaarlijke ruimte te ontvluchten.

'Het was in New York,' zei hij. 'In het hotel. Je vroeg me je boek te signeren toen ik daar met Manfred was.'

'Nee.'

'Zeg tegen Manfred dat hij uit de buurt moet blijven.'

Ze stond te hannesen met haar jurk, hupte bij het aantrekken op één been en streek hem glad. 'Wil je het licht alsjeblieft even aandoen.'

'Als jij me de waarheid zegt.'

'Manfred zei dat je als het ware gedachten kon lezen. Ik geloofde hem eerst niet. Maar nu wel.'

Steadman deed het licht weer aan en zei: 'Je hebt een schimmelinfectie.'

De vrouw begon te huilen, wat haar bij het aankleden in haar bewegingen hinderde, door haar gesnik werd ze langzamer en onhandiger. Toen ze klaar was en haar schoenen had aangedaan, wankelde ze even bij het weglopen. Ze trok de deur open, maar die werd door de strak staande veiligheidsketting tegengehouden, en griende van ergernis toen ze de ketting losmaakte en naar buiten stapte.

Steadman bleef zitten met een laag schuldgevoel als smerig schuim op zijn gezicht. Hij had er behoefte aan zich te beklagen, wreef in zijn ogen en belde Ava. Hij hing weer net zo snel op toen hij zich tijdens het intoetsen van het nummer realiseerde hoe laat het wel niet was. Hij had zijn horloge niet gecontroleerd – hij ging er onbewust van uit dat zijn wijzerplaat weer zichtbaar was geworden. Dat gebeurde meestal rond dit uur. Aanraking was net als zien: hij aaide de wijzers van zijn horloge: bijna middernacht. Hij vervloekte Manfred. En hij stelde zich het telefoongesprek voor dat hij daarnet had afgebroken, en Ava die zou zeggen: *Je bent ook te ver gegaan – wat had je dan verwacht?*

Wat daarna gebeurde was merkwaardiger dan alle andere dingen die op die merkwaardige dag waren gebeurd. Hij liep op de tast naar de slaapkamer toen hij zich herinnerde dat hij de drug niet meer had ingenomen sinds hij die ochtend was opgestaan om de vroege trein naar Washington te nemen. Hij was al meer dan achttien uur blind – dat was hem nog nooit eerder overkomen en het was onverklaarbaar. Op het moment dat die verontrustende gedachte hem bekroop, botste hij tegen de muur van de slaapkamer.

7

Hij schrok door het rinkelen van de telefoon wakker uit de soep van een onduidelijke droom waarin hij ondervraagd werd. Een veel te opgewekte mannenstem zei 'Hai' en verder niets, een van die irritante mensen die zichzelf niet bekendmaken, maar je in plaats daarvan laten raden, alsof ze je van je stuk willen brengen of je vriendschap op de proef willen stellen. Wie was er op dit uur wakker genoeg voor dit soort pesterijen? Maar Steadman wist zeker – nog slap van de slaap, terwijl zijn onprettige droom vervaagde – dat het Jerry was, zijn begeleider van gisteren, die nu op aarzelende toon zei: 'Ben je daar?'

'Ja, helemaal.'

'Welke trein wil je nemen?' Hij leek een beetje geïntimideerd door Steadmans kortaangebonden reactie. 'Ik kan komen wanneer je maar wilt.'

'Doe geen moeite. Ik neem wel een taxi naar het station.' En Steadman hing op voordat Jerry antwoord kon geven. Hij was nog steeds verbolgen over dat 'Ze stellen echt fantastische vragen', daarmee implicerend dat Steadman – die blind een uur lang had staan praten voor een boekhandel vol mensen zonder aantekeningen te raadplegen – geen indruk had gemaakt. Het enige waarover Jerry zich lovend uitliet was het briljante publiek. Maar het was een strategie, dat kleineren, net zoals hij aan de telefoon zijn naam niet zei.

Steadmans verontwaardiging was tweeledig. Ik ben schrijver, dacht hij, en ik ben blind. Klootzak!

Hij moest de telefoon neerleggen om zich te kunnen concentreren. Het was al erg genoeg dat hij door een idioot telefoontje was gewekt, maar veel erger was dat hij er op dat moment niet zeker van was of hij nou blind was of kon zien. In zijn verwarring was iedere gedachte uit zijn hoofd gevaagd. Hij zat versuft rechtop in bed. Hij voelde zich kwetsbaar, zijn geheugen was aangetast, en hij voelde een dierlijke aandrang om het hotel en de stad te ontvluchten.

Hij moest weg, terug naar New York; hij had het nodig dat mensen hem observeerden zodat hij kon functioneren. Als hij alleen was en blind voelde hij zich verloren, maar de lichamelijke aanwezigheid van andere mensen, hun blikken en gebaren, de manier waarop ze ademhaalden en slikten, al hun menselijke reacties, hun geur, hun huid, hun zenuwen, hielpen hem de weg vinden.

Hij had vrienden nodig, in het bijzonder Ava, een vrouw wier intelligentie zich met de zijne kon meten, wier gretige vlees als een toorts was die de voorgrond scherp in beeld bracht en de wijde wereld zichtbaar maakte. Dat was niets nieuws: hij had altijd al behoefte gehad aan een vrouw om zich heen, iemand die hem uitdaagde, hem troostte, een seksuele partner, een luisteraar, de ideale metgezel die Ava was geweest in de tijd dat hij zijn boek schreef. De tegenstrijdigheid ervan was dat hij haar had liefgehad vanwege haar onafhankelijkheid en haar toch tegelijkertijd wilde bezitten, zodat ze samen seksueel, wijs en dwaas konden zijn. Hij was gek op haar omdat ze zo roekeloos was en zo levendig, omdat ze zo vaak de agressor was, omdat ze zijn weg verlichtte, omdat ze risico's durfde te nemen en hem provoceerde. Zelfs nu, hoewel ze niets meer met hem had, was ze noodzakelijk voor hem.

In zijn eentje zag hij de toekomst als een korrelige zwart-witopname van dagen, onduidelijk en zorgwekkend. Hij wilde kleur en perspectief, de alles in evenwicht brengende echo's van menselijke stemmen. Hij had behoefte aan getuigen. Dit realiseerde hij zich opnieuw terwijl hij door zijn hotelkamer liep om zijn kleren bijeen te zoeken en in zijn koffer te stoppen. Het parfum van de jonge vrouw had zich aan de bank gehecht waar ze had gezeten en hem uit zijn boek had voorgelezen.

Hij was klaar met scheren en stond op het punt een dosis van de drug in te nemen die hij door een glas water had geroerd, toen hij wankelde en in de lucht sloeg en het glas weer onaangeroerd neerzette. Hij was al blind. Hij voelde naar de spiegel, legde zijn vingertoppen tegen het glas, zag niets, voelde niets, behalve de hete lampen op zijn gezicht, die de spiegel omlijstten. Ik heb het niet meer in de hand, dacht hij.

Hij was al vaak blind gaan slapen, maar was hij ooit blind wakker geworden? Het effect van de drug raakte tijdens het slapen altijd uitgewerkt. Nu maakten zijn zware ogen dat hij stuntelig zijn koffer volpropte. En ten slotte ging hij weer terug naar de badkamer en sloeg het drankje gehaast achterover, waarbij hij wat op zijn kin morste. En hij bleef onvast staan, alsof hij een siroop van licht had doorgeslikt.

De warmte verspreidde zich vanuit zijn maag en schoot razendsnel door zijn bloed tot de zenuwen achter zijn ogen bonsden en knetterden, een elektrische fosforescentie.

Beneden kwam de piccolo, in een soort schooluniform doortrokken van de wollige stank van sigarettenrook, op zijn grote flapperende voeten aanlopen om zijn koffer over te nemen. De man was zwart en had brede schouders, en alsof de koffer niets woog, zwaaide hij hem de taxi in en hield het portier open.

'Gaat het, denkt u?'

De man had met hem te doen en toonde een hulpeloze, beklemmende bezorgdheid, hielp hem voorzichtig de taxi in terwijl Steadman hem bestudeerde, hem inschatte als een arme en niet gewaardeerde man die op zichzelf leefde maar ergens kinderen had die hij niet mocht zien. Omdat hij om vijf uur 's morgens op zijn werk moest zijn, was hij nu al moe. Hij droeg een tamelijk nieuw uniform, maar zijn schoenen waren versleten, het leer gescheurd, de zolen dun. De man kuchte en bedekte zijn brede, verweerde gezicht en zijn gezwollen lippen. Zijn longen waren sponsachtig en verteerd.

De taxichauffeur vroeg: 'Hoe is het gekomen?'

Vreemden vielen zomaar binnen, stelden vragen, maakten zich meester van zijn blindheid als roofdieren die een zwakke plek bespeuren.

'Lang verhaal.'

'Denk jij dat je problemen hebt? Moet je de president eens zien. De bloedhonden zitten hem op de hielen.'

'Is er nog nieuws?'

'Ze hebben het nu over *impeachment*.'

De hele reis naar New York ging het op de radio in Steadmans oordopjes over de rampspoed van de president, het schandaal, zijn herhaalde ontkenningen en tegenaanvallen. Onder het luisteren zag hij het roze, schaapachtige gezicht van de president en zijn blauwe onzekere ogen, de wallen van slapeloosheid daaronder, zo weerloos als het gezicht van een mens maar kon zijn, zo uitdrukkingsloos en meelijwekkend en symmetrisch als een schietschijf. Hij zag er breekbaar, beschimpt en beschaamd uit. Hij was overal op de televisie te zien met weggedraaid geluid, mimede de woorden en zag eruit als een in het nauw gebrachte man die een schutter probeert over te halen om niet te schieten. Geen mens kon er machtelozer, opgejaagder uitzien, als een prooi, gekweld en getergd.

Steadman deed zijn oordopjes uit, en alsof ze een gedecideerd gebaar

herkende, draaide de vrouw die in de trein naast hem zat haar hoofd opzij en zei met een vriendelijke stem: 'Gaat u naar huis?'

'Nee.'

'Geen New Yorker?'

'Alleen op bezoek.'

'Ik zou u rond kunnen leiden,' zei ze op overtuigende toon.

Hij wilde zich aan haar overgeven, haar vasthouden; haar stem klonk
zo koesterend en beschermend.

'Waar logeert u?' vroeg ze.

Ze leek hem onder het praten op haar schoot uit te nodigen, en in zijn
stemming van zelfbeklag was hij bereid erop in te gaan en onder haar armen te kruipen, geplet te worden onder haar borsten en zich door haar te
laten zogen.

In plaats van antwoord te geven, richtte hij zijn hoofd op en staarde in
haar richting en zag hoe ze oploste, een bleke vleeskleur en de geur van
geplette bloemen. En weer net zo snel zwol ze op tot de vervette werkelijkheid van een vrouw met een groot rond gezicht, een lichaam als een
hobbezak en dikke dijen, een gekreukte jurk en pafferige, trieste ogen
achter een ouderwetse bril met een paars montuur.

Ik ben niet blind, dacht hij. Zou ze dat weten?

Vervagend, kleiner wordend, alsof ze vloeibaar werd, veranderde ze
weer in een klein bang meisje. Ze was nieuwsgierig en sensueel, en hij
raakte weer opgewonden. Maar wie was die vrouw dan die hij zojuist had
gezien?

'Mijn oom was ook blind,' zei ze. 'Hij had een soort pantser om zich
heen. Dat is niet best. Ik probeerde hem te helpen. Maar hij wilde niet uit
zijn schulp komen.'

De beeldspraak vond hij droevig en juist, en toen hij zich goed concentreerde en naar haar over leunde, realiseerde hij zich dat ze weg was.
Ze waren Penn Station binnengereden. Ze had hem opgegeven en was
zonder gedag te zeggen weggegaan.

Weer dacht hij: Ik heb het niet meer in de hand.

New York, met zijn grauwe, schimmige licht, zijn blatende stroom van
claxons en haastige mensen, lag boven aan de roltrap. Hij stond op de
treden en steeg omhoog, met zijn koffer aan zijn voeten, naar de steil op-
lopende onverschillige stad, de smerige bakstenen, de platte gebouwen,
de norse ramen, de vliedende voetgangers, de giftige lucht. Iemand vlak
bij hem, een domme jongeman, vloekte luidkeels met een buitenlands

accent, kwaadaardige walgelijke woorden die een vijandigheid om zich heen verspreidden als een smerig stinkende damp. Niemand reageerde.

In de taxi naar het hotel ontleedde Steadman de stad in haar afzonderlijke componenten: de verbrande oliestank van uitlaatgassen, het lawaai van motoren, de compacte en meedogenloze verkeersstroom, de onverstaanbare stemmen als van een gekkenhuis dat binnenstebuiten was gekeerd – dat alles en de schittering van de grenzeloze hemel. De stad was nooit donker, zweeg nooit.

Maar het hotel was redelijk rustig. Hij werd weer verwelkomd door de staf alsof hij hun dierbaar was, hun troetelblinde, de alom geliefde invalide over wie sentimentele vreemden al hun vriendelijkheid uitstortten. Ze schonken hem overdreven veel aandacht want ze leken zich niet te kunnen voorstellen, tenzij ze hem aan alle kanten vertroetelden, hoe hij hen zich in godsnaam zou kunnen herinneren.

In plaats van Ava te bellen, belde hij Axelrod.

'Boston en Philly staan nog op de rol,' zei hij. 'En dan is er vanavond nog dat feestje.'

Het feestje was nieuw voor hem. Hij vroeg om meer details.

'Het wordt in een privé-ruimte in Waldo's Grill gegeven. Ik kom je om zes uur in het hotel ophalen. We hebben de media ook uitgenodigd.'

Steadman zag er vreselijk tegenop en nam een dosis van de drug, en het was inderdaad zo erg als hij had gevreesd: een hete stampvolle ruimte boven een stampvol restaurant. Het gejoel van de eters beneden drong door tot de privé-ruimte op de eerste verdieping en vulde die met scherpe, stekende geluiden. Steadman werd aan de gasten voorgesteld die naar zijn vrije hand grepen. Hij kende ze aan hun handen en hun stem.

Een van hen zei: 'Ik vond uw boek geweldig. Ze zeggen dat u een zesde zintuig bezit. Vertel me er eens iets over.'

De hand van de man voelde klam aan, ongewassen, schuimachtig van de stad, ongeduldig, onoprecht.

'Daar zou ik u niet mee lastig willen vallen,' zei Steadman.

'Vooruit.'

'U bent geagiteerd. U hebt een hoop onbenullige zaken aan uw hoofd. U wilt mij een citaat ontlokken. U hebt mijn boek niet gelezen.'

De man liet Steadmans hand los, en zei: 'Ja, dat is typisch zo'n standaardantwoord, hè?'

'Pak mijn hand maar,' zei een vrouw die andere mensen opzij duwde.

In een glimp die doordrenkt was van grauw licht kon Steadman plotseling weer zien, net op het moment dat ze zijn hand vastgreep. Hij zag de ruimte: de gasten die stonden te drinken en hapjes van dienbladen pakten, de zwerm mensen om hem heen die stonden te wachten om met hem te kunnen praten, ze keken allemaal hongerig en verlangend. Hij raakte in de war van al die gezichten, de uitgestrekte armen, het gedrang. Het maakte hem beschaamd en afwerend, alsof hij door een doorkijkspiegel keek. Ze hadden geen idee dat hij hen kon zien. Hij kon er niets aan doen, en erger nog, hij haatte het hen te moeten zien. De flitsen waarin hij kon zien waren als afschuwelijke, vluchtige blikken in zijn eigen verleden, alsof zijn geest tot leven kwam en de intense schaamte en wroeging liet zien waarvan hij dacht dat hij die vergeten was, visioenen als pijnlijke herinneringen.

De vrouw greep zijn vingers vast. Hij zag haar duidelijk, hij zag alles. De stroom gezichten vulde de ruimte bijna helemaal op en legde hem in de schaduw. Hij werd overweldigd door de aanblik ervan, maar het volgende moment kreeg de blindheid hem weer in haar greep en daalde er een glinsterend gordijn voor zijn ogen neer.

'Gaat het wel goed met u?'

Had hij laten blijken dat hij heel even iets had gezien? Hij vond het vreselijk dat de drug zo onbetrouwbaar was geworden. De ene keer als hij ervan dronk, zag hij de armzalige, weifelende realiteit van het daglicht. Vervolgens sloeg hij eens een dosis over en werd dan plotseling blind alsof er in zijn lichaam een onopgelost restant van het middel was achtergebleven, een residu dat door zijn bloedsomloop in beweging werd gebracht en hem zijn gezichtsvermogen ontnam.

Maar de blindheid die hij nu ervoer was niet de blindheid die de innerlijke wereld had blootgelegd waarin ook zijn verleden besloten lag; het was een obstakel, een soort ongewisheid, een onzekerheid. De laatste dagen – vanavond bijvoorbeeld in deze bedompte ruimte met gasten en toeschouwers – voelde hij zich zwak en weerloos, een stuntel, en probeerde niet met zijn armen naar de muren te maaien.

'Cindy Adams. Van de *Post*. Ik hoopte dat u mij de toekomst kunt voorspellen.'

Hoe kon hij haar vertellen dat hij dat kunstje niet meer beheerste? Hij wendde zich af en een opdringerige man aan zijn elleboog vroeg: 'Kunnen wij even ergens rustig praten?'

De mensen bleven hem maar aanraken, praatten ook veel te luid en duwden en porden hem bij ieder woord. De man bleef aandringen.

Steadman voelde dat hij naar een hoek werd getrokken, weg van de luid pratende gasten die voortdurend tegen elkaar opbotsten.

Op een plek waar het wat rustiger was merkte Steadman dat de man naast hem kalm en belangstellend was, hij manoeuvreerde hem trefzeker tegen een muur en Steadman, die met zijn stok de vloer aftastte, verloor bijna zijn evenwicht toen de man hem een zacht duwtje gaf.

'Ik heb een paar vragen.'

'Ja?'

'Ik heb uw boek echt gelezen, maar ik wil het over uw blindheid hebben. Bent u er bijvoorbeeld extra gevoelig door geworden?'

Hoewel zijn toon neutraal klonk, kwam de vraag vijandig over, vooral op dit moment, nu hij tegen de muur stond geklemd, belegerd door vreemden in deze bedompte ruimte. Hij was in dit feestgedruis gegooid en er werd een optreden van hem verwacht. Hij had nog niets gedronken, zijn gezichtsvermogen flakkerde van donker naar licht en weer terug, van de ene wereld naar de andere, van de eenvoudige wereld van het zien naar de kwellende wereld van deze nieuwe blindheid die hij niet kende en die hem overviel. Niet alleen belegerd door vreemden. Hij voelde zich omringd door vijanden: dat merkte hij aan de zurige lucht in de ruimte, het gemompel, maar verder wist hij niets.

Hij stak zijn hand uit om zijn evenwicht te hervinden en moest denken aan de vallende gestalte van Blind Pew in het stripverhaal, die zijn armen spreidde in een smekend gebaar: *Help me!*

'Helemaal niet extra gevoelig,' zei hij. 'Het is een worsteling.' Hij voelde de scepsis van de man aan de manier waarop hij uitademde. 'Wilt u me excuseren?'

'Een of andere vent heeft een website waarop hij beweert dat u een drug gebruikt.'

Het woord 'drug', dat nu voor het eerst door een onbekende werd uitgesproken, vervulde Steadman van zoveel angst dat hij te verlamd was om verschrikt te reageren.

'Misschien een drug waardoor je beter presteert. Wat ik al zei, waardoor je misschien extra gevoelig wordt.'

Steadman vroeg: 'Denkt u dat iemand ervoor zou kiezen om blind te zijn?'

'Precies. Dat vroeg ik me ook af.'

Steadman had zich nog nooit zo blind en weerloos gevoeld. Vlak voor hij vertrokken was had hij in zijn hotelkamer een dosis van de drug ingenomen, en hier stond hij, volledig van slag, en zag helemaal niets, op die paar momenten na toen hij in een korte uitbarsting van afstotelijk licht een glimp van de ruimte had opgevangen en ineen was gekrompen.

'Ik vind dat een beledigende vraag,' zei Steadman en hij tastte naar de muur.

'Dat spijt me dan,' zei de man. 'Hé, het was maar een vraag.'

'Pardon.' Hij herkende Axelrods stem. 'Ik vroeg me al af waar je was.'

'Deze man beschuldigt me van bedrog.'

'Ik zei niet dat u de boel bedriegt. Ik probeerde alleen het gerucht te verifiëren dat u een of andere drug gebruikt.'

'Wegwezen, klootzak!' schreeuwde Axelrod tegen de man. 'Hoe durf je zoiets te zeggen! Deze man heeft zijn gezichtsvermogen verloren. Hij heeft net een geweldig boek gepubliceerd. En jij bent hier een gast. Zou je misschien wat meer respect kunnen tonen?'

Terwijl Axelrod de man met zijn woede intimideerde, dacht Steadman: Waarom heb ik dat niet gezegd? Waarom reageerde ik niet zo kwaad?

'Wat vervelend voor je,' zei Axelrod. 'Je ziet er moe uit. Misschien moet je maar naar huis gaan. De mensen zullen het wel begrijpen.'

Steadman verliet het feest en terug op zijn hotelkamer was hij zo van slag dat hij niet helder kon denken. Hij ging ervan uit dat Manfred het verhaal bekend had gemaakt om hem te ontmaskeren. En naar alle waarschijnlijkheid, zoals hij al had vermoed, was de vrouw in Washington mee naar zijn kamer gekomen om hem te bespioneren, om te zoeken naar de drug, om te zien of hij echt blind was en die informatie aan Manfred door te spelen.

Hij zou het blijven ontkennen, ze hadden geen bewijs. Maar hij zat met een veel groter probleem, en dat joeg hem angst aan. Hij leek zijn blindheid niet meer onder controle te hebben. Soms had de drug geen enkele invloed. Die nacht lag hij te zweten, te wachten op het gebruikelijke lichtschijnsel, de doffe gloed die hem vertelde dat de drug uitgewerkt begon te raken. Maar er was helemaal niets, alleen het bonkende lawaai van New York, het geloei van de stad dat in zijn binnenste vibreerde. Hij vroeg zich of hij, na het maandenlange innemen van de drug, zichzelf ermee verzadigd had, of zijn vlees ermee doordrenkt was.

Hij viel in slaap. Hij werd wakker. Hij wist niet of het dag of nacht was en hij was doodsbang.

8

Hij bleef dus in New York en iedere ochtend als hij zijn ogen opendeed in zijn hotelkamer, hoopte hij dat hij uit de nachtmerrie zou ontwaken, dat er iets was veranderd, dat hij weer kon zien. Hij zou dankbaar zijn geweest voor het geringste lichtschijnsel. Iedere ochtend was hij diep ongelukkig. Hij hoorde alleen maar het gebulder van de stad, als het eindeloze gedreun van een modderige brekende branding, en hoewel hij het niet kon bevatten, was er iets in dat lawaai dat altijd de draak met hem stak. Hij liep naar het raam en werd doof van het verkeer dat de van stof bezwangerde lucht verstikte. New York was een oceaan en hij zat gevangen op de bodem, naar adem snakkend in deze zwarte diepte, die dicht zat met geluid, vechtend tegen de zuiging van het getij. Hij had zelfs de herinnering aan licht verloren en treurend dacht hij: Ik ben in de hel beland.

Hij was in de stad gebleven omdat die bescherming bood, omdat de stad onderdak leek te bieden aan de meest uiteenlopende mensen. Toch voelde hij zich ellendig – waarom werd het niet licht? – maar hij durfde niet zomaar weg te gaan. Hij gelaste de rest van de boekentournee af: Philadelphia, Boston, het televisiestation c-span, de fotosessie voor het interview met *Time*.

'Dat is niet erg,' zei Axelrod. 'Het boek loopt fantastisch.'

Maar de stad was niet vriendelijk. Hij was hier een gehandicapte. Hij was in een diabolische duisternis gegleden waarvan hij ooit had ontkend dat die bestond. Hij werd iedere seconde aan zijn kwaal herinnerd; temidden van vreemden was hij ernstig gehandicapt. Er was niets erger dan te gaan slapen wanneer je je ellendig voelde en hoop te koesteren, om dan de volgende ochtend net zo ellendig en wanhopig weer wakker te worden.

Er werd gebeld, een stem zei: 'Meneer Steadman?' en toen hij ja zei: 'Trespassing aan de lijn. Een ogenblik geduld, ik verbind u door met meneer Gurvitch.'

De volgende stem klonk korzelig en geïrriteerd. 'Shel Gurvitch, Recla-meafdeling Trespassing.' En na een diepe ademhaling, vervuld van me-delijden: 'Slade, ik geloof niet dat we elkaar ooit hebben ontmoet. Ik zal geen tijd verspillen. Ik wil alleen maar zeggen dat we niet van tevoren op de hoogte zijn gebracht van je publiciteitstournee en, wacht even,' – Steadman begon al te protesteren – 'we zijn echt heel erg met je be-gaan. Maar we vragen ons serieus af wat voor boodschap al die publici-teit rond jouw boek betekent voor de merkidentiteit van onze licenties.'

'Ik heb geen flauw idee waar je het over hebt.'

'Om een voorbeeld te noemen: de Limited Edition-uitgave.'

'Van mijn boek?'

'Nee. De *Trespassing Limited Edition* die we hebben voorgesteld voor het vernieuwde ontwerp van de jeep. Die is net afgewezen. We denken dat dat met jouw ongeluk heeft te maken.'

'Welk ongeluk?'

'Dat met je ogen. Het feit dat je nu gehandicapt bent.'

Steadman legde de hoorn op de haak. Hij nam de telefoon niet meer aan. Hij kwam nauwelijks nog buiten. En wie was dat toch die hem steeds volgde? Hij hoefde maar even stil te staan op het trottoir of iemand bood hem geld aan, in de veronderstelling dat hij stond te bedelen. Er liep ie-mand langs hem heen en drukte hem een biljet in zijn handen. Hij was zo verrast dat hij het geld bleef vasthouden en verder liep, maar een paar seconden later botste iemand tegen hem op – een zweem van scherp rie-kend zweet – en werd het geld weer uit zijn hand gerukt.

Een of andere afschuwelijke logica hakte hem in kleine stukjes terwijl zijn boek steeds hogere ogen gooide. Ja, hij had zijn boek. Zijn queeste was een succes geweest. Nu wist hij tegen welke prijs.

Om zijn angst te bedwingen en weer zelfvertrouwen te krijgen, ver-pakte hij het restant van de verkruimelde drug in papier en maakte er een pakje van. Hij verliet het Carlyle-hotel, liep voetje voor voetje over Ma-dison tot aan de eerste zijstraat, sloeg af naar het oosten en volgde toen al tikkend met zijn stok 77th Street, stak Park Avenue over en liep verder, langs het Lenox Hill Hospital. Hij voelde de aandacht van de voorbijgan-gers verslappen, wat hem het vage gevoel gaf dat hij weer werd gevolgd, dat er iemand vlak achter hem liep. Hij draaide zich plotseling om en wankelde in de duisternis.

'Wat wil je?'

Wie het ook was die hem schaduwde, diegene bleef stilstaan en haalde adem.

'Denk je soms dat ik je niet kan zien?' zei Steadman. Hij gebaarde met zijn stok. 'Ik weet dat je daar bent. Je kunt me niet voor de gek houden. Ben jij het, Manfred?'

Er klonk geen geluid, alleen de kletsende zolen van een voetganger die door het duister stapte. Maak je geen zorgen om de duisternis, vergeet de verontrustende stemmen – hij kon niet ademhalen. Het was alsof alle lucht uit de stad was weggezogen. In dat vacuüm hoorde Steadman zijn eigen holle stem in zijn oren.

'Ik weet dat jij het bent, Manfred. Of is het een van je hoeren die me op de hielen zit?'

Een vrouwenstem vroeg: 'Heeft u hulp nodig, meneer?'

'Nee.' Hij wendde zich af van haar stem.

'De ingang van de polikliniek is hier,' zei een man.

'Er is niets met me aan de hand!' schreeuwde Steadman.

Hij maaide met zijn stok om zijn woorden kracht bij te zetten, maar hij struikelde en iemand zei: 'Voorzichtig met die stok, man. Je steekt iemand nog een oog uit.'

Hij zocht zijn weg met behulp van de stok en liep door tot aan het eind van de straat waar bij de metro-ingang lucht omhoog werd geblazen, een vlaag stof vermengd met urinegeur en warme lucht die naar mensen rook. Hij liet zich helpen om Lexington over te steken. Hij rook versgebakken brood, pizza en koffie. De man die hem had geholpen vroeg: 'Heb je wat kleingeld voor me?' Steadman gaf hem alle munten die hij in zijn zak had zitten, waarop de man zei: 'Dit is kut, man. Ik heb honger en ik heb net godverdomme je leven gered. Ik moet vijf dollar hebben, klootzak.' Steadman liep verder. Zachtjes tikkend vond hij de weg naar Third en daarna naar Second, heel langzaam, bang dat er weer iemand opdook die hem in de val zou lokken, hoewel hij toch op iedere hoek van een straat iemand nodig had en nog banger was voor het geluid van de auto's. Eerst had hij het altijd vreselijk gevonden als mensen hem aanraakten. Nu had hij hun handen nodig, de druk van hun vingers, hun geruststellende stem.

'Er moet hier een voetgangersbrug in de buurt zijn,' zei hij tegen een man naast hem die aanbood hem te helpen toen hij de auto's op FDR Drive hoorde. Het was daar net een racebaan; hij was doodsbang.

'Een paar straten verder.' Deze vriendelijke stem leidde hem voort en beurde hem op onder het lopen. 'We zijn er bijna, goede vriend. Nog een paar stappen.'

Hij was eindelijk aan de rand van het eiland aangekomen, boven de omheinde goot vol voortrazende auto's.

'Zet me maar op de voetgangersbrug. Dan red ik het wel.'

'Jij bent de baas.'

'Breng me naar de leuning.'

Hij was al bezig zich de chagrijnige autoritaire toon van de blinde eigen te maken, hoorde zichzelf bevelen geven en orders uitdelen en gehoorzaamd worden door deze onzichtbare vingers die aan zijn kleren plukten en trokken.

Maar er klopte iets niet: de man was weggerend. Steadman klopte op zijn jasje en realiseerde zich dat de man zijn portefeuille had gerold.

Aan de overkant van de verbindingsweg vond hij de trap en onderaan de roestige leuning. Hij hoorde de wind het oppervlak van de rivier geselen waardoor er korte golven ontstonden. In het snel stromende water tuimelden de spelende golven langs hem heen en klotsten tegen de oever aan zijn voeten.

Hij haalde het pakje te voorschijn, scheurde het open en strooide de verkruimelde twijgjes en takjes van de drug in het rond. Er was bijna niets meer van over, maar toch wilde hij dat dit een ritueel was, een afstand doen voor de buitenwereld, door zichzelf ervan te ontdoen. Een aangeboren strengheid zei hem dat als hij zich inspande, zoals hij op de moeizame reis naar deze plek had gedaan, en als het ritueel formeel genoeg was, zijn wens vervuld zou worden: dan zou hij zijn gezichtsvermogen terugkrijgen.

Daarna zou hij worden veracht. Hij zou in het openbaar opbiechten wat hij had gedaan, hoe de visioenen en de teruggehaalde herinneringen in zijn boek tot stand waren gekomen. De journalist op het feestje had hem daar een waarheidsgetrouwe uitdrukking voor aangereikt: ik had wat extra gevoeligheid nodig. Tot die tijd zou hij de man blijven die hij was, Blinde Slade. De wind rukte aan zijn jasje toen hij boog en een verontschuldiging mompelde, en hij eigenlijk wilde huilen om zijn vergissing. Ooit had hij zich zorgen gemaakt dat de drug op zou raken.

'Hebt u iets laten vallen?'

Steadman hield zijn hoofd scheef om te horen of de stem van deze man bekend klonk, een van die gluiperds van wie hij vermoedde dat hij hem achtervolgde. Het was afschuwelijk om daar te staan gapen en niet te weten wanneer iemand hem aankeek.

'Nee,' zei hij en hij vroeg de stem hem te helpen om de voetgangersbrug weer over te steken en de straat terug te vinden. Toen dat was gelukt doordat de man hem leidde en voortduwde, draaide hij zich opzij en bedankte hem. Er kwam geen antwoord. Hoewel alle geluiden hem van slag brachten, vond hij stilte erger dan welk geluid dan ook.

De man had zijn horloge gepikt. Een horlogemaker op de Vineyard had die voor hem gemaakt. Het horloge had geen glazen plaat, alleen stevige wijzers die Steadman met zijn vingertoppen aanraakte om te weten hoe laat het was, en doordat hij het horloge heel vaak aanraakte, was het iets kostbaars voor hem geworden, een talisman en een vriend.

'Klootzak! Ik zie je wel!'

Maar zijn roepende stem in de duisternis klonk zo huilerig, zo smartelijk, dat hij zweeg. Hij wandelde verder. Zijn voetstappen klonken zwak en aarzelend; zijn stok ook. Hij beklaagde zichzelf om zijn eigen angstige, zoekende geluiden. Op de terugweg naar het hotel was hij doodsbang, bang dat hij zou worden platgereden door een auto, zo'n toeterende taxi of een bulderende vrachtauto die geen moment aarzelde. Telkens als hij een claxon hoorde ergerde hij zich, want het waarschuwde hem dat hij moest blijven staan. Het steeds maar alert moeten blijven putte hem uit en hij had het gevoel dat hij ieder moment in een gat zou kunnen stappen.

Wat was er misgegaan? Hij wist dat Manfred eropuit was om hem te ontmaskeren, maar geen enkele toespeling op het feit dat hij zijn blindheid veinsde kon bewezen worden. Hij was nog nooit zo blind geweest, zijn wereld nog nooit zo zwart. Die duisternis was totaal, als een scherm van totale onwetendheid, een schurftige deken van het kwaad, als de zwarte draperieën van een tirannie. Deze voortdurende nacht had niets gemeen met de bijzondere verlichting die hij eerder had ervaren door toedoen van de drug die hem zo gelukkig had gemaakt. Dit was een stinkende zak die door een beul over zijn hoofd leek te zijn getrokken, het noodlottige obstakel dat hem zijn zicht ontnam. Zijn handen en benen waren ook nutteloos. Hij was bang en voelde zich net een kind. Het gevoel dat dit de dood aankondigde werd nog sterker omdat hij in New York gevangenzat, stad van angstaanjagende geluiden en vijandige stemmen en onduidelijke geuren, waar hij als indringer werd bejegend.

Bij Madison Avenue bleef hij even staan om uit te rusten en iemand met een hond – het beest snuffelde aan zijn schoenen – zei: 'Hé.' Maar in de veronderstelling dat hij werd aangevallen, gaf hij met zijn ene hand een harde duw en sloeg de ander, en pas op het moment dat hij keihard op een hand sloeg die een voddig stukje papier vasthield, begreep hij dat de ander hem een aalmoes had willen aanbieden.

'Godverdomme! Je hebt mijn nagel gebroken. Krijg de tering, man!'

Terug op zijn kamer maakte hij zich heel klein en kromp ineen toen de telefoon ging: Axelrod.

'We worden overspoeld met verzoeken voor interviews.'

'Geen interviews meer. Ik wil naar huis.'

'Je klinkt niet echt opgewekt.'

'Ik ben helemaal van slag.' Steadman raakte buiten adem van angst. 'Kun jij vandaag een ticket voor me regelen naar de Vineyard?'

'Het is paasweekend,' zei Axelrod. Maar de wanhoop in Steadmans stem had hem verontrust. 'Ik zal zien wat ik kan doen.'

Hij belde terug om te zeggen dat alle vluchten waren volgeboekt. Over twee dagen was er pas een plaats.

Wanhoop, de herinnering aan die vreselijke wandeling en de diefstallen gaven hem zo'n hulpeloos gevoel dat hij wel kon janken. Hij voelde zich geïntimideerd, hij was een kind en hij treurde om zichzelf, want uit zijn boek had zoveel moed gesproken.

In de hese pathos van eenzaam berouw, een dof gemurmelde klaagzang, werd hij te schande gemaakt door zijn vergeetachtigheid, de leegte van zijn geheugen. Zijn afzondering in het heden had hem in een hologige reiziger veranderd die van zijn pad was afgedwaald en op de oever van een junglerivier terecht was gekomen. Hij zag het allemaal: zijn spookachtige gestalte op een van de zandhopen op een langgerekt stuk oever tussen het overhangende gebladerte – een paar vogels die over het water scheerden, de modderige draaikolk die als chocolademelk opborrelde, de schaduw van een bleke breed gevleugelde rog die vlak onder het wateroppervlak wegschoot. Hoog boven hem zweefde een donkere havik in de hete grijze lucht.

Die herinnering, zichzelf als schipbreukeling te zien, was niet echt gruwelijk maar eerder dieptreurig, een herinnering aan zichzelf op zijn onschuldigst. Hij hoorde ook een dwingende stem, die van Manfred, die hem aanspoorde om op te staan, die hem in het nabijgelegen dorpje in verleiding bracht de drug te nemen; de man doemde boven hem op en gebaarde druk met zijn handen.

'Ik weet hier een beetje van... Het moet fantastisch zijn. Het verandert je bewustzijn, het geeft ervaringen. Het is alleen een kwestie van geld, maar jíj hebt geld.'

Alle andere herinneringen bleven voor hem gesloten, maar in deze ene die hij zag was hij op zijn gelukkigst, gedreven door hoop, op het punt om de drug te ontdekken. Manfred was een vriend gebleken.

Het drugsreisje, de queeste, de verrassingen in Ecuador die hij als een sprong in het duister had beschouwd, hadden hem kracht gegeven. Nu zag hij zichzelf zoals de havik de schipbreukeling had zien liggen op de halve maan van nat zand aan de oever van de rivier, de bespiegeling van een roofvogel. En deze herinnering gaf hem nog meer, bood hem een glimp van het naspel, de verlichting van de blindheid, het beeld van hemzelf bij het dicteren van zijn boek, de maanden van afzondering als een jarenlange betovering in een afgelegen kasteel waarin hij het verhaal had beleefd. Manfreds belofte bleek te kloppen: hij had zich inderdaad geestelijk verheven, hij had zijn boek voltooid, hij was nog nooit zo gelukkig geweest.

En nu was hij tot dit niveau gezonken: de bedompte volgestouwde cel van een hotelkamer, het gevoel een gevangene te zijn. Hij wist nu dat hij nooit had moeten gaan, maar de ergste fout was dat hij de drug was blijven innemen om de aandacht op zichzelf te vestigen. Zelfs het aanbieden van zijn boek was een overhaaste beslissing geweest. Hij had zich laten opjagen tot de anticlimax van de publicatie, de onvermijdelijke teleurstelling, de misverstanden, zijn dubieuze optredens tijdens de boekentournee in boekhandels en collegezalen – het had allemaal iets weggehad van een geheim dat werd onthuld, een zwakte die werd blootgelegd, een verlies van macht. Ooit had hij gezworen nooit meer op tournee te gaan. Waarom had hij zich niet tevredengesteld met het schrijven van zijn boek? Het deed hem pijn als hij terugdacht aan de puurheid van die taak, en hij verweet zichzelf – het waren Ava's woorden – zijn trots en zijn ijdelheid.

Manfred hing nog steeds rond op zoek naar een verhaal en wierp een schaduw op zijn leven. Maar Steadman wist dat er geen sprake was van een omvangrijk complot, er was geen samenzwering. Niemand had een val voor hem gezet. Het was zijn eigen schuld dat hij nu gestraft werd voor zijn geveinsde blindheid, voor zijn giftige trots. En nu, zonder de drug, zonder iemand te willen misleiden – zelfs tegen zijn wil en tot zijn schaamte; misschien was zijn lichaam wel verzadigd van de drug – was hij blinder dan hij voor mogelijk had gehouden, zoals al die betweters hadden beschreven. Zijn blindheid was de blindheid van alle clichés. Levend in duisternis, een wollen wildernis, zijn hoofd omwikkeld, gemummificeerd en gebogen, onderging hij de kwelling van een angstig hijgend wezen dat ieder moment besprongen denkt te worden.

Verloren in de totale duisternis van zijn wanhoop werd hij beschuldigd van bedrog. Het nieuws deed nu de ronde. De mensen hadden het erover. Zelfs in zijn blindheid en afzondering werd hij niet ontzien. Op een of andere manier – was het om zichzelf te straffen, zo vroeg hij zich af – voelde hij het nog steeds wanneer mensen die hij goed kende tegen hem logen. Hij hoorde de aarzelingen, alsof ze de geruchten probeerden te bagatelliseren, maar de aarzelingen maakten dat het alleen maar nog erger ging klinken.

'Ik heb wel wat opgevangen,' zei Axelrod tegen hem toen Steadman ernaar vroeg, in de hoop gerustgesteld te worden dat er niets aan de hand was. 'Je moet er niet op letten. Ze willen alleen maar rottigheid uithalen.'

'Geef eens een voorbeeld.'

'Lullige stukjes op de roddelpagina van de *Post*. "Gezien". Niemand houdt zich daarmee bezig.'

Maar Steadman wist dat iedereen die rubriek las, en het feit dat Axelrod het over 'stukjes' had, maakte hem ongerust.

'Het zal ook wel op internet staan,' zei Steadman, die naar een ontkenning hengelde.

'Ach, wie leest die troep nou?'

Dus het was waar: beschuldigd van bedrog op een website of op zelfs meer dan een. Hij zei: 'Waarom geven we geen verklaring uit – een soort persbericht?'

'Bedoel je een formele ontkenning?'

'Waarom niet?'

Axelrod aarzelde zo lang dat Steadman al ontmoedigd was voordat zijn uitgever uiteindelijk antwoord gaf.

'Dat is overkill. Dat roept alleen maar vragen op. Het kan ten koste gaan van je boek.' Axelrod klonk alsof hij zowel zichzelf als Steadman probeerde te overtuigen. 'Trouwens, waarom zou je die lasterpraatjes honoreren met een weerlegging? Je moet erboven staan.'

'Erboven staan,' klonk ook zorgwekkend, want het betekende dat er een campagne op gang was gebracht en dat hield in dat er, in de poging om hem onderuit te halen, al enige schade was toegebracht.

'Wat belangrijker is, hoe gaat het met je?'

'Het kan beter.'

'De schrijver Eric Hoffer – van *The True Believer* – is als kind blind geworden,' zei Axelrod. 'Op vijftienjarige leeftijd kon hij plotseling weer zien. Dat heeft hem in een lezer veranderd.'

'Ik heb een bloedhekel aan opbeurende verhalen,' zei Steadman. 'Ik ging een eindje wandelen. Ik ben twee keer beroofd – ik ben mijn portefeuille en mijn horloge kwijt. Een paar mensen hebben me stijfgevloekt.'

'Wat verschrikkelijk.'

'Iemand anders heeft me geld gegeven.'

'Het boek verkoopt in ieder geval goed,' zei Axelrod. Het was duidelijk dat hij op een ander onderwerp wilde overstappen.

Het deed Steadman geen genoegen dat het boek zo'n succes had. Hij beschouwde zijn gestuntel in het duister als de straf die hij daarvoor kreeg. Pas nu zag hij in dat hij daarvóór niet blind was geweest. Hij was gedrogeerd. De toestand waarin hij had verkeerd was het tegenovergestelde van zijn huidige staat. Hij moest met zijn blindheid leren omgaan, want in plaats van een gevoel van bevrijding te ervaren, voelde hij zich beperkt, verzwakt, en die pijn was moeilijk te dragen.

Hij werd nog steeds van bedrog beschuldigd. Hij kon de kranten niet lezen en niemand wilde ze voorlezen. Maar hij wist het. Dat er geroddeld werd, bleek wel uit het aantal verzoeken om interviews en die stroomden onophoudelijk binnen. Sommigen wilden hem stangen, anderen wilden hem kritisch ondervragen of hem in verlegenheid brengen. Ze gebruikten de serieuze ondertoon van de roddels als argument, om hem te dwingen de stilte te verbreken.

'Als u zich voor de pers blijft verstoppen verliest u altijd,' zei een vrouw tegen hem. Ze zei dat ze journalist bij een persdienst was; Steadmans verklaring zou zo miljoenen lezers bereiken.

'Ik heb geen verklaring af te leggen.'

'Geef me een paar minuten. Laat me komen. Het zou uw geloofwaardigheid ten goede komen.'

Alleen al de suggestie dat zijn geloofwaardigheid een handje geholpen diende te worden, stemde hem droevig.

Doordat hij tegen iedereen nee zei en zijn telefoontjes screende, werd hij verketterd omdat hij niet wilde meewerken. Het feit dat hij vasthield aan zijn afzondering vormde het bewijs van zijn schuld.

Het werkte in zijn voordeel dat op dit moment het schandaal rond de president speelde. De mensen werden geobsedeerd door de weinig overtuigende verklaringen voor het gedrag van de president – er was sprake van geheime ontmoetingen en telefoonseks met de jonge vrouw, hele verhalen over afspraakjes, het herhalen van de uitdrukking 'orale seks'.

En dan ook nog de aantijgingen van een andere vrouw die zei dat de president een keer in een hotelkamer zijn broek voor haar had laten zakken. Ze beweerde dat ze de penis van de president tot in detail kon beschrijven. Dat nam zoveel ruimte in de kranten in dat de aandacht voor Steadman verslapte, hoewel een paar vasthoudende journalisten tegen hem zeiden: 'Je gedraagt je net als de president.' De president zei ook niets.

Er was een tijd geweest waarin hij had gedacht dat de president zijn beschermer zou kunnen worden, dat diens macht Steadman op een of andere manier ten goede zou kunnen komen, dat het misschien een voordeel zou zijn dat de president hem had gelezen en hem had aanbevolen en hem op het Witte Huis had uitgenodigd. Daar had hij nu niets meer aan. De president had hem in zoverre een plezier gedaan dat hij zelf in een hevig schandaal verwikkeld was geraakt zodat de kranten bol stonden van verhalen over zijn onbetrouwbaarheid, en de geruchten over Steadman op de achtergrond raakten. Steadman stelde zich voor dat de geruchten steeds maar weer meldden dat hij helemaal niet blind was maar een onbezonnen fantast die met een psychotrope drug had geëxperimenteerd die momenten van blindheid veroorzaakte en een roes van hypergevoeligheid deed ontstaan.

Hij kon zich dit soort details indenken omdat hij wist dat die veronderstelling klopte. Maar nu niet meer. Hij was blind, hij was zwak, en het verblijf in New York was als een verblijf in vijandig gebied. Zelfs op het hoogtepunt van zijn roem als de auteur van *Trespassing* was hij niet zo populair geweest. En het was één grote marteling voor hem.

Hij had het hotelpersoneel expliciete instructies gegeven dat hij niet gestoord of gebeld wenste te worden; niemand mocht zijn kamer in. En daarom kwam de klop op zijn deur 's ochtends vroeg toen hij naar de Vineyard zou vertrekken, onverwacht. Zoals altijd werd hij wakker en voelde hij de behoefte naar zijn ogen te klauwen toen hij zich realiseerde dat er niets was veranderd. Hij ging op de tast naar de deur en deed hem open zonder iets te zien.

'Geen bezoek,' zei hij.

'Ik ben het' – Ava. Ze stormde de kamer in terwijl hij in de lucht graaide, wild om zich heen maaide.

'Ik neem je mee naar huis.'

Maar hij stribbelde tegen en zei: 'Wie heb je bij je? Er is nog iemand anders. Wie is dat?' Uiteindelijk liet hij zich door haar vasthouden en toen de deur werd dichtgeschopt, begon hij te snikken.

Deel vijf

De vrouw van de blinde man

1

Zodra hij van de rammelende platen bij de aanlegplaats van de veerboot stapte werd hij bang. Hij stootte zijn teen tegen de stalen rand en kwam struikelend aan wal, zwaaiend met zijn armen om zijn evenwicht te bewaren, en voelde zich voor gek staan toen hij bijna omviel. Vanwege de mist had de vlucht naar Boston vertraging opgelopen, waardoor ze hun aansluiting hadden gemist; daarna waren ze met Ava achter het stuur in een huurauto naar Woods Hole gereden waar ze de Uncatena hadden genomen. En toen hij op het eiland stond en de verlatenheid proefde, dacht hij met de smart van een schipbreukeling: Wat doe ik hier?

Er speelde nog iets anders door zijn hoofd, maar het was vormeloos, een woordeloze onrust, als een laaghangende wolk met een menselijke geur. Hij kon het niet formuleren en het als een volledige gedachte verwoorden omdat de vlucht naar Boston hem volkomen had gedesoriënteerd. De overdreven aandacht van het vliegtuigpersoneel, de rolstoel die hem werd aangeboden, de nutteloze handen die aan hem plukten, de onzekere vingers die aan zijn arm trokken, mensen die aan zijn mouwen rukten, hem klopjes gaven in een belachelijke poging hem te troosten; het gemompelde 'Hou je haaks' en 'Ga d'r voor, kerel' en 'Deze kant op, meneer' – het spervuur van goed bedoelende mensen waar een blinde iedere dag tegenaan liep.

Op de veerboot had hij bij de reling aan de stompe boeg gestaan – om wat lucht te krijgen en niet in de buurt te hoeven zijn van Ava met haar lawaaierige pieper en veel herrie makende mobiel. Er kwamen een man en een vrouw achter hem staan – nieuwkomers, gretige bezoekers, om zich aan het zeegezicht te vergapen.

'Moet je kijken, kijk dan.'

'Allemaal van die witte schuimkoppen,' zei de man, 'en die zeilboot, zie je dat, die helt helemaal over.'

'Meeuwen,' zei de vrouw.

'Die vliegen achter die vissersboot aan,' zei de man, 'voor het afval. En

die babymeeuwtjes die zich naar beneden storten om een vis te vangen.'
'Moet je dat zien,' zei de vrouw. 'Heb je ooit zoiets moois gezien?'

Ze hadden het tegen hem, realiseerde Steadman zich, en op hetzelfde moment dat ze zich tot hem richtten en hem recht aankeken, zagen ze zijn donkere bril en zijn dunne stok, en kregen ze hun vergissing door.

'Dat spijt me verschrikkelijk,' zei de man met een plotseling veel zachtere stem waarbij hij zijn wangen naar binnen zoog, in verlegenheid gebracht toen hij zag dat Steadman blind was. Ze trokken een gezicht tegen elkaar, wat mensen altijd deden in aanwezigheid van een blinde, en ze begonnen te fluisteren en deden een stap opzij, vervuld van zelfverwijt.

'Het zijn sterren,' zei Steadman, 'geen babymeeuwtjes.'

Hij bleef recht voor zich uit kijken en de zuidwestenwind ranselde zijn oren.

Een andere stem, uit India of Pakistan, zei, maar niet tegen hem: 'Is de Winyard,' en vlak daarop kondigde de scheepshoorn de aankomst in Vineyard Haven aan.

Hij stond onvast op zijn benen, hij liep als een dronkeman, hij was een vreemde, hij hoorde hier niet thuis, hij betrad het eiland van iemand anders, betrad opnieuw verboden terrein. De geuren hier kwamen hem niet alleen vreemd voor, ze waren vijandig; hij verstond de stemmen niet; hij werd geradbraakt door de hobbels in de weg die tegen de banden bonkten en voelde zich onveilig met Ava achter het stuur – een tikje misselijk, in afwachting van nog meer hobbels, nog meer vervloekingen.

Verstijfd en buiten adem van paniek kon hij de geur van de zee niet herkennen in de wind die net een wapperende deken was, doortrokken van de stank van afval en de lucht van dode vissen en verrot zeewier bij laagwater en een vleug dieselolie. De scherpte van de geluiden en geuren maakte hem bang, zoals het plotselinge gelach van de bemanning bij de aanlegplaats van de veerboot hem nerveus had gemaakt. Hij beeldde zich in dat ze om zijn wankelende stappen lachten en ze konden het ongestraft doen omdat hij zich geïntimideerd voelde en er zo zwak uitzag.

Wat nog veel erger was, die andere woordeloze angst, en de vage onbestemdheid ervan was afschuwelijk, was het gevoel dat er nog een derde persoon bij hen was. Hij voelde de aanwezigheid van een ander lichaam in de huurauto waarmee ze uit Boston waren gekomen; iemand die samen met hen in de lounge op de veerboot had gezeten; diezelfde persoon had in de taxi gezeten en daarna in Ava's auto vanaf de luchthaven van de Vineyard, waar Ava hem had geparkeerd, steeds op de achterbank ('ga jij maar voorin zitten, Slade, met je lange benen'), starend naar zijn nek. Ze waren niet alleen geweest. Steeds was die derde persoon erbij geweest, die nog niets had gezegd, die een dampige uitstraling had, een klein ademend lichaam, gonzend van warmte.

Hij zat in de auto, zijn klamme handen lagen om zijn knieschijven, en hij voelde die vreemdeling achter zich, een grijnzende luistervink – wie?

'Ben je niet blij om weer terug te zijn?'

Tegen haar gewoonte in reed Ava beroerd, vooral als ze ondertussen praatte, de ene keer te snel en dan weer te langzaam; ze trapte op het gaspedaal, vervloekte de auto voor haar en toen ze op de rem trapte, snokte Steadman naar voren.

Hij was sprakeloos van angst en moest kokhalzen telkens als hij probeerde te slikken. Hij spuugde uit het raam en dacht: Waar ben ik?

'Je hebt je gordel niet om.'

Ze stopte en begon te slingeren toen de auto over de ribbels van de vluchtstrook hobbelde. Ze zette hem met berispende vingers vast alsof hij een kind in een babyzitje was, en reed toen verder.

Zij was de baas; ze maakte dat hij zich hulpeloos en verloren voelde. Ook zij leek iemand anders te zijn geworden, groter dan ooit. De manier waarop ze hem aanraakte voelde ruw en bruusk aan en op de terugweg van New York had ze voortdurend zitten bellen, afspraken geregeld voor haar patiënten en berichten afgeluisterd. Ze had weinig van een geliefde en leek meer op een verzorger; een ziekenhuiswoord dat ze graag gebruikte. Toch had hij niet geweten wat hij zonder haar had moeten doen. Of ja, hij wist het wel: hij zou in New York gestorven zijn waar een blinde het slachtoffer was van de onverschilligheid, de overdreven aandacht of botte hardvochtigheid van de eerste de beste vreemde.

De buitenproportionele angst voor impotentie die hij in zichzelf herkende van vroeger, versterkte het gevoel dat hij hier niet thuishoorde. Hij was bang en tegelijkertijd passief, inert, in een oord dat zo onbekend voor hem was dat hij zich er een indringer voelde. Dat was ook een oud gevoel, maar deze keer voelde hij zich een eunuch in een harem. De Vineyard was gewoon een naam; de rest werd hem onthouden.

Hij wilde er met Ava over praten maar wist niet hoe hij moest beginnen. Hij werd gekweld door twee gedachten – dat hij in een onbekend oord was en dat hij was ontvoerd. Aan de rest van zijn onsamenhangende gevoelens kon hij geen uiting geven. Was hij op zijn hoofd geslagen en weggesleept? Hij concentreerde zich om de schurende ademhaling van

425

de persoon achter hem te horen, en realiseerde zich dat het zijn eigen ademhaling was.

Ava zei: 'Ik heb met een paar mensen van het lab gesproken. Ik heb een monster van je drug nodig. Ik wil het op giftigheid laten testen. Ik snap niet waarom ik dat niet eerder heb laten doen.'

In zijn bureau had hij in een pot nog een verkruimeld plukje datura zitten, dat hij daar had verborgen als de geheime voorraad van een verslaafde. Hij had het daar bewaard voor het geval hij er heel erg naar zou hunkeren. Maar hij hunkerde er niet naar; hij walgde al van de gedachte dat hij het brouwsel zou moeten koken en opdrinken.

Hij worstelde om iets te zeggen. Uiteindelijk zei hij vol zelfverwijt: 'Ik heb mezelf vergiftigd.'

'Je leeft nog. Je boek is een groot succes. Wees blij.'

'Ik ben verminkt.'

Hij voelde zich ellendig en toen hij bij het huis aankwam, voelde hij zich een gijzelaar en haatte de scherpe geuren, en dacht: Wie woont hier?

Ava had wachtdienst. Zodra ze het huis binnenstapte werd ze opgepiept. Ze toetste een nummer in op haar telefoon terwijl ze Steadman naar zijn werkkamer bracht en hem in zijn leren leunstoel zette.

'Ik moet naar het ziekenhuis – een spoedgeval. Ik kom zo snel mogelijk terug.'

Ze legde oordopjes in zijn hand, zette een cd-speler op zijn schoot en ging weg. Hij zette het apparaat niet aan. Hij zat met zijn hoofd schuin en hoorde twee kamers verder iemand stilletjes rondsluipen.

'Ik weet dat je er bent. Je kunt me niet voor de gek houden.'

Zonder overtuiging in zijn stem klonk hij timide. De zwakke echo bracht zijn woorden bij hem terug. ·

'Wie ben je?'

Toen hij dat eruit had geflapt, hield degene die daar was zich natuurlijk muisstil.

'Wat wil je?'

De persoon stond doodstil in een hoekje en drukte zich dicht tegen de muur aan.

'Ik ben wel blind maar ik ben niet achterlijk!'

Hij haatte zijn zwakke, schrille stem en terwijl hij daar zo zat begon hij na te denken, zijn gedachten na te pluizen, op zoek naar redenen om hoop te koesteren. De ontdekking die hij in zijn heldere fase had gedaan en het genoegen dat hij aan het schrijven van zijn boek had beleefd was dat zijn seksuele geschiedenis van hemzelf was en niet uit een studieboek, roman of autobiografie kwam. Het deed er niet toe als er overeenkomsten waren. Zijn reizen en grensoverschrijdingen hadden hem voorbereid op deze openbaring, die een ware epifanie was gebleken, een werkelijke ontmoeting, zoiets als bezocht worden door een engel van begeerte die de drang tot schaamteloosheid in hem had doen ontwaken.

Je ging blind door het leven en durfde nooit te geloven dat jou op een dag de gave van het zien zou worden geschonken. Het was als een reis naar een vreemd land waarvan je de taal kende en de cultuur bewonderde, voor ieder ander vreemd en mysterieus, maar de enige plaats op aarde die jij de jouwe kon noemen. Alles, zijn verstand, zijn welbespraaktheid, zijn primitiviteit, zijn genot, iedere fantasie die in hem leefde, alles wat hij kenbaar wenste te maken, al zijn verwezenlijkte verlangens – dat was seks voor hem. Daarvóór was zijn leven vol angst geweest, maar nu had hij het opnieuw beleefd, vervuld van geluk en inzicht, het vernieuwd en er een boek van gemaakt. Alles wat hij in zijn leven had gedaan was een voorbereiding op deze ontdekking geweest, een repetitie voor dat genot.

Nu was hij opnieuw stom en blind en impotent, in duisternis gedompeld, ergens waar hij niet thuishoorde, niet wetend (nog steeds hoorde hij het gemiauw van iemand anders in het huis) of hij nou alleen was. Het was hier niet veilig. Zijn enige thuis zat in zijn hoofd. Hij ervoer zijn blindheid als castratie.

Hij zat in zijn stoel te dutten toen hij wakker werd van een dichtslaande deur. Hij had ofwel vast geslapen of Ava was niet lang weg geweest; hoe dan ook, hij had nauwelijks gemerkt dat hij alleen was gelaten. Hij voelde zich niet gerustgesteld; hij voelde zich steeds meer een gevangene.

Hij vroeg zich af of ze een smerige streek had uitgehaald en hem naar een ander huis had gebracht, een huis waarin hij verstrikt zou raken omdat hij het niet kende, want niets in dit huis leek hem vertrouwd voor te komen. Maar waarom zou ze dat doen?

Ava's zelfvertrouwen deed haar nog belangrijker lijken. Ze deed aankondigingen, legde luide verklaringen af, alsof ze voor een kamer vol toehoorders sprak. 'Dit is absoluut de mooiste tijd van het jaar,' en: 'Ik vind het zalig om nu over het eiland te rijden,' en: 'Je ziet nu een heleboel trekvogels.'

Laat in de lente, de bomen in blad, de uitbottende takken, iedere openbarstende knop blinkend groen, nieuwe groei als kleine gezonde klauwtjes: zo herinnerde Steadman het zich, maar hij staarde in de lege ruimte en probeerde zich voor te stellen hoe de bestofte knoppen tot bloesems uitgroeiden, de gazons dik en groen van de regen. Alsof ze een verre planeet beschreef, vertelde Ava hem dat het eiland kil en vochtig was, maar wel vol prachtige bloemen – de magnolia's waren een massa roomroze bloemblaadjes zonder blad, de seringen hadden nog nooit zo zoet geroken, roodborstjes hipten over de oprit rond en leken in de war door de kou. De wegen waren verlaten. Hier en daar in de berm groeiden de laatste narcissen, die al bruin begonnen te worden.

Op dat moment keek ze waarschijnlijk naar hem en zag ze dat hij gewoon voor zich uit zat te staren, en onbewogen bleef onder haar poging hem op te vrolijken met de beschrijving van de lente op de Vineyard.

Hij zei: 'Ik denk dat er nog iemand anders in dit huis is.'

'Waarom zeg je dat?'

Hij verwonderde zich daarover. 'Je hebt niet nee gezegd!'

'Omdat ik het zo'n paranoïde opmerking vind.'

'Ik wist dat het geen zin had om erover te beginnen. Ik wist dat je het zou ontkennen.'

Ze gaf geen antwoord. Hij werd altijd woest als ze zweeg.

'Wie is het?'

Na een lange stilte zei ze: 'Je bent onredelijk.'

'Waarom zeg je dan niet: "Er is hier niemand?" '

'Oké. Er is hier niemand.'

Hij probeerde erachter te komen waar ze stond. Hij keerde zich naar haar toe om haar aan te kijken, haar te intimideren, en zei: 'Ik geloof je niet.'

Haar onverwacht kalme stem kwam uit een andere hoek van de kamer, achter hem. 'Dat is dan jouw probleem. Ik denk dat je gewoon moe bent.'

'Moe!' schreeuwde hij, en hij leunde naar voren in zijn grote stoel en bewoog zijn bovenlichaam heen en weer onder het praten, als iemand die rouwde. 'Ik ben niet moe, ik word gek. Ik kan niet zien, ik kan niet lopen, ik ben half doof. Ik ben in een vleesklomp veranderd. Je hebt geen flauw idee. Aan het begin van mijn boekentournee was ik kerngezond, ik kon alles zien, ik had de drug, ik had eigenlijk geen begeleider nodig. Ik hallucineerde in een surrealistische wereld van journalisten en boek-

428

handels.' Die herinnering stemde hem zo triest dat hij even buiten adem raakte, maar hij ging verder, met brekende stem: 'En op een dag, zonder dat ik iets deed, raakte ik dat allemaal kwijt. Ik merkte dat het spul niet meer dezelfde werking had. Ik kreeg flitsen waarin ik kon zien zonder dat ik iets had gedronken. Daarna werd mijn gezichtsvermogen gewoon uitgeschakeld en bleef uit. En het leek op niets wat ik daarvoor had ervaren. Sommige zintuigen werden ook uitgeschakeld. Het was alsof ik stikte. Ik voelde me klein, ik leefde in de duisternis. Zo voel ik me nu ook. Begrijp je het niet? Ik ben doodsbang.'

Ava knielde voor hem neer en pakte zijn hand vast. Hij voelde dat ze haar ziekenhuiskleren nog aanhad – er hing nog een zweem van het ontsmettingsmiddel om haar heen en haar handen waren brandschoon.

'Ik zal je helpen.'

Dat ze dat zei, suggererend dat hij hulp nodig had, waardoor ze hem tot haar zwakke patiënt bestempelde, stemde hem nog ellendiger. Hij werd eraan herinnerd hoe hulpeloos hij was zonder haar. Haar patiënt zijn betekende dat hij haar gevangene was; een ziekenkamer was als een kooi. Maar hij voelde zich zo ongelukkig dat hij niets meer zei.

Blind, analfabeet, stom, vergeetachtig, verdwaasd en ziek, voelde hij zich zelfs nog minder dan een vleesklomp. Het feit dat zij gezond was en druk aan het dokteren was, maakte het alleen maar erger.

'Als we de resultaten van het laboratoriumonderzoek terug hebben, weten we welke opties we hebben,' zei ze. 'Ik heb alle vertrouwen in de mensen die het gaan analyseren.'

Dat troostte hem niet omdat hij haar nog niet over zijn diepste angst had verteld, dat de duisternis die hem nu bedekte als een lijkwade voelde. Hij bleef koud onder haar aanraking, hij was passief vlees dat niet reageerde, hij voelde geen sprankje begeerte, hij was dood.

'Maak je maar geen zorgen,' zei ze en ze raakte hem weer aan.

Haar nietszeggende woorden vervulden hem van wanhoop. Hij rilde en trok zich wat terug, bedekte zichzelf en duwde zachtjes haar hand weg met een onhandig gebaar dat op een bijna nuffige manier afwijzend was.

Zelfs zijn bed voelde niet meer vertrouwd aan, zelfs niet Ava's lichaam naast hem, zelfs niet haar ademhaling. Hij had gedacht dat het al vreselijk was om blind en wankelend in New York rond te lopen, beroofd, misleid en misbruikt, een onder de voet gelopen slachtoffer in de stad. Bestond er iets ergers? En hij voelde zich bespot door al die dingen die hij had gedaan en gezegd tijdens de hoogdravende momenten van vervoering als hij visioenen kreeg door de drug. Maar het was nog veel erger om zich thuis verloren te voelen, want als hij zich hier een vreemde voelde, betekende dit dat hij nergens anders heen kon.

Buitenshuis voelde het soms alsof hij werd ondergedompeld, maar vaker vergeleek hij het met leven onder de grote donkere koepel van een reusachtig insect. Een gigantische spin had zich opgericht en stond recht overeind op zijn lange poten – dat was de hemel, de wereld, de duisternis; en hij bevond zich onder dat ding, in de stekelige schaduw ervan.

De dagen daarop vertelde hij het aan Ava, hakkelend en soms in tranen. In het begin leek ze met hem mee te voelen. Maar toen hij zich wat luider over de onrechtvaardigheid ervan begon te beklagen, viel ze stil. Haar zwijgen was als een beschuldiging die hij zich in haar plaats moeiteloos kon voorstellen: *En wiens schuld is dat?*

Hij had een sleutel nodig gehad om zijn herinneringen te ontsluiten, om toegang te krijgen tot het verleden. Manfred had de datura gevonden. Soms zag hij de Duitser in het rokerige dorpje staan wenken, niet de Manfred die hij kende, maar een schonere, duivelse Manfred met achter hem een fel licht en de ranken van de ayahuasca die zich om de bomen rondom hem slingerden, de gladde, kronkelige stengels als reusachtige slangen.

Hij had de drug in handen gekregen, hij had zijn boek voltooid en het boek was een succes geworden; hij was een beroemde blinde geworden. Er waren twijfelaars en fluisteraars maar die hadden hem geen ernstige schade berokkend, en toch...

'Ik ben een gevangene,' zei hij. 'Ik ben volledig afhankelijk van jou. Ik kan niets doen zonder jou.'

Hij wist dat ze luisterde, voelde dat ze glimlachte – niet triomfantelijk maar lichtjes geamuseerd over zijn woordkeuze, hoe melodramatisch hij klonk. Hij wist het zeker toen ze daarna begon te praten.

'Nu weet je hoe het voor mij was.'

2

Hij zonk snakkend naar adem weg in de duisternis, luchtbellen blazend en roeiend met zijn handen als een verdrinkende peuter. Hij was de subtiele syntaxis van zijn inzicht kwijtgeraakt, zijn gelaat werd overspoeld en hij die zich altijd vrolijk had gemaakt over het woord 'duisternis' dronk die nu op, hoestte in de duisternis die zijn keel verstopte als modderwater en in zijn neus prikte als roet; hij werd erin ondergedompeld en het stroomde langs zijn ogen. Hij lag ondersteboven, als een nieuwsgierig, afgedwaald kind dat in een volle ton was gevallen. Hij had zich niet gedrogeerd, dus hij was klaarwakker in zijn ellende. Hij had naar Manfred geluisterd, maar hier had hij niet om gevraagd.

De wereld die hij in deze fase van zijn blindheid kende was niet passief. Het was een drukke, vijandige wereld, en zijn eigen huis kwam tegen hem in opstand, mepte hem op zijn hoofd, klauwde naar zijn handen, verstrengelde zijn benen, sloeg tegen zijn schenen, liet hem struikelen, bracht hem ten val. Hij moest voorzichtig zijn; hij moest kruipen. Hij bleef urenlang zitten, te bang om veel te bewegen; hij liep nauwelijks. Hij was gevallen en had zijn pols bezeerd en zijn elleboog gestoten. Ava zei tegen hem dat hij nog geluk had gehad dat het niet ernstiger was. De duisternis was heet en het was nu zomer op het eiland.

Van werken kon geen sprake zijn en hij vreesde de starende blikken van vreemden. Hij voelde zich verongelijkt en bangig, niet in staat om te lezen of te schrijven. De radio bood ook geen uitkomst: alleen maar geschetter over de misère van de president waar grappen over werden gemaakt. Steadman kon de geruchten en toespelingen niet aanhoren zonder zich te schamen voor de schoorvoetende schooljongensachtige bekentenis van de president; die afschuwelijke details, een stiekeme vreugdeloze knoeiboel van pikzuigen, goedkope cadeautjes en koude pizza. Volgens één gerucht had de president met een natte sigaar in zijn vingers aan de telefoon gezeten, het dikkige meisje hield geknield met haar mollige vingers zijn pik in haar mond op zijn plaats. Weer een ander gerucht ging over het bestaan van een met sperma besmeurde jurk.

Het uitbundige gejoel van de hele natie dat tegen de president was gericht vanwege zijn weinig overtuigende ontkenningen en zijn goedkope genoegens, bracht Steadman van slag. De mensen leken niet alleen blij dat hij ontmaskerd was maar vooral verschrikkelijk opgelucht dat ze zelf niet waren betrapt. Deze zomer voelde iedereen zich onschuldig en verontwaardigd. En de hypocrisie van hun reacties vond zijn weerklank in de kritiek op Steadman. Sommige mensen hadden naar Manfred geluisterd; sommige gingen op eigen initiatief tegen Steadman tekeer, ervan overtuigd dat zijn door de drug teweeggebrachte blindheid bedrog was. Maar hoewel het nieuws op internet rondzong, concentreerde de pers zich uitsluitend op de president en werd Manfreds fluistercampagne overschaduwd door luide beschuldigingen en eisen dat de president moest aftreden of anders impeachment riskeerde.

'Ik ben niet van plan om af te treden,' zei de president. Dat gaf Steadman weer moed. De president ging de confrontatie met zijn critici aan, ging met hen in discussie, trotseerde hen, bleef volhouden dat hij recht had op een privé-leven, zelfs als dat inhield dat hij een mollig meisje naar zijn kantoor lokte, haar betastte en haar voor hem liet knielen en over haar goedkope jurk ejaculeerde.

Daarbij vergeleken stelde Steadmans schandaal niets voor; niets was zo onbeduidend als wat ophef over een literair werk. En wie maakte zich daar nou druk om? *Het Boek der Openbaring* verkocht nog steeds uitstekend. Er was geen drama, er waren alleen onbeantwoorde vragen en zelfs die vragen waren een zachte dood gestorven. Niettemin was Steadman er stekeblind en invalide door geworden, omsingeld door vluchtige geluiden in het huis dat niet langer het zijne leek. Hij droeg zijn oordopjes niet meer omdat ze hem hinderden in het volgen van de bewegingen van de indringer die hij vermoedde. Deze vreemdeling maakte onophoudelijk geluiden.

'Wie is dat?'

Het zachte geschraap van schuldige voeten, misschien de dunne zolen en lichte tred van vrouwenschoenen, daarna stilte.

'Wie is daar?'

De klik van een deur die dichtging, het gedempte geluid van zich verwijderende voetstappen.

'Ik hoor je wel!'

Maar op zijn geschreeuw volgde alleen maar stilte en daardoor wist hij dat de vreemde naar buiten was gevlucht en dat hij alleen was.

De avonden dat ze niet in het ziekenhuis hoefde te werken, troostte Ava hem. Ze verzorgde hem, kwam bij hem zitten en dronk een glas wijn met hem. Ze bereidde de eenvoudige maaltijden waar hij om vroeg: frieten en sandwiches met vis en rauwkost. Hij at met zijn handen, hij kon geen lepel of vork hanteren; hij stootte zijn glas vaak om en morste wijn. Hij raakte gefrustreerd door zijn onhandigheid tijdens het eten. Hij werd razend van zijn gestuntel. Hij raakte gedeprimeerd omdat hij niet in staat was om te werken.

Hij wilde een kort verhaal schrijven, iets wat verband hield met zijn toestand. Hij stelde zich voor hoe het zou kunnen worden, niet de details van het verhaal maar hoe het eruit zou gaan zien – een soort sprookje, een compacte vertelling, vol schokkende gebeurtenissen, tegenslagen, ironie en gruwel, over een blinde man die alleen op een eiland zit. Hij wilde het publiceren om zijn pijn voor iedereen aanschouwelijk te maken, de wereld te laten zien hoezeer hij leed en om te bewijzen dat hij nog steeds kon schrijven. Maar dat kostte hem meer inspanning dan hij kon opbrengen en afgezien van het feit dat zijn droefheid hem fysiek pijn deed, bleef zijn geest leeg.

Zo nu en dan telefoneerde hij. Axelrod belde hem regelmatig om hem op de hoogte te houden van de verkoopcijfers, en dat klonk allemaal zo goed dat hij zich een fraudeur voelde. Hij geneerde zich voor de geestdrift in zijn boek, schaamde zich voor zijn aanmatigende gepoch, want de waarheid was veel treuriger, een droevige man in een donker huis. Hij was niet het personage in zijn boek; hij was een beschadigd mens die leed onder een zichzelf toegebrachte wond. Sommige mensen fluisterden nog steeds over hem: hij wist dat het zijn verdiende loon was.

Ava leek teder, toch was hij ervan overtuigd dat ze met tegenzin bij hem bleef, hem slechts behandelde en daarin faalde. Ze was niet tevreden en wie zou dat haar kwalijk kunnen nemen?

Hij zei het tegen haar. Hij vond een manier om haar te zeggen dat hij haar niet waard was.

Haar antwoord was niet wat hij verwachtte. Ze zei: 'Jij bent degene die mij heeft geleerd dat seks egoïstisch is.'

Welke seks? Maar dat vroeg hij niet. Ze waren nu al meer dan een maand thuis en hij voelde geen enkele begeerte; hij had haar niet aangeraakt. Op sommige dagen werd hij zozeer in beslag genomen door de duisternis dat hij haar nauwelijks herkende.

Hij antwoordde: 'Ik verdien jou niet.'

'Misschien heeft het wel niets met jou te maken. Misschien ben ik hier wel om mijn eigen redenen.'

Dit was een andere Ava, de arts, niet de minnares die zijn pols voelde, maar de clinicus in alle opzichten. Ze leek oprecht begaan te zijn met zijn toestand: zijn bloeddruk, zijn hoofdpijn, zijn trillende handen, het effect van de drug op zijn zenuwstelsel.

Ze was opgewekter, klaarblijkelijk veel gelukkiger en tevreden nu ze zoveel tijd in het ziekenhuis doorbracht. Het was Steadman duidelijk geworden dat Ava's voorkeur niet uitging naar de rol van amanuensis, bewerker van transcripties en redacteur van manuscripten. En hij vermoedde dat ze de seksuele rollen die hij haar had toebedacht ook met enige tegenzin had vervuld. Maar hoe had hij dat kunnen weten. Ze was zo onstuimig geweest, zo'n overtuigende sekspartner, dat hij haar alleen als zijn minnares had gekend.

Het grootste deel van de tijd zat hij nu in een stoel; ze hadden niet meer gevreeën. Toch leverde ze er geen commentaar op, ze verweet hem niets, ze maakte zelfs geen toespelingen. Al die maanden van seks and drugs en zich mooi maken, die hij uit zijn herinnering opviste, en nu was daar niets meer van over.

Ze zei: 'Ik verwacht een dezer dagen de uitslag van het lab.'

Ze beurde hem op met wetenschappelijke feiten, ging op een ander onderwerp over, liet hem met rust.

De uitslag kwam in de vorm van een computeruitdraai, geperforeerde pagina's die ze luidruchtig openvouwde. Hij stelde het zich voor als een soort DNA-rapport met kronkels en krullen, een vlekkerig met de hand getekend document dat iets had van een partituur.

Hij bestookte haar een paar keer met vragen voordat ze antwoordde: 'De resultaten zijn niet doorslaggevend.'

'Maar wat staat erin?'

'Er zitten een aantal zware alkaloïden in het residu. Ze proberen erachter te komen hoe die combineren met enzymen. Hoe die de synapsen beïnvloeden. Ze denken ook dat er Latijns-Amerikaanse onderzoeken zijn gedaan naar mensen die het regelmatig hebben ingenomen. Misschien casestudy's van die indianen.'

'Wat betekent dat?'

'Volgens deze analyse bevat datura een groep alkaloïden die bèta-carbolinen worden genoemd. De stof die de psychotrope reactie op gang brengt heet harmine.'

Het woord alleen al klonk gevaarlijk en schadelijk.

'Overmatig gebruik kan leiden tot krankzinnigheid of, staat hier, blindheid.' Ze klonk beredeneerd logisch, interpreteerde het rapport, vouwde het dubbel en sloeg de bladzijden om. 'Maar er zit een notitie bij waarin staat dat het lab die elementen van de drug nog wil proberen te scheiden. Als we de oorzaak kennen, vinden we misschien de remedie.'

Steadman zei: 'Je hebt gelijk. Het is mijn eigen schuld.'

'Dat heb ik nooit gezegd.'

'Maar je hebt het wel gedacht.'

'Nee. Ik heb die reis ook gemaakt, weet je nog. Ik had bewondering voor je omdat je risico's durfde te nemen.'

'Moet je zien wat ik ermee opgeschoten ben.'

Hij zat rechtop, kaarsrecht, als een man in een stoel met een rechte rugleuning die op het punt staat geëlektrocuteerd te worden.

'Er zit een stof in deze drug die atropine wordt genoemd. Van mijn studie weet ik nog wat dat is. We gebruikten het om de pupillen te verwijden. Misschien combineert het met een andere scheikundige stof die het hele oog en daarmee ook de oogzenuw aantast.'

Hij had een risico genomen met dat gif vanwege een ambitieus idee. En nu zat hij hier in zijn eentje het succes van het boek te overpeinzen, verdwaald in zijn huis, een karikatuur van de man die tijdens zijn tournee door de kranten was geprezen als: 'een visionaire schrijver, als blinde man oogverblindender dan de meeste mensen die met gezichtsvermogen zijn gezegend'. Stiekem had hij zichzelf als een profeet gezien, de tijger van een nieuwe godsdienst. Hij ging prat op zijn röntgenzicht en had verklaard: 'Blindheid is een geschenk.' Al dat gepoch, zwaaiend met zijn stok als een majorette in een carnavalsoptocht. En het was allemaal begonnen met Manfred, langs de rivier in de Oriente. Hij had deze giftige cocktail van drabbige junglestoffen opgedronken; zijn wens was in vervulling gegaan en nu verkeerde hij in duisternis.

Hij struikelde constant, schuifelde rond als een ouwe vent, durfde zijn voeten niet op te tillen; hij gooide dingen om, hij viel op de grond. In zijn eigen huis, de wereld die hij het beste kende, voelde hij zich een geestverschijning. Als Ava in het ziekenhuis was, zat hij wat aan de radio te draaien, en luisterde naar het nieuws over de leugenachtigheid van de president. Hij stond er versteld van hoezeer de mensen hem haatten, de dingen die ze zeiden, de grappen die ze maakten, de meedogenloze hoon. Hij stelde zich voor hoe ze zich tegen hem zouden keren. Hij verlangde naar Ava's thuiskomst. Hij drong erop aan dat ze 's nachts zou werken zodat hij overdag met haar samen kon zijn. Hij voelde zich behoeftig en overbodig en vernederd.

Hij ging steeds meer drinken en op een avond was hij dronken toen Ava thuiskwam en stortte zijn hart bij haar uit. Beschaamd, maar niettemin vastbesloten om zijn ziel bloot te leggen, vertelde hij haar over zijn onzekerheid, zijn beschroomdheid, zijn angst; hij maakte zichzelf verwijten, hij klonk kruiperig, hij zei dat hij nu gestraft werd voor het innemen van de drug.

'Ik wist heel goed wat ik deed. Ik schuif de schuld alleen maar op Manfred om er zelf onderuit te komen. Ik zit in een hel die ik zelf heb gecreëerd.'

Ava luisterde. Ze leek heel kalm maar het kon ook vermoeidheid zijn; ze was altijd doodop na het werk. Ze zei: 'Het is mijn werk om mensen weer gezond te maken. Je moet me vertrouwen.'

Hij schaamde zich voor zijn afhankelijkheid van haar maar zag dat zij het juist toejuichte; ze leek sterker te worden door zijn pathetische overgave aan haar. Hij wist dat hij het zich niet verbeeldde want ze nam hem op haar schoot en wiegde zijn hoofd. Zijn afhankelijkheid deed iets in haar ontwaken dat tegelijkertijd moederlijk en seksueel was. Het was alsof ze zich gestreeld voelde door zijn blijk van hulpeloosheid, want ze hield hem teder vast en streelde zijn haar; ze had hem al een hele tijd niet meer op die manier aangeraakt.

'Het komt wel weer goed met je.'

Daarmee kon ze zowel op zijn impotentie als op zijn blindheid doelen. Hij voelde zich diep vernederd door haar medelijden.

Ze had haar ziekenhuiskleren nog aan die stug en een tikje ruw aanvoelden. Geen lingerie, geen parfum, geen zijde. Hij vroeg zich af, alsof hij een patiënt was die plat op zijn rug in een ziekenhuisbed lag, of zij zich wellicht meer op haar gemak voelde in deze klinische kleren en doordat ze hem zo streelde.

'Ontspan je nou maar. Maak je hoofd maar leeg. Niet aan seks denken.'

Dat deed hij ook niet, verre van dat. Ze moest eens weten. Vol afschuw had hij zich de rest van zijn leven in duisternis voorgesteld, de schaduw van vergetelheid, de onbevattelijkheid van niets te kunnen zien behalve de gevangeniscel van de blindheid, die enerzijds een piepkleine verstikkende ruimte was en anderzijds de leegte van de hele niet beschikbare wereld.

Ze raakte zijn gezicht zachtjes aan met haar vingers, volgde de lijnen van zijn gezicht. Ze trok het hemd van haar operatiekleding omhoog en ondersteunde haar borst met haar ene hand, streek met haar tepel zachtjes langs zijn lippen en zei: 'Neem me in je mond. Bijt er zachtjes in, zuig erop.'

Het feit dat zij het initiatief nam nu hij leed – haar poging om hem in seks te interesseren – gaf hem een ongemakkelijk gevoel, het stootte hem een beetje af en hij voelde zich nog meer gevangen. Hij was niet hongerig en de angst had zijn verlangen gedoofd.

Haar ene hand lag achter hem en hield zijn hoofd vast; met haar andere hand gaf ze hem haar borst, drukte haar tepel tegen zijn mond. Tegen haar aan liggend hoorde hij haar zuchten, haar hele lichaam golfde van genot.

Zij was warm en sensueel, maar hij was somber, gespannen, passief, en hij stond op het punt haar te vragen: 'Wat wil je dat ik doe? Zeg het me, ik wil je laten genieten,' net zoals zij hem dat ooit had gevraagd.

Ze leek het te begrijpen en zei op een zangerige toon: 'Je moet je angst loslaten. Laat jezelf drijven. Kun je dat, schatje? Het is hetzelfde als zoveel vertrouwen en ontspanning voelen dat je in een diepe zee durft te drijven. Herinner je je nog die eerste keer toen je in de oceaan lag en jezelf liet drijven?'

Maar hij lag daar alsof hij bang was om te verdrinken, zijn lichaam vergrendeld en zwaar van ellende.

'Ik wil dat je je inbeeldt dat je in het water ligt. Laat je maar gaan, ontspan je en laat het gebeuren.'

Ze bleef hem zachtjes aanmoedigen alsof hij als een toeschouwer aan de zijlijn van de seks stond; en krachteloos liet hij zich in haar armen zakken en probeerde gewichtloos te worden.

'Seks kan een manier van zien zijn. Dat weet je wel.'

Hij luisterde amper. Hij duwde zijn mond tegen haar aan, hij werd door haar getroost en liggend tegen haar naakte buik ging hij er zo in op dat hij werkelijk minder zwaar leek te worden, bijna leek te drijven, met haar gloeiende armen om hem heen. Door dit zwevende gevoel van genot dat zich langzaam door zijn lichaam verspreidde, voelde hij zich vrij en luisterde niet meer naar haar. En Ava bleef verder praten in een trage, regelmatige cadans, alsof ze het tegen iemand anders had, terwijl hij aan haar tepel zoog en de zachtheid van haar borst tegen zijn wang voelde pletten.

'Vind je dat fijn?'

Terwijl ze sprak, kroop een andere hand langs zijn been omhoog en volgde de naad op de rits van zijn spijkerbroek, tastte naar zijn pik door de dikke laag stof, en de bedrijvige vingers stelden een algemene vraag. En een seconde later voelde hij dat zijn broek werd losgemaakt en naar beneden werd getrokken. Hoe kon dat nou? Hij voelde Ava's beide handen, de ene onder zijn hoofd en de andere die haar borst vasthield. Hij lag languit op de sofa, slaperig en een tikje beschonken, en was zich tegelijkertijd bewust van het oneven aantal, de suggestie van die derde hand.

Hij maakte een beweging en wilde zich oprichten. Ava zei: 'Laat het maar gewoon gebeuren,' en de spookachtige hand voelde verder, de vingers bewerkten hem tot het niet meer zo vreemd aanvoelde. Daarna het zoeken van een likkende tong en de hitte van een gretige mond.

Steadman begroef zijn gezicht in Ava's borst en voelde angst toen die andere mond hem liefkoosde en zijn pik omsloot, eerst heel zachtjes, proevend, en daarna vurig, terwijl ze zuchtte en haar zuchten in zijn gezwollen vlees vibreerden. Hij voelde opeens iets van schrik door zich heen gaan en liet zijn ene hand langzaam naar beneden glijden tot hij het lange haar van de vrouw onder hem kon voelen. Ze droeg een met stenen bezette hondenhalsband die strak om haar hals sloot. Hij tastte verder, naar de warme glooiing van haar schouder en toen hij met zijn knokkels rakelings langs haar gladde wang streek, liet hij zijn hand vallen en voelde tot zijn grote opluchting haar volle borst. Waarschijnlijk zat ze voor de sofa op haar knieën en leunde over zijn benen heen alsof ze uit een fontein dronk. Haar borsten hingen los, slap en zacht, en dansten in zijn hand.

Een fel schijnsel verlichtte onverwacht zijn geest. Hij gaf zich over aan de strelingen en lag een hele tijd in de warme kamer op de sofa, half gesmoord, half drijvend, terwijl Ava hem troostend toesprak. Of had ze het tegen de andere vrouw? Er sprak zelfvertrouwen uit haar stem, bijna alsof ze zich verkneukelde. Het deed er niet meer toe, want de afzonderlijke draden van zijn lust vormden samen een knoop en de knoop begon in zijn lichaam te kronkelen, spande en ontspande zich in zijn lendenen tot hij in een dierlijke verkrampte spiertrekking veranderde. Het volgende moment werd de knoop heel strak aangetrokken, werd daarna vloeibaar en verspreidde een warmte door zijn hele lichaam. Hij slaakte één enkele kreet en was toen weer argeloos en onschuldig.

Hij viel in slaap en was bewusteloos, diep weggezonken in een gelukkige droom over bevrijding. Hij had zijn gezichtsvermogen weer teruggekregen. De seks had hem bevrijd. Hij herinnerde zich dat hij al die tijd al had vermoed dat er een derde persoon in huis was – diens schaduw, diens aanwezigheid, de geluiden. In zijn droom was hij in het Witte Huis op een woelige persconferentie waarin hij het woord voerde ten overstaan van een eerbiedige menigte. Maar hij klonk verongelijkt en huilerig, en zei: 'Zie je wel? Ik had toch gelijk!'

3

Bij het wakker worden tastte hij met langzaam kruipende vingers als spinnenpoten naar Ava, niet wetend of het nu dag of nacht was, vond haar arm en greep die vast. Maar hij begon onmiddellijk te twijfelen, en de herinnering kwam terug. 'Ben jij het?' Ze kuste hem en trok hem tegen zich aan. Hij kuste dankbaar haar schouder. Ze was gelukkig, dat merkte hij, niet door wat ze zei – ze mompelde alleen wat – maar door de plagerige zucht in haar keel, die een licht spottende bijklank had.

'Wie was die vrouw?'

'Wat doet het ertoe als je ervan genoten hebt?'

Hij vroeg zich af of hij er echt van genoten had omdat het zo onverwacht was geweest, te plotseling om het te savoureren. Hij gaf eerst geen antwoord; hij bedacht dat Ava met haar gebruikelijke grondigheid als arts deze ontmoeting waarschijnlijk al wekenlang had voorbereid. Hij moest toegeven dat hij uiteindelijk opgewonden was geraakt, met zachte drang van zijn impotentie was verlost. Maar eigenlijk had hij zich verloren gevoeld, een beetje paniekerig en verbijsterd, te geschokt om zich er helemaal aan over te kunnen geven. Hij had struikelend en wild met zijn armen zwaaiend aan de periferie van haar lust gestaan. Haar genot had hem van zijn stuk gebracht.

'Ik vond het heerlijk,' zei hij.

Uit de manier waarop ze haar lichaam tegen hem aan nestelde, begreep hij dat dat het antwoord was dat ze wilde horen. Niettemin voelde hij nog steeds de behoefte om zich te verontschuldigen.

'Misschien komt het doordat ik me zoveel zorgen maak over mijn gezichtsvermogen. Ik kan maar niet geloven dat ik zo zwak ben.'

'Je bent daarvoor ook al blind geweest. Je bent maandenlang blind geweest. En dat ging ook goed.'

'Maar dat was hier totaal niet mee te vergelijken. Dat was een soort inzicht, dat weet je best! Dit is een gevangenis. Het is een straf. En ik neem de drug niet eens meer.'

'Er kan sprake zijn van een ontwenningssyndroom.'

'Ik durf niet ver weg te gaan.' Hij schaamde zich te erg om op te biechten dat hij eigenlijk helemaal niet het huis uit durfde.

'Je moet het toch maar proberen. Je bent sterker dan je denkt.'

'Zoek een oogarts voor me,' zei hij. 'Help me alsjeblieft.'

'Ik heb er een op het programma staan. Ze komt uit Boston. Ze komt elke maand naar het eiland. Ze zal je onderzoeken en een paar tests doen.'

'Wat moet ik dan ondertussen doen?'

'Schrijf je verhaal. Je zei dat je dat wilde doen.'

Hij had haar verteld over het korte verhaal dat hij in gedachten had, een Borges-achtig verhaal, compact en vol toespelingen, iets wat hij kon publiceren om te bewijzen dat hij nog kon werken. Maar hij had alleen een vaag idee over de vorm van het verhaal; hij had geen verhaallijn, geen personages, geen namen of gebeurtenissen.

'Ik heb niets,' zei hij, resumerend wat er in zijn hoofd zat.

'Kunnen we dit niet doen?' Ze voelde naar hem, maar op een speelse manier.

Seks voelde als een inbreuk, een bedreiging die hem een nietig gevoel gaf. Als ze hem aanraakte voelde hij zich onhandig en onwetend, als een grote sullige jongen die zich overdonderd voelt door de mysteries van leven en dood, duisternis en licht, en denkt: Wat wil ik worden als ik groot ben? Hij was niet meer in staat om een wandeling te maken, een ritje, met een boot te zeilen of te zwemmen. Hij was een invalide, blind en hulpeloos in de meest letterlijke betekenis van het woord. Naar de radio luisteren vond hij vernederend doordat het hem eraan herinnerde hoe nutteloos hij was als hij wat aan een knop zat te draaien en met die treurige oordopjes in zijn handen. Hoewel hij mompelend in zichzelf zijn best deed, kon hij niet lezen of schrijven, en zelfs zijn spraak leek te zijn aangetast. De helft van de tijd zat hij te stamelen, zonder er zeker van te zijn of er iemand naar hem luisterde. Voor seks, voor welk genot dan ook, had hij het inzicht nodig dat hij daarvoor had gehad: de bevrijding van het licht.

Wat hem daarvan overtuigde was de derde hand van de avond daarvoor. Op het hoogtepunt van zijn opwinding, tijdens die verkrampte, stuipachtige ontknoping, de plotselinge golfbeweging van zijn ejaculatie, voelde hij een streepje licht door zijn ogen dringen. Maar het had maar heel even in de spleet van die nauwe opening opgelicht en was toen verdwenen. Het bracht hem weer in herinnering wat hij had verloren. Hij kon niet aan seks denken zonder een gevoel van droefheid te ervaren.

'Trouwens, ik had toch gelijk,' zei hij, terugdenkend aan die gedachte die voortdurend aan hem had geknaagd. Maar het was toch een soort overwinning voor hem, iets waar hij verschrikkelijk veel behoefte aan had. 'Er was inderdaad iemand in huis.'

In plaats van iets te zeggen, kuste Ava hem, maar bedachtzaam, terwijl ze haar lippen tegen de zijne gedrukt hield alsof ze antwoord gaf. Ze was altijd zo gewetensvol. Ze gaf misschien niet altijd antwoord maar ze zou nooit tegen hem liegen. Hij vroeg zich af welke levensles haar ervan weerhield hem te bedriegen. Misschien kwam het door haar studie medicijnen: door de exactheid van de wetenschap was ze oprecht gebleven.

'Misschien ben ik wel niet zo blind als ik dacht.'

'Ik moet ervandoor,' zei ze en ze sprong uit bed, 'anders kom ik te laat.'

Hij bleef in bed liggen en probeerde zich de details van de avond daarvoor voor de geest te halen. Hij had zich verzet, hij had zich verleid gevoeld, maar hij kon zich er nog maar weinig van herinneren. De derde hand was als een boosaardig duiveltje geweest dat uit de duisternis was opgedoken.

Voordat Ava naar het ziekenhuis ging, zei ze: 'Probeer vandaag eens buiten te komen. Bel een taxi, ga de stad in. Het zal je goeddoen.'

Maar toen ze eenmaal weg was voelde hij zich onbehaaglijk en dacht dat de andere vrouw nog steeds in huis was. Hij luisterde met gespitste oren naar een geluid dat haar aanwezigheid zou verraden. Als hij rondliep, hield hij zijn armen uitgestrekt en voelde voor zich uit, klaar om zichzelf te verdedigen. Zijn grootste angst was dat hij onverhoeds door een vreemde zou worden aangeraakt.

'Als je er bent, zeg dan iets.'

De manier waarop zijn stem in de ruimte weergalmde, deed hem vermoeden dat er niemand was, dat ze al weg was.

Hij zat de hele ochtend te kniezen en tegen de middag belde hij een taxi en vroeg om in Main Street te worden afgezet. 'Gaat het allemaal lukken?' zei de jonge chauffeur met de bazige onoprechtheid die ze allemaal aan den dag legden. In Vineyard Haven voelde Steadman dat het trottoir stampvol slenterende mensen was; hij ving ook de opmerkingen op van mensen die voor hem opzij gingen en hoorde zelfs een paar keer zijn naam fluisteren, en 'die schrijver'.

Omdat hij langzaam liep en met zijn stok op de grond tikte, viel hij niet en daardoor aangemoedigd liep hij verder dan hij van plan was geweest. Hij passeerde de delicatessewinkel, de souvenirwinkels, de boekhandel Bunch of Grapes, de drugstore, en liep nog verder, langs de bank en de bagelwinkel. Hij liep nog steeds langzaam maar voelde zich nu zekerder van zichzelf, liep meer rechtop, en hij vermoedde dat hij nu op West Chop Road zat; er liep niemand tegen hem aan. Een auto met bonkende motor stopte naast hem en een mannenstem riep: 'Slade Steadman.'

Steadman bleef staan en boog zijn lichaam behoedzaam in de richting van de straat.

'Stap in, dan geef ik je een lift.'

Het portier sloeg dicht. De man stond nu vlak naast hem en stootte hem zachtjes aan.

'Ken ik jou?' vroeg Steadman.

'Ik denk het niet, maar ik ken jou in ieder geval wel. Stap maar in,' en de man leidde hem naar de auto. Steadman was te moe en te verward om tegen te stribbelen. 'Het is niet veilig voor je om hier zo rond te strompelen,' zei de man.

'Ik strompelde niet.' Steadman sloeg zo'n scherpe toon aan dat de man even zweeg. 'Wie ben jij?'

'Whitey Cubbage?' zei de man op een vragende toon. 'Ik geloof dat je vriend dat niet zo leuk vond,' alsof hij al was vergeten dat Steadman blind was.

'Welke vriend?'

Maar de man leek hem niet te horen. Hij reed verder en vertelde: 'Schitterende dag... klotefietsers... god, ze zijn het huis van de Nortons aan het afbreken' – en nam vlak daarna een bocht. De motor zwoegde en de auto leek langs een steile weg omhoog te gaan, en ergens op die helling stopte hij en trok met een ruk de handrem aan.

'Waar zijn we?'

'Ik woon hier,' zei de man korzelig alsof het een domme vraag was. 'Kom maar binnen. Je hebt vast wel zin in een kop koffie.'

Hij hielp Steadman uit de auto en maakte daarbij zulke bruuske en ongeduldige bewegingen en voerde hem zo onhandig mee, dat Steadman over de treden van de veranda struikelde. Toen hij Steadman op zijn knieën zag zitten, met zijn handen om de leuning, verontschuldigde de man zich.

'Jóu kan ik toch niet vermoorden,' zei hij. 'Jij bent de schrijver.'

'Ja.'

'En je wordt door iedereen op de voet gevolgd.'

Cubbage hield Steadman vast bij zijn elleboog en loodste hem als een ouvreuse naar een stoel. Het huis stonk naar ongewassen kleren en hoewel hij een klok hoorde die tikte als een metronoom, hing er verder een zware stilte in het huis, als van ramen die potdicht zaten. Een opgesloten vlieg bonkte zoemend tegen de ruit. Er lekte een kraan, de druppels plopten in een volle gootsteenbak. Er waren ook katten – Steadman rook de kattenbak en hoorde hun klaaglijke gemiauw, dat soms klonk als ingeslikte luchtbelletjes. De hele wereld werd buitengesloten en de stank zat ingesloten.

'Ik weet dat het een rotzooi is.'

'Het is niet erg,' zei Steadman, 'maar ik moet nu gaan.'

'Je hebt mijn verhaal nog niet eens gehoord.'

De stem van de man klonk alsof zijn ogen traanden en hij een onderkin had, en het onverstoorbare getik van de luide klok gaf zijn dralende houding iets absurds.

'Ik heb de tekeningen voor dit huis uit *Popular Mechanics*. Wil je het kopen? Als je het niet koopt, krijgt mijn idiote zoon het. Het kost je nog geen miljoen. Je zou hier een schitterend boek kunnen schrijven.'

Steadman zei: 'Is dat je verhaal?'

'Natuurlijk niet,' zei Cubbage. 'Hoor eens, je moet je geen zak aantrekken van wat de mensen zeggen. Er is geen enkel verband tussen wat jij hebt gedaan en die klootzak van een president.'

'Wie zegt dat er een verband ís?'

'Ik weet het niet, dat zeggen ze,' zei de man achteloos. Hij leek met zijn hand in een kartonnen doos met snuisterijen te wroeten want Steadman hoorde een rammelend geluid, het geritsel van loszittend papier en het gerinkel van prulletjes. Toen klonken de vier heldere noten van een banjo. 'Dit liedje heet "Sleepy Time Gal".' Hij begon te tokkelen maar speelde steeds langzamer, hield toen op en begon zielig te huilen. 'Het is mijn vrouw,' zei hij. Hij snoof snot en tranen op. 'Ze is aan kanker overleden. We zijn tweeënveertig jaar getrouwd geweest. Zo iemand is onvervangbaar.'

'Dat spijt me heel erg,' zei Steadman.

'Weet jij wat ware liefde is?'

Met een ijskoude klank in zijn stem antwoordde Steadman: 'Nee.'

'Kom op' – en hij begon weer op de banjo te tokkelen, speelde een jengelende noot – 'doe eens een bod op mijn huis.'

'Ik kan hier echt niet langer blijven,' zei Steadman.

'Hoe moet het dan met mijn verhaal?'

'Ik ben al te laat voor een afspraak.'

'Besef jij wel dat ik jou daarnet gered heb van die mensen?'

'Welke mensen?'

'Die achter jou aan liepen. Het zag ernaar uit dat ze je wilden lastig vallen. En die man?'

'Welke man?'

'Die jou op de voet volgde.'

'Kun je hem beschrijven? Hoe zag hij eruit?'

'Hoe kan ik nou weten hoe hij eruitzag?' Cubbage kwam overeind. 'Jij bent de schrijver, beschrijf jij hem maar.'

Verbolgen duwde hij hem met onhandige bewegingen de trap af en zette hem in de auto. Vanwege de vele eenrichtingsstraten reed hij hem via een omweg terug naar de taxistandplaats bij de aanlegplaats van de veerboot.

'Ik krijg dus stank voor dank,' zei Cubbage.

'Ik bel je wel,' zei Steadman om hem te paaien.

Tegen de tijd dat hij thuiskwam, voelde hij aan de neerdalende koele lucht en de wind die was gaan liggen dat het al avond was geworden. Uit de manier waarop Ava tegen hem sprak meende hij op te maken dat ze niet alleen was. Iets compacts, een soort dikke stof, dempte de echo van Ava's stem in de kamer.

Ze zei: 'Ik begon al te denken dat je je ergens anders had gevestigd.'

Ook de woordkeus – de grappig bedoelde en stijf klinkende woorden die je bezigt als iemand anders, iemand die ertoe doet, meeluistert.

Steadman was te gespannen om een gekscherende opmerking terug te maken, en hij voelde aan het ademhalingsritme van de vreemdeling dat deze andere persoon aandachtig meeluisterde.

'Hoe zit het met die arts die me zou onderzoeken?'

'Alles op zijn tijd.' Weer zo'n theatraal en arrogant zinnetje, bedoeld om gehoord te worden. 'Nou, wil je misschien iets drinken?'

Het was allemaal theater, al die clichéwoorden, maar hij was hier machteloos. Hij zei: 'Goed,' en tastte naar zijn leunstoel. Terwijl hij daar zat te drinken voelde hij zich overweldigd door het gevoel een gevangene te zijn. Ava had het glas wijn in zijn hand gedrukt. Ze bleef naast hem staan dralen.

'Ik heb op je zitten wachten.'

De zachte grommende toon waarop ze dat zei was ondubbelzinnig: ze wilde seks. Maar hij was nog maar amper bekomen van de jammerende oude man die hem zo op zijn nek had gezeten en het maffe incident in zijn huis dat iets van een ontvoering had gehad. *Weet jij wat ware liefde is?* En: *Je op de hielen volgt* – waar ging dat in godsnaam over? Hij voelde zich beklagenswaardig: een blinde was het slachtoffer van iedereen.

'Ik heb een waanzinnige middag achter de rug,' zei hij. 'Ik heb gedaan wat je voorstelde. Ik ben de stad in gegaan. Ik ben zo'n vijftig keer gevallen. Ik geloof dat ik gevolgd werd. En ik werd door een of andere ouwe idioot achternagezeten.'

'Kom eens hier,' zei Ava, 'je moet je even ontspannen.'

Ze hielp hem overeind. Ze leidde hem naar het tapijt, waar hij zich op zijn knieën liet zakken en languit ging liggen. Ze legde een kussen onder zijn hoofd.

Hij lag daar en liet haar aan zijn broeksriem prutsen, en zij hing over hem heen en straalde warmte uit. Hij probeerde zich voor te stellen hoe ze op haar ene arm steunde en zijn broek naar beneden sjorde. Maar afgezien van een vaag beeld van haar warme aanwezigheid, lukte hem dat niet en was hij zich alleen maar bewust van zijn naakte uitgestrekte benen. Zelfs toen ze hem aanraakte, eerst met haar vingers en toen met haar mond om hem op te geilen, voelde hij zich ongeconcentreerd en onvoorbereid.

'Sorry.'

Hij probeerde te fantaseren, maar het gevoel in een val te zitten, de herinnering aan die middag, bekroop hem en leidde hem af. Een sprank van hardheid in zijn vlees gaf hem hoop, maar het verspreidde eerder licht dan hitte. Hij wilde in vervoering worden gebracht en hij wist dat Ava dat ook wilde. Hij lag op zijn rug alsof hij op drift was, terwijl zij met hem bezig was en kreetjes slaakte, haar mond gevuld met zijn vlees. Toen hij harder was geworden, besteeg ze hem. Ze bereed hem met een woeste ongeduldigheid, en hij voelde zich opnieuw een vrouw, huiverend ineenkrimpend onder haar stoten.

'Ja zo, dat is fijn,' zei ze.

Aan haar directe en efficiënte manier van praten hoorde hij dat ze het niet tegen hem had. Een seconde later werd hij zachtjes aangeraakt, er drukte iets tegen zijn oor en toen werd zijn hoofd vastgepakt en daalde er een massa vochtig vlees op zijn gezicht neer, warme zachte huid bij zijn oren – zijn neus en mond beroerd door de lippen van een druipende vulva.

Ava bereed hem, en ondertussen ging het lichaam van de andere vrouw omhoog en omlaag op zijn gezicht alsof ze in het zadel van een dravend paard zat. Steeds als ze omhoog kwam, zodat zijn oren vrijkwamen, hoorde hij haar kreetjes – en ook Ava's verrukte zuchten terwijl ze de vrouw vasthield en kuste. Het waren geen vurige kussen zoals hij die had gekend, maar een licht tegen elkaar aan wrijven van zachte lippen en de druk van liefkozende handen.

Ze werd zo geobsedeerd door haar eigen genotbeleving dat hij zich eerder haar gevangene voelde dan haar minnaar. Opnieuw had Ava de leiding genomen, maar ze omhelsde hem nu niet op die aarzelende en moederlijke, zogende manier als de avond daarvoor. Ze ging heftig tekeer, agressief en doelbewust, alsof hij een passief achteroverliggend ding was, iets voor de vrouwen om op te zitten en te berijden terwijl ze elkaar omhelsden en kusten. Op de grond liggend begreep hij dat hij slechts een onderdeel van Ava's fantasie was, maar niet het object, niet het middelpunt van haar aandacht. Er zat voor hem geen extase in, geen tederheid, en ook nauwelijks enige opwinding onder het gestomp en gebeuk.

De naamloze persoon, de zwijgende vrouw, besmeurde zijn gezicht, verstikte hem bijna terwijl hij naar adem hapte. Hij lag aan de vloer genageld met het gewicht van twee lichamen op zich, zijn pik voelde rauw en verwrongen aan van het neuken, zijn hele hoofd gloeide door de hete klem van de naakte benen. Ze gingen maar door, als twee uitzinnige kinderen die een reus aanvallen. Ze wreven zich tegen hem aan en smakten op hem neer, hij voelde de hitte van die natte lappen vlees alsof hij met rauw vlees in zijn gezicht werd geslagen.

De vrouwen waren zo volkomen op elkaar geconcentreerd dat zijn orgasme erbij inschoot, terwijl zij samen een moment van vervoering beleefden, triomfantelijk gilden, meisjesachtig. Ze leken hem niet op te merken, maar toen ze waren klaargekomen, zachtjes lachend en nog trillend in elkaars armen, hielpen ze hem overeind en brachten hem naar bed.

'Ik hoop dat we hem geen pijn hebben gedaan,' zei de vrouw toen ze de kamer uit liepen.

Er was zoveel dat hij niet wist. Hij lag daar en voelde zich geknakt en gekneusd. Al die tijd en hij had er nauwelijks iets van geweten.

De daaropvolgende dagen werkte Ava weer op onregelmatige uren.

Steadman zat over zijn vernedering te tobben. De keer daarop toen ze weer dagdienst had en ze samen thuis aten, probeerde hij het onderwerp aan te snijden. Hij wist niet waar hij moest beginnen. Die vrouw deed er niet toe; wie was Ava geworden en wat wilde ze?

'Moeten we het niet eens over die' – hij zocht naar het juiste woord – 'ontmoeting hebben?'

'Dat was mijn ontmoeting, niet de jouwe,' zei ze zelfverzekerd. 'Dus er hoeft nergens over gepraat te worden. Ik wil je wel even zeggen dat het niet als vergelding is bedoeld.'

Maar het was juist wel een 'vergelding', bedacht hij – vergelding voor al die maanden dat hij aan zijn boek had gewerkt, voor al die jaren dat hij zijn eigen leven had geleid, voor het feit dat hij voor de drug had gekozen. En haar wraak was haar manier om hem te tonen dat ze nu wist wat hij allang had geweten, dat seks voor ieder mens een andere route, een andere bestemming inhield. Als ze dat land van begeerte naderden, zag de ene mens een berg en de andere een vallei, een vreemd landschap en een vreemde cultuur, een andere taal en kledij. Bij elke seksuele handeling vond de een dus bevrediging in de verrukking en het gevoel van veiligheid, terwijl de ander grenzen opzocht.

'Ik wil erover praten.'

'Je gaat me gewoon ondervragen. Ik haat die schrijversvragen van jou.' Onder het praten stond ze op en ging in de keuken staan rommelen. 'Ik ben gelukkig. Daarom valt er niets te bespreken.'

Hij liep haar niet achterna, maar hij voelde zich rot. Hij had haar willen uitleggen dat de angst hem van zijn libido had beroofd.

Een paar dagen later stapte hij in bed en werd omhelsd. Eerst wist hij niet dat het de andere vrouw was tot ze hem kuste en zuchtte. Lichamen konden soms bijna identiek aanvoelen maar een stem, een gefluister, een kus, die waren voor ieder mens uniek. En geuren – van adem, van huid, van haar – hadden ook iets heel eigens.

Hij liet zich omhelzen en strelen en hij wilde zich bijna verontschuldigen voor zijn nutteloosheid, toen Ava achter hem in bed gleed en zich tegen hem aan nestelde. Hoewel ze tegen zijn rug aan lag, voelde alles aan haar vertrouwd. Hij lag in het midden. Hij wist dat hij op een of andere manier noodzakelijk was voor hen, maar aan hun strelingen voelde hij dat ze meer in elkaar dan in hem waren geïnteresseerd. En zo lagen ze daar in een kluwen, maar hij besefte dat alleen hij in duisternis verkeerde.

De volgende ochtend werd hij alleen wakker, belde Ava op haar mobiel en liet een boodschap achter dat ze moesten praten, en of ze misschien zin had om ergens iets te gaan drinken? Ava belde later terug en zei dat ze een tafeltje in de Dockside Inn had gereserveerd, met uitzicht op de haven in Oak Bluffs. Ze zou hem na het werk komen ophalen. Hij vatte dit op als een positief teken, het had een sentimentele waarde: het was het restaurant waar hij haar mee naartoe had genomen voor hun eerste afspraakje, waar ze had zitten huilen toen ze zich realiseerde dat hij de auteur van *Trespassing* was.

'Uw tafeltje staat buiten, zoals u had gevraagd,' zei de serveerster. Ze bracht hen er naartoe en nam hun bestelling op, twee glazen merlot.

Toen ze weer weg was, zei Ava: 'Ik vind het altijd leuk om de eilandmensen op de boot te zien wachten. Die bazige houding. Zoals ze daar op de steiger staan met hun armen over elkaar geslagen, zoekend naar hun vrienden op de boot. Ze komen zo zelfverzekerd over. "Hier sta ik. Ik hoor hier thuis. Ik ga jou onder mijn hoede nemen."'

Ze keek hem niet aan. Keek ze naar de steiger waar de Island Queen net was aangemeerd?

'Waar heb je het over?' vroeg Steadman. Ze sprak als een vrouwelijk personage in een toneelstuk, luisterde niet, deed alleen maar een overbodige mededeling, was in haar nopjes met zichzelf, met het idee dat ze informatie verstrekte.

'Aha, daar komen de drankjes,' zei Ava. Dat werd ook al uitgesproken als een zin in een toneelstuk.

Steadman zat chagrijnig voor zich uit te kijken en dacht aan zijn ongeschreven verhaal, terwijl de glazen wijn voor hen werden neergezet. Toen hij er zeker van was dat de serveerster weg was, zei hij: 'Zie je dan niet dat ik me ellendig voel?'

Ava zei: 'Het is een prachtige avond. De haven ligt vol zeilboten. Je hebt een drankje. We zitten hier samen. Waarom kunnen we niet gewoon genieten van wat we hebben?'

'Wat heb je?' zei hij. Ze deed arrogant en raadselachtig en alles wat ze zei klonk gekunsteld en onecht, alsof ze het niet tegen hem had maar slechts zinnen citeerde. 'Ik wil niks horen over de boten. Ik zie geen steek.'

'Ik wil voor een tijdje jouw ogen wel zijn.'

'Ik kan niet lezen of schrijven. Ik kan amper helder denken. Zoek die specialist voor me. Waarom help je me niet?'

Hij wilde haar provoceren, maar ze verraste hem door op een geamuseerde, onverschillige toon waarin een schalksheid doorklonk die hij nog nooit eerder bij haar had bespeurd, te antwoorden: 'Misschien kan wat wij samen met mijn vriendin doen je wel helpen.'

Dat was het soort antwoord dat hij vroeger zou kunnen hebben gegeven: seks als genezing, seks als inzicht, seks als verblindend licht, seks als wonderbaarlijke drug.

Hij antwoordde: 'Misschien gebruik je me alleen maar.'

'Dit is een uitgelezen kans. Vraag me niet om het uit te leggen maar ik weet dat ik nooit meer zo'n kans krijg.'

Mannen – en ook andere vrouwen – beschouwden vrouwen meestal als besluiteloze wezens, kribbig, afhankelijk, hulpeloos, die je niet serieus hoefde te nemen. Maar in zijn ervaring was dat helemaal niet zo. Mannen waren juist de weifelaars, de glimlachers, de lamlendige losbollen. Mannen waren ook beuzelaars: ze namen overal de tijd voor omdat ze tijd zat hadden. Maar vrouwen waren onverbiddelijke tijdschrijvers, soms waren ze daar zelfs meedogenloos in, zeker de vrouwen die hij in zijn leven had gekend. Ze wekten de indruk passief en onderdanig te zijn, maar ze waren niet onverschillig, verre van dat. Ze waren waakzaam, hielden zich misschien stil, maar waren obsessief alert, als roofvogels die hun kans afwachtten.

En als de kans zich voordeed, wisten ze het precies, en dan sloegen ze toe en gaven alles wat ze hadden. Hij had dat altijd bewonderd, de manier waarop ze voor iets kozen en dat dan najoegen.

'Je houdt van die andere vrouw,' zei hij.

'Je moest eens weten.'

Ava glimlachte, daar was hij zeker van, maar hij kon niet zeggen hoe hij dat wist, het was iets in haar stem.

Ava was ook een roofvogel. Ze had iemand anders gevonden en toevallig was die geliefde een vrouw. Hij zat ertussenin en voelde zich op een vreemde manier bevoorrecht en pervers. Hij had deze woestheid nog nooit eerder in Ava bespeurd en hij veronderstelde dat het liefde moest zijn.

'Hoe was de merlot?' vroeg de serveerster toen Ava om de rekening vroeg.

'Heel lekker,' zei Ava.

'Prima,' zei Steadman.

'En de frozen daiquiri?'

Welke frozen daiquiri? dacht Steadman.

'Die was heerlijk.' Een vrouwenstem aan hetzelfde tafeltje – hoe was dat mogelijk? Maar zodra hij zich die vraag stelde, wist hij het antwoord. En die nacht werd opnieuw een nacht met de andere vrouw.

4

Zomernachten op de Vineyard, zwaar en vochtig, verzadigd van het was-
sende water dat met kracht uiteenspatte, het terugtrekkende tij dat een
borrelend slik achterliet, en de warme bloesem van de *Rosa rugosa*, stoffige daglelies en de zoetige rottende lucht van bladerhopen en verschrompelde eikels onder dwergeiken: hij kende elk detail en had nog steeds het
gevoel dat hij zich op verboden terrein bevond. De meer sociaal ingestelde seizoensgasten op het eiland renden van het ene feest naar het andere.
Zelfs Ava deed eraan mee, misschien met haar vriendin; hoe zou hij dat
moeten weten? Zijn vrienden belden hem – Wolfbein bleef aandringen –
maar Steadman excuseerde zich en bleef thuis. Hij had ontdekt dat naar
buiten gaan gevaarlijk was.

De naadloze duisternis degradeerde hem tot een pedante clown in een
treurige klucht, die serieus probeerde te zijn, maar struikelde en viel. Hij
voelde zich zo verloren dat hij eraan begon te twijfelen of hij daarvóór
eigenlijk wel blind was geweest. Hij herhaalde vol ongeloof tegen zichzelf
dat hij dit nog nooit had meegemaakt.

Zelfs die keren, jaren geleden tijdens de reis voor *Trespassing*, als hij
midden in de nacht wakker werd in een stinkende ruimte waar hij naar
adem snakkend de zwarte, naar stront stinkende lucht van een gehucht
hapte, zonder ook maar het geringste idee te hebben waar hij was. Birma?
Bangladesh? Assam? Die onschuldige verwarring die bij het aanbreken
van de dageraad werd opgehelderd, was oneindig veel draaglijker dan
dit. Wat hij nu meemaakte was dat hij zich op verboden terrein bevond
en dat de gevolgen gruwelijk zouden zijn. Er was geen uitweg. Hij leek
in een diep hol te leven, nietig onder alle verstikkende, opeengestapelde
kussens van de nacht.

Hoe kon hij nou om mededogen smeken? Toch wilde hij dat iemand
met hem meeleefde. Ava toonde de achteloze aandacht van een omstander. Zou ze naar hem luisteren? Ze leek de vloek van zijn onvrijwillige
blindheid als de zoveelste afleiding te beschouwen, nauwelijks van be-

lang, meer een voortzetting van zijn episodes van grillige verwatenheid als de beroemde kluizenaar. Hij was gewoon een patiënt die flink wat lawaai maakte om gezien te worden – dat gevoel gaf ze hem tenminste. Met haar kille blik beschouwde ze hem op een weinig subtiele manier als een gehandicapte, iemand die ongelegen kwam, een tikje lastig was. En hij had het gevoel dat hij doodging.

De gemoedstoestand waarin hij nu verkeerde was het tegenovergestelde van zijn vroegere schrijversstemming – de stemming waarin hij verkeerde als hij de drug had ingenomen, een stemming van gelukzaligheid die bezit van hem nam als hij van de datura dronk. De stemming die hij kon oproepen, de stemming die na een tijd was uitgewerkt. Maar dat was in het verleden, een spel dat hij had geleerd en waar hij nu niets meer aan had. Hij was wanhopig. Hij had geen invloed op deze schaduw die hem opsloot. Hij had de drug al in geen maanden meer genomen.

'Ik vind de beelden wel mooi,' zei Ava toen hij haar dit vertelde. 'Maar het is net als poëzie, mooi maar vaag. Het helpt me niet bij het stellen van een diagnose.'

Haar stiltes deden hem vermoeden dat ze notities maakte van zijn toestand. Iets in haar neusademhaling, adempauzes als interpunctietekens, wees erop dat ze aan het schrijven was. Ze ontkende het niet.

'Ik houd mijn anamneses altijd bij.'

Hij wankelde op slingerende ongelovige clownsvoeten, met uitgestrekte armen op haar af. 'Ben ik een anamnese?'

'Dat is gewoon een manier van zeggen.'

Toch bracht het hem van zijn stuk. En ook de zelfverzekerde manier waarop ze het zei, en het feit dat hij onvast ter been was en naar de leuning van een stoel tastte die was verplaatst – en waar stond de bank die hij altijd gebruikte als hij dicteerde? – hij raakte helemaal van slag. Zijn desoriëntatie beroofde hem van zijn gevoel van veiligheid en wat erger was, het leek hem toe te fluisteren dat het zijn huis niet meer was. Dat hele zorgvuldig opgebouwde landgoed was nu van haar en van haar passies.

'Het is niet mijn bedoeling om het ongemak te bagatelliseren.'

'Ongemak?' Hij probeerde zijn gezicht dicht bij het hare te brengen om haar duidelijk te maken dat hem dat kleinerende woord helemaal niet aanstond.

'Slade, je bent al anderhalf jaar zo.'

Zelfs zij, de arts, vermeed het woord 'blind'.

'Maar niet zó.' Ondanks zichzelf slaagde hij er niet in de schrille kreet in zijn stem te onderdrukken, en dat gaf hem ook een nietig gevoel.

Ze begreep niet dat het inzicht dat hij daarvoor als gedachtelezer had ervaren, en de donkere hulpeloosheid die hij nu als een achterlijke invalide voelde, twee totaal verschillende manieren van zijn waren. Misschien had de drug hem aanvankelijk niet echt blind gemaakt maar hem alleen maar op een overtuigende manier de illusie van blindheid gegeven.

Eén druppel van het middel was al voldoende geweest om zijn perceptie zo scherp te maken dat hij hyperontvankelijk werd voor alle lichamelijke prikkels. Maar het had ook effect op zijn verbeeldingskracht. Zijn geheugen was er destijds zó scherp door geweest, dat alle ervaringen binnen zijn bereik lagen – en niet alleen het vermogen om in het heden te kunnen zien: hij kreeg zulke verheven, inzicht biedende dagdromen dat hij het verleden en de toekomst in de fonkelende daturaduisternis van zijn trancetoestand zag opgloeien, een sterrennacht van onbegrensd weten in kleurige, druipende stippen.

Maar nu had hij een zak over zijn hoofd zitten. Hij kon niet lopen zonder te struikelen, en zijn spraak was ook al aangetast. Hij sprak aarzelend en haperend op een roeptoon, was er nooit zeker van of er wel iemand luisterde. Stamelen en struikelen waren gelijksoortige onzekerheden, en zijn verminderde libido leek er ook mee samen te hangen – in alle opzichten was hij blind en onvast.

Zag ze dan niet dat die machteloosheid hem doodsbang maakte?

'Ben je er nog? Zeg eens iets.'

'Ik luister.'

'Wie is die vrouw?'

Er kwam een vrolijk geluidje uit Ava's keel. Ze zei: 'Vind je haar niet leuk?'

'Ik heb wel andere dingen aan mijn hoofd.'

'Maar ik niet.'

Hij had het al die tijd al vermoed, maar nu was hij er zeker van: die vrouw was de kans waar ze het over had gehad. En wat was hij? 'Dus je gebruikt me echt.'

'Ik beloof je dat ik alles zal doen wat in mijn vermogen ligt om je weer beter te maken,' zei Ava. 'De specialist, de tests, dat heb ik je toch gezegd?'

'Ik denk dat je een of ander spelletje met me speelt.'

'Niets waarvan jij verbaasd zou opkijken.'

'Die vrouw...' begon hij te zeggen.

Ze onderbrak hem en zei: 'Ga me nou niet vertellen dat je geschokt bent.' Ze zei het op een schertsende toon, waar een tikje spot en rancune doorheen klonk. 'Ik wil jouw speeltje niet zijn. Ik wás jouw speeltje. En nu vertel je me dat je mijn speeltje niet wilt zijn?'

Terwijl ze dat zei, schreeuwde hij het uit, een akelig, machteloos snaterend geluid, alleen maar om haar tot zwijgen te brengen, en toen schreeuwde hij weer: 'Ik zie verdomme geen barst!'

Hij reet de lucht in de kamer aan stukken en ze zweeg geschokt. Hij had zijn stem niet willen verheffen en daarmee laten zien hoe bang hij was. Maar nu wist ze het. Hij voelde dat ze naar hem toe kwam. Vroeger zou hij hebben geweten wat er in haar omging; had hij in haar hart kunnen kijken en had hij zich om kunnen draaien en de kamer uit kunnen stuiven. Maar het enige dat hij nu gewaarwerd was een op de loer liggende schaduw en haar onregelmatige ademhaling. Ze nam zijn handen in de hare.

'Ik zal voor je zorgen,' zei ze. 'Maak je nou maar niet druk.'

In zijn verwarring kon hij wel janken.

'Maar je mag me niet mijn genot ontzeggen,' zei ze. 'Ik heb jou je genot ook nooit ontzegd.'

Hij geloofde haar niet. Dat was ook een gevolg van zijn duisternis. Niets was nog echt; zelfs stemmen waren onecht. Ava's geruststelling deprimeerde hem alleen maar. Hoe zekerder de belofte klonk, des te minder hij ervan overtuigd was. Hij was er zeker van dat ze de boel op de lange baan schoof, uit eigenbelang, zodat ze hem kon blijven betrekken bij haar vrijpartijen met haar vriendin. En wat hij vroeger misschien heerlijk had gevonden, was nu een kwelling voor hem geworden.

Na dat gesprek kwam de vrouw niet meer opdagen. Misschien had zijn uitroep 'Ik zie geen verdomme geen barst!' Ava tot nadenken gestemd. Of misschien was de vrouw er wel bij geweest en had ze het gehoord, en was ze nu gevlucht.

De echo van die angstige schreeuw bleef in zijn hoofd nagalmen en zette zich uiteindelijk om in een boze gedachte, als een fel oplaaiend vuur. Hij zag een kwaadaardig sprookje voor zich, niet in de vorm van een verhaal maar als een levensecht beeld.

Hij herinnerde zich *De slapende herder*, een ets op postzegelformaat van Rembrandt die hij ooit had gezien, van een man met een baard die onder een groepje bomen ligt te dommelen met vlak naast hem een glimlachende, schalks kijkende jonge vrouw, zijn vrouw of minnares, die door een jongere man wordt geliefkoosd terwijl de oudere man ligt te dutten en zijn koe erbij staat te gapen. Maar er bestond een nog boosaardiger versie. Geen slapende man maar een blinde man die bedrogen wordt door zijn minnares, waarbij de man een naïeve sukkel is en de vrouw een doortrapte intrigante.

Het beeld in zijn hoofd vatte het hele drama samen. Op de voorgrond zat de blinde man in de tuin wezenloos voor zich uit te kijken terwijl daar vlakbij een verrukt kijkende vrouw met haar benen wijd zat en door een jongeling met uitpuilende ogen werd bestegen, maar de langharige jongeling zou ook een meisje kunnen zijn. Het drama was overduidelijk en het beeld bleef in zijn geheugen hangen, als de Rembrandt of als een grimmige houtsnede in een sprookjesboek. Het bijbehorende verhaal zou 'De vrouw van de blinde man' heten.

Zij was het hoofdpersonage met haar uitnodigende omhelzing; de blinde man was hulpeloos en werd voor de gek gehouden, hij was de belichaming van passiviteit. Uit zijn nietszeggende gelaatsuitdrukking viel onmogelijk af te leiden of hij wist wat er gebeurde, maar zelfs als hij het wist, wat had hij dan kunnen doen, behalve in woede ontsteken over zijn blindheid?

Om die reden – omdat het zo beschamend was – ontstak Steadman niet in woede. Maar hij zette wel door. Hij voelde zich zo afgestompt omdat hij niets zag, niet kon schrijven, afhankelijk was van Ava, dat alleen die spotprent van een bedrogen man hem nog hoop gaf.

Ava bleef maar beloven dat de arts langs zou komen. En een paar dagen later kwam de arts inderdaad. Waren het een paar dagen? Was het een week of nog langer? Hij wist het niet. Hij was ook blind geworden voor het verstrijken van de tijd.

'Ik ga u vragen om hier vlak naast me te komen zitten.'

Het duurde even voor het tot hem doordrong dat de arts een vrouw was. Ze deed heel zakelijk. Dit was niet de minnares, dat voelde hij onmiddellijk aan Ava's respectvolle manier van doen.

'Ik geef u wel een hand,' zei de arts toen ze hem zag tasten. Haar grote handen omvatten de zijne met hun zachte handpalmen. Een geur van sterk ruikende zeep en zoutig zweet vertelde hem dat ze onaantrekkelijk en zwaar was. Ze voerde hem met langzame passen naar een stoel.

'Schat?' riep hij.

'Dokter Katsina is in de andere kamer.'

Steadman stond verbluft over haar bekendheid met de indeling van het huis, en daardoor voelde hij zich nog meer een vreemde.

'Ontspant u zich maar even.'

Ze hield zijn kin vast en aan de warmte op zijn ogen voelde hij dat ze er met een lampje in scheen, eerst in het ene oog, toen in het andere.

'Gebruikt u medicijnen?'

'Nee.'

'Geen drugs?'

Zijn mond voelde wollig aan toen hij zei: 'Geen drugs.'

'Ervaart u enig ongemak?'

Toen aarzelde hij even want de marteling van het blind zijn was als een rauwe sijpelende wond in het opengereten vlees van zijn lichaam waardoor hij aan niets anders kon denken.

'Geen enkel.'

Ze deed een manchet om zijn arm, trok die strak aan met klittenband, en nam zijn bloeddruk op. Ze maakte aantekeningen: hij hoorde het papier ritselen en haar balpen klikken. Ze kwam heel dicht bij zijn gezicht. Hij voelde haar adem, voelde hoe haar vingertoppen zijn hoofd in de juiste houding zetten; ze bestudeerde hem aandachtig.

'Wat voor kleur is dit?'

'Dat weet ik niet.'

'Kunt u het licht zien?'

'Nee.'

Ze leek metingen te doen en die te noteren. Ze zei niets meer tegen Steadman, maar nadat ze de kamer uit was gegaan hoorde hij haar op zachte toon tegen Ava praten.

'Ik heb vanmiddag laat nog wel een gaatje.'

Het bleef allemaal zo vaag voor Steadman dat hij pas wist dat de arts al weg was toen Ava het tegen hem zei. Hij merkte op dat hij het vervelend vond dat hij buiten het gesprek was gehouden. Ava negeerde die opmerking en zei dat als hij dat wilde, hij nog verder onderzocht kon worden in het ziekenhuis. Hij ging ermee akkoord maar niet van ganser harte: hij had heel weinig wilskracht. Zijn blindheid had hem volkomen gedemoraliseerd, neerslachtig gemaakt. Tegenwoordig werd hij 's morgens wakker zonder ook maar iets te verwachten, behalve nog meer duisternis.

Op weg naar het ziekenhuis voelde niets vertrouwd aan. Zelfs zijn eigen auto, het geluid van de kiezelstenen op zijn oprit, de weg naar de stad met al zijn bochten en onderbrekingen, het kwam hem allemaal vreemd

voor. Hij stond slungelig en mistroostig te wachten terwijl Ava hem in-
schreef. Daarna werd hij, begeleid door een verpleeghulp, naar een kamer gebracht, terwijl Ava hem bij zijn arm vasthield.

'Daar ben ik weer.'

Dezelfde arts die hem begroette. Maar ze had om het even wie kunnen
zijn. Ava hielp hem naar een met kussens beklede stoel waarin hij ging
zitten luisteren naar het geklik en geschuif van metalen instrumenten
die weergalmden op een metalen blad.

'Zet uw kin hier maar op,' zei de arts en ze boog zijn hoofd naar voren.

Hij hoorde schakelaars die werden omgezet, de klik van een tuimel-
schakelaar, een enigszins afnemende hitte op zijn gezicht: het licht ging
uit.

'Kunt u de middelste regel lezen?'

'Nee.'

'En de bovenste regel?'

Hij zuchtte en zei: 'Ik zie helemaal niets.'

'Probeert u het alstublieft.'

'Wat bedoelt u? "Probeert u het alstublieft?" Ik kan het gewoon niet.'

En toen – kwam het door haar geur? Kwam het door haar aansporende
stem? – realiseerde hij zich dat zij de arts was die hem in het oog- en oorziekenhuis van Massachusetts in Boston had onderzocht.

'Ik ken u,' zei hij.

'Ik ben dokter Budberg.'

Hij kromp in elkaar, zakte beschaamd in de stoel weg en herinnerde
zich de rest. Hij zei: 'Het spijt me verschrikkelijk.'

Ze reageerde kordaat, ze deed net alsof ze het niet gehoord had. Ze zei:
'We zullen wat bloedonderzoek moeten doen. En een glaucoomtest. Ik
ga ook een MRI-scan en een CAT-scan regelen.'

Ze fixeerde zijn gezicht in de maskerachtige houder en spoot wolkjes
lucht in zijn ogen, eerst in het ene oog, toen in het andere, en onderzocht
ze nauwkeurig met behulp van nog meer licht dat zijn oogkassen verhitte en zijn hoofd verwarmde.

'Heeft u ooit een oorontsteking gehad?'

'Nee.'

Maar ze was nog niet klaar. Ooit een trauma aan zijn hoofd? Zware hoofdpijn? Migraine? Stress? Duidelijke pijn aan één kant van het lichaam? Suikerziekte?

Hij gaf zonder aarzelen mistroostig antwoord, maar zijn gedachten waren eigenlijk elders. Hij herinnerde zich hoe hij de regels op de lees-kaart letter voor letter uit zijn geheugen had opgelepeld, dokter Budberg had getart om hem blind te verklaren en haar diagnose in de war had geschopt. Maar nu was zijn pedante geheugen verdwenen. Hij bezat al-leen nog het instinct van een onder de grond levend dier, een afgestomp-te molachtige gewaarwording van hitte en kou en bedorven lucht, van kruipende vingers die als dunne wortels over zijn gezicht streken, een duisternis waarin hij zat opgesloten.

Hij had deze vrouw geschoffeerd. Hij herinnerde het zich duidelijk omdat hij ervan genoten had als van een overwinning, en pas toen het al te laat was had hij gezien hoe triest ze was, neerslachtig en verstikt van smart, lijdzaam, diepbedroefd. Hij wilde zich opnieuw verontschuldi-gen, maar ze was al weggelopen en stond bij de deur vertrouwelijke de-tails met Ava te bespreken.

'De druk is normaal. Geen zichtbare netvliesloslating. Geen zichtbaar trauma aan de oogzenuw. Ik krijg een reactie. Ik wil hem graag nog een keer onderzoeken.'

Ava mompelde iets. Steadman hoorde 'idiopatisch' in combinatie met andere, nog minder begrijpelijke woorden. Met trillende stem riep hij: 'Wat betekent dat?'

'Je ogen zijn niet beschadigd, dus er is nog hoop,' zei Ava.

Er werd een rolstoel binnengereden en zich volslagen nutteloos voe-lend werd hij naar een andere kamer gereden waar bloed van hem werd afgenomen. Hij had geen flauw idee wie dat deed; hij werd zwijgend ge-prikt. Iemand zei: 'Het komt wel goed. U zult iedereen versteld doen staan.' Hij kreeg druppels in zijn ogen en hij wist niet wat het was, maar het spul leek zijn ogen te verschroeien. Hij stelde zich voor dat een ver-strooide verpleegkundige hem de verkeerde druppels toediende en hem zo blind maakte, of dat iemand met slechte bedoelingen het opzettelijk deed. Daarna werd hij alleen gelaten. Ava stond buiten op de gang weer te overleggen, maar met wie? Hij zat daar met gebogen hoofd, alsof hij moest leren om dom te zijn.

Op weg naar huis werd Ava zo in beslag genomen door het autorijden dat ze aanvankelijk niets zei. Als ze tegenwoordig zweeg, beeldde hij zich in dat ze dan aan haar geliefde dacht, die naamloze dankbaar klinkende vrouw. Voorbij Vineyard Haven, toen ze het drukste verkeer achter de rug hadden, deed ze haar mond pas open: 'Het komt wel goed met je.'

Dat klonk als een capitulatie. Hij zei: 'Zou het?'

'Dokter Budberg verstaat haar vak. En ze is optimistisch gestemd.'
Dit klonk zo weinig belovend dat hij geen antwoord gaf.
'Je hebt nog een hoop mogelijkheden.'
Ze vertelde hem dat het hopeloos was: ze konden niets doen. Het enige dat ze konden bieden was nietszeggende, ongeloofwaardig klinkende bemoediging, wat op de ergste vorm van wanhoop neerkwam.

De daaropvolgende dagen vroeg hij zich af of de naamloze vrouw nog een keer als sekspartner zou terugkeren. Maar ze was nergens te bekennen. Misschien ontmoette Ava haar ergens anders of misschien maakte ze zich zo bezorgd om hem dat ze haar even helemaal niet zag. Gezien zijn toestand was een frivool triootje domweg te roekeloos. Maar wat hem veel meer zorgen baarde was Ava's afgenomen begeerte, wat hij als een negatief signaal interpreteerde.

'Ze doen nog steeds allerlei tests met de drug die je ze hebt gegeven,' zei Ava.

Dacht ze soms dat ze hem zo hielp om optimistisch gestemd te blijven? Kruimeltjes hoop maakten dat hij zich alleen maar nog miserabeler ging voelen. En ze praatte tegen hem alsof ze het tegen een jengelend kind had.

Hij vroeg: 'Wat vertellen ze me niet?'

'De bijdragende factoren.'

'Zoals?'

'Nou,' zei Ava, 'misschien is het een niet-ontdekte oorontsteking die zich verbreid heeft en waardoor je oogzenuw is afgestorven. Of het zou een hersentumor kunnen zijn die de synapsen samendrukt, compressie van de oogzenuw. Of een aneurysma in de hersenen, dat heet ook wel arterioveneuze misvorming, met elkaar verstrengelde bloedvaten die gaan verstoppen waardoor het bloed slechts door één enkele ader stroomt. Die wordt samengedrukt of gaat lekken en beschadigt het hersenweefsel dat de optische functies regelt.'

'Dus het ligt niet aan de drug?'

'Ik heb de literatuur daarover opgeslagen. Het is nogal onwetenschappelijk. Het meeste is anekdotisch en allemaal afkomstig van junkies. Maar al met al lijkt het erop dat de alkaloïden het visuele centrum van de hersenen aantasten.'

'Geweldig nieuws.'

'Je hebt ernaar gevraagd.'

Na dat gesprek was hij zo gedeprimeerd dat hij het huis niet meer uit kwam. De uitnodigingen voor zomerfeesten bleven binnenstromen, maar hij was te ongelukkig en beschaamd om erop in te gaan. Hij kon de vragen niet aan, en het vooruitzicht van al die vrolijke borrelpraat stemde hem alleen maar nog somberder. Hij vond het vreselijk om met medelijden behandeld te worden of nog erger, omsingeld te worden door feestgangers die hem als een wonder waren gaan beschouwen. Steadman de blinde man die gedachten kon lezen en door muren kon kijken en zwaaiend met zijn stok heen en weer liep te paraderen – de opschepper, die ouwehoer met zijn donkere bril die beweerde dat hij de gave van de totale herinnering had verworven, de gast van het Witte Huis, de wereldreiziger en schrijver die tegen een interviewer had verkondigd: 'Een volmaakt geheugen kan voorspellingen doen.'

Hij werd geridiculiseerd om alles wat hij onder invloed van de drug had gedaan en gezegd. Nu zag hij niets meer maar hij besefte de gruwelijkheid van het gegeven dat de drug hem nu echt blind had gemaakt.

Wolfbein belde herhaaldelijk en liet berichten achter. Steadman nam nooit de telefoon op. Maar op een dag toen Ava aan het werk was en Steadman vermoedde dat zij het misschien was, nam hij wel op en hoorde Wolfbein aan de andere kant van de lijn.

'Je moet op ons feest komen, eikel,' zei Wolfbein op zijn vriendelijke bazige manier.

'Nee, Harry, echt niet.'

'Een kop koffie dan?'

'Ik heb het nogal druk.'

'Oké, als jij dan niet naar mij wilt komen, dan kom ik wel naar jou.'

Een halfuur later rolde Wolfbeins zware auto over het grind van de oprit. Steadman hoorde het portier dichtslaan, de voeten op de veranda, de voordeur die met veel lawaai openging.

'Dus jij wilt je oude vrienden niet meer zien?'

Steadman stond met zijn armen langs zijn zij en wist niet waar hij moest kijken. Het was waar: hij wilde niemand zien.

'Ik voel me de laatste tijd niet zo goed.'

'Ik vind anders dat je er uitstekend uitziet, vriend.'

'Harry, ik ben blind,' en zijn stem kraakte toen hij het woord blind uitsprak.

'Kom, dan gaan we een eindje rijden.'

De grote man pakte hem bij zijn arm en voerde hem het huis uit, over de veranda en het trappetje af. Steadman bewoog zich voort als een kind, tegenstribbelend, met sloffende voeten, maar zwijgend. Wolfbein hielp hem voor in de auto en maakte zijn gordel vast. Steadmans hoofd wiebelde heen en weer op zijn slappe nek; wat viel er te zien?

'Je was een jaar geleden ook al blind,' zei Wolfbein terwijl ze wegreden. 'Ik heb het in de kranten gelezen. Ik weet wat je hebt doorgemaakt.'

'De kranten hebben me van bedrog beschuldigd.'

'Je moet geen aandacht besteden aan die onzin.'

Steadman had het alleen maar over de kranten gehad om een beetje interessant te doen, zonder eigenlijk een reactie te verwachten. Maar Wolfbeins antwoord bevestigde wat hij al vreesde.

'Laat al die lui de tering krijgen,' zei Wolfbein. 'Wat kan jou het schelen wat ze zeggen?'

Het kon hem heel veel schelen en Wolfbeins dwarse reactie verontrustte hem en leek de hele zaak nog erger te maken. 'Al die lui' vormden een reusachtig leger van treiteraars en lasteraars.

'Volgende maand krijgen we de grote man weer op bezoek,' zei Wolfbein.

'De president?'

'Hoor eens, Slade, hij is ook beschadigd.'

'Ook' betekende dat hij de artikelen had gelezen waarin Steadman en de president werden vergeleken in hun misleidingen en ontkenningen: twee onoprechte mannen die allebei met het vertrouwen van het publiek hadden gesjoemeld, een stelletje leugenaars.

Steadman wilde door zijn meevoelende vriend worden tegengesproken en zei: 'De mensen denken dat ik net zo ben als hij. Dat ik iets verberg. Leugens vertel. Ik weet dat ik met hem over één kam wordt geschoren.'

'En wat dan nog?'

'En wat dan nog' betekende dus eigenlijk ja.

'Waar gaan we naartoe?'

'Waar je maar heen wilt. Heb je zin in ijs?'

'Rij maar naar de stad. En neem dan de West Chop Road,' zei Steadman. 'Ik wil de oceaan horen.'

'Komt voor mekaar, jongen.'

Zijn hartelijke toon maakte dat Steadman zich een nog grotere zielepoot voelde, een stumper die wat aanmoediging nodig had.

'Alsof mijn boek aan waarde inboet omdat ik geen echt letsel heb opgelopen.'

'Maar je hebt wel letsel opgelopen, dat zie ik toch,' zei Wolfbein. 'Die lui die jou zo afkraken, zijn echt verschrikkelijk. Man, ik heb die drugsverhalen gehoord. Alsjeblieft zeg!'

Het klonk als een vraag en een hint tegelijk, die eigenlijk om uitleg vroeg. Er viel zoveel te vertellen en waar moest hij beginnen? *Een paar jaar geleden besloot ik naar de Oriente in Ecuador te gaan, en de rivier af te zakken...*

Maar Wolfbein was nog steeds aan het praten. 'Oké, de president heeft zich in het Witte Huis laten pijpen door een meisje dat zijn kantoor binnenglipte, maar betekent dat dan dat hij geen lof meer verdient voor de economie en voor het sluitend maken van de begroting? Hij heeft het tekort weggewerkt. We hebben een overschot!'

Maar Steadman dacht aan het meisje dat het Witte Huis was binnengeglipt, en daarmee ook al verboden terrein betrad; en aan de president die haar betastte en daarmee nog meer verboden overtrad.

Ze waren ondertussen gestopt. Steadman hoorde de wind in de hoge bomen en in de verte een diepliggend geluid van water in een holte, de stroming, het geklots en gespetter van door de wind voortgejaagde golven onder de vuurtoren van West Chop. Hij hoorde de vlag tegen de vlaggenstok klapperen.

'Even die vent voor laten,' zei Wolfbein en hij schreeuwde: 'Nou, kom op dan! Ik sta toch niet in de weg?' Hij zuchtte van ergernis en zei: 'Moet je hem zien.'

Steadman hoorde de auto optrekken en langs hen heen rijden.

'Je hebt van die mensen!' zei Wolfbein.

'Wie was het dan?'

'Ach, een of andere klootzak, ik ken hem niet. Hij is weg. Wil je uitstappen?'

'Help me even.'

Wolfbein maakte zijn gordel los en hees hem uit de auto. Steadman rook de zee op zijn gezicht en de bloemen – hier bloeiden daglelies, zware wolken vol zoet ruikend stuifmeel. De wind geselde de bladerrijke takken van de hoge eiken.

'Het is een zonnige dag,' zei Steadman droevig.

'Schitterende dag,' zei Wolfbein. Soms leek hij te vergeten dat Steadman blind was, of in ieder geval te veronderstellen dat Steadman nog net zo alert en vooruitziend was als de vorige zomer, de wonderbaarlijke man met de donkere bril die zijn gasten wist te verbazen. 'Prachtig. Fietsende kinderen. Dames die hun hond uitlaten. Zeilboten in de baai. En daar heb je hem weer.'

Een auto kwam langzaam voorbijrijden, de banden wierpen kleine steentjes op die tegen de stoep ketsten.

Wolfbein zuchtte: 'Klootzak.'

'Zullen we even naar het strand gaan?'

'Dat kun je maar beter niet doen, jongen.'

Maar hij deed het wel. Nadat hij eerst zoveel weerstand had geboden en nu toch hier was, verlangde hij er hevig naar dichter bij de voortrazende stroming te komen, op het zand te lopen, het zeewier te ruiken en de meeuwen te horen en het geraas van het getij langs de kant.

'Al die klotetreden. Als je daar naar beneden gaat, komen we nooit meer omhoog.'

Steadman herinnerde zich dat Wolfbein zwaar gebouwd was. Hij had een hekel aan wandelen, en je moest drie lange trappen af om op het strand te komen. Hij was ongeduldig. Maar hij was ook toegeeflijk.

'Ik help je wel, jongen. Je hebt een goede medische behandeling nodig. Maak je maar geen zorgen. Ik ken wel mensen.'

Alweer zo'n overdreven verontschuldiging, net als die van Ava en dokter Budberg en degene die bloed bij hem had afgenomen in het ziekenhuis. Iedereen wilde graag helpen; niemand kon iets doen. Maar ze gaven het nooit toe en dat was nog het ergste, de valse hoop, de loze aanmoediging om hem wat op te fleuren omdat ze er zelf behoefte aan hadden om opgefleurd te worden. En ondertussen, terwijl ze hem alleen maar verder ondermijnden, gingen ze gewoon door met leven.

Hij ging naar huis, zijn hoofd vol van zijn verhaal.

5

De blinde man was iemand als hijzelf, reiziger, schrijver en kluizenaar. Hij woonde vlak bij West Chop, langs het weggetje op de klif waar de geplaveide weg eindigde en de trap naar het strand begon. Dat was het personage in zijn verhaal. Steadman kon hem duidelijk zien, alsof hij hem wenkte, hem in het verhaal uitnodigde. Maar verder kwam hij niet. Op de helderste dagen in zijn soezerige eenzaamheid op het eiland, met de zon die op zijn gezicht en zijn dikke oogleden brandde, voelde zijn smart als een fysieke pijn. In die gouden hitte ervoer hij de martelende wanhoop als een terminale ziekte. Hij vroeg zich af hoe hij verder moest leven. Dat hij zich bewust was van de zon gaf hem een gevoel van diepe eenzaamheid, maakte hem onverschillig en berustend als een doodziek mens.

De regen, de mist, de miezerige dagen, die kon hij nog wel verdragen: dan bleef hij binnen en zat te tobben in het toepasselijke halfduister. Zijn gezicht droeg de trekken van een onverwerkte crisis die een groef van blaam in zijn gezicht vormde, en de zurige stilte in zijn huis deed denken aan de weeë stank in een ziekenkamer.

Buiten kon hij de scherpe lucht van de zomerse hitte ruiken die de cederhouten dakspanen deed omkrullen en de pollen hoog opschietend gras verdroogde. Hij zat dan in een gevangenis waar alleen geuren binnendrongen. Hij treurde om hetgeen hij niet kon zien: de buxushaag, het gestapelde muurtje, zijn veld dat dicht bezaaid was met daglelies, de pijnbomen en de berken. Hij haatte het dat die aan andere mensen toebehoorden. Hij kon zich Ava's gezicht of lichaam nog maar zelden voor de geest halen. Aan wie behoorde zij nu toe? Hij was een grote onhandige achterlijke man die met zijn handen at en zich zelden schoor. Uit fel gekleurde dromen waarin hij lichtvoetig was ontwaakte hij in duisternis en wist amper hoe hij uit bed moest komen.

Hij werd nog eenzelviger en meed iedereen. Hij wist wat ze dachten. Blinden waren geen schrijvers; ze werden geroemd omdat ze een uitweg vonden als verhalenvertellers en praters. De mensen deden bevoogdend tegen de blinden, probeerden hen te paaien omdat ze zo'n duistere uitstraling hadden, liepen op hun tenen om hen heen, zaten aan hun voeten, vreesden hen, vroegen om verhalen, probeerden niet naar de vlekken en kruimels op hun overhemd te staren, waren nerveuze toehoorders, bevreesd voor hoe het verhaal verder zou gaan.

Vol smart dacht Steadman terug aan het verhaal dat hij in een boze bui in zijn hoofd was begonnen over de blinde man en zijn vrouw. Dat afschuwelijke drama leek een weerspiegeling van zijn eigen kwelling. Hij was berouwvol, gaf zichzelf de schuld. Hij moest iets verzinnen, zijn geest tot rust brengen. Het verhaal over de zwakke, goedgelovige man en de opportunistische geliefde was een soort fabel over zijn eigen falen.

Steadman had niets beters te doen en voelde dat het gedetailleerder uitwerken van de elementen van het verhaal hem zou helpen verder te leven. Maar zelfs in zijn verbeelding joeg het verhaal hem angst aan. Hij stelde het samen uit het materiaal van pure horror, in de hoop dat hij meer over zichzelf zou weten als het klaar was. Dat hij de feiten kende, maakte het niet minder meedogenloos, maar hij vermoedde dat het door de scheppingsdaad draaglijker zou worden.

En dus begon hij opnieuw, en concentreerde zich op de blinde man die iemand als hijzelf was, reiziger, schrijver en kluizenaar. Zijn huis lag vlak bij West Chop, langs het weggetje over de klif waar de verharde weg ophield en de trap naar het strand begon.

Voor hij blind werd, voor hij de vrouw had ontmoet, geloofde de man dat het actieve deel van zijn leven voorbij was. Hij had aanvaard dat hem geen grote gebeurtenissen meer te wachten stonden, dat hij zou krimpen, dat zijn leven beperkter zou worden, met minder toevalligheden, en dat hij hier in vergetelheid zou sterven. Hij stelde zich zo'n kleine verregende begrafenis voor, op een kerkhof vol oude verweerde grafstenen en kruizen met putten erin.

In zijn zelfgekozen afzondering ging hij er zelden op uit. Als hij dat wel deed, maakte hij steeds dezelfde veilige wandeling. Hij was naar niets of niemand op zoek, probeerde alleen de tijd maar door te komen. Hij was volstrekt tevreden, onverstoorbaar in zijn onverschilligheid.

Eén keer had hij in de rats gezeten, maar dat was op zijn vorige route. Een bejaarde voetganger met tranende ogen, genaamd Cubbage, had hem klem gezet en gezegd: 'Jij bent de schrijver,' en hem met zwakke bewegingen zijn huis binnengeloodst. 'Ik heb de tekeningen uit *Popular*

Mechanics,' zei Cubbage en hij hield hem daar min of meer vast. 'Wil je het kopen? Als je het niet koopt, krijgt mijn idiote zoon het. Het kost je nog geen miljoen. Je zou hier een schitterend boek kunnen schrijven.' De man pakte een banjo van een haveloze poef. 'Dit heet "Sleepy Time Gal".' Hij tokkelde een beetje en begon toen zielig te huilen. 'Het is mijn vrouw,' zei hij terwijl de tranen over zijn wangen stroomden. 'Ze is aan kanker overleden. We zijn dertig jaar getrouwd geweest. Zo iemand is onvervangbaar. Weet jij wat echte liefde is?'

De man antwoordde dat hij geen idee had.

'Doe dan eens een bod op mijn huis.'

Cubbage keek hem na toen hij wegvluchtte. De man nam voortaan een andere route. Hij dacht dat hij gelukkig was omdat hij de begeerte had overwonnen en zweefde – een soort boeddhistische ideale staat van losmaking had bereikt, zoals hij soms voor de grap zei.

Op goede dagen maakte hij een wandeling in de bossen achter de vuurtoren, genoot van de geur van de bomen en de bloemen, de pijnbomen, de prunussen, de dwergeiken, de verrotte bladeren, de door de eekhoorns aangevreten eikels, de zon die het hoge gras verwarmde, de hete pollen timotheegras en de kussentjes van mos als dik fluweel die hem een gevoel van gewichtloosheid gaven.

Hij beperkte zich tot West Chop omdat hij in Vineyard Haven vrouwen tegenkwam die hij jaren geleden had gekend, opgezwollen vormeloze wezens als grote mannen met een zware boezem, en hij realiseerde zich dat hij in de begindagen van zijn roem, na het verschijnen van zijn alom gevierde boek, met hen geslapen had. Hij kreeg zijn trekken thuis, want ze waren op hem gaan lijken – eenzaam, een uitgezakt lijf, aseksueel, met een zweem van een snor. Hij voelde zich schuldig en berouwvol, want een van hen die hij voor een voormalige minnares hield, een wanstaltige vrouw in een gebreide trui die hem bekend voorkwam, was in feite een man die hij nooit eerder gezien had en het soort mens van wie hij wist dat hij hem daarna steeds tegen het lijf zou lopen in het postkantoor en op de markt.

Alles veranderde voor hem op een dag aan het eind van de zomer op de klif van West Chop vlak bij de vuurtoren, waar hij een mooie vrouw zag die alleen was. Ze keek hem gefascineerd aan, draaide zich toen om en liep in de richting van de tennisvelden. Hij voelde paniek opkomen, een soort hunkering. Hij had deze vrouw nodig. Zij was de enige die in zijn lange leven had ontbroken.

Toen dit besef tot hem doordrong, voelde hij zich heel even gelukkig, daarna beschaamd en uiteindelijk bedroefd, want voor de eerste keer in zijn leven maakte hij kennis met de hopeloosheid van de liefde. Zonder haar zou hij verschrompelen en sterven; met haar zou hij leven. Hij wist nu dat hij iedere dag diezelfde wandeling had gemaakt om deze vrouw te ontmoeten.

Die nacht lag hij in bed en kon zich haar gezicht niet voor de geest halen. Haar schoonheid was te subtiel om zich precies te kunnen herinneren. De volgende dag trof hij haar op dezelfde plek aan en ze rende weg – haar plotselinge vlucht was als een opvliegende kwartel die de aandacht vestigt op haar vlucht – de weg af langs de rij brievenbussen waarop *Loss, Titley, Ours, Levensohn, Lempe* stond. Welke daarvan was zij? De daaropvolgende dagen zag hij haar nog twee keer.

Hij was verlegen en beperkte zich tot stiekeme, zijdelingse blikken in haar richting, voor zijn eigen genoegen; maar het kijken maakte hem nog hongeriger. Het herinnerde hem aan zijn verre verleden toen hij nog klein en arm was, jonger, miskend en zwoegend op zijn boek, genegeerd door machtiger mensen dan hij. De gedurfde titel van zijn boek ontlokte zijn vrienden minzame reacties, tot het boek als een meesterwerk werd beschouwd en zij vervolgens afgunstige grappen begonnen te maken.

Nu zeiden de mensen tegen hem: 'Hoe gaat het, jongen?'

Hij antwoordde: 'Ik voel me ellendig,' maar de ellende maakte dat hij de waarheid ging spreken. Door botweg te zeggen wat hij dacht kon hij uiting geven aan zijn gevoelens van frustratie. In het verleden had hij vaak het tegenovergestelde gezegd van wat hij bedoelde: 'Je ziet er opgewekt uit,' tegen radeloze zielen; 'Ik zal het proberen te onthouden,' tegen betweters.

De volgende keer dat hij de mooie vrouw op West Chop zag, zei hij haar gedag.

'Ik stond naar die zeilboot te kijken,' zei ze.

De windjammer Shenandoah, buiten de haven van Vineyard Haven. 'Mooi, hè?'

Hij voelde zich wat gesterkt door haar directheid en zei: 'Ik had hem niet gezien. Ik kon mijn ogen niet van jou afhouden. Je bent zo mooi.'

Haar lach zei hem dat hij indruk had gemaakt. Ze wisselden wat triviale opmerkingen uit over de dienstregeling van de veerboot. Hij zei: 'Tot morgen.'

Die nacht dacht hij: En ik haat mijn uitgezakte gezicht.

Hij was verliefd op haar geworden en hij wist dat het liefde was omdat het een marteling was, het soort marteling waaraan je stierf. Hij voelde zich uitgehongerd als hij haar zag – haar heldere ogen, haar volle lippen, haar heldere huid. Hij zocht haar overal en voelde zich vernederd in zijn verlangen naar haar.

Tot zijn vreugde begon hij haar overal tegen te komen – in de drugstore in Main Street, op het strand onder de vuurtoren, als hij langs de steiger wandelde waar de veerboot aanlegde, in de lunchroom en in de fotowinkel waar hij een verrekijker kocht. Ze heette Melanie Ours.

Hij maakte haar het hof in de openlucht, en hij was degene die het meest aan het woord was. Melanie was naturel, ze had een zachte stem, was begrijpend en lief. Op een dag had ze een hondje in haar armen, knuffelde en kroelde met het dier op een manier die suggereerde: dat zou ik ook met jou kunnen doen.

'Hij is niet van mij,' zei ze, 'hij is van een vriend.'

De vraag welke vriend dat kon zijn, maakte hem ongelukkig. Maar hij zag Melanie Ours weer terug en hield nog meer van haar. Hij zei tegen haar dat hij meer dan twintig jaar ouder was dan zij. Zij zei: 'Nou en?' Hij was bang dat ze misschien kinderen wilde. Ze glimlachte en zei: 'Ik wil jou.'

Het ging allemaal zo gemakkelijk. Ze trouwden, zij trok bij hem in, hij was gelukkig. Ze woonden samen in zijn huis op de klif achter West Chop.

Soms had hij het over de plaatsen waar ze elkaar tegen het lijf waren gelopen.

Ze zei: 'Ik wist dat je daar zou zijn,' en legde uit dat ze zijn gangen kende en het opzettelijk zo had uitgekiend dat ze elkaar zogenaamd toevallig tegenkwamen. Hij lachte verlegen en voelde zich begeerd. Ze zei: 'Ik vond je fascinerend.' Wat viel er nog meer te weten? Misschien niets, behalve het feit dat ze hem was toegewijd, gevoelig en lief was, vergevensgezind zoals alleen een vriend dat kan zijn.

'Het spijt me, liefste,' zei hij in het begin in bed omdat hij zich nutteloos voelde. Ze hield hem vast, kuste hem en hij kon wel huilen van dankbaarheid.

Maanden van gelukzaligheid. Soms werd hij ongerust als ze uit zijn gezichtsveld verdween. Als hij zijn ogen op haar liet rusten, voelde hij zich gezegend. Ze was als een licht voor hem. 'Ik dacht dat ik wist wat geluk inhield.' Hij bedacht dat hij in het vroegere, actieve deel van zijn leven misleid was geweest.

Dit heldere zien – zijn huidige leven – in overdrachtelijke en filosofische zin, was tegelijk een paradox, want hij merkte dat zijn gezichtsvermogen in werkelijkheid achteruitging. Hij had moeite met lezen, zelfs met een bril op. Hij kon 's avonds niet autorijden zonder verblind te worden door de koplampen van tegenliggers.

Hij liet zijn ogen onderzoeken. Hij kwam niet door de test. 'Dat is te verwachten op uw leeftijd,' zei de arts, 'maar een nieuwe bril zal u niet helpen. U hebt staar.'

Hij beschouwde dit als goed nieuws, als een belofte dat hij na de operatie beter zou kunnen zien en zich in de gloed van zijn lieftallige vrouw kon baden. Maar waarom vroegen ze hem dan om de toestemmingsverklaring te ondertekenen?

De arts zei: 'Er bestaat minder dan één procent kans dat de operatie mislukt.'

Na de operatie zag hij nog steeds wazig en tastte om zich heen, en hij kreeg oogdruppels toegediend. Melanie hielp hem met het indruppelen van zijn ogen en ze raakten geïnfecteerd en verschrompelden. Hij raakte zijn hoornvliezen kwijt, hij kreeg een transplantatie en nog meer druppels. De transplantatie mislukte. Hij ging luidkeels tekeer.

Alsof hij zijn verdediging in een rechtszaak wegens medische nalatigheid oplepelde, herinnerde de arts hem op strenge toon aan de risico's: 'Er moet iemand in die ene procent zitten.'

Omdat hij de verklaring had ondertekend kon hij geen rechtszaak aanspannen en kreeg hij geen schadevergoeding. Geld had hij trouwens niet nodig. Hij wilde zijn gezichtsvermogen terug, al was het nog zo zwak, zoals op de dagen dat hij zei: 'Ik kan je gezicht zien, een soort donkere contour, maar niet je gelaatstrekken.' Daarmee zou hij tevreden zijn geweest. Maar nu was hij blind.

En nu hij blind was, wilde hij Melanie voortdurend in de buurt hebben. Maar zelfs als ze bij hem was, putte hij daar geen troost uit. Hij praatte tegen haar maar ze leek hem niet te horen. Er school iets kils in haar manier van doen – waarom? Hij had het nooit eerder gevoeld, misschien omdat haar adorerende ogen, haar gezicht en haar lichtgevende huid hem altijd overweldigd hadden. Nu werd hij gewaar dat ze op een andere manier aanwezig was – haar dreunende, lompe voetstappen, de scherpe geur van haar lichaam, haar harde stem.

Als ze hem met haar handen aanraakte kreeg hij het koud; haar vingers voelden reptielachtig aan. Hij was ontzet, ook al zei ze: 'Natuurlijk hou ik van je.'

Hij zat nu opgesloten in zijn huis. Hij raakte de kluts kwijt in kamers die hem als obstakels voorkwamen. Hij struikelde over zijn eigen meubels. Hij kon nergens heen zonder haar, maar zij was steeds vaker weg.

'Ik moet winkelen. Alles duurt langer als jij meegaat.'

Waarvoor winkelen? Ze had nooit eerder gewinkeld. Hij begon haar te vragen waar ze was geweest.

'Mijn nagels laten doen,' of: 'Mijn haar laten verven,' of: 'Bij de naaister.'

Maar waarom? – híj kon haar nagels of haar haarkleur of haar kleren toch niet zien.

'Ik doe het voor mezelf,' zei ze.

Hij raakte in de war door de mengeling van geuren van haar parfum, haar nagellak, haar shampoo en haar nieuwe kleren. Door zijn blindheid waren zijn andere zintuigen scherper geworden – hij was hyperalert, gevoelig voor alle stimuli. 'Ik ruik uien,' of: 'Rook – tabaksrook in je haar.'

Hij rook een man, hij rook seks, iets vochtigs en hondachtigs, en voelde een ruw plekje als een wondje van het scheren op haar kin. Hij was te bedroefd om haar te vermoorden. *In plaats daarvan breng ik mezelf wel om zeep.*

Wat hem daarvan weerhield was het feit dat zij nog droeviger was, en gespannen, alsof ze slecht nieuws had ontvangen.

'Wat scheelt er?'

'Alsjeblieft, laat me met rust.'

'Je bent nooit meer thuis.'

'Ik ben ziek geweest! Dat kan jou niets schelen!'

Na al die tijd hun eerste ruzie. Ze hield vol dat ze van hem hield maar klonk als iemand anders, hardvochtig, als een vreemde. Ze kwam terug met een nieuwe geur om zich heen. Die geuren overstelpten alle andere indrukken en namen kleuren en vormen aan, sommige net zo gelaagd en complex als onbeantwoorde vragen.

Ontging hem iets omdat hij blind was of zag hij haar zoals ze werkelijk was? En dan die stem. Soms, als ze tegen hem praatte, leek ze een tikje formeel en gaf ze overdreven veel informatie alsof ze ook tegen iemand anders sprak, alsof ze een toehoorder had die ze prikkelde met details die er niet toe deden, en hanteerde ze een soort van pseudo-hoogdravend taalgebruik.

'Ik verwacht echt niet dat iemand als jij begrip kan opbrengen voor een vrouw die prioriteit geeft aan het vinden van een doel in haar leven om het weer in balans te krijgen.'

'Wat is dat voor geluid?'

Hij schrok van onbekende kraakgeluiden in uithoeken van het huis.

'Ik hoor niets.'

Op een avond op een feestje voelde hij zich ongemakkelijk en verloren in het huis van de gastheer, dus stond hij ergens opzij, uit de buurt van de gasten, te wachten tot Melanie hem een drankje kwam brengen. Er schoof een vreemde rakelings langs hem heen en hij ving een bekende geur op.

'Jij hebt met mijn vrouw geslapen,' zei hij zonder erbij na te denken.

Hij was verrast toen een vrouw een gnuivend geluidje maakte, even in zijn arm kneep en zei: 'Je verbeeldt je van alles!'

In kluchten bezigden schuldige mensen vaak dat soort platitudes, maar klucht en tragedie lagen zo dicht naast elkaar. Hij merkte dat hij scherper begon waar te nemen: hij had een duidelijk beeld van het dronken gezicht van die vrouw, rood aangelopen, stopverfachtig, met tranende roodomrande ogen.

Hij werd behendiger in zijn eigen huis. Melanie struikelde in het donker, sloeg met de deuren, zat te hannesen met eenvoudige dingen als de telefoon en de stop in de badkuip, en wankelde onzeker door gangen waarin hij zich nu, tot zijn verbazing, helemaal thuis voelde.

Er was iemand anders onzichtbaar aanwezig, op een avond wist hij het zeker, in de grote rommelige voorkamer die uitkeek op de baai. Hij was gewend geraakt aan de duisternis. De ander verdwaalde erin en maakte een onzekere hondachtige schijnbeweging naar achteren: iemand ging voor hem uit de weg.

'Wie is daar?'

'Wie denk je?' En ze lachte op een bestudeerde manier, alsof ze publiek had en uit naam van iemand anders lachte.

'Een man.'

Ze lachte veel te hard op een honende toon om haar ontkenning overtuigend te laten klinken, voerde een stukje theater op.

Met zijn vingertoppen zocht hij zich een weg door de kamer, verrast dat hij de weg zo goed wist, en liep naar boven waar hij bleef staan en de voordeur dicht hoorde slaan. Toen hoorde hij zijn vrouw onvast de trap op komen.

'Het was een vrouw. Daarom lachte je zo.'

Herinneringen hielpen, radeloosheid hielp en blindheid deed de rest. Hij kon zien met zijn tanden, zijn tong, zijn lippen, zijn gezicht, zijn hele lichaam. Later begreep hij dat die twee hadden liggen vrijen – een onmiskenbare vibratie, de specifieke geluiden die onregelmatig klonken, als een afdwalen van het gewone leven. Niet als seks tussen een man en een vrouw, een patroon van smakkende geluiden dat hij wel kende, een vertrouwd ritme, een boven en een onder, een echoënde siddering, maar in plaats daarvan een worsteling tussen twee gelijken, de ritmische kussen, de bonkende, stompende geluiden van twee vrouwen: een saffische sandwich zonder vulling.

Zijn eerdere veronderstelling dat hij altijd alleen was, maakte nu plaats voor het besef dat hij nooit alleen was. Zelfs als er niet werd gesproken, voelde hij een andere aanwezigheid, een zwijgende lichamelijkheid die ruimte innam en de geluiden dempte die hij zelf maakte, iets moleculairs en textielachtigs. Geen duisternis, alleen losjes of strak geweven licht, dat altijd een vaal of bruikbaar schijnsel onthulde. Wat mensen duisternis noemden en vreesden, had voor hem een gezicht en gelaatstrekken: nu kende hij het gegons van menselijke atomen.

Ook geuren, parfums die zijn ogen doorboorden, zwaardere aroma's in zijn neusgaten, een vermoeden van vlezigheid dat hij op zijn tong proefde, de duidelijk aardse smaak van doorgeslikt voedsel. Er was een ander – het moest een vrouw zijn; een man zou minder voorzichtig zijn geweest.

Hij probeerde die geuren te volgen, ze te duiden.

'Ik ruik niets.'

Als ze dacht dat ze hem voor zijn blinde ogen kon misleiden, dan had ze het mis.

'Verleden week was het een man, maar deze week is het een vrouw.'

Ze begon weer te lachen, die samenzweerderige, veelzeggende lach, en haar lach zette een duidelijk voelbare beweging in gang die een schok door de kamer deed gaan.

'Of twee vrouwen' – in de veronderstelling dat ze daarom zo moest lachen.

Soms klonken de geluiden van kussen als stiekem eten, snel hapjes nemen van een druipende, overrijpe vrucht. Andere keren klonk hun vrijen als twee zachte lichamen die door zware wolken floepten en te maken kregen met turbulentie, of als iemand die slecht slaapt en steeds ligt te woelen. Ze waren schaamteloos bij daglicht, maar nog schaamtelozer in het duister, in de veronderstelling dat omdat zij zelf niets konden zien, ze ook niet gezien konden worden. De beslotenheid van hun erotische samenzijn vormde een tegenstelling met de gebarsten willekeur van het gewone leven.

Mensen die in de ban van seksuele extase verkeerden waren als dieren in een val. Vol schaamte herinnerde hij zich: *Het spijt me, schat.*

'Ik weet wel wat je doet.'

Om te kijken of ze nog mededogen voor hem voelde, smeekte hij haar om hulp en bleek er alleen voor te staan. Het was een list: hij wist de weg in huis maar hij hoefde van haar niets te verwachten. Bij daglicht begreep hij veel; 's nachts begreep hij bijna alles. Hij werd niet in verwarring gebracht door schaduwen: hij zag de nacht als een vriend, blindheid als een geschenk.

Zijn dode ogen maakten zijn vrouw roekeloos. Hij liet zich niet voor de gek houden. Hij kende haar, hij wist dat ze minnaars had, zijn geld had gestolen. Zijn blindheid was haar kans, maar hij liet zich niet misleiden.

Het zou nog erger worden. Op een ander feest rook hij aan een vaas met bloemen en zei: 'Dat water ruikt net als mijn oogdruppels.'

'Dat kun je maar beter niet in je ogen druppelen,' zei de gastvrouw en ze legde uit dat de chloor in het water de bloemen langer vers hield doordat het de bacteriën doodde.

Nu begreep hij pas goed wie Melanie was en wat ze hem had aangedaan. Zij was degene die verloren klonk en in het duister riep: 'Wie is daar?' De vrouw was onnozel, hebzuchtig en doorzichtig. Ze had hem verblind. Hij had haar door en beklaagde haar; hij kende zichzelf en was diep teleurgesteld.

Alle schoonheid die hij ooit had gekend was niet echt; hij erkende dat de wereld een illusie was. Zijn boek was niet echt, de geschiedenis was niet echt, wat je zag was niet echt. Zijn leven was geen tragedie maar een manifestatie van onweerlegbare feiten. Nu wist hij hoe het was om dood te zijn, een geest te zijn, alles te zien zonder zelf gezien te worden. Wat deed je met dat inzicht? Je werd hatelijk, openhartig en tegendraads.

Een man zei: 'Ik ben op dieet geweest.'

Hij antwoordde: 'Je hebt nog een lange weg te gaan.'

De uitgeefster van een tijdschrift stelde zichzelf voor. Hij zei: 'Dat staat niet boven aan mijn leeslijstje, ben ik bang.'

'Dat klinkt afschuwelijk,' zei hij tegen een jongen in Oak Bluffs die in een cabriolet naar rapmuziek zat te luisteren.

Verklaringen waren zinloos; inzicht voelde als een marteling. Het hielp niet dat hij nu duidelijk zag hoe slecht zijn vrouw was – niet het geflirt maar haar listigheid, hoe zij hem verblind had. Hoe de vrouw die hem tot een huwelijk had weten te verleiden, van wie hij had gehouden, de vloeistof die hem was voorgeschreven om zijn ooginfectie te behandelen door een andere had vervangen. Ze had hem blind gemaakt met de druppels. Hij had voor een mysterie gestaan. Hij had een misdaad opgelost. Zou iemand hem geloven? Hij wist een advocaat voor zijn geval te interesseren, vroeg om geheimhouding en ontdeed zich van Melanie Ours.

De man Cubbage, die hem had aangeklampt en op de banjo had zitten tokkelen en om zijn vrouw had gehuild? De blinde man kwam hem opnieuw tegen op straat, Cubbage was nu gelukkig, had medelijden met de man omdat hij blind was, en rouwde niet meer. Hij was hertrouwd en was dolblij dat hij zijn huis niet had verkocht. 'We zitten hier op een fortuin.' De oude wanstaltige vriendinnen voor wie de blinde man vroeger was teruggedeinsd, zag hij nu als tevreden zielen, gezonder dan hijzelf. 'Ik vind het zo erg,' zeiden ze.

Soms wenste hij dat hij weer kon zien, zodat hij kalm en mild kon zijn en zich kon laten misleiden. Hij was niet zielig, hij was machtig – een nieuw leven begon, maar wel een harder leven: hij geloofde nergens in. Hij las niets. Hij geloofde niet in de leugens van de geschreven geschiedenis, in het dagelijks nieuws, of in de troost van vrienden. Hij beschouwde zijn eigen boek als een krankzinnig verzinsel. Ieder geschreven woord was fictie of bevatte een halve waarheid. Het ergste van de zichtbare wereld was alleen maar draaglijk vanwege de leugens en de manier waarop de waarheid altijd verborgen bleef. Maar als blinde, bevrijd door een egoïstische vrouw, zag hij alles, en daarom leed hij, niet aan blindheid maar aan helder inzicht. Liefde was een smerige drug met gruwelijke bijwerkingen.

Hij had geen antwoord: hij kon het eiland niet verlaten en ergens gaan wonen waar de mensen zagen dat hij blind was. Hij besefte vol smart dat het enige dat voor hem in het verschiet lag, een soort van onverdiende roem was die in feite gelijkstond aan mislukking. De paradoxen van zijn recente verleden putten hem uit.

Hoe zou dit eindigen?

Terwijl Steadman verder fantaseerde over het verhaal had hij het gevoel dat hij iets uit zijn situatie had weten te halen, als iemand die de zin van een persoonlijke tragedie ontdekt. Zolang het verhaal nog niet af was, had hij het gevoel dat hij nog niet verloren was.

6

Hoewel hij er geen woord van had opgeschreven, hoewel het allemaal nog in zijn hoofd bruiste, was hij opgewekt, in de ban van het sprookje, en voelde hij een welbehagen dat hij altijd voelde als hij iets had bedacht dat een eenheid vormde. Zijn trots op de onopgesmukte, alledaagse details van het verhaal was even sterk als zijn geloof in zijn mateloze inventiviteit.

Maar zijn gevoel van geluk was niet van lange duur. Het verhaal gaf hem iets stiekems, want de vrouw in het verhaal was de slechterik terwijl Ava meestal heel vriendelijk was en zich zelfs in haar ontrouw bezorgd had getoond. Hij voelde zich schuldig onder haar vriendelijke manier van doen. En ze bleef het hem maar naar de zin maken, pepte hem op om wat vrolijker te doen, hield hem voor dat ze zijn werk bewonderde en dat ze voor hem zou blijven zoeken naar een medische oplossing, nog meer tests, een andere specialist.

Hij was haar dankbaar voor haar woorden; ze waren oprecht bedoeld maar het bleven slechts woorden. Alle lof klonk hem tegenwoordig in de oren als de holle vrome woorden van een voortijdige necrologie. Al snel voelde hij zich weer terneergeslagen en onzeker en net zo onvolledig als zijn verhaal. Misschien belichaamde Melanie wel de verblindende drug die een vrouwelijke naam had – datura.

De meest eenvoudige dingen herinnerden hem aan zijn blindheid. Op een dag zei Ava: 'De postbode vroeg of we een rode Corolla cabriolet hebben. Het schijnt dat er vaak een op onze oprit staat geparkeerd.'

'Dat zal wel een huurauto zijn. Van een toerist.'

'Dat zei ik ook al.'

'Dus wie is nou de bemoeial, de postbode of die toerist?'

'Je schreeuwt tegen me,' zei ze, alsof ze daarmee iets vaststelde.

Kwaad en met een rood aangelopen gezicht, schreeuwde hij weer: 'Wat verwacht je van me dat ik eraan doe?'

'Ik dacht alleen dat je het wel zou willen weten.'

'Waarom vertel je het aan mij? Vertel het maar aan de politie!'

Ze schreeuwde nooit tegen hem; ze waren altijd de dokter en de patiënt. Ze liet hem tekeergaan en zei op zachte toon: 'Ik regel het wel. Zeg, zullen we ergens samen gaan eten?'

Eten zei hem helemaal niets maar dat zei hij niet tegen haar, hij zei niet dat een restaurant voor hem alleen maar poppenkast was, dat hij amper een vork kon hanteren zonder in zijn lippen te prikken, dat de mensen naar hem zouden staren.

Hij zei: 'Misschien.'

'Of wat je maar wilt.'

'Wat je maar wilt,' klonk als een uitnodiging tot seks, dus hij zei: 'Als je daarmee je vriendin bedoelt,' en maakte zijn zin niet af.

'Jij mag beslissen.'

De gedachte alleen al aan hun drieën vervulde hem van droefheid: de gedachte dat ze boven op hem zouden zitten en hem zouden liefkozen, al die bruisende, kolkende opwinding. Seks was een uiting van gezondheid en optimisme, maar hij was een pessimistisch wrak met een onbetrouwbaar libido.

'Ik wil alles doen om je te helpen. Ik geef om je.'

Hij interpreteerde dat als een afscheidsbrief, het was iets anders dan houden van. Ze wilde hem gezond maken zodat ze bij hem weg kon gaan. Ze waren weer terug bij waar ze waren in de weken voordat ze naar Ecuador vertrokken, de reis die ze hadden gemaakt bij wijze van afscheid. Ze hadden geen leven meer samen, behalve zijn invaliditeit was er niets wat hen bij elkaar hield. Ze hadden het niet over de toekomst of over liefde.

Het woord 'liefde' hadden ze trouwens nooit gebezigd. Ze hadden het vermeden zoals sommige mensen zich van rood vlees of geraffineerde suiker onthielden, en zo redenerend dachten ze dat het vermijden van dat woord hen gezonder en sterker zou maken. Ze geloofden in de liefde maar haatten het woord, en walgden van dat uitgekauwde zinnetje *Ik hou van je*, dat zo ontdaan was geraakt van iedere betekenis dat het tot een informele afscheidsgroet was verworden. 'Ik hou van je,' zeiden mensen aan het eind van een verder oppervlakkig telefoongesprek. Het was in de plaats gekomen voor 'Tot ziens,' en 'Nog een fijne dag.' Het had minder inhoud dan zijn vaders afscheidswoord aan het eind van een telefoongesprek: 'Gedraag je.' Zijn vader had het woord 'liefde' ook nooit uitgesproken, en toch wist hij dat de man zielsveel van hem had gehouden.

Aan huis gebonden temidden van herinneringen aan zijn arrogantie zei Steadman: 'Ik denk maar aan één ding. Weer kunnen zien.'

'Daar ben ik mee bezig,' zei Ava. 'Je hebt in ieder geval je boek.'

Hij zei maar niet wat hij voelde – het stemde hem te melancholiek. Het boek was zinloos; het was onvolledig. Zijn leven omvatte niet de loop van zijn seksuele geschiedenis, maar alles wat tot de herontdekking daarvan had geleid, de buitenkant ervan, alle omstandigheden, het landschap van zijn zoektocht, vanaf de vliegreis naar Ecuador en verder, hoe hij het had geschreven, de boekentournee, de dubbelhartigheid van de president, de waanvoorstellingen onder invloed van de drug, zijn afgang, zelfs de latere onthulling, Ava's gestoei met haar vriendin terwijl hij blind op zijn rug lag. De droefheid die hij nu doormaakte was het meest waarachtige deel maar dat kwam niet aan de orde in zijn boek. Zijn boek was het verhaal dat hij nu kende – dit, de gebrekkige werkelijkheid, dit alles.

Maar hij zei: 'Ja, klopt. Ik heb mijn boek.'

Het Boek der Openbaring was echter voorbij. Of het nu goed was of slecht, het was niet meer zijn boek. Wat hem nu bezighield was het verhaal over de vrouw van de blinde man, het sprookje over zijn blindheid.

Ava vroeg hem niet hoe hij zijn dagen sleet. Hij wist dat ze het vreselijk vond om te horen dat hij niets uitvoerde, en alleen maar zat te broeden. Hem iets vragen kwam neer op hem uitdagen en zou haar erbij betrokken hebben, haar deels verantwoordelijk hebben gemaakt voor zijn overduidelijke indolentie. Hij had geen zinvol antwoord bij de hand. Maar in ieder geval had hij zijn novelle. Hij klampte zich daaraan vast in de geringe hoop dat fragment nog beter uit te werken, vertrouwend op de fictie voor een oplossing van zijn dilemma, zoals hij vroeger op het reizen vertrouwde om vertroosting te vinden. Weggaan had hem altijd geholpen.

Maar als Ava hem had gevraagd wat hij overdag deed, zou hij het haar niet hebben verteld. Wat hij dacht ging alleen hem aan. Het verhaal was zijn geheim en trouwens, de fictieve geliefde was door en door slecht. Wat zou Ava daarvan vinden? Het schrijven van het verhaal maakte hem duidelijk dat hij Ava de schuld wilde geven van zijn eigen grensoverschrijding, omdat hij jaloers was op haar vrijheid en gezondheid.

Hij putte enige troost uit het feit dat hij de weersveranderingen kon herkennen. Op sommige dagen had hij het bloedheet, op windstille middagen op de Vineyard, de lange drukkende zomerdagen, een stralend schijnende zon om zeven uur 's avonds, en sommige nachten waarin het verstikkend heet kon zijn. Maar dan stak de wind weer op, de lucht koelde af en korte tijd daarna, soms was het een kwestie van uren, stond hij in zijn laden te tasten naar een trui. Deze eenvoudige gewaarwordingen ervoer hij als noodzakelijke overwinningen.

In zijn verhaal ontbrak het weer en ook de fysieke textuur van het eiland. Het verhaal hield het midden tussen een mysterie en een sprookje. Hij wilde het enerzijds concreter en anderzijds dubbelzinniger maken, er meer van Borges in leggen, er meer sprankeling, meer magie in leggen. Geen makkelijk aansprekende moraal – dat was goedkoop – maar een overtuigingskracht, een gevoel van herkenning, zodat de lezer het aan het eind nog verwarrender zou vinden omdat het zo vertrouwd en toch onverklaarbaar was.

Misschien ontbrak dat ook wel in *Het Boek der Openbaring*, een gevoel van herkenning. Als erotische literatuur hield het zich uitsluitend bezig met voorspel en voorgrond: binnenkanten. Behalve de lange gotische schaduwen, het rollenspel in het château – woeste nachten, woeste nachten – was er geen zichtbaar eiland.

Ook al was zijn roman een mislukking, het verhaal had hem gered. Zijn geheime bedenksels hadden hem altijd overeind gehouden. Hij was eerder geneigd iedereen uit te lachen die hem vroeg hoe hij zijn tijd doorbracht en andere mensen te vragen hoe zíj het leven konden verdragen zonder te schrijven. Het deed er niet toe dat hij weinig gepubliceerd had. Iedere dag van zijn volwassen leven was hij op een of andere manier met schrijven bezig geweest. Hij vond de titel prachtig: 'De vrouw van de blinde man'. Hij vond het verhaal met al zijn inbreuken wel mooi.

Hoe breng ik mijn dagen door? Had hij Ava kunnen antwoorden. *Ik denk na over mijn verhaal.*

Uit angst dat hij zijn eigen naam zou horen, luisterde hij niet naar het nieuws. Het schandaal over de affaire van de president en het feit dat hij dingen achterhield en ontkende, leek het enige nieuwsitem te zijn, waarbij voortdurend op de meest vulgaire details van zijn verzwijgingen werd gehamerd. Door al die details voelde Steadman zich in de verdediging gedrongen. Hij stelde zich voor dat hij op dezelfde manier werd opgejaagd, uitgedaagd en vernederd.

De halfslachtige ontkenningen van de president hadden hem al verontrust, maar pas maanden later, in de periode dat Steadman zijn novelle uitdacht, gaf de president zijn fout toe. Zijn verontschuldiging klonk weerzinwekkend – Steadman had hem de eerste keer niet gehoord, maar het werd keer op keer herhaald – want het was helemaal geen verontschuldiging maar een verklaring waaruit gewonde trots sprak.

Steadman kende de zinnen ondertussen uit zijn hoofd: 'Vragen over mijn privé-leven, vragen die geen enkele Amerikaanse burger ooit zou willen beantwoorden... ik heb inderdaad een relatie gehad... een cruciale beoordelingsfout en een persoonlijk falen... ik heb mensen misleid... de wens om mezelf te behoeden voor de gênante gevolgen van mijn eigen gedrag... Het gaat niemand iets aan behalve ons... Zelfs presidenten hebben een privé-leven. Het wordt tijd om op te houden met deze op de persoon gerichte beschadiging en het gewroet in iemands privé-leven...'

Steadman hoorde geen seks in de boodschap van de president; hij hoorde zijn eigen stem die over drugs en blindheid sprak. De president beeldde Steadmans eigen vernedering uit.

Hij was op zichzelf teruggeworpen. Het verhaal was het enige dat hij had geschreven sinds zijn boek, en net als met het boek had hij geen pen aangeraakt. Hij schreef het in zijn hoofd. Als het af was zou hij het op een cassetterecorder inspreken en iemand zoeken, niet Ava, om het uit te schrijven.

Ava was weggeglipt en ging op in het ziekenhuis. Ze woonde nog steeds in het huis. Ze zette eten voor hem klaar, hielp hem zijn kleren te vinden. Maar hij wist dat ze haar hart er niet in legde. Haar bezorgdheid was nu beroepsmatig geworden, een kwestie van ethiek; hij was een patiënt, een geval, en haar motto luidde: 'Berokken eerst en vooral geen schade'. Ze was er niet in geslaagd een remedie te vinden. Hij wachtte een gelegenheid af om te zeggen: 'Ik wil een verwijzing.'

Ondertussen was 'De vrouw van de blinde man' het enige dat hij had. Hij zou ermee omspringen als een man die een stok aan het snijden is – het herschrijven, het verbeteren, het verfijnen. Tot het af was hoefde hij nergens anders aan te denken. Het verhaal gaf hem geduld en troost. Ava zou hebben gezegd: 'Het is je speeltje.'

Door medelijden met hem te hebben, had ze hem laten zien dat medelijden zinloos was. Hij zou zichzelf moeten helpen.

Wolfbein belde weer en sloeg de vriendelijk bedillerige toon aan van een verpleegster tegen een chagrijnige, aan bed gekluisterde patiënt.

'We hebben een etentje. Je komt vandaag hier lunchen. De vraag is alleen of je op eigen gelegenheid komt of dat ik je daar moet komen ophalen?'

'Harry, je hebt niets aan me.'

'Ik kom eraan.'

Hij kwam een halfuur later toeterend aan rijden, en nadat Steadman was ingestapt, reed hij snel door en zei amper iets.

'Vanwaar die haast?'

'Niks haast. Goed om je weer te zien,' zei Wolfbein.

Maar de man zat met zijn gedachten ergens anders, dat bleek uit zijn gejaagde manier van rijden, en hij zat ook al op het verkeer te mopperen. Hoewel Steadman in de diepte van zijn blindheid was weggezonken, begreep hij wel dat het simpele ritje van zijn huis naar Lambert's Cove een zeer dringend karakter had.

'Ik heb gezegd dat ze maar zonder ons moeten beginnen,' zei Wolfbein. 'We zijn trouwens met mannen onder elkaar. De vrouwen hebben andere plannen.'

Toen begreep Steadman dat Wolfbein er niet op had gerekend dat hij hem voor de lunch zou komen ophalen. Hoewel het hem erg slecht uitkwam, had Wolfbein uit pure vriendschap gehandeld. Ze kwamen geagiteerd aanrijden en Wolfbein begon tegen andere mensen te fluisteren. Steadman was te zeer verbijsterd om het allemaal duidelijk te kunnen verstaan. Het huis op de klif dat hij zo goed kende, kwam hem niet vertrouwd voor – merkwaardige verhogingen, plotselinge treden, echo's.

Wolfbein voerde hem de zitkamer door naar de schuifdeuren en over het terras het brede grasveld op. Steadman had verwacht dat ze met zijn tweeën op het terras zouden lunchen, met Millie die sandwiches serveerde. Maar dit was iets formeels, dat hij niet kon plaatsen. Steadman hoorde het gebabbel aan zonder ook maar iets te begrijpen van de kennelijk grote georganiseerde bijeenkomst.

'Deze jongens zullen voor je zorgen,' zei Wolfbein en hij zette hem aan een tafel. 'Ik zit daar aan de hoofdtafel als je me nodig hebt.'

Hoofdtafel? Steadmans disgenoten waren zacht pratende mannen, die Brits en onbelangrijk klonken, namen noemden van mensen die ze kenden, maar die Steadman geen van allen kon thuisbrengen. Hij tastte naar zijn glas en vond een waterglas waaruit hij een slok nam, maar voorzichtig, in de veronderstelling dat hij werd geobserveerd. Zijn vingers tastten de tafel af, en sloten zich toen om het heft van een vork. Hij schoof wat eten heen en weer op zijn bord maar durfde het niet naar zijn mond te brengen, uit angst dat hij er een rotzooitje van zou maken en zichzelf voor gek zou zetten. Hij zat daar, wist hij, met een verbijsterde blik op zijn gezicht, en probeerde te luisteren.

Na een tijdje zei een verlegen stem naast hem: 'Bent u nog steeds niet klaar?'

Waarschijnlijk de ober, maar omdat Steadman het niet zeker wist, zei hij niets. Stel je voor dat het een van die andere mannen aan tafel was?

Het dessert werd opgediend, dezelfde bedeesd klinkende man zei op vragende toon: 'Tiramisu?' Steadman stak er een lepel in en schoof het toen weer opzij. De koffie werd geserveerd. Hij waagde het een slokje te nemen maar morste wat op zijn kin.

De meeste gesprekken leken van de andere tafel of tafels te komen; Steadman kon niet zeggen hoeveel mensen er waren. De stemmen klonken ernstig, dringend, soms zelfs heftig; Steadman herkende geen enkele stem. Het vreemde was dat de mannen aan zijn tafel, die over gemeenschappelijke vrienden hadden zitten praten, nu waren stilgevallen en naar de gesprekken aan de tafels aan de andere kant van het grasveld zaten te luisteren.

'Lieve hemel, is het al zo laat?' zei de man naast hem, met een loom, voornaam stemgeluid. 'Ik moet ervandoor.'

De anderen zeiden hetzelfde. Steadman had het gevoel dat ze zich tot hem richtten en hem bedankten. Een man zei: 'Jammer dat we niet de gelegenheid hebben gehad met elkaar te praten.' Daarna een gekraak van houten klapstoeltjes en alle stemmen die nu anders klonken, in gefluister veranderden, terwijl de mannen terugliepen naar het terras, wat het eind van de lunch betekende, zomaar.

Steadman bleef zitten en vroeg zich af of hij nu alleen was. Hij hoorde het schurende geluid van de wind in de bomen, het getjilp van vogels, het gezoem van insecten, in de verte een hond, de verre scheepshoorn van een schip dat over het water gleed. Hij vond het eigenlijk wel prettig dat hij zo alleen was achtergelaten, en in die plotselinge eenzaamheid vroeg hij zich af waarom hij hier eigenlijk naartoe was gehaald. Wolfbeins spontane uitnodiging voor de lunch bleek iets semi-formeels geweest te zijn, met een catering en gehuurde tafels en krakende stoeltjes. Hij hoorde hoe Wolfbein met knerpende passen vanaf het terras aan kwam lopen.

'Sorry, sorry,' riep Wolfbein uit toen hij dichterbij kwam. 'Ik dacht dat iemand je al was komen halen.'

'Het is niet erg, hoor.' Hij klonk krachteloos.

'Ik had je eigenlijk aan een heleboel mensen willen voorstellen, maar ze moesten opeens allemaal weg.' Wolfbein pakte Steadmans arm en hielp hem overeind. 'Het zijn vreemde tijden, beste vriend.'

'Wie waren al die andere mensen?'

'Jij zat naast prins Andrew en Evelyn de Rothschild. Ik zat naast de president. Wat ik al zei, het was een spontane actie. Hij is op het eiland om aan de pers te ontsnappen. Hij doet wel stoer, maar geloof me, je wilt niet in zijn schoenen staan.'

Toen begreep Steadman het: hij had niets meegemaakt. Afgezien van het verhaal dat hij probeerde te schrijven, bestond hij amper.

Op een ochtend tegen het einde van augustus, de zachte bries verspreidde de zoete lucht van zijn brede border vol lelies, belde hij inlichtingen op een uur dat hij er zeker van was dat Ava weg was, en bestelde een taxi uit Vineyard Haven.

'Ik moet naar West Chop.'

'Straat en nummer?'

'Gewoon naar de vuurtoren.'

Bij zijn vertrek voelde hij zich nietiger dan een kind. Hij nam weinig mee – dat stond symbool voor zijn nutteloosheid. Geen pen of papier, geen cassetterecorder, geen camera, alleen zijn stok. Hij had wel geld bij zich maar kon het ene biljet niet van het andere onderscheiden; een biljet van een dollar kon net zo goed een vijftigdollarbiljet zijn. Hij zou zich zo op laten lichten. Toch ging hij eropuit, op zoek naar feitelijke details om zijn verhaal mee aan te kleden.

Hij had alles in zijn hoofd zitten, maar ondanks zijn lef voelde hij zich onzeker. Zijn hoofd zat dicht van angst. Hij had als een geestverschijning bij Wolfbein gezeten, en hier probeerde hij weer een schrijver te worden. Hij maakte een verhaal met behulp van de meest eenvoudige middelen, als een primitieve verhalenverteller die op zijn hurken bij een vuur zit.

Hij voelde zich machteloos omdat hij geen idee had welke route de taxi nam, en hij was te trots om de chauffeur het te vragen. Hij werd misselijk van de bochten. Hij vermoedde dat het voortdurend stoppen en weer optrekken betekende dat hij op Old County Road zat, maar het had net zo goed Main Street kunnen zijn geweest. Zijn blindheid maakte hem wagenziek. Deze man had veel haast. Het deed hem denken aan Wolfbein die slingerend en als een gek had gereden. Toen ze over een lange rechte weg met lichte hobbels erin reden, nam hij aan dat ze op West Chop Road zaten.

De taxi stopte en de chauffeur zei: 'Weet u zeker dat u het verder wel redt?'

Mensen zeiden dat omdat het ze niets kon schelen, maar ook omdat ze niet voor hem verantwoordelijk wilden zijn. Iedereen nam hem kwalijk dat hij hulpeloos was.

'Wat bedoelt u daarmee?' vroeg hij om de man in verwarring te brengen.

'U bent de baas.' Hij koos een paar biljetten uit Steadmans hand en gooide het portier open om hem te laten uitstappen.

'Zet me maar in de goede richting.'

'En welke kant moet dat zijn?'

'Zie je die houten trap die naar het water loopt?'

'Hier, meneer.'

De handen van de man waren onverschillig, gaven ongeveer de juiste richting aan: hij had haast om weer in zijn taxi te stappen. Maar toen hij hem naar de trap leidde, hoorde Steadman de zee klotsen en spatten als een gigantische badkuip die volliep, diep onder de vuurtoren op de hoek van de Chop.

De losse greep van de man voelde als een afwijzing en deed Steadman struikelen. Hij zei: 'Het gaat nu wel. Bedankt.'

Zonder nog een woord te zeggen liep de man weg. Steadman zei tegen zichzelf dat hij blij was met zulke lessen in onverschilligheid: het herinnerde hem eraan dat hij er alleen voorstond.

De gedachte dat dit literair werk was, deed hem genoegen. Hij wandelde in het decor van zijn verhaal en was dankbaar voor elk detail: een geur, en geluid, de textuur van een blad of een rotsblok. De scheuren van ouderdom in de verweerde leuning die hij nu voelde, het gladde, gespleten hout – dat soort dingen. Hij was op zoek naar authenticiteit, want omdat hij over een vertrouwde plek schreef, had hij de neiging te veel dingen voor vanzelfsprekend aan te nemen.

'Hallo.'

Zijn eerste angstscheut vandaag, niet alleen de stem maar het feit dat hij niet had geweten dat hij geobserveerd werd. Hij kon niet vaststellen of de persoon op de trap naar boven of naar beneden ging. De stem klonk als die van een oude vrouw.

'Ga je naar het strand?'

Nee, het was een klein jochie.

'Ja, dat klopt,' zei Steadman en hij probeerde zelfverzekerd te klinken.

En hij hoorde het jongetje langs hem heen lopen, naar boven, de treden kraakten want het joch ging te snel.

'Rustig, Brett. Straks val je!'

Een mannenstem beneden hem op de treden. En toen richtte hij zich tot Steadman, met een iets te luide stem. 'Kan ik u helpen?'

'Kan ik u helpen?' was die typisch arrogante manier van zeggen van de bewoners van de Vineyard als ze vreemden voor zich hadden – indringers – en eigenlijk de lokale variant van 'Wegwezen'.

Steadman negeerde hem maar de man hield aan. 'Brengt u een bezoek aan het eiland?'

'Laat maar.'

'Gaat het allemaal lukken?'

'Ja, best,' zei Steadman en hij voelde zich kwaad worden. Hij was hier gekomen om alleen te kunnen zijn.

'Uitkijken, hoor.'

Nu was de maat vol. 'Kijk godverdomme zelf uit!' en hij zwiepte met zijn stok alsof hij een vlieg wilde doodmeppen, haalde twee keer uit en raakte iets hards, een uitsteeksel waarvan hij vermoedde dat het de reling was, tot de man een seconde later een verstikte kreet slaakte.

Toen riep de man: 'Niks ergs met papa, Brett! Ga maar gauw terug, jongen!' en waarschuwde het kind dat voor hem op de trap liep.

Steadman stelde zich het hijgende joch voor, met zijn roodomrande ogen en bezwete wangen, die een kleur van schrik kreeg toen hij zag hoe zijn vader geslagen werd door een krankzinnige blinde man die op de trap wild in het rond maaide. Hij zag het beeld voor zich van een wankelende Blind Pew die op de weg stond en naar Jim Hawkins uithaalde, en hij moest glimlachen om de verwarring, vader en zoon die elkaar probeerden gerust te stellen.

'Opzij, godverdomme!' zei Steadman en hij priemde met zijn stok in de richting van de mompelende man.

'Ben je nou helemaal gek geworden?' De man stond nog steeds naar adem te snakken en wreef waarschijnlijk over een pijnlijke plek, een striem ter breedte van Steadmans stok.

Hij haalde weer uit, zwiepte door de lucht waarbij hij het geluid van een zweep maakte en deed een stap naar beneden.

'Brett, kijk uit!' schreeuwde de man en in zijn paniek klonk zijn schrille kreet vrouwelijk. 'Niet naar beneden komen!'

Op het moment dat Steadman zijn stok ophief om nog een keer te slaan, werd hij zachtjes aangestoten en voelde hij dat de man langs hem heen dook en de houten trap onder zijn stampende voeten deed trillen, terwijl hij zich bij de klim naar de straat wanhopig aan de leuning voorttrok.

De intense kwaadheid over die confrontatie trilde nog steeds na in zijn spieren. Hij kikkerde helemaal op door die plotselinge agressie. En toen hij zichzelf weer onder controle had en heel voorzichtig de trap af liep, dacht hij: Dit kan ik best gebruiken. Daarvoor was hij gekomen, om zulke zijpaadjes voor zijn verhaal te verzamelen, om indrukken te onderzoeken. Hij wilde zichzelf bewijzen dat hij zijn eigen weg kon vinden.

Hij vroeg zich af of er nog meer mensen op het strand waren. Hij was hier maar een paar keer geweest. Hij wist dat het een smal, ingesloten stuk strand was, bezaaid met rotsblokken en hier en daar wat zand, aan de voet van een hoge steile klif op het noorden, die uit loszittend gesteente en kiezels bestond. De afgelegen plek was alleen bereikbaar via de lange houten trap die leek op een ouderwetse brandtrap aan de achterkant van een hoog flatgebouw.

Het water kwam aanrollen en zakte weer terug, het gestaag klotsende geluid van Vineyard Sound, kleine korte golfjes die pesterig aan de kust knaagden. Steadman luisterde of hij stemmen hoorde en struikelde bijna toen hij onder aan de trap was gekomen en op een kussentje van zacht zand stapte. Toen liet hij de leuning los en tikte zachtjes met zijn stok op de grond, sloeg op een rotsblok, porde tussen kiezelstenen en zocht zijn weg langs de wand van de klif.

'Hallo?'

Hij kreeg geen antwoord en ging naar rechts omdat hij wist dat het strand daar het breedst was, maar na een paar stappen raakte hij in het water en werden zijn schoenen en broekomslag nat. Hij bleef weer staan luisteren of hij stemmen hoorde en dacht dat hij hoog boven hem tegen de klif de traptreden hoorde kraken onder een gewicht. Hij luisterde inspannen: niets.

Bij het zien van een blinde zou een onbekende zeggen, zoals ze allemaal deden: 'Zal ik u even helpen?' en hem met onoprechte behulpzaamheid overladen. Hij haatte het als ze hem zoiets vroegen, haatte het als ze hem zo zagen, zichtbaar gehandicapt, altijd een fronsende blik van vrees op zijn gezicht. Hij glimlachte toen hij terugdacht aan zijn woede: *Opzij, godverdomme!*

'Wie is daar?' schreeuwde hij omdat de golfslag van de zee tegen het strand alle andere geluiden wegdrukte.

Hij was alleen. Dat moest wel, wat voor zin had dit anders? Hij kroop op handen en voeten verder als een hond, voelde met zijn handen over een stuk zand en botste al snel tegen rotsblokken die tot zijn middel reikten. Ze lagen op een helling als een soort steunmuur tegen de klif. Hij voelde eraan en kon de lijnen en barsten in het graniet volgen en hij ging langzaam verder, voelde met zijn glibberige vingers dat er tussen veel rotsblokken bosjes wier zaten geklemd of bundels door zeewater aangetast touw lagen.

Een breed, schuin aflopend rotsblok lag dwars over het strand. Het voelde zo glad, zo warm in de zon, dat hij erop kroop en zich schrap zette, en daarna ging hij op zijn rug liggen. De hardheid en de hitte drongen door tot in zijn ruggengraat en kalmeerden hem.

In het rijzen en dalen van de brekende golven vlak voor het strand nam hij zijn verhaal over de vrouw van de blinde man nog eens door, bewoog door de stroom heen – de vertelling leek net stromend water – haalde zich het verloop van het verhaal voor de geest. De teruggetrokken, nietsvermoedende man die al het een en ander had bereikt leefde tevreden tot de jongere vrouw hem verleidde. Hij werd verliefd op haar, alsof hij gedrogeerd en behekst werd, raakte door haar geobsedeerd en daarna ontgoocheld en uiteindelijk verblind. Pas toen hij blind was, zag hij de waarheid. Hij was te begerig geweest, hij was voor de verleiding bezweken, hij had te veel gewild.

Hij vond het een mooi verhaal omdat het de ruwe, splinterige elementen van een sprookje bezat. Was dit een korte novelle of een episode van een langer uitgesponnen verhaal over verleiding en obsessie? Hij stelde deze vraag in een donkere kamer – net zo donker als waar hij nu lag – waar twee verleidsters elkaar plaagden en hem kwelden. Hij dommelde in terwijl deze paraderende, over elkaar tuimelende golven, bekroond met meerminnenhaar, zich een weg baanden naar het strand.

Toen viel hij in slaap, het geluid van het water spoelde zijn verhaal weg en plantte een droom in zijn ontvankelijke geest waarin hij op een vlot lag als de zwarte schipbreukeling op het schilderij van Winslow Homer, omgeven door haaienvinnen. Hij was die schipbreukeling op het vlot dat langs de steile, omkrullende kant van een grote golf naar beneden gleed terwijl hij zich vast probeerde te klampen en de wind aan één kant van zijn gezicht rukte, met zijn handpalmen en vingers de met eendenmossels begroeide zijkanten van het vlot omklemmend. Hij voelde dat hij de dood tegemoet gleed.

Rondstuivend zeewater raakte zijn ogen en het scheurende geluid van de zee klonk steeds luider tot hij wakker schoot omdat er een golf over zijn voeten en onderbenen spoelde. Hij kwam overeind en struikelde in het water dat tot zijn knieën reikte. Instinctief stond hij op maar ging de verkeerde kant op, de zee in, viel toen en zonk weg in het koude water en dacht dat hij zou verdrinken. Hij was te geschrokken om te schreeuwen. Bij zijn val was hij zijn stok verloren, maar hij tastte naar een houvast op een rotsblok en greep het vast, en kwam omhoog om lucht te happen.

Hij luisterde of hij het strand kon horen en sloeg op het water om hem heen tot hij een paar rotsblokken voelde waaraan hij zich steviger vastklampte. Toen hij weer op adem was gekomen, trok hij zichzelf naar de grotere rotsblokken toe waarvan hij vermoedde dat ze deel uitmaakten van de zeewering onder aan de klif. Hij was drijfnat, hij verkeerde in duisternis, de zee klonk luid en hij stond te trillen. Maar hij leefde nog.

Terwijl hij daar had liggen dutten was het water gestegen. Hij was het meedogenloze getij vergeten. Dit had een kort uitstapje langs de steile trap naar het strandje onder aan de kaak van West Chop moeten worden, een zoektocht naar kleur, een literair uitje, iets waardoor hij weer zelfvertrouwen zou krijgen. Nu waren zijn kleren kleddernat, zijn schoenen volgezogen met water en klampte hij zich aan een rotsblok vast en sneed zijn vingers aan de scherpe schalen van kleine ronde eendenmossels en alikruiken. Het was zaak vooral rustig te blijven, maar hij wist dat hij de trap moest vinden en hier weg moest zien te komen, want het tij zou nog verder stijgen. Hoogwater zette het strand onder water, spoelde over de rotsen heen; hoogwater betekende een toevloed van water dat tot hoog boven zijn hoofd zou stijgen.

'Is daar iemand?' riep hij. Toen, aarzelend, op een schuchtere, onzekere toon: 'Help!'

Hij haatte dat aarzelende toontje. Maar hij wist dat hij moest roepen. Hij probeerde het weer, luider, als een schor klinkende jongen die dapper probeert te doen. Als er iemand was geweest en hem had gehoord, zouden ze hem te hulp zijn gekomen. Niemand antwoordde.

Hij klauterde zo snel als hij kon over de rotsblokken heen maar na een paar passen verloor hij zijn evenwicht, raakte in paniek en gleed uit. Hij viel om en raakte even versuft, hij sloeg om zich heen, verdraaide zijn arm, schramde zijn oor en stootte zijn hoofd als iemand die aan de genade van een vechtersbaas is overgeleverd. De lichamelijke pijn maakte hem nog angstiger. Maar hij bleef klauteren, als een krab over de rotsblokken kruipen. Die waren nu spekglad geworden door het dikke, volgezogen zeewier.

Waar was de trap? De oriëntatiepunten die hij in gedachten had genoteerd – de rotsblokken, de stukjes kiezelstrand, de zandkussentjes – lagen nu onder water, overspoeld door het getij.

Het enige dat nog restte van het gekrompen strand waren de rotsblokken die aan de voet van de klif dicht op elkaar lagen, een loodrecht omhoog lopende heuvel die de muur van het eiland vormde. En hij werd nog steeds geattaqueerd. Het bruisende getij geselde zijn rug met golven koud water.

Hij hield zich vast aan het grootste rotsblok dat hij kon vinden en tastte naar de trap, snakkend naar adem – angstige ademteugen, gulpen lucht, zout water in zijn mond. Het geluid van zijn eigen ademhaling klonk als het schurende, piepende geluid van wanhopige angst en maakte hem nog banger. Het uiteenspattende water klonk onbeschaamd, onverschillig, woest: omhoog rijzend en weer terugvallend; en terwijl zijn geest op volle toeren werkte, was het water als een onwillekeurige die hem steeds naar voren duwde en weer naar achteren trok. Hij zou los komen, hij zou van het eiland wegdrijven, naar beneden worden getrokken en de verstikkingsdood vinden in de zee.

Op het moment dat hij zijn gezicht naar de klif ophief en alleen maar duisternis zag, plofte er iets tegen zijn voorhoofd. Het miste zijn rechteroog op een haar na en toen het verder naar beneden op zijn schouder viel, wist hij dat het een kiezelsteen was. Zou die van de klifwand zijn losgekomen? Hij dook weg, bang dat er nog meer naar beneden zou komen, keek toen weer op en staarde opnieuw in duisternis.

Weer werd hij door een kiezelsteen geraakt, op de bovenkant van zijn oor, en zo hard dat het venijnig pijn deed. En voor hij kon reageren, alweer een. Hij graaide naar de laatste kiezelsteen en hield hem in zijn vingers. Een kiezelsteen, glad gepolijst als een kraal door het rollende water.

'Hé!' riep hij.

En bij wijze van antwoord, bot en doelbewust, sloeg er weer een kiezelsteen tegen zijn pijnlijke oor.

7

De goed gemikte kiezelsteentjes duidden erop dat iemand hem observeerde en dat gaf hem weer hoop dat hij gered zou kunnen worden. Toch kwam er geen antwoord op zijn geroep, alleen maar meer kiezelstenen. *Pok!* Bij die gedachte werd hij weer door een kiezelsteen op zijn schouder geraakt. Het leek dus een spelletje, een kinderspelletje, een gemeen spelletje van een verdorven kind – en weer werd hij geraakt en weer schreeuwde hij het uit. Welke harteloze rotzak zou een hulpeloze blinde man willen kwellen die in de kolkende branding lag te worstelen?

Toch voelde hij zich veiliger toen hij eenmaal doorkreeg dat de kiezelsteentjes opzettelijk werden gegooid. Hij omarmde het glibberige rotsblok, zijn benen sleepten achter hem aan door de trek van de zee, de golven namen door het aanzwellende getij in kracht toe. Hij riep weer met een steeds dunner wordende stem en een keel die dichtzat van angst, en draaide hoopvol zijn gezicht naar het klif toe. Er kwam weer een grotere en zorgvuldig gemikte kiezelsteen aan. Die sloeg pijnlijk tegen zijn ene dode oog aan en hij dacht: Ik ben verloren.

De kiezelstenen die hem eerst hadden gerustgesteld, vormden nu een dreiging voor hem, overtuigden hem ervan dat degene die toekeek hoe hij daar lag te worstelen hem wilde laten lijden.

'Wie ben je?'

Een nog grotere, vijandige steen raakte hem op zijn hoofd. Steadman klauwde naar zijn haar en raakte in paniek bij de gedachte dat er nog meer zouden volgen, dat hij gestenigd zou worden.

'Dat deed zeer!' riep hij met een kinderlijk smekend stemmetje.

De kracht waarmee de laatste steen was gegooid, vertelde hem dat degene die de stenen naar hem toe wierp, niet ver weg was. Maar terwijl de eerste steen hem heel zachtjes had geraakt, alsof hij met een boogje was gegooid, strafte deze steen hem met een pijnlijke bult.

Dit was een gestoord mens, iemand die met plezier toekeek hoe hij

door het aanzwellende getij heen en weer werd geduwd en door de golfslag werd gegeseld.

'Waarom doe je dit?'

Weer werd hij door een kiezelsteen geraakt. In een reactie draaide hij
zijn hoofd om en kreeg een mondvol zeewater binnen van een aanstormende golf. Hij kokhalsde en toen hij het water uitspuugde werd hij weer
geraakt. Hij was er snel genoeg bij om de steen van zijn schouder te gris-
sen toen hij daar neerkwam en hem terug te gooien. Hij gooide zo onhandig dat hij een spottende lach meende te horen, hoewel het spottende
geluid ook het geluid van het woeste water om hem heen kon zijn.

'Help me alsjeblieft,' riep hij.

Een handvol kleine pesterige steentjes kwam weer kletterend op zijn
natte hoofd terecht.

'Kun je me horen? Ik weet niet hoe lang ik me nog kan vasthouden.'

Eén enkele kiezelsteen raakte zijn wang alsof iemand hem wilde kren-
ken.

'Als u het bent, sorry dan dat ik u geslagen heb,' riep hij toen hij zich
de man herinnerde die hij op de trap een mep had gegeven. 'Meneer!' Er
kwam geen antwoord. Hij riep weer? 'Ava?'

Deze keer klonk er gelach, een hese kuch, de vreugdeloze rancuneuze
lach van een man die niet gewend was om te lachen. Daar was het weer,
een droge blaf van onaangedane verrassing.

Door Ava's naam te noemen, besefte Steadman dat hij zichzelf verraden had.

'Jij denkt dat je vriendin jou zo haat?'

Hij hoorde *jai*, hij hoorde *freundin*, en hij zei: 'Manfred?'

De twee kiezelstenen die hem daarna raakten, stonden voor: Wie dacht
je anders?

'Help me,' zei Steadman, die zich opgelucht voelde maar nauwelijks
verstaanbaar was, en ondertussen weer een golf water over zich heen
kreeg door het stijgende water van de branding. Hij voelde zich dwaas,
het water droop van zijn hoofd terwijl hij de rotsblokken onder hem
testte. Hij probeerde meer steun te vinden, zette zijn hiel schrap.

'Blijf op de plaats waar je bent.'

De meedogenloze stem klonk nu dichterbij en het bevende stemgeluid duidde op een man die net als hij de golven ontweek en zich overeind probeerde te houden.

'Hoe heb je me gevonden?'

'Ik ben je nooit kwijtgeraakt.'

'Die auto op de oprit?'

'Ik ben je steeds gevolgd.'

Steadman herinnerde het zich nu: die auto die hen had gevolgd toen Wolfbein hem een keer mee uit had genomen, en de man over wie de oude Cubbage het had gehad.

'Al vanaf New York!'

'Waarom?'

'Om het te zien.'

Het feit dat hij hem hoorde, dat ze dit gesprek voerden, gaf Steadman een duizelig gevoel. Manfred! Een paar seconden geleden nog had hij zich verloren gevoeld en nu wist hij zeker dat hij zou blijven leven.

'Wat wil je? Ik geef het je. Als je me maar helpt.'

Manfreds hese kuch was een minachtende lach waarmee hij leek te willen zeggen: Nooit.

'Wat ik wil? Misschien wil ik jou zien sterven.'

'Manfred, alsjeblieft.'

'Jij zet mij voor gek in Ecuador, op de rivier. En in Quito. Nadat ik jou had geholpen die wonderbaarlijke datura te vinden, al die leugens. En ik raak mijn baan kwijt en mijn geloofwaardigheid door jouw toedoen. Ik probeer met jou te praten en jij smijt mijn cassetterecorder kapot. Jij probeert mij af te straffen. Dus misschien straf ik jou ook.'

'Het spijt me. Ik weet niet waarom ik dat deed.'

'Ik weet het wel. Omdat je je sterk voelde.'

'Misschien.' Tijdens het praten golfde het water onder hem omhoog, tilde hem op en rukte bijna zijn vingers van het rotsblok af. 'Geef me een hand. Waar is de trap?'

'Nu ben je niet sterk meer. Ik kan je laten sterven. Ik kan gewoon toekijken.'

'Ik geef je alles wat je maar wilt.'

'Je bent nu niets meer.' En dat *nichts* zei alles.

'Alsjeblieft,' zei hij met een meelijwekkend toontje in zijn stem.

'Maar het spijt mij – jah – je bent echt blind.'

Met een kreet die zo stellig klonk dat het bijna leek alsof hij pochte, riep Steadman: 'Ik zie geen steek!'

'Dat is zo ongelooflijk, jah.' Manfred bleef onaangedaan. 'Het verpest mijn verhaal, mijn onthulling, om mijn baan terug te krijgen. Ik wil jou ontmaskeren.'

'Ik heb geen masker. Ik ben blind. Manfred, ik kan me niet langer vasthouden.'

Steadman wilde nog meer zeggen toen een nieuwe golf hem keihard raakte en hem tegen de zeewering aan smeet. Voordat hij zich kon herstellen, greep het water hem vast en trok hem naar beneden zodat hij kopje-onder ging. Hij kwam weer boven, met zijn handen smekend uitgestoken.

'Pak vast.'

Een stuk stof raakte Steadmans arm. Hij greep het vast, de mouw van een nat sweatshirt.

'Waar is de trap?'

'Hou maar vast. Raak me niet aan. Ik vertrouw mensen niet in het water. Hou de ene kant van die trui maar vast, ik hou de andere kant wel vast. Doe wat ik zeg of ik laat los en dan verdrink je.'

'Waar is de trap?'

'Zo ongelooflijk om jouw wanhoop te zien. Je bent nu zo zwak.'

'Manfred, als je me niet helpt, verdrink ik.'

'Voor mij een enorme primeur. Misschien vind ik jouw lichaam wel.'

'Dat doe je niet. Dat zeg je voor de grap.'

Na een stilte volgde er een grommend lachje: 'Heb jij mij ooit een grap horen maken?'

De wind was opgestoken, de lucht werd donker. Steadman voelde de kilte van de zich samenpakkende wolken op zijn gezicht. Zijn hoofd werd drijfnat van de koude zoute nevel. Nu besefte hij dat Manfred onvermurwbaar was en dat hij geen hoop hoefde te koesteren. Het leek Manfred genoegen te doen hem in de val te zien zitten. Steadman voelde tranen opkomen, voelde dat hij oploste in zijn duisternis aan deze lawaaierige oceaankust, dicht tegen de klif van West Chop aan geperst, en heel dicht bij huis zou sterven.

'Wat wil je van me?'

'Ik wil mijn baan terug.'

'Daar kan ik voor zorgen.'

'En voor mijn onderzoek wil ik dat je de drug en de blindheid beschrijft. Bij sommige mensen werkt het en bij anderen niet. Mij doet het niets, ik word er alleen maar misselijk van. Maar op jou heeft het een uitwerking.'

'Ik zal je alles vertellen,' zei hij een beetje verlegen en dankbaar.

'En de schedel. Daar heb je over gepraat. Je moet zeggen dat je een leugenaar en een bedrieger bent.'

'Ik beloof het. Ik zweer het je, je mag het op band opnemen.'

Weer een droge blaffende lach, en 'Dank je wel!' Er klonk een klik als een lichtschakelaar, gevolgd door een geruis, toen weer een klik en: 'Je mag het op band opnemen.'

'Niet loslaten alsjeblieft,' zei Steadman, want Manfred werd zo in beslag genomen door zijn cassetterecorder dat hij zijn greep op het ene uiteinde van zijn trui had verslapt.

'Je nam drugs voor je boek. En je hebt gelogen. Geen arme ongelukkige man die een ongeluk had gehad, maar een arrogante leugenaar.'

'Ik geef het toe.'

Steadman voelde de mouw van het sweatshirt slapper worden.

'Misschien moet ik je gewoon maar loslaten.'

Steadman stond tot zijn borst in kolkend zeewater en deed een paar stappen over de onder water liggende rotsblokken. Het luidruchtige tij sloeg tegen de klif. Hij tastte met zijn vrije hand om zich heen en rukte met zijn andere hand aan het drijfnatte shirt, toen hij boven zijn hoofd opeens tumult hoorde, een druk pratende, geagiteerde stem.

'Dat is hem. Dat is die man!'

Op een andere, ontkennende toon zei Manfred: 'Ik doe niets.'

'Die in het water, agent. Hij probeerde mijn zoon van de trap te slaan. Niet huilen, Brett, het komt allemaal goed.'

'Wat is hier aan de hand?' Een andere stem.

'Het is al goed, agent,' zei Manfred. Tegelijkertijd trok hij aan het shirt en haalde Steadman dichterbij. 'Ik help mijn vriend.'

'Niet die... die andere!' zei de boze man.

'Deze man is blind,' zei Manfred.

'Hij heeft me bedreigd!'

'Hou vast, meneer.'

'Hij heeft me geslagen! Dat is mishandeling met een wapen! Met zijn stok. En hij heeft me geschopt.'

'Achteruit, meneer. Geef ze de ruimte.'

'Agent, ik ben advocaat!' krijste de man, maar zijn stem klonk al verder weg, alsof hij de trap op werd geduwd.

Steadman voelde dat de natte mouw nog strakker kwam te staan en boog zijn hoofd. Met zijn vrije hand hield hij zich overeind in het water, greep de mouw steviger vast en liet zich naar de voet van de trap trekken.

'Rustig aan,' zei Manfred terwijl hij Steadman overeind hielp en diens hand op de reling legde.

Hij was drijfnat, trilde van vermoeidheid en paniek alsof hij in een zwarte ton vol water was gevallen, en om hem heen was het nog steeds donker. Hij tastte naar de trap, trok zichzelf omhoog, zich ervan bewust dat Manfred naast hem voorthobbelde. Hij snikte en lachte tegelijkertijd, en zei: 'Dank je!'

Boven aan de trap viel hij op zijn knieën en haalde diep adem. Uit de wind en weg van het water had hij het heet, alsof hij langs de klip omhoog was geklauterd en in een andere dag terecht was gekomen. Op dat moment deed zijn blindheid er niet toe. Niets deed er even toe, alleen het feit dat hij nog leefde.

Toen hoorde hij een eindje verder: 'Gaat u nou nog iets doen, agent?'

'Even uit de weg, meneer. Deze man verkeert in shock.'

Manfred zei: 'Ik breng hem wel thuis.' Hij voerde Steadman naar zijn auto en liet hem instappen. Zodra hij het portier had dichtgedaan, wikkelde hij Steadman in een deken en zei: 'Ik zou je niet hebben laten verdrinken, maar ik vind het wel leuk om je in paniek te zien. Dat was leuk.'

Steadman had het gevoel dat hij ieder moment in tranen kon uitbarsten en gaf geen antwoord.

'Je dacht dat ik je vriendin was die dingen naar je toe gooide. Dat vind ik erg grappig.'

Steadman vroeg zich af waarom hij haar naam had geroepen. Misschien waren het de naweeën van 'De vrouw van de blinde man', het gevoel dat hun relatie voorbij was. Hij zei: 'Ik was wanhopig. Zij heeft een dokter voor me gevonden – voor mijn ogen. Niets helpt.' Hij zweeg even. 'Ik heb het heel zwaar gehad.'

'Veel te veel auto's op dit eiland,' zei Manfred en hij remde. Toen weer het bekende kuchende, blaffende geluid – Manfred vond het allemaal wel geestig. 'Je bent naar een dokter geweest! Ha!'

'Een specialist.'

'Nog grappiger.'

'Ze hebben me allerlei medicijnen voorgeschreven.'

'Er is maar één medicijn.'

Onder het rijden, mopperend op het verkeer, sprak Manfred haast zonder erbij na te denken, in de meest letterlijke zin.

'Je bent ongelukkig. Je bent ziek. Je neemt een medicijn. Maar dit is niet hetzelfde. Als iemand ziek wordt door een sjamaan, dan kan alleen een sjamaan hem weer genezen. De weg naar boven is de weg naar beneden. Weet je dat niet? Het medicijn dat jou ziek heeft gemaakt is hetzelfde medicijn dat jou beter zal maken.'

'Denk je dat?'

'Dit weet ik.'

'Dat had je me ook in New York kunnen vertellen.'

'Nee. Ik dacht dat je blindheid nep was.' Hij zei: 'Ik heb gehoord dat het door datura kan komen, maar ik heb het nog nooit meegemaakt. Waarom gedroeg je je zo onaangenaam?'

'Toen was het anders,' zei Steadman. 'Ik was wel blind maar ik beschikte over een soort innerlijk zicht. Ik kon dingen waarnemen. Ik kon me bewegen. Ik was gelukkig.'

'Jah?'

'Daarna had ik het niet meer onder controle. Alles werd zwart.'

'En hoeveel van de drug nam je dan?'

'Helemaal geen drug. Ik had mezelf oververzadigd en misschien een paar zenuwen kapotgemaakt.'

'Raar, ik heb daar nooit eerder over gehoord. Maar de sjamaan, die weet het wel.'

'Die man langs de rivier?'

'Jah. Don Pablo – mijn vriend. Zij noemen hem een genezende sjamaan.'

Manfred nam allemaal bochtige, smalle eenrichtingstraatjes door de buitenwijken van Vineyard Haven, en onder het praten vervloekte hij de andere weggebruikers. Toen leek hij het zich weer te herinneren.

'Je bent naar een dokter geweest!'

Steadman zei: 'Help me, Manfred. Breng me erheen. Ik doe alles wat je vraagt.'

'Jij moet betalen. En ik wil mijn baan terug. Ik wil mijn goede naam terug. Ik ben geen dief. Mijn vader was een goed mens. Jij moet mij helpen.'

'Ja.'

'En ik wil je verhaal.'

'Mijn verhaal is alles wat ik heb.'

'Daarom wil ik het hebben. Jouw verhaal moet mij toebehoren. Jij moet mij toebehoren.' Hij bleef doorrijden, nu over een rechtere weg aan de westkant van het eiland. 'Zeg ja en dan gaan we.'

Zes

De rivier van licht

Hij had zo weinig besef van de reis. Donker – zo donker dat het helemaal geen reis was. Hij zag niets, hij hoorde nauwelijks iets, hij was verdoofd van wanhoop. Het was een overrompelende en fatale val door een buis vol zachte lucht, als een begrafenis waar geen eind aan kwam, een verticale nachtelijke dropping in een smal en bodemloos gat. Hij had zich aan Manfred en de reis overgeleverd, alsof hij zou worden geofferd. Hij werd gepord door Manfreds lompe vingers en in verwarring gebracht door Manfreds bemoeizuchtige stem. Hij werd opgeslorpt door de duisternis, hij was amper menselijk, slechts een gijzelaar die stukje bij beetje stervende was.

Het voorbijtrekkende landschap was onleesbaar, de donkere plaatsen stonden alleen maar voor oponthoud – het wachten in Boston, de overstap in Miami, de lange vlucht naar Quito. Ze boden hem geen enkele herinnering. Het slaapmasker dat hij ooit had gedragen was nu zijn eigen gezicht geworden.

Voor hij uit de Vineyard was vertrokken had Ava gevraagd: 'Is alles goed met je?'

Als Ava haar plicht deed, was ze efficiënter, omdat ze niet meer van hem hield. Maar haar verpleegsterachtige vriendelijkheid en onzelfzuchtige bezorgdheid deed hem meer dan haar uitputtende hartstocht. Haar ongemakkelijkheid had iets van de onhandige schaamte van iemand die boete doet. Als invalide begreep hij dat.

Wat vreselijk voor haar, dacht hij: de genezer die niet kan helpen, die voelt dat ze tekortschiet. Hij wist tegenwoordig nog maar heel weinig, maar één ding was zeker: op het moment dat ze daar stond om hem te troosten, was ze niet alleen. Haar nieuwe geliefde stond naast haar en ze was gelukkig.

Ze had haar vraag herhaald.

'Nee,' zei hij, 'het gaat helemaal niet goed.'

Een fluistering sijpelde door zijn geest, die zei: 'Vind het hart van de bloem.'

En daarna vertrok hij met Manfred, een man die hij verachtte, om terug te keren naar Ecuador en alles weer terug te draaien: zich te bevrij-
den van die eerste reis, van de drug, van zijn verhaal, om genezing te zoeken. De lange trage reis ontvouwde zich in duisternis. Hij vergat alle indrukken zodra ze voorbij waren. Manfred zei voortdurend: 'Geld.' Hij at
luidruchtig en zat alsmaar te vreten, te kauwen, te slikken, met zijn lippen te smakken.

Toen ze in Quito aankwamen, kon Steadman niet zeggen of de reis een
dag of een week had geduurd, en of ze daar wel echt waren gearriveerd.
Uit Manfreds constante gekwebbel viel dat niet op te maken. Steadman
was nog steeds aan het vallen, maar nu door ijlere lucht en hij dacht: Alle
steden zijn gruwelijk in het donker. De hotelkamer was een graftombe
waarin hij gemummificeerd lag te wachten tot Manfred aanklopte.

Weer een vliegtuig, een krappe zitplaats, een hobbelige landing. Manfred zei: 'Lago,' en hielp hem de trap af.

Hij werd door een grote man vastgegrepen en toen klonk Nestors
stem: 'Sorry.'

'Het is allemaal mijn eigen schuld.'

'Dat is goed. Je bent nederig. Dat helpt.' Toen richtte hij zich tot Manfred. '*Hola, Aléman.*'

Weer een nacht in een hotelkamer, deze keer verstikkend heet, met
Manfred die in de kamer ernaast naar een voetbalwedstrijd op televisie
zat te kijken.

Hij werd misselijk van de boottocht, van de walmen van de puffende
motor, het kantelende bankje, de nietszeggende geruststellingen: 'Niet
ver.'

'Ze geloven dat de rivier een slang is,' zei Manfred.

Op het moment dat hij dat zei, voelde Steadman de boot onder hem
verkrampen door de kronkelingen van een slang.

Niet lang daarna, op een recht stuk langs de rivier, werden ze naar
de buitenste werveling van een draaikolk gezogen. Toen de boot ophield
met rondjes draaien en het gegorgel van de draaikolk in een zachter borrelen overging, viel ook de motor stil. Steadman hoorde het gekwebbel
van dorpelingen, het kwakende welkom van de stamleden, de strengere
stem van Nestor die begon te onderhandelen in het Secoya. De onbegrijpelijke taal in de duisternis gaf Steadman helemaal het gevoel dat hij
nergens was.

Die nacht sliep hij op de verhoging in het dorp, met Manfred vlak in de buurt, die eerst op zijn luide, schrokkerige manier had zitten eten en daarna ging liggen snurken. Toen hij wakker werd stond Manfred op dwingende toon met Nestor te praten. Hij was hier niet op zijn gemak, gewoon een bezoeker, een machteloze cliënt temidden van experts.

Steadman vroeg zich af hoeveel dagen er waren verstreken, maar hij kon het niet met zekerheid zeggen. Hij werd wakker, hij deed een dutje, hij had niets omhanden. Hij hoefde niets te weten, afgezien van het feit dat hij was waar hij wilde zijn. Hier had zijn ziekte een naam. Hoop was hier de geur van planten en verrotting, het getreiter van vogels, het gezaag van insecten, het gegiechel van kinderen en vooral de modderige golfslag van de rivier die langskronkelde, en aan de holten in de zachte oever sabbelde; hoop in het muf stinkende stuifmeel, hoop in de gore lucht van houtrook, hoop in de menselijke geuren van het dorp, hoop in Manfred, de man die hij haatte.

Hij zat met gekruiste benen op de verhoging en rook wat hij niet kon zien: het vuur, de rivier, het rottende oerwoud. Hij bleef rustig; zolang de sjamaan er nog niet was, had hij nog niet gefaald. Hij wist waarom hij hier was. Hij hoorde hier thuis.

Manfred was ongeduldig. Aan de manier waarop hij at, waarop de man naast hem ademhaalde, voelde Steadman dat hij zich machteloos voelde en geagiteerd was. Hij vroeg: 'Waar is de *curandero*?'

'Er is een boodschapper gestuurd. Maar Don Pablo is natuurlijk bang,' zei Nestor. 'Misschien komt hij niet.'

Dus Don Pablo zou de genezing doen.

'Om jou beter te maken, moet hij ziek worden. Hij is ooit heel ziek geweest. Daardoor is hij een pajé geworden. Een man kan die kracht alleen maar verkrijgen nadat hij van een erge ziekte is genezen. Dat is de enige manier. De zieke man wordt een genezer. Misschien wordt onze vriend hier wel een genezer.'

Steadman hoorde aan Manfreds gemompel dat hij het daar niet mee eens was, geen specifieke woorden maar een geluid dat betekende: Dat zal nooit gebeuren.

Nestor zei: 'En je zult gif moeten drinken.'

Don Pablo arriveerde diezelfde avond. Het leek alsof hij via de enorme takken van de hoge bomen naar beneden was gekomen, zich langzaam in het dorp had laten zakken als een spin aan zijn draad. Hij had zichzelf niet aangekondigd, toch creëerde hij een sfeer, een stilte, als een ondoordringbare ruimte om hem heen. Steadman was zich bewust van zijn aanwezigheid en hij rook hem, een geur van stengels, een zoete tabaksgeur. Don Pablo stelde geen vragen. Hij mompelde iets in het Secoya, nam Steadmans handen in de zijne en kneep erin.

De woorden in het Secoya zeiden hem niets maar bij zijn aanraking begon Steadman te huilen.

Op een goedkeurende toon zei Don Pablo: '*Listo.*'

Manfred maakte Steadman de volgende ochtend vroeg wakker. Hij gedroeg zich als een cipier, onverschillig en bemoeiziek, maar wel achterdochtig tegen anderen.

'Geen eten nemen,' zei Manfred, 'niets drinken.'

Zonder dat het gezegd werd, wist Steadman dat dit de dag was.

'Hij zegt dat je dood bent.'

Naakt voor deze man, niet in staat om zich te verzetten, begreep Steadman dat dit deel uitmaakte van het genezingsproces. Naarmate de uren verstreken voelde hij zich steeds zwakker worden door de hitte, maar het was nog steeds licht toen hij naar de vergaderplaats werd geleid, met Manfred aan de ene kant en Nestor aan de andere kant. Aan de manier waarop Manfred hem ondersteunde en zijn arm vasthield, voelde Steadman dat Manfred eigendomsrechten op hem deed gelden, de dwingende greep van de eigenaar.

Steadmans blinde ogen brandden door de scherpe rooklucht. Dat zijn nutteloze ogen nog konden prikken door de bijtende rook vatte hij op als een hoopvol teken.

'Daglicht is beter voor een genezing,' zei Nestor.

'Omdat er demonen in het duister huizen,' zei Manfred.

'Méér demonen,' zei Nestor. 'Demonen zijn er altijd.'

Als een gevangene die naar de slachtplaats wordt geleid, gedwee schuifelend, zonder schoenen, verloor Steadman zijn angst voor de dood. Don Pablo had gelijk: hij was al dood. Dit was de betekenis van zijn ziekte, hij was weg, er was niets meer van hem over. De infectie had hem van zijn levenskracht beroofd.

Nestor zei tegen Manfred: 'Jij kunt gaan. Ik blijf bij hem.'

'Ik moet blijven,' zei Manfred. 'Dit is nu mijn verhaal.'

Steadman werd op een mat gelegd en hij lag naar de voorbereidingen te luisteren – geritsel, gieten, uitpersen, het klokkende geluid van vloeistof in aardewerken kommen, het geprevel van de Secoya, het gefluister van de kinderen, hun ademhaling. De middagzon verwarmde zijn gezicht. Hij hoorde gemurmel, dat evengoed op ontzetting als op een gebed kon duiden, en toen het begin van gezang.

'Don Pablo drinkt nu,' zei Nestor. 'Hij heeft zijn krukje gevonden.'

Steadman hoorde Don Pablo het krukje naar zich toe trekken.

Steadman kreeg een kom in zijn handen. Hij nam een slok, kokhalsde, en nam weer een slok. In totaal dronk hij vier kommen leeg. Toen ging hij op zijn rug liggen, brokjes aarde of afgebroken takjes prikten in zijn rug. Hij was drijfnat van het zweet, zijn wangen waren besmeurd met braaksel.

Don Pablo hing over hem heen, gromde zachtjes en nam een trek van een sigaar. Hij blies rook in Steadmans ogen. Hij bestreek ze met een bosje verlepte bladeren. Al die tijd bleef hij grommen, een ritmisch gezang achter in zijn keel.

Steadman voelde een lichte druk op zijn ogen, bracht zijn armen omhoog en raakte twee gladde stenen aan die Don Pablo op zijn oogleden had gelegd. Zijn armen begonnen heel zwaar aan te voelen terwijl de drug vat op hem kreeg – het eerste stadium herkende hij van die talloze andere keren: het geluid van regen dat zijn geest doordrenkte; daarna kwamen het beven, de sterren, de slangen, een vertroebeling van zijn gezichtsvermogen en tot slot gleed hij uit zijn lichaam naar omhoog en staarde in een tranceachtige concentratie van bovenaf op zichzelf neer.

Don Pablo was onrustig. Hij had het een beetje benauwd en kokhalsde en spuwde, en kwam daarna weer tot rust. Hij legde zijn vuist op Steadmans ene oog en drukte op de steen. Hij gebruikte zijn gebalde vuist als een pijp, zette zijn lippen ertegenaan en begon er lucht uit op te zuigen. Iemand anders, een van de assistenten of helpers, zong als een novice en produceerde langgerekte orgelachtige klanken met een harmonieus klinkend gegrom.

Don Pablo ging nu met Steadmans andere oog aan het werk, al zuigend en spuwend. De drug gaf Steadman het gevoel dat hij in katoen was gewikkeld. Vanuit de boom die als dak van de vergaderplaats fungeerde zag hij zijn mummificatie, zijn uitgestrekte lichaam als een gerookt lijk waar de ziel uit was verdwenen.

En zo was het ook. Hij was de ziel en observeerde de mannen die met zijn omhulsel bezig waren. Dronken van de drug en grommend van de pijn hingen de mannen onder aanvoering van Don Pablo kwijlend over hem heen.

Steadman zonk dieper weg in een duisternis die doordrenkt was van groen. Hij was onder water, omsloten door de kronkelingen van een slangenlijf en werd stroomafwaarts gevoerd. De pulserende glibberige ingewanden van de slang leken op de zuigende en kolkende bewegingen van een rivier.

Hij voelde een venijnige steek, alsof hij gebeten werd, en Steadmans hele lichaam verkrampte, zijn spieren werden als vodden gemangeld, zijn hersenen trokken krampachtig samen tot hij heel klein en uitgewrongen was. Met een mild moedeloos gevoel van berusting dacht hij: Ik ga dood. En zijn ogen waren vochtig, niet van tranen maar van bloed, gewond door de stenen die erop drukten. *Ik ga dood, mister.*

Hij werd binnenstebuiten gekeerd – ook een oud gevoel. Deze keer zat het lied in hem, de laagste noten in zijn buik, het koor als kleuren in zijn ogen, geen gewone kleuren maar de vertrouwde massa pixels. Hij was zo klein dat hij onder het vallen de snelheid van een vallend steentje kreeg en razendsnel bleef vallen, langs de slangen en de maanmannetjes, tot hij terechtkwam in een wirwar van draden als een ineengezakt web.

Daar bleef hij liggen, vibrerend, geatomiseerd, en toch sereen. Niets deed er nog toe. De sjamaan reikte hem op rituele wijze een tot de rand gevulde kom aan. Hij kreeg zijn spiegelbeeld in de vloeistof te zien en hij veronderstelde dat dit de betekenis van het leven was. Hij herkende zijn gezicht niet. Hij had de kop van een insect, bolle ogen en kaken als sikkels. Hij wist niet of hij uit een droom was ontwaakt of weer onder was gegaan, in een andere droom terechtkwam.

De kom met de spiegelende vloeistof werd hem aangeboden temidden van rondwervelende rook. Er klonken woorden; hij was er niet zeker van of hijzelf sprak of iemand anders, of misschien waren het wel gedachten die uit zijn geest dreven.

'Wat is het?'

'*Cura.*'

'Het geneesmiddel?'

'Het is vergif,' zei de oude man met zijn stoffige stem.

Steadman aarzelde niet. Een dwingende intuïtie zei hem diep vanbinnen dat deze kom tot de rand toe gevuld was met de dood. En dat hij die helemaal leeg moest drinken, dat hij moest sterven. Hij bracht de kom naar zijn lippen en dronk hem leeg.

Het drinken van het bittere gif was een afstand doen, een lange afscheidskus, en in deze innige omhelzing, met de kom tegen zijn lippen, zag hij zijn leven voorbijtrekken, de herinnering aan al zijn hoop, al die beloften die hij had gedaan, de kilometers die hij had afgelegd, de daden van verraad, de troost van zijn vrienden, de jaren van werken en wachten – woede, angst, nachten vol begeerte, gelach, al zijn uitvluchten en listen, nietszeggende herinneringen aan inventiviteit, dat alles in de lange teug die niet langer bitter smaakte, die steeds zoeter en droeviger werd toen hij de laatste slok doorslikte.

Toen zat er geen gif meer in de kom. De nacht was ingevallen en bedekte hem. Hij was er zo aan gewend om niets te zien dat hij met lege ogen voor zich uit lag te staren toen de toorts zichtbaar werd. Hij staarde in de kom, naar zijn vingers op de rand van de kom, bracht het gebarsten voorwerp dichter bij zijn gezicht. Met zijn gerafelde, felgekleurde vlammen en onbetrouwbare belofte van licht leek de toorts op de ochtendzon. Hij had zich overgegeven. Hij was niemand. Zijn reis was achter de rug.

In het rokerige paviljoen richtte hij zich op en keek op de bodem van de kom die hij had leeggedronken. Hij zag actief licht tussen de druppeltjes, iets levends – een glinsterende spin die zich op zijn kromme poten oprichtte en zijn kaken bewoog. Steadman glimlachte zoals je naar het gezicht van een oude vriend kijkt bij het wakker worden uit een nare droom.